LES NATCHEZ
Atala, René

Collection dirigée par Michel Simonin

Paru dans Le Livre de Poche :

MÉMOIRES D'OUTRE-TOMBE, *t. 1, 2, 3.*

CHATEAUBRIAND

Les Natchez
Atala René

INTRODUCTION, COMMENTAIRE ET NOTES
DE JEAN-CLAUDE BERCHET

LE LIVRE DE POCHE
classique

Ancien élève de l'Ecole Normale Supérieure, Jean-Claude Berchet est maître de conférences à la Sorbonne nouvelle (Université de Paris III). Auteur de publications sur le récit de voyage romantique (*Le Voyage en Orient*, Laffont, 1985 ; etc.) ou sur les mémorialistes du XIXᵉ siècle (édition des *Mémoires* de la comtesse de Boigne, des *Souvenirs* du comte Molé), il a consacré divers articles à Chateaubriand, dans des revues françaises ou étrangères. Il collabore régulièrement au *Bulletin de la Société Chateaubriand* et prépare une édition critique des *Mémoires d'outre-tombe*.

Introduction

Lire Les Natchez

La scène se passe au château de Prague, en mai 1833. Chateaubriand aura bientôt soixante-cinq ans. Il a été chargé par la duchesse de Berry de se rendre, pour une mission délicate, auprès du roi Charles X, exilé en Bohême. C'est une occasion, pour le vieil ambassadeur, de rencontrer les enfants de son « auguste cliente » : Louise, future duchesse de Parme, a quatorze ans ; son frère Henri, futur comte de Chambord, considéré par les royalistes comme le légitime héritier du trône, va en avoir treize. Voilà comment se déroula cette entrevue, si nous en croyons les *Mémoires* du grand écrivain :

> Les enfants sont entrés, le duc de Bordeaux conduit par son gouverneur, Mademoiselle par sa gouvernante. Ils ont couru embrasser leur grand-père, puis ils se sont précipités vers moi ; nous nous sommes nichés dans l'embrasure d'une fenêtre donnant sur la ville et ayant une vue superbe.
> [...]
> Tout d'un coup Henri me dit : « Vous avez vu des serpents devins ? — Monseigneur veut parler des boas ; il n'y en a ni en Égypte, ni à Tunis, seuls points de l'Afrique où j'aie abordé ; mais j'ai vu beaucoup de serpents en Amérique. — Oh ! oui, dit la princesse Louise, le serpent à sonnette, dans le *Génie du Christianisme*. »

5

Je m'inclinai pour remercier Mademoiselle. « Mais vous avez vu bien d'autres serpents ? a repris Henri. Sont-ils bien méchants ? — Quelques-uns, Monseigneur, sont fort dangereux, d'autres n'ont point de venin et on les fait danser. »

Les deux enfants se sont rapprochés de moi avec joie, tenant leurs quatre beaux yeux brillants fixés sur les miens.

« Et puis il y a le serpent de verre, ai-je dit, il est superbe et point malfaisant ; il a la transparence et la fragilité du verre ; on le brise dès qu'on le touche. — Les morceaux ne peuvent pas se rejoindre ? a dit le prince. — Mais non, mon frère, a répondu pour moi Mademoiselle. — Vous êtes allé à la cataracte de Niagara ? a repris Henri. Ça fait un terrible ronflement ? peut-on la descendre en bateau ? — Monseigneur, un Américain s'est amusé à y précipiter une grande barque ; un autre Américain, dit-on, s'est jeté lui-même dans la cataracte ; il n'a pas péri la première fois ; il a recommencé et s'est tué à la seconde expérience. » Les deux enfants ont levé les mains et ont crié : « Oh ! »

Trente ans après *Atala*, le public enfantin serait-il le seul à être encore fasciné par les histoires de « serpents verts » ou de « hérons bleus » qui ont rendu Chateaubriand célèbre ? Ce qui représente alors la majeure partie de son œuvre littéraire ne fait-il en somme de lui qu'un précurseur un peu guindé de Fenimore Cooper ? Sur quelle postérité peut-il donc compter ? En réalité, son exotisme américain (que le Breton du premier *Manifeste* qualifiera de « surréaliste ») enchante encore certains lecteurs ; mais, à mesure que l'on avance dans le siècle, c'est pour leur procurer un plaisir de plus en plus pervers. On songe à Baudelaire écrivant, après une relecture des *Natchez*, le 29 avril 1859 à Poulet-Malassis : « Je deviens tellement ennemi de mon siècle que *tout*, sans en excepter une ligne, m'a paru sublime. » C'est Pierre Loti (né en 1850) reconnaissant : « *Les Natchez* ont laissé sur moi une forte impression vers ma dix-huitième année. » C'est Isidore Ducasse qui, vers la même époque, pastiche avec une joyeuse férocité, dans *Les Chants de Maldoror*, celui qu'il appelle dans ses *Poésies* le « Mohican-mélancolique », alors élevé par Théophile Gautier au rang de « Sachem du romantisme ». C'est enfin Gustave Doré qui, en 1863, consacre à *Atala* une série de lithographies « inspirées ».

En revanche, aujourd'hui, les flots du Meschacebé ne font plus rêver personne, et cette voix si originale ne rencontre plus aucun écho :

« Quelquefois une corneille centenaire, antique sibylle des déserts, qui vit passer plusieurs générations d'hommes, se tient seule perchée sur un chêne avec lequel elle a vieilli. Là, tandis que toutes ses sœurs font silence, immobile, et comme pleine de pensées, elle abandonne de temps en temps aux vents des monosyllabes prophétiques » (voir Appendice, pp. 542-543).

Même notre goût du kitsch ne suffit plus à sauver cette éclatante rhétorique que paraît de surcroît vouer à une inéluctable désuétude, notre cuistre révérence pour la « modernité » des *Mémoires* ou de *Rancé*. Il en résulte une vision schizoïde de Chateaubriand (on ne vante la seconde partie de son œuvre que pour déclarer morte la première) aujourd'hui si accréditée qu'on y soupçonne un piège : au moins est-on tenté de rouvrir le dossier.

C'est un problème de *lecture* qui est posé. Pour avoir chance de le résoudre, peut-être fallait-il en modifier les données. C'est ce que nous avons voulu faire en regroupant pour la première fois dans ce volume trois textes qui furent séparés, au moment de leur publication, par un concours de circonstances, mais qui ne retrouvèrent jamais, par la suite, leur unité primitive. *Les Natchez*, *Atala*, *René* ont en effet commencé par appartenir à un même ensemble, à peu près achevé au début de 1799. Mais une fois rentré en France, un an plus tard, Chateaubriand ne publia pas la totalité de son manuscrit. Pour des raisons conjoncturelles, il préféra développer séparément certains épisodes qu'il fit ensuite paraître dans le cadre assez lâche du *Génie du Christianisme* : ce fut *Atala*, en 1801 ; puis *René*, en 1802. Lorsque le reste des *Natchez* fut enfin publié dans les *Œuvres complètes* de 1826, il les corrigea, mais ne chercha pas à leur restituer les épisodes anciens : ils eurent un médiocre succès. Tandis qu'*Atala* et *René* avaient poursuivi une brillante carrière indépendante, *Les Natchez*, mal accueillis, furent condamnés à végéter obscurément dans les rééditions successives des *Œuvres complètes*. On y trouve pourtant des beautés que Chateaubriand lui-même juge uniques dans son œuvre. Il avouera même, plus tard, une secrète prédilection pour ce témoignage de son orageuse jeunesse :

> Un jeune homme qui entasse pêle-mêle ses idées, ses inventions, ses études, ses lectures, doit produire le chaos ; mais aussi dans ce chaos il y a une certaine fécondité qui tient à la puissance de l'âge.
>
> Il m'est arrivé ce qui n'est peut-être jamais arrivé à un auteur : c'est de relire après trente années un manuscrit que j'avais totalement oublié.
>
> J'avais un danger à craindre. En repassant le pinceau sur le tableau, je pouvais éteindre les couleurs ; une main plus sûre, mais moins rapide, courait risque de faire disparaître les traits moins corrects, mais aussi les touches les plus vives de la jeunesse : il fallait conserver à la composition son indépendance, et pour ainsi dire sa fougue ; il fallait laisser l'écume au frein du jeune coursier. S'il y a dans *Les Natchez* des choses que je ne hasarderais qu'en tremblant aujourd'hui, il y a aussi des choses que je ne voudrais plus écrire, notamment la lettre de René dans le second volume. Elle est de ma première manière, et reproduit tout *René* : je ne sais ce que les *René* qui m'ont suivi ont pu dire pour mieux approcher de la folie.
>
> [...]
>
> Mes deux natures sont confondues dans ce bizarre ouvrage, particulièrement dans l'original primitif. On y trouve des incidents politiques et des intrigues de roman ; mais à travers la narration on entend partout une voix qui chante, et qui semble venir d'une région inconnue.
>
> (*Mémoires d'outre-tombe*, XVIII, 9).

On ne saurait méconnaître la sourde énergie de ce démon intérieur.

Pour faire lire aujourd'hui une œuvre qui fut toujours à la recherche de sa forme définitive, il nous a paru opportun de rassembler les membres dispersés de ce corps virtuel, ne serait-ce que pour reconstituer dans la conscience du lecteur potentiel un ensemble narratif qui par son ampleur demeure une des plus extraordinaires sagas de la période révolutionnaire. Si *Les Natchez* ont été trop souvent considérés comme un monstre littéraire, c'est dans une large mesure en raison des incertitudes de leur enjeu. Le projet initial se rattache à ce qu'on pourrait appeler la crise, ou le crépuscule des Lumières. Qu'est-ce que la nature ? qu'est-ce que la liberté ? qu'est-ce que le désir ? qu'est-ce qui légitime la société civile ? Telles sont les questions que se pose le jeune Breton qui arrive dans le Paris de 1787, un peu comme Chactas dans la France de Louis XIV, en provenance de ses lointaines forêts natales. Au cours des années suivantes, les événements ne se sont pas chargés de les éclaircir mais plutôt de les embrouiller, jusqu'à ce que se fasse jour une réponse provisoire, sous forme de citoyenneté acceptable dans la République consulaire. Les vicissitudes de ce parcours qui couvre toute la durée de la Première République ont reflété trop de contradictions idéologiques pour ne pas avoir laissé des traces dans la longue genèse des *Natchez*.

Redécouvrir dans sa problématique unité une œuvre aussi complexe ne saurait néanmoins consister à introduire un cadavre supplémentaire dans le Panthéon des Lettres ; encore moins à le momifier, comme « symptôme », dans les bandelettes du commentaire historiciste. Il nous incombe au contraire de mettre en évidence les tensions, les éblouissements ou les censures, à même de réactiver son énergie persistante, à travers des scénarios privilégiés ou des images révélatrices de hantises profondes. Conçus par un émigré autodidacte, ébloui comme à vingt-cinq ans par tous les « bons » modèles de sa génération, mais aussi contemporains du roman noir, de Sade ou de Füssli, *Les Natchez*, au sein desquels, dans un espace éphémère de lecture, *Atala* et *René* vont retrouver leur place, nous apparaissent comme un sombre rêve juvénile, constellé de visions assez fulgurantes pour illuminer toute une vie.

Le Chevalier et le Sauvage

A la veille de la Révolution, c'est-à-dire à vingt ans, Chateaubriand offre le type même du *chevalier*, tel qu'on le rencontre dans les romans du temps : cadet de famille, ordre de Malte, aimable oisiveté, aventures de garnison. Il a passé à ne rien faire une adolescence agitée auprès de sa sœur Lucile, à Combourg et reculé le plus possible le moment de « prendre un état ». Il a enfin quitté le vieux château, qu'il ne reverra pour ainsi dire plus, pour se lancer sans conviction dans une carrière militaire qui lui laisse beaucoup de loisirs. Le jeune officier les allonge au besoin par des congés qu'il passe à Fougères ou à Paris, dans la société de ses sœurs mariées, mais ravies de « materner » leur petit François, loin du carriérisme sans fantaisie de leur aîné Jean-Baptiste, héritier du titre comtal « acheté » par leur père. Il ne faut pas perdre de vue cette joyeuse intimité, cette insouciance de parties de campagne dans un cercle familial de femmes aimables, cette inconscience légère du désir (« Je me sentis protégé en étant serré dans ses bras, ses rubans, son bouquet de roses et ses dentelles », écrit-il à propos de Julie) pour comprendre ce que sera le désarroi de René, ses obsessions incestueuses, la nostalgie de son enfance perdue, son angoisse au seuil de la vie adulte. A mesure que le temps passe, la mélancolie du jeune homme augmente. Une petite cousine racontera plus tard : « Il ne rêvait plus que déserts, solitudes et méditations. [...] Il nous quittait pour aller rêver sur les rochers et au bord des ruisseaux. » Lui-même avoue dans ses *Mémoires :* « Je sentais dans mon existence un malaise. »

Car pour Chateaubriand, alors aussi grand lecteur de romans qu'élaborateur de systèmes, c'est une période de doutes plus que de certitudes. Fervent disciple de Rousseau, il ne croit plus guère en Dieu ; c'est en fils de son père qu'il se méfie du despotisme versaillais. Il est sensible. Il applaudit à la naissance de la démocratie américaine, sous les auspices des braves officiers de la marine royale. Néanmoins, lorsqu'il est forcé de choisir son camp comme c'est le cas au début de 1789 lors des échauffourées du parlement de Rennes, il se range instinctivement sous la bannière de la Bretagne féodale, contre les robins de moindre extraction, pour défendre les privilèges de la « Province », c'est-à-dire de la noblesse. En réalité ses idées ne sont arrêtées sur rien. Il ne désire vraiment qu'une chose : écrire. Cette fascination « bourgeoise » pour la littérature représente déjà une ambition de déclassé, qu'il partage avec certaines de ses sœurs. Mme de Farcy (Julie) est une espèce de Bargeton fougéroise, qui a des prétentions au bel esprit. Elle ne tarde pas à gagner Paris, en compagnie de la « comtesse Lucile ». C'est dans leur sillage que le frère cadet va se frotter au milieu littéraire de la capitale : Ginguené, Flins, Lebrun, Fontanes, Delille de Sales, Chamfort même, dans les grandes occasions. Sans doute est-ce la génération des épigones. Mais dans ce monde où la gloire littéraire règne sans partage, cela suffit à éblouir Monsieur le chevalier : il va même rendre visite à Parny.

C'est alors, nous dit Chateaubriand (*Atala*, préface de la première édition) qu'il conçut « l'idée de faire *l'épopée de l'homme de la nature*, ou de peindre les mœurs des Sauvages en les liant à quelque événement connu ». A un objectif proprement littéraire, on voit que se trouve associée dès le départ une démarche qui relève plutôt des sciences humaines : à la fois anthropologique, ethnographique, et historique. Pour réaliser une œuvre aussi ambitieuse, les références ne manquaient pas : Rousseau (pour la théorie), Bernardin (pour la description) ou même Marmontel (pour la dernière en date des épopées en prose à sujet colonial : *Les Incas*). Dès les années 1789-1790, Chateaubriand élabore un scénario que les minutieuses analyses de Jean Pommier ont permis de reconstituer avec une forte probabilité. Ce premier noyau des *Sauvages* (ce fut son titre initial) devait être constitué par les aventures de Chactas (en gros les livres V à VIII des *Natchez*, y compris *Atala* dans sa version la plus ancienne). Se fondant sur une histoire rapportée par Charlevoix (la déportation frauduleuse en 1687, de chefs indiens par le gouverneur du Canada), Chateaubriand promenait son héros, comme Voltaire son Ingénu, dans la France de Louis XIV, puis le ramenait dans sa patrie après lui avoir fait parcourir, comme Candide, de lointaines contrées. Ces voyages du jeune Chactas auraient donc été à la fois des « voyages pittoresques » et des « voyages philosophiques » : sorte de « navigations d'Ulysse » revues par l'abbé Barthélemy. Ils se seraient terminés par un retour au pays natal, c'est-à-dire au Canada : dans le scénario primitif, en effet, Chactas aurait été un Huron, ou un Iroquois.

Ladite ébauche se bornait en somme à copier les écrivains à la mode. Ayant vite compris que lui manquaient les ingrédients requis pour faire œuvre originale, Chateaubriand aurait alors décidé de se rendre lui-même en Amérique. Les motivations de ce voyage furent sans doute moins simples. Mais le souci de rattacher un projet littéraire à un voyage réel correspondait bien à un certain « air du temps ». Le triomphe de *Paul et Virginie* (1788) venait de souligner avec éclat combien la littérature de voyage pouvait enrichir la littérature de fiction. La couleur exotique du roman provenait en effet des observations faites vingt ans plus tôt par Bernardin dans les îles de France et de Bourbon. A son tour, Chateaubriand découvrirait un cadre neuf pour une histoire exemplaire. Volney, de son côté, était allé méditer, en Syrie, sur les ruines des sociétés corrompues ; il irait, lui, contempler une démocratie à son berceau, puis se mêler à des enfants de la nature, au milieu de paysages demeurés tels qu'au premier jour du monde.

Néanmoins, un voyage aussi lointain ne pouvait guère se concevoir sans un objectif « scientifique » que Chateaubriand trouva sans peine. Le principal problème qui occupe alors les géographes, dans cette région du monde, est en effet celui du « passage du nord-ouest ». On ignore toujours s'il existe dans le Canada occidental une voie maritime qui permettrait de relier la baie d'Hudson au Pacifique, à la hauteur approximative du 50e parallèle. Malgré les explorations récentes, la question ne sera pas vraiment tranchée (par la négative) avant les expéditions de Mackenzie au cours des dernières années du siècle. C'est pourquoi le jeune Malouin, sans bien se rendre compte des difficultés à vaincre, inscrivit aussi son voyage dans la perspective de cette exploration : il se passionnera du reste longtemps pour le monde polaire. Au moment de se lancer dans les études préparatoires, il rencontra un complice inattendu en la personne de Malesherbes, dont le comte de Chateaubriand (son frère aîné) avait épousé la petite-fille, au mois de novembre 1787. Le célèbre magistrat fit bon accueil au modeste nobliau, devenu plus ou moins son parent : il lui ouvrit sa bibliothèque, il encouragea même son entreprise insensée. On imagine leurs entretiens sur le modèle de la visite de Chactas à Fénelon, au livre VII des *Natchez*. Car le vieillard illustre (ancien ministre, protecteur de Rousseau, etc.) est le dernier survivant de la grande génération des Lumières. Jouant dans la vie de Chateaubriand le rôle du père spirituel, il lui a transmis le meilleur de leur héritage.

Arrivé à Baltimore le 10 juillet 1791, après des escales à Graciosa (des Açores) et à Saint-Pierre (de Terre-Neuve), le voyageur visita les villes de la côte est, puis gagna la région des lacs, où il séjourna trois semaines en août. Au mois de septembre, il obliqua vers le sud-ouest, sans néanmoins descendre, dans la meilleure des hypothèses, au-delà du Tennessee (où il placera, dans *Atala*, la mission du père Aubry). Puis il regagna Philadelphie, où il se réembarqua sans doute début décembre. Quoi qu'il en soit de ce retour précipité, qu'on explique mal, ou de son itinéraire exact, sur lequel on pourra toujours discuter, une chose est sûre : ce voyage métamorphosa Chateaubriand. En 1797, il se présentera, non sans orgueil, comme un homme « qui, dévoré de la soif de connaître, s'est arraché aux jouissances de la fortune pour aller au-delà des mers contempler le plus grand spectacle qui puisse s'offrir à l'œil du philosophe, méditer sur l'homme libre de la nature et sur l'homme libre de la société, placés l'un près de l'autre sur le même sol » (*Essai historique*, p. 43). Ce voyage coïncida aussi avec sa naissance définitive à la littérature, puisqu'il lui fit découvrir cette « muse inconnue » dont il dira : « Je recueillis quelques-uns de ses accents ; je les marquai sur mon livre, à la clarté des étoiles, comme un musicien vulgaire écrirait les notes que lui dicterait quelque grand maître des harmonies » (*Mémoires*, VII, 7).

Il serait donc vain de lui demander un compte exact de ce qu'il a réellement vu : à la fois beaucoup plus et beaucoup moins que les voyageurs professionnels qu'il a pillés sans vergogne. Certainement pas la Louisiane, pas plus que « les Florides », comme il le laissera toujours supposer, sans jamais le dire vraiment : ces pays du sud, il les a découverts en réalité à travers le *Voyage* de Bartram. Du reste lorsqu'il se réclame du modèle homérique (« Il fallait, dit-il, visiter les peuples que je voulais peindre ») c'est bien à une géographie imaginaire qu'il se réfère : étranges voyages, en effet, qui sont censés conduire un poète *aveugle* de la grotte du Cyclope au palais de Circé ! La réalité de son voyage ne saurait pas davantage être mesurée au cordeau des sciences de la nature. Chateaubriand se chargera plus tard de trouver des noms propres à rendre encore plus exotiques (sur la page) les oiseaux ou les arbres aussi variés qu'inconnus, rencontrés

14

sur son chemin. En revanche, ce que ne pouvait lui apporter aucun livre, c'est la confrontation physique du sujet avec un espace sans bornes visibles, c'est le sommeil au bord des cataractes, le réveil sous le ciel étoilé, des relations humaines réduites à leur simplicité primitive : repas partagé, échange de sourires, solidarité presque animale, autour du feu nocturne, tandis que bruit la forêt. Cette incontestable expérience de terrain prélude chez lui à la révélation de la littérature. C'est grâce à elle que Chateaubriand pourra rejoindre les « incroyables Florides » de son imagination. Elles ne sont du reste pas accessibles ailleurs que dans un espace littéraire ; lui seul permettra au jeune homme de recevoir la fabuleuse offrande de la nature vierge, dans le vertige éphémère des espaces démesurés.

Le séjour en Angleterre

Selon son propre témoignage, Chateaubriand avait noirci force papier au cours de ces quelques mois. Il évoquera, un peu plus tard, ces « divers morceaux écrits sur mes genoux, parmi les Sauvages même, dans les forêts et au bord des lacs de l'Amérique » (*Essai historique*, p. 443). Il augmentera peut-être leur nombre après son retour, que ce soit en Bretagne, ou à Paris, à la fin du printemps 1792. C'est alors qu'il lut à Malesherbes des fragments de la future *Atala*, et qu'il communiqua ses premières descriptions à des gens de lettres de la capitale (*Essai*, p. 443, variante *f*, p. 1578). Mais les circonstances ne devaient pas tarder à contrecarrer ses projets littéraires. A peine débarqué, on lui avait arrangé un mariage provincial, avec une amie de sa sœur Lucile : Céleste Buisson de la Vigne. Cette blonde enfant de dix-huit ans avait des « espérances » qui se révélèrent bien vite trompeuses. La réalité, c'est qu'il y aura jusqu'en 1847 une Mme de Chateaubriand dont le sort ne sera guère plus enviable que celui de la pauvre Céluta auprès de René, puisque après une brève lune de miel, son mari devait la quitter pour une « absence » de onze ans. Presque aussitôt, en effet, des pressions de plus en plus fortes de son milieu le persuadèrent de rejoindre à son tour la petite armée réunie par les Princes en Rhénanie afin de seconder les Prussiens dans leur avance sur Paris. C'est sans conviction que Chateaubriand accepta de voler ainsi au secours de la victoire (ainsi voyait-on les choses du côté des émigrés). Au moins ne voulut-il pas, lorsqu'il quitta la capitale incognito, le 15 juillet 1792, avec son frère, se séparer du « manuscrit de (son) voyage ». Il racontera dans ses *Mémoires* (IX, 9 et 15) comment ces « précieuses paperasses », entassées dans son havresac, lui sauvèrent la vie au siège de Thionville, en détournant des balles, tout en lui faisant « cracher le sang », à cause de leur poids.

Le soldat de fortune fut emporté dans la débâcle qui suivit Valmy. Blessé, malade, ayant presque perdu conscience à cause de la fièvre, il se traîna sur les routes de Belgique jusqu'à Ostende ; on le jeta dans un bateau en partance pour Jersey, où il retrouva son oncle Bédée, arrivé de Bretagne avec toute sa famille, quelques mois plus tôt. La vie reprit alors le dessus. Après une longue convalescence, il arriva enfin à Londres, le 21 mai 1793. Il devait passer en Angleterre un exil de presque sept ans. Avait-il réussi, au cours de cette odyssée cauchemardesque, à conserver avec lui ses manuscrits ? C'est peu probable. Dans une note de son *Essai historique* (1797) il déplora leur perte à peu près totale, reconnaissant toutefois qu'il lui est resté « quelques feuilles détachées ». En réalité, il précisera plus tard (1826) qu'il recomposa de mémoire, à Londres, ce qui avait disparu, en particulier « les premières ébauches des *Natchez* », sur leur « souvenir récent ».

Le passage en question (*Essai*, p. 443) nous renseigne sur le contenu de ces ébauches, ce qui donne de précieuses indications sur la manière de travailler du voyageur. Il distingue en effet lui-même trois groupes.

— Une section « voyages », comprenant sans doute un itinéraire, mais aussi des observations ou des notes de lecture sur la partie encore sauvage de l'« Amérique septentrionale ». Choses vues, choses... rapportées, car la tradition du récit de voyage demeure encyclopédique : on se soucie moins de raconter son aventure individuelle que de composer un tableau crédible, le plus étendu possible.

A côté de ces documents de pure information, Chateaubriand distingue lui-même les « ouvrages commencés » qu'il range en deux catégories :

— « L'histoire d'une nation sauvage du Canada, sorte de roman, dont le cadre totalement neuf, et les peintures naturelles étrangères à notre climat (...) ».

— Des « Tableaux de la nature ». Sans doute inspiré par les *Études de la nature* (1784) de Bernardin, ce titre désigne alors un ensemble varié de textes en prose, plus ou moins autobiographiques. Ce sont des descriptions, comme cette « Nuit chez les Sauvages » ou cette « romance sur la rivière Hudson » publiées dès 1797 (*Essai*, pp. 445-447 et 351-352). Ou bien des séquences plus lyriques, sorte de poèmes en prose, comme ce « petit épisode à la manière d'Ossian » composé à Saint-Pierre au printemps 1791, mais jamais retrouvé, ou encore telle de ces chansons indiennes qui prendront place ensuite dans *Atala* ou dans *Les Natchez*.

Entre les notes de voyage, le recueil de « morceaux » plus ou moins élaborés, et la fiction, les frontières vont demeurer longtemps assez floues. A preuve cette note manuscrite de 1797, à propos de la romance du major André (*Essai*, p. 351, variante *a*) : « J'altérerai ce morceau dans mes tableaux de la nature, je transporterai la description de la cataracte dans l'histoire de mes sauvages. » On la retrouve en effet dès 1801 dans l'épilogue d'*Atala*. En définitive, les *Tableaux de la nature* ne deviendront jamais un ouvrage autonome, mais serviront de « réserve » pour *Les Natchez*, avant de réapparaître dans *Le Génie du Christianisme*. On aura néanmoins observé qu'avant de brouiller ainsi les cartes, Charteaubriand avait organisé son œuvre à venir selon un mode de répartition strictement calqué sur celui des œuvres de Bernardin de Saint-Pierre : un *voyage* ; des *études* ; un roman.

Le début du séjour à Londres fut assez pénible, une fois le viatique maternel épuisé. Puis des secours furent distribués ; la solidarité des exilés joua. Chateaubriand trouva ainsi un emploi de professeur de français, à la fin de 1793, dans une école paroissiale du Suffolk. Il demeura près de trente mois dans ce comté rustique, chahuté par ses élèves, mais bien accueilli par la *gentry* locale. Il fréquenta régulièrement de la sorte une petite société cultivée, utilisa pour travailler les bibliothèques de ses hôtes. Certains avaient voyagé comme le pasteur Ives, ancien missionnaire en Amérique. C'est par sa fille Charlotte (comme dans *Werther*) que le cœur de Chateaubriand fut pour la première fois sérieusement touché. La blonde Charlotte avait seize ans lorsque leur idylle se noua. Elle ne fut sans doute pas sans influencer certains personnages des *Sauvages*. Mais nous ignorons si le roman avança beaucoup au cours de ce séjour campagnard. Une note du livre IV des *Natchez* se borne à indiquer : « J'écrivais (ceci) un an après la mort du Roi-Martyr », donc en 1794.

Mais un autre projet avait pris le pas sur les rêveries exotiques. Chateaubriand avait entrepris, sans doute après la chute de Robespierre, un *Essai sur les révolutions*. Par ses nombreuses digressions autobiographiques, empruntées au souvenir de ses voyages, comme par ses considérations sur la plus brûlante actualité, ce travail historique offrait le miroir de son existence actuelle. Revenu à Londres au mois de juin 1796, soutenu par son éditeur, Chateaubriand termina la première partie de son ouvrage (sur les révolutions grecques) qui parut le 18 mars 1797.

Mais il ne rédigera jamais la suite. Au printemps de la même année, les royalistes modérés reprennent espoir, et regardent du côté de la France, où la situation politique leur est en apparence favorable. François de Chateaubriand ne rêve alors que de retour à une vie normale. Une note manuscrite de cette époque trace le programme de la paisible existence littéraire qu'il ambitionne : « Si la paix se fait, j'obtiendrai aisément ma radiation, et je m'en retournerai à Paris, où je prendrais un logement au Jardin des Plantes ; je publierai mes *Sauvages*, et je reverrai toute ma société » (*Essai*, p. 317 ; variante *a*, p. 1531).

C'est dans cette perspective qu'il reprit alors son manuscrit américain ; mais en avançant dans son travail, il modifia son orientation première, comme en témoigne une lettre capitale, adressée le 6 janvier 1798 au libraire parisien Buisson, pour vanter les mérites de son ouvrage :

> *René et Céluta* est un roman à grands traits et à grands caractères. On y voit des pères étouffant leurs propres enfants, par amour de la liberté ; des rendez-vous d'amour dans des cavernes pleines d'ossements ; des prisonniers brûlés avec des tourments affreux ; des assemblées de conjurés sur des roches escarpées, au haut des montagnes, au milieu des tempêtes et des fantômes : mais aussi on y trouve, par opposition, les scènes les plus douces, et les plus voluptueuses ; des moissons recueillies aux chants d'un peuple heureux ; des hymnes, des fêtes, des chasses ; des peintures de mœurs dans le goût antique ; des conversations, tour à tour philosophiques, tendres, animées, selon les caractères mis en action ; des tableaux continuels d'une nature étrangère à nos climats, et décorée de toute sa pompe virginale, etc. La catastrophe épouvantable qui termine l'ouvrage est partie historique, partie imaginée.
>
> Tout ceci est dans le goût des temps, où l'on ne veut que des scènes qui remuent et ébranlent fortement les âmes. Cependant l'ouvrage est bien loin de manquer de vraisemblance, et de simplicité, puisqu'il est le résultat de longs voyages de l'auteur et en partie le récit de choses qu'il a vues et connues. L'histoire naturelle y est traitée d'une manière entièrement neuve.

Il est aisé de reconnaître, dans ce résumé publicitaire, les épisodes les plus remarquables de la seconde partie des *Natchez*, déjà bien plus qu'ébauchés. Certes, rien ne précise encore le cadre de cette histoire mouvementée, mais il est probable que Chateaubriand a déjà transporté la scène du Canada en Louisiane, et que la « catastrophe épouvantable » qu'il mentionne pour terminer, désigne bien la révolte des Natchez comme nouvel argument de son ouvrage. En revanche, le nouveau titre ne fait aucune allusion à Chactas ; il place pour la première fois en pleine lumière le personnage de René, accouplé à Céluta. Il est difficile de savoir si, dans la pensée de Chateaubriand, leur histoire devait alors former une unité narrative indépendante, ou si elle pouvait se rattacher à un ensemble plus vaste, qui aurait aussi compris la précédente histoire de Chactas. Qu'il nous suffise de faire observer que dès le début de la rédaction des *Natchez* se pose le problème du *montage* de récits divers.

Chateaubriand élimine de surcroît, dans ce document, presque toute référence à une narration épique pour insister au contraire sur le caractère romanesque de *René et Céluta*, où il accumule tous les ingrédients du récit de terreur si prisé par le public de cette fin du siècle. On dirait que, sur le bonheur de l'homme de la nature, pèse désormais une insidieuse menace, et que se profile pour ainsi dire le spectre de la mort universelle. Il y a là un changement de cap certain, qui correspond sans doute à une mode littéraire, mais qui reflète aussi le découragement des émigrés en cette fin de 1797. Ce pessimisme de crise me paraît en effet la conséquence directe de la radicalisation du Directoire après le coup de force militaire provoqué par Barras contre la droite parlementaire le 18 fructidor (4 septembre 1797). C'est la fin des illusions du printemps : la Révolution continue, plus intraitable que jamais. Pour ce qui est de Chateaubriand, il approche de la trentaine sans voir se concrétiser ses espérances de réintégration sociale.

C'est dans ce contexte de « réaction jacobine », qu'à la fin du mois de janvier 1798, Fontanes, proscrit, arriva en Angleterre, après un séjour de quelques semaines à Hambourg où avait trouvé refuge une importante colonie française. Chateaubriand avait déjà rencontré ce littérateur connu (il le cite même avec faveur dans son *Essai historique*), de onze ans son aîné. Mais c'est en 1798 que naquit entre les deux hommes une amitié indéfectible qui orienta de façon décisive la carrière littéraire du plus jeune. Fontanes avait, depuis les années 1780, une grande réputation de poète. Dans « La Chartreuse de Paris », ou « Le Jour des Morts dans une campagne », il avait su transposer avec élégance la religiosité mélancolique de la poésie anglaise contemporaine. Puis il avait entrepris une ambitieuse épopée en vers sur les guerres médiques intitulée *La Grèce sauvée*. Il en montra des fragments à son nouvel ami et c'est lui qui, sans aucun doute, pressa Chateaubriand de revenir à la forme épique, avant de repartir pour Hambourg, au mois de juillet, chargé entre autres missions de trouver un éditeur pour *Les Natchez* (le titre définitif est attesté pour la première fois dans une lettre du 2 mai 1798) ; leur auteur avait promis de les transformer, pour en faire une épopée en prose dans les règles. La correspondance qu'ils échangèrent dans les mois qui suivirent nous permet de suivre les étapes de ce travail.

Les Natchez avaient donc, au printemps de 1798, incorporé *René et Céluta*. Remplacé par la Louisiane, le Canada ne disparaissait pas complètement du récit, où Chateaubriant avait maintenu, comme un discret rappel de ses origines, une double polarité géographique, déplaçant au moindre prétexte ses personnages du nord au sud et du sud au nord, sans trop tenir compte des distances réelles. Néanmoins, la révolte des Natchez devait constituer désormais le tronc sur lequel viendraient se greffer plus ou moins librement des épisodes secondaires. Ce rééquilibrage du sujet centré sur le choc de deux cultures ne pouvait manquer de renforcer les potentialités épiques du récit. Sous leur forme la plus englobante, *Les Natchez* parvenaient en effet à opérer la conjonction entre une *Iliade* (les péripéties de la guerre coloniale autour de Fort Rosalie) et une *Odyssée* (les aventures antérieures de Chactas, peut-être de René). On y trouvait des combats, des jeux, des fêtes, des assemblées de guerriers, des rivalités amoureuses, une amitié exemplaire, dans la meilleure tradition du répertoire. C'était vrai aussi des techniques narratives, que le roman baroque avait reprises à Homère ou à Virgile : début *in medias res*, pratique du retour en arrière, du récit enchâssé, descriptions, etc. Mais lorsque, à partir du mois de juin ou juillet 1798, Chateaubriand commença, sur le conseil de Fontanes, à « mettre au net » son ouvrage, ce ne fut pas seulement pour accentuer, au niveau du récit, la présence du modèle épique, mais pour reconstituer une sorte de « narration épique », selon les recettes les plus scolaires de la poétique néoclassique : division en livres ou chants (si possible douze ou vingt-quatre), invocation à la muse ; intervention des puissances surnaturelles (infernales ou célestes), songes ou apparitions, dénombrement des troupes ; noblesse emphatique du ton, substitution de périphrases au mot propre, longues comparaisons « homériques », etc. Par son artificialité, pareille métamorphose allait de surcroît dans un sens opposé à la conception primitive, qui visait à une « épopée de l'homme de la nature ». Chateaubriand ne progressa pas très vite dans cette nouvelle direction : le 15 août 1798, il indique à Fontanes qu'il en est au livre III ; le 7 novembre, il déclare ne posséder que « 7 livres sur 24 de mis au net ». Or, huit mois plus tard, dans une pétition adressée au Literary Fund, on en reste au même chiffre : « 7 ou 8 chants achevés ». On est donc amené à conclure que le travail ne fut pas poursuivi au-delà de 1798.

Il ne serait sans doute pas exact de mettre ce « blocage » sur le compte du dégoût que pouvait inspirer une tâche aussi ingrate. Chateaubriand saura mettre plus tard, au service de *Moïse* par exemple, une obstination inlassable à ce genre de cause perdue. En réalité, les raisons de cette interruption sont, au début de 1799, beaucoup plus simples : il fallait *manger*. Déjà, le 2 mai 1798, il avait souligné la précarité de sa situation dans une demande de secours adressée au « trésorier » des Princes à Londres : « Les Natchez sont de vilains enfants, de vrais sauvages, paresseux et mal élevés (...) qui comptent absolument sur M. Dutheil, car leur père ne saurait suffire à leur dépense. » Le 7 novembre de la même année, il envoie à Baudus (rédacteur, à Hambourg, du *Spectateur du Nord*) une lettre analogue : « Si le hasard faisait, Monsieur, que vous entendissiez parler de quelque place littéraire, qui ne demandât que peu de travail et laissât beaucoup de loisir (...), pensez au Solitaire anglais. » Mais cette sinécure, qui lui aurait permis de terminer, dans de bonnes conditions, la révision des *Natchez*, il ne la trouva pas. Il fallut donc parer au plus pressé, quitte à reprendre, un jour meilleur, cette entreprise de longue haleine. C'est dans cette intention que le 5 avril 1799, Chateaubriand écrit de nouveau à ce même Baudus. Il lui offre cette fois ses services de traducteur, mais lui propose aussi, pour 15 guinées, « un petit manuscrit sur *La Religion chrétienne par rapport à la morale et à la poésie* ». Ce pamphlet, rédigé sans doute en hâte, au mois de mars précédent, se présente alors comme un simple travail alimentaire de circonstance. C'est pourtant lui qui, prenant au fil des mois des proportions de plus en plus considérables, allait devenir, au bout de trois ans, *Le Génie du Christianisme*.

Pour la plus grande gloire de Dieu

La croissance rapide du nouveau livre fut obtenue au détriment des *Natchez*. A mesure que se poursuivait la rédaction du *Génie*, le manuscrit antérieur passa peu à peu au second plan, pour ne plus servir, à la fin, que de « réservoir » de textes. La correspondance ne laisse aucun doute sur cette inversion progressive de la perspective. Le 6 mai 1799, Chateaubriand écrit à Baudus : « La troisième partie de ce pamphlet contient plusieurs fragments des *Natchez.* » Le 19 août, à Fontanes : « Un grand nombre des meilleurs morceaux des *Natchez* se trouvent cités dans cet ouvrage », mais c'est, il est vrai, « afin de donner un avant-goût au public de cette épopée des sauvages ». Au début, il ne renonce donc pas à la publication de ce qu'il appelle encore « notre grand ouvrage sur les sauvages ». Il envisage simplement de la retarder, afin de pouvoir en extraire quelques bonnes feuilles pour grossir son opuscule. Les choses changèrent après la mort de sa sœur Julie, la brillante mondaine de ses années parisiennes, survenue le 26 juillet 1799. Cet événement, qui paraissait réitérer un obscur avertissement (sa mère avait déjà disparu un an plus tôt), bouleversa Chateaubriand ; il provoqua une remise en cause profonde de son existence ; il accéléra son retour sincère à la foi de son enfance. Désormais il ne songerait plus qu'au livre expiatoire destiné à porter témoignage de cette conversion, et à racheter une âme trop longtemps égarée.

Pour lui donner sans tarder les dimensions requises par un aussi grave enjeu, Chateaubriand va dès lors puiser à pleines mains dans *Les Natchez*, détournant ainsi des pages entières de leur première destination. Son ouvrage, écrit-il le 25 octobre à Baudus, « renferme aussi plusieurs longs morceaux de mes *Sauvages*, surtout dans la partie qui a rapport au *culte des tombeaux parmi les hommes* ». Le 19 février 1800, il confie à Fontanes : « Vous serez peut-être un peu surpris de la nouveauté du cadre, et de la manière toute singulière dont le sujet est envisagé. Vous y trouverez, en citation, les morceaux qui vous ont plu davantage dans *Les Natchez.* »

Dans les premières épreuves qu'il fait alors imprimer à Londres (voir des fragments de ce « *Génie du Christia-*

nisme primitif » à l'Appendice, pp. 541-553), on retrouve un certain nombre de ces passages, qui ne seront du reste pas tous utilisés dans la version de 1802. En enrôlant de la sorte Natchez ou Siminoles, baleines ou carcajous, et les « crocodiles cachés sous les tamarins des fleuves », et les bisons du Meschacebé, pour leur faire célébrer la gloire du Seigneur, Chateaubriand ne pouvait qu'offusquer les puristes de la morale ou de la théologie (en particulier toute la tradition janséniste), non sans courir le risque inverse de censurer ou affadir la *sauvagerie* primitive de son chant.

On assiste donc au cours de 1799, à une marginalisation, puis à un « dépeçage » des *Natchez* au profit du *Génie du Christianisme*. Les circonstances politiques vont accélérer le mouvement de manière inattendue. Pour les émigrés modérés, c'était la République qui les avait exclus, non pas le contraire. Ils étaient disposés à accepter le nouveau gouvernement de la France, à condition que leur fût reconnu un « droit au retour » dans des conditions acceptables. Nous avons vu qu'en 1797, Chateaubriand avait été bien près de se rallier à un régime auquel il ne demandait que des garanties réelles de citoyenneté. Or le 18 brumaire, le général Bonaparte avait pris le pouvoir avec un programme de réconciliation nationale qu'il paraissait enfin capable de réaliser. Rentré en France, Fontanes avait, entre-temps, su gagner la faveur du Premier Consul ; il pressa donc son ami de venir le rejoindre à Paris, en lui faisant espérer une prompte radiation de la liste des émigrés (c'est-à-dire une amnistie pour son passé contre-révolutionnaire). Ce dernier se laissa convaincre : le 6 mai 1800, il débarquait à Calais ; pour la première fois depuis sept ans, il foulait le sol de sa patrie.

Il avait tout de même fallu prendre des précautions. Chateaubriand voyageait sous une fausse identité. Pour ne pas alerter la police, il avait été obligé de laisser, chez sa logeuse anglaise, une partie de ses manuscrits : une malle entière de papiers, parmi lesquels figuraient *Les Natchez* sous leur double forme (version intégrale romanesque de 1797-1798 ; version partielle épique de 1798). Sans doute espérait-il les récupérer bientôt. Personne ne pouvait alors prévoir qu'après la brève accalmie de 1802, la guerre recommencerait pour treize ans. Il avait du moins prélevé, dans la première partie, puis dans la seconde, deux récits « détachables » qui allaient connaître une gloire prématurée.

Présenté explicitement comme un « épisode des *Natchez* », le premier fut publié le 2 avril 1801 sous le titre : *Atala, ou les amours de deux sauvages dans le désert.* C'est, écrit Chateaubriand dans la préface de cette première édition, « une anecdote extraite de mes voyages en Amérique, et écrite sous les huttes même des Sauvages ». Il expose ensuite brièvement la genèse des *Natchez*, ainsi que les raisons, purement circonstantielles, de cette parution anticipée. Cette « petite histoire » tirée des aventures de Chactas, est encadrée par un prologue et un épilogue destinés à suppléer le manque du « récit premier ». Chateaubriand profite de cette occasion pour présenter au public un autre personnage, ce « Français nommé René » qui ne joue dans *Atala* aucun autre rôle que celui de destinataire du récit de Chactas. Lorsque, un an plus tard (avril 1802), fut enfin publié *Le Génie du Christianisme*, Chateaubriand ne se contenta pas de réutiliser *Atala* pour en faire un exemple des « Harmonies de la Religion chrétienne avec les scènes de la nature et les passions du cœur humain » (c'est-à-dire le livre VI de la troisième partie), mais il introduisit dans la seconde partie, à la suite du livre sur les « Passions » une autre « nouvelle » intitulée précisément *René.* C'est, écrivait-il alors, « un épisode extrait, comme *Atala*, de nos anciens *Natchez*. C'est la vie de ce jeune René, à qui Chactas a raconté son histoire, etc. » Ce mode de présentation souligne la symétrie de textes obtenus en quelque sorte par permutation des interlocuteurs : dans *Atala*, Chactas raconte son histoire à René ; dans *René*, c'est René qui raconte la sienne au vieil Indien. Transférés ainsi des *Natchez* dans le *Génie* où ils demeurèrent jusqu'à la 5e édition (1809), ils ne sont pas davantage autonomes, mais ils ont sans doute changé de sens. Chateaubriand les a du reste adaptés à cette nouvelle perspective ; il ne cessa de les corriger au cours des rééditions successives. En 1805, il se décide enfin à donner « une édition séparée » *ne varietur* de ce qu'il appelle désormais les « deux épisodes » de son Apologie ; il ne prononce même plus, dans la nouvelle préface qu'il rédige alors, le nom de ses anciens *Natchez*. Par son accueil triomphal, le public avait tranché : *Atala* et *René* avaient conquis le droit de poursuivre en toute liberté la brillante carrière qu'on connaît, tandis que leur auteur allait chercher sur les rives de la Méditerranée matière à une nouvelle épopée. Mais le médiocre succès des *Martyrs* le découragea des grandes entreprises littéraires.

La vieillesse de René

Lorsqu'il recouvra, dans les premières années de la Restauration, les manuscrits qu'il avait laissés en Angleterre, Chateaubriand ne leur prêta pas une attention immédiate. La vie politique mobilisait alors toute son ambition et toute son énergie. Il avait par ailleurs entrepris des Mémoires de sa vie, auxquels il réservait, en secret, ses rares moments de loisir. *Les Natchez* sont-ils donc oubliés pour toujours ? C'est à partir de 1825 que, songeant à une prochaine publication de ses *Œuvres complètes*, Chateaubriand se posa de nouveau, de façon concrète, le problème de leur utilisation. Ne venait-il pas justement de retracer dans la première rédaction de ses *Mémoires*, les années de son voyage en Amérique et de son émigration, réveillant ainsi une foule de souvenirs qui leur étaient attachés ? Il commença par une relecture, qui ne fut pas dépourvue de mélancolie ; « Je vais me replonger dans le manuscrit de mes premiers voyages en Amérique », écrit-il à Cordélia de Castellane, la veille de Noël 1825. « C'est une chose assez intéressante pour moi, mais extrêmement pénible que de me retrouver (...) tel que j'étais il y a trente ans. » Trois mois plus tard, il annonce à la même correspondante la parution prochaine de *Chactas à Paris* : aurait-il alors songé à détacher, sous ce titre, le plus ancien épisode des *Natchez* ? C'est au moins un indice de la révision très approfondie à laquelle il procéda dans le cours de 1826. Allait-il en profiter pour reconstituer *Les Natchez* de 1797-1798, en rétablissant à leur place originelle *Atala* et *René* ? C'était concevable ; mais il aurait fallu pour cela les reprendre, les harmoniser, peut-être les modifier. Or, vingt-cinq ans avaient passé depuis leur premier succès : ils étaient devenus intouchables. René, par exemple, incarnait un type littéraire, au même titre que Werther ou Adolphe. C'est pourquoi Chateaubriand opta pour une autre solution : il regroupa *René* et *Atala* avec *Les Aventures du dernier Abencérage* dans un volume assez hétéroclite de « Romans » (tome XVI, juin 1826), tandis qu'il se résignait à préparer une édition spécifique du reste des *Natchez*, qui parurent enfin en 2 volumes (tomes XIX et XX) à la fin de décembre 1826.

Comme il le signale lui-même dans la préface, il avait à sa disposition un double texte : une espèce de roman, achevé au début de 1798 ; puis un autre manuscrit de quelques mois postérieur dans lequel il avait commencé de transposer la même histoire dans le registre épique. Plutôt que de sacrifier aucune de ces versions en partie concurrentes, Chateaubriand décida de conserver un témoignage de chacune : cette fidélité « documentaire » au travail de sa jeunesse révèle un souci très moderne de constituer soi-même les archives de son œuvre. Mais cela ne va pas jusqu'à publier des inachevés. Il voulut au contraire soumettre son texte à une « révision sévère » ; en présence de la seule version définitive, nous ne pouvons pas évaluer sa nature précise, ni mesurer son exacte ampleur : on peut néanmoins émettre quelques hypothèses. Afin de parvenir au moins à un équilibre, Chateaubriand décida de répartir chacune des versions disponibles entre les deux volumes prévus par son éditeur. De la première, il ne conserva donc que la seconde moitié, qui constitua le deuxième volume des *Natchez* de 1826. Il avait néanmoins fallu élaguer ce que le récit « romanesque » pouvait avoir de trop touffu. Le nombre et la longueur des descriptions, par exemple, constituaient des éléments parasites qui furent alors retranchés et mis de côté pour le *Voyage en Amérique* qui paraîtra un an plus tard, au mois de décembre 1827 (tome VI des *Œuvres complètes*). La relative maigreur de la version « épique » posait en revanche un problème inverse. Nous avons vu qu'elle avait été interrompue dans le cours du huitième livre (qui ne correspondait pas forcément, du reste, au livre qui porte ce numéro dans le texte de 1826). Or, aussi bien pour équilibrer la publication que pour atteindre le chiffre canonique (dans la tradition épique) de douze livres, il fallait en ajouter au moins quatre. Ce fut sans doute le plus gros du travail auquel dut alors se livrer Chateaubriand. Il disposait bien, pour « mettre au net » les parties encore manquantes, de son premier manuscrit. Mais la perspective épique impliquait autre chose qu'un simple changement de registre ; elle exigeait que fussent parfois développés certains passages demeurés elliptiques dans la version romanesque : scènes dans le ciel, batailles, etc. C'est précisément ce qu'illustre le seul brouillon conservé des *Natchez*. Ce document, publié en 1961 par R. Lebègue dans le *Bulletin de la Société Chateaubriand*, se compose de quatre feuillets autographes, assez raturés ; il correspond au récit des combats du livre IX. Or, il représente sans aucun doute un premier jet, que nous pouvons dater, par son écriture, de la Restauration. Même après corrections, ce fragment manuscrit diffère du texte imprimé, ce qui suppose une révision intermédiaire. C'est la preuve indiscutable qu'en 1826, Chateaubriand ne se contenta pas de retoucher un texte antérieur (voir les confrontations établies par G. Chinard dans son édition pp. 21-29), mais qu'il lui arriva de recomposer entièrement certaines pages, voire de supprimer certains livres (par exemple celui prévu en 1798 sur *Otahiti*). Presque tous ces remaniements, lorsqu'ils sont repérables, concernent la première partie des *Natchez*, où le souci de hausser la simple narration au ton noble de la grande épopée ne produit en général qu'un pastiche ampoulé. C'est le cas de la seconde moitié du livre I, de la presque totalité des livres II à VI, des livres IX, X et XI, à peu près illisibles aujourd'hui. Ce que le récit primitif avait de plus « scolaire » est alors rendu plus artificiel encore par un ultime vernis académique. En outre, la concentration de ces séquences dans la première moitié du livre provoque un redoutable effet de *tunnel*, qui a découragé depuis cent cinquante ans les lecteurs de meilleure volonté. Aussi est-ce dans cette partie du texte que nous avons pratiqué les inévitables coupures signalées dans notre avertissement. Nous ne faisons que reproduire ainsi les préférences de Chateaubriand lui-même, lorsqu'en pleine maturité, il juge son œuvre : « Si je les comparais les uns aux autres, écrit-il le 27 janvier 1829 à un jeune admirateur, une partie du premier volume des *Natchez* et tout le second me paraîtraient dominer mes autres ouvrages d'imagination sous le rapport dramatique, et offrir une bien plus grande variété de style. » Cette appréciation en apparence purement technique, ne va pas sans une secrète admiration envers la puissance créatrice de sa jeunesse sauvage : « Certainement, je ne tracerais aujourd'hui ni le personnage de Mila, ni la lettre de René à Celuta, ni les scènes de terreur de la catastrophe. » A coup sûr, pareil aveu désigne, *a contrario*, les meilleures pages des *Natchez* : celles qui expriment trop bien ce que leur auteur fut, et ce qu'il regrette peut-être, au moment de leur publication trop longtemps retardée, de ne plus être.

Au départ, Chateaubriand voulait faire des *Natchez* une épopée de la nature dans laquelle il célébrerait la beauté de ses paysages et de ses « règnes », mais aussi le bonheur du Sauvage qui se conforme à ses lois. Il ne devait pas tarder à découvrir le caractère utopique (c'est-à-dire plus « théorique » que descriptif) de ce que Rousseau appelle « état de nature ». Aussi loin qu'on allât, le monde apparaissait déjà comme dénaturé. C'est pourquoi, loin de se fourvoyer dans un illusoire optimisme, Chateaubriand recense au contraire, dans *Les Natchez*, les modalités de ce processus inéluctable de dénaturation, en recherchant au niveau de la fiction des formations de compromis possibles, sans parvenir à conjurer la présence du Mal sur la terre.

La nature qu'il commence par découvrir en Amérique, c'est ce qu'on appelle le *désert (wilderness)*, solitude sauvage, univers des origines où le voyageur livré à lui-même éprouve le vertige de sa propre liberté. Sans doute, par exemple dans *Atala*, Chateaubriand peut-il exalter la « luxuriance du sensible » (explosion de couleurs, de sons, de parfums rares) ; mais ce qui caractérise le plus les forêts, les fleuves, les lacs, les savanes du Nouveau Monde, c'est leur dimension : voilà que se matérialise pour la première fois, dans la littérature, un espace infini, accordé au désir. Espace nouveau, espace mental aussi qui diffère par essence de celui de *Paul et Virginie*, enfermé dans ses cercles concentriques. Avec Chateaubriand, Eden ne se borne plus à être un jardin : c'est toute la Création à son septième jour qui se fantasme comme le paradis terrestre.

A cette énergie retrouvée de la nature primitive, devrait correspondre la vigoureuse innocence des hommes. Parfois Chateaubriand nous laisse croire qu'il a rencontré le Bon Sauvage : à la fin du chapitre de son *Essai historique* sur « la Scythie heureuse et sauvage », ou à la fin du livre (voir pp. 521-522 et 535-540). Il pense alors à cette situation intermédiaire (la civilisation pastorale) que Rousseau avait qualifiée, dans le second *Discours*, de « véritable jeunesse du monde », et que Chactas retrouve parmi les Sioux (voir p. 198). Chactas, Outougamiz, paraissent incarner, dans la force paisible de leur jeunesse virile, cette « bonté » naturelle. En réalité, de son expérience de voyageur, Chateaubriand a vite tiré la conclusion que les sociétés sauvages ne sont pas des sociétés naissantes, mais au contraire des sociétés décadentes ; qu'elles ont une longue histoire et qu'au contact des Européens, elles aussi sont parfois parvenues au dernier degré de la corruption (c'est-à-dire de la dégénérescence). Fasciné qu'il est par un modèle étranger, dépourvu de toute vertu civique, asservi à son désir forcené en même temps que possédé par une volonté de puissance démentielle, Ondouré représente dans *Les Natchez* le type même de cette aliénation absolue. Mais ce sont les Natchez dans leur ensemble qui sont condamnés à vivre dans un univers dégradé, sur lequel ne brille plus qu'un astre mort (invoqué par le narrateur au début du récit), comme si les enfants du Soleil (ils en ont au moins conservé le nom) ne pouvaient plus habiter qu'un monde assombri ou voilé, plongé dans une nuit symbolique.

De toute évidence, la civilisation européenne telle qu'elle apparaît dans *René*, pas plus que le système colonial tel qu'il apparaît dans *Les Natchez*, ne sont des alternatives crédibles. La mission du père Aubry pouvait incarner dans *Atala* un modèle de petite société agricole où, sous le regard de Dieu, se réinstaure une harmonie entre la nature et les hommes. Mais sa situation « hors du monde » en laisse soupçonner le caractère utopique, que souligne sa brutale disparition. Au début de *René*, autour de Fort Rosalie, le matin se lève sur une autre « Icarie ». Mais ce « Clarens exotique » révèle une abjecte exploitation (esclavage des nègres, confiscation des terres par les colons) sous le double patronage du missionnaire et du soldat français. Néanmoins le soulèvement des *Natchez* ne saurait correspondre à aucun enjeu clair. Les « héros de la liberté » descendent de la plus despotique des nations indiennes, tandis qu'une violence injuste a corrompu dès le départ la cause des « héros de la civilisation ». Placé entre les Natchez qui vivent dans les bois mais sont dominés par la superstition des jongleurs, comme les Chouans, et les colonisateurs « républicains », armés des nouveaux emblèmes de la modernité (la croix, le fusil), René se réfugie dans une insoumission radicale, qui revendique le droit de choisir sa patrie. Peut-être est-ce dans le discours de Fénelon à Chactas (au livre VII) qu'il faut chercher en définitive la justification du compromis que Chateaubriand finira par adopter : un idéal de civilisation libérale, éclairée, rendue solidaire par un humanisme chrétien.

Le Corrupteur du genre humain

Mais les voies du bonheur individuel ne sont pas moins étroites que celles du bonheur social. Dans *Les Natchez*, les perspectives de salut paraissent peu à peu se fermer pour tous les personnages, malgré leur repli sur un espace privé. C'est ainsi qu'une *interdiction* presque générale pèse sur le désir : amour sans union pour Chactas et Atala, ou union sans amour pour René et Céluta ; érotisme brûlant mais clandestin pour Imley et Izéphar, obligés de racheter leur liberté nocturne par un pénible esclavage, puis par un supplice horrible ; Outougamiz a beau vouer à René une amitié « sublime », il est néanmoins cause de sa mort ; il en résulte la désorganisation du seul couple « possible », celui qu'il forme avec Mila. Car la courageuse petite Indienne, la seule qu'en définitive nous aimions, parce que si peu naturelle, mais si complètement réelle, finit par être entraînée à son tour dans le vertige suicidaire des rares survivants.

Tout cela parce qu'une Faute a été commise (au moins en pensée), à laquelle *René* ne donne qu'un nom provisoire parce que particulier : un *inceste*. Mais en réalité, la nature demeure inaccessible jusqu'à ce qu'une faute bien plus grave obtienne réparation. C'est en effet le péché originel de la théologie chrétienne que René expie à travers son destin symbolique de « juif errant ». Autant dire que *Les Natchez*, s'ils ont commencé par être une épopée de la nature, ont fini par devenir une épopée de la Chute. Allégorique dans la partie épique, ce mal est ensuite intériorisé dans la psychologie des personnages. Il se manifeste parfois sous forme de véritables cas de possession démoniaque (Ondouré, Akanzie), conférant ainsi au texte des *Natchez* une frénésie de roman noir qu'on a toujours considérée avec beaucoup de désinvolture comme une facilité de Chateaubriand, cédant au goût frelaté de son public. Son emprise est plus profonde, quoique plus insidieuse, dans le personnage de René. Ce dernier est pour ainsi dire le frère de Melmoth. C'est lui le personnage véritablement satanique, involontairement coupable, mais ne pouvant semer autour de lui que le germe de sa propre corruption. Au centre de cette infernale saga, nous rencontrons donc une figure de *maudit*, exclu de la Nature, comme de la Grâce, par la volonté du Dieu terrible. Dans *Les Natchez*, la mort ne délivre pas, comme à la fin du *Soulier de satin*, les « âmes captives » !

Conclusion

« Orgie noire d'un cœur blessé » : c'est ainsi que Chateaubriand, dans une note de la réédition de 1826, désigne un des plus sombres chapitres de son *Essai historique* (I, LXX). La formule pourrait aussi bien convenir à ces *Natchez*, parus la même année. Au moment même où, comme homme politique, le vicomte de Chateaubriand affirme sa confiance dans le progrès des sociétés « démo-cratiques » et dans un Christianisme libérateur, la violence archaïque de cette œuvre composite réveille les anciens démons. Car *Les Natchez* rappellent que les individus comme les groupes sont promis à la destruction univer-selle, que la nature est à jamais perdue, que pèse sur le monde une inéluctable Faute.

Une ironie sans doute inconsciente a donné pour emblème à cette histoire un personnage nommé René : pitoyable héros qui, en toutes circonstances, révèle pré-cisément son impuissance à *renaître*, comme pour disqua-lifier toute prétention à *être*. Ce caractère *mort-né* de toute réalité (on ne berce jamais dans *Les Natchez* que des enfants morts) ne renvoie pas à un vague « roman-tisme » : il reflète la longue agonie des Lumières dans les abîmes de la Terreur, analogues, pour les marginalisés de la Révolution, à la cataracte symbolique où les ultimes personnages de la fiction finissent par disparaître (voir p. 493). Mais si la grande rénovation nationale a été pour le chevalier de Combourg une si tragique expérience de *déclassement*, c'est parce qu'elle redouble un « exil » qui avait commencé au sein de sa propre classe. Enfant mal-aimé, jeune homme pauvre, officier passionné de littéra-ture, c'est comme aristocrate sans aristocratie que Cha-teaubriand a commencé par se voir refuser une place au soleil. La rupture des anciennes structures sociales ne fait qu'accentuer cette impression de dépossession : ni famille, ni travail, ni patrie ; donc ni amour, ni bonheur, ni véritable inscription dans le réel où liberté, égalité, frater-nité lui sont aussi refusés. Il en résulte une vision quasi apocalyptique du malheur de vivre : « Malheureux, ô vous qui commencez à vivre quand les révolutions éclatent ! Amour, amitié, repos, ces biens qui composent le bonheur des autres hommes, vous manqueront ; vous n'aurez le temps ni d'aimer ni d'être aimés. Dans l'âge où tout est illusion, l'affreuse vérité vous poursuivra »(pp. 256-257).

Mourir sans avoir vécu : il semble que ce soit la seule perspective pour le tragique exilé de Londres.

Les *Natchez* évoquent donc un univers déréglé, dans lequel un *désordre* fondamental a remplacé la primitive harmonie. Ils nous parlent sans doute des émigrés, et des républicains ; des victimes et des bourreaux ; de la misère et de la solitude. Ils nous peignent aussi les maladies du désir, ses chimères, ses ruses, ses contradictions, sa culpabilité. Mais, à la lumière du Christianisme retrouvé, ils sont aussi une méditation sur la condition humaine, sur le mystère de la Chute, sur les voies douloureuses du Salut. Au cœur de cette fable, une expérience inaugurale de la mort précède celle du pouvoir, qu'elle annule. C'est lorsqu'elles se seront réaccordées, sur un autre plan, que pourront naître, dans toute leur ampleur, les *Mémoires d'outre-tombe*.

JEAN-CLAUDE BERCHET.

AVERTISSEMENT

C'est la première fois qu'*Atala, René* et *Les Natchez* sont associés dans une même édition, pour une confrontation qu'on souhaite fructueuse. Il a fallu, pour obtenir ce résultat, prendre un double parti qui a sans doute des inconvénients aux yeux du philologue, mais qui ne présente, pour le lecteur, que des avantages.

1° Les dimensions requises pour ce volume nous imposaient de pratiquer dans *Les Natchez* des coupures pouvant aller jusqu'à 25 p. 100 du texte. Nous aurions pu les répartir de façon équilibrée, au risque de tomber dans une espèce de saupoudrage anthologique. Nous avons au contraire préféré concentrer ces coupures dans la première moitié du texte. De cette partie « épique », nous avons gardé simplement le début, des extraits des livres II, III et V, un large fragment du livre VII, un extrait du livre IX, enfin la totalité des livres VIII et XII ; les passages supprimés ont été remplacés par de brefs résumés historiques.

Nous avons en revanche maintenu dans son intégralité toute la seconde partie. Cette opération de sélection a été conduite au nom de critères esthétiques qu'une longue familiarité avec les œuvres de Chateaubriand nous autorise à ne pas croire excessivement subjectifs : elle contribue sans aucun doute à éliminer du texte des *Natchez* des parties mortes depuis longtemps (peut-être depuis toujours), pour mettre au contraire en valeur ce qu'ils ont conservé jusque aujourd'hui de vivante lisibilité.

2° Il aurait été facile de publier ces trois textes à la suite, comme des entités autonomes qu'ils sont, *et qu'ils ne sont pas*. En prenant la responsabilité de réintégrer *Atala* et *René* à leur place marquée dans *Les Natchez*, malgré Chateaubriand, qui ne les a jamais réunis, et malgré une différence de statut qui entraîne des contradictions incontournables, nous avons moins cherché à rétablir une illusoire continuité narrative qu'à donner à lire une *histoire* complète, qui fonde une partie de son sens sur ses propres lignes de fracture. Cette nouvelle *ordonnance* offre donc une réelle possibilité de redécouvrir *Les Natchez* dans leur ensemble.

Du reste, quiconque voudra relire *Atala* ou *René* séparément le pourra sans peine, puisqu'à la « position » près, on les trouvera dans ce volume sous leur forme canonique : nous avons en effet retenu, pour ces épisodes, le texte corrigé de 1805, tel qu'il a été établi par A. Weil (*René*, Droz, 1935 ; *Atala*, Corti, 1950). Pour *Les Natchez*, en revanche, nous reproduisons le texte original de 1826, tel qu'il a été établi par G. Chinard (Droz, 1932). Nous avons modernisé leur orthographe (par exemple les imparfaits en -oi), mais renoncé à normaliser davantage une graphie où les éditions anciennes ont laissé subsister, parfois dans la même page, de très étranges disparates (transcription des noms propres ou des noms exotiques ; emploi des majuscules ou des minuscules, des tirets, etc.) Nous avons conservé, par exemple, la graphie Mississipi, qui est de règle au XIXe siècle. De la même façon nous avons respecté la ponctuation, plus rythmique que syntaxique, particulière à Chateaubriand.

Les notes de bas de page appelées par des lettres sont de Chateaubriand.

PRÉFACES
de Chateaubriand

ATALA

Lettre[1] *publiée dans* Le Journal des Débats
et dans Le Publiciste.

Citoyen, dans mon ouvrage sur le *Génie du Christia-nisme, ou Les Beautés poétiques et morales de la religion chrétienne,* il se trouve une section entière consacrée à la *poétique du christianisme.* Cette section se divise en trois parties : poésie, beaux-arts, littérature. Ces trois parties sont terminées par une quatrième, sous le titre d'*Harmo-nies de la religion, avec les scènes de la nature et les passions du cœur humain.* Dans cette partie j'examine plusieurs sujets qui n'ont pu entrer dans les précédentes, tels que les effets des ruines gothiques, comparées aux autres sortes de ruines, les sites des monastères dans les solitudes, le côté poétique de cette religion populaire, qui plaçait des croix aux carrefours des chemins dans les forêts, qui mettait des images de vierges et de saints à la garde des fontaines et des vieux ormeaux ; qui croyait aux pressentiments et aux fantômes, etc., etc. Cette partie est terminée par une anecdote extraite de mes voyages en Amérique, et écrite sous les huttes mêmes des Sauvages. Elle est intitulée : *Atala, etc.* Quelques épreuves de cette petite histoire s'étant trouvées égarées, pour prévenir un accident qui me causerait un tort infini, je me vois obligé de la publier à part, avant mon grand ouvrage[2].

Si vous vouliez, citoyen, me faire le plaisir de publier ma lettre, vous me rendriez un important service.

J'ai l'honneur d'être, etc.

Préface de la
première édition (1801)

On voit par la lettre précédente ce qui a donné lieu à la publication d'*Atala* avant mon ouvrage sur le *Génie du Christianisme, ou Les Beautés poétiques et morales de la religion chrétienne*, dont elle fait partie. Il ne me reste plus qu'à rendre compte de la manière dont cette petite histoire a été composée[3].

J'étais encore très jeune, lorsque je conçus l'idée de faire l'*épopée de l'homme de la nature*, ou de peindre les mœurs des Sauvages, en les liant à quelque événement connu. Après la découverte de l'Amérique, je ne vis pas de sujet plus intéressant, surtout pour des Français, que le massacre de la colonie des Natchez à la Louisiane, en 1727[4]. Toutes les tribus indiennes conspirant, après deux siècles d'oppression, pour rendre la liberté au Nouveau-Monde, me parurent offrir au pinceau un sujet presque aussi heureux que la conquête du Mexique. Je jetai quelques fragments de cet ouvrage sur le papier ; mais je m'aperçus bientôt que je manquais des vraies couleurs, et que si je voulais faire une image semblable, il fallait, à l'exemple d'Homère, visiter les peuples que je voulais peindre.

En 1789, je fis part à M. de Malesherbes du dessein que j'avais de passer en Amérique. Mais désirant en même temps donner un but utile à mon voyage, je formai le dessein de découvrir par terre le *passage* tant cherché, et sur lequel Cook même avait laissé des doutes. Je partis, je vis les solitudes américaines, et je revins avec des plans pour un autre voyage, qui devait durer neuf ans. Je me proposais de traverser tout le continent de l'Amérique septentrionale, de remonter ensuite le long des côtes, au nord de la Californie, et de revenir par la baie d'Hudson, en tournant sous le pôle. Si je n'eusse pas péri dans ce second voyage, j'aurais pu faire des découvertes importantes pour les sciences, et utiles à mon pays. M. de Malesherbes se chargea de présenter mes plans au Gouvernement ; et ce fut alors[5] qu'il entendit les premiers fragments du petit ouvrage, que je donne aujourd'hui au Public. On sait ce qu'est devenue la France, jusqu'au moment où la Providence a fait paraître un de ces hommes qu'elle envoie en signe de réconciliation, lorsqu'elle est lassée de punir. Couvert du sang de mon frère unique, de ma belle-sœur, de celui de l'illustre vieillard leur père ; ayant vu ma mère et une autre sœur pleine de talents, mourir des suites du traitement qu'elles avaient éprouvé dans les cachots, j'ai erré sur les terres étrangères, où le seul ami que j'eusse conservé, s'est poignardé dans mes bras[a].

De tous mes manuscrits sur l'Amérique, je n'ai sauvé que quelques fragments, en particulier *Atala*, qui n'était qu'un épisode des *Natchez*. *Atala* a été écrite dans le désert, et sous les huttes des Sauvages. Je ne sais si le public goûtera cette histoire qui sort de toutes les routes connues, et qui présente une nature et des mœurs tout à fait étrangères à l'Europe. Il n'y a point d'aventures dans

---

a. Nous avions été tous deux cinq jours sans nourriture, et les principes de la perfectibilité humaine nous avaient démontré qu'un peu d'eau, puisée dans le creux de la main à la fontaine publique, suffit pour soutenir la vie d'un homme aussi longtemps. Je désire fort que cette expérience soit favorable au progrès des lumières ; mais j'avoue que je l'ai trouvée dure[6].

Tandis que toute ma famille était ainsi massacrée, emprisonnée et bannie, une de mes sœurs[7], qui devait sa liberté à la mort de son mari, se trouvait à Fougères, petite ville de Bretagne. L'armée royaliste arrive ; huit cents hommes de l'armée républicaine sont pris et condamnés à être fusillés. Ma sœur se jette aux pieds de la Roche-Jacquelin et obtient la grâce des prisonniers. Aussitôt elle vole à Rennes ; elle se présente au tribunal révolutionnaire avec les certificats qui prouvent qu'elle a sauvé la vie à huit cents hommes. Elle demande pour seule récompense qu'on mette ses sœurs en liberté. Le président du tribunal lui répond : *Il faut que tu sois une coquine de royaliste que je ferai guillotiner, puisque les brigands ont tant de déférence à tes prières. D'ailleurs, la république ne te sait aucun gré de ce que tu as fait : elle n'a que trop de défenseurs, et elle manque de pain.* Et voilà les hommes dont Bonaparte a délivré la France.

Atala. C'est une sorte de poème*a*, moitié descriptif, moitié dramatique : tout consiste dans la peinture de deux amants qui marchent et causent dans la solitude ; tout gît dans le tableau des troubles de l'amour, au milieu du calme des déserts, et du calme de la religion. J'ai donné à ce petit ouvrage les formes les plus antiques ; il est divisé en *prologue, récit* et *épilogue*. Les principales parties du récit prennent une dénomination, comme les *chasseurs*, les *laboureurs*, etc. ; et c'était ainsi que dans les premiers siècles de la Grèce, les Rhapsodes chantaient, sous divers titres, les fragments de l'*Iliade* et de l'*Odyssée*. Je ne dissimule point que j'ai cherché l'extrême simplicité de fond et de style, la partie descriptive exceptée ; encore est-il vrai que dans la description même, il est une manière d'être à la fois pompeux et simple. Dire ce que j'ai tenté, n'est pas dire ce que j'ai fait. Depuis longtemps je ne lis plus qu'Homère et la Bible ; heureux si l'on s'en aperçoit, et si j'ai fondu dans les teintes du désert, et dans les sentiments particuliers à mon cœur, les couleurs de ces deux grands et éternels modèles du beau et du vrai.

Je dirai encore que mon but n'a pas été d'arracher beaucoup de larmes ; il me semble que c'est une dangereuse erreur, avancée, comme tant d'autres, par M. de Voltaire, *que les bons ouvrages sont ceux qui font le plus pleurer*[8]. Il y a tel drame dont personne ne voudrait être l'auteur, et qui déchire le cœur bien autrement que l'*Énéide*. On n'est point un grand écrivain, parce qu'on met l'âme à la torture. Les vraies larmes sont celles que

a. Dans un temps où tout est perverti en littérature, je suis obligé d'avertir que si je me sers ici du mot de poème, c'est faute de savoir comment me faire entendre autrement. Je ne suis point un de ces barbares qui confondent la prose et les vers. Le poète, quoi qu'on en dise, est toujours l'homme par excellence ; et des volumes entiers de prose descriptive, ne valent pas cinquante beaux vers d'Homère, de Virgile ou de Racine.

fait couler une belle poésie ; il faut qu'il s'y mêle autant d'admiration que de douleur[9].

C'est Priam disant à Achille :
Ἀνδρὸς παιδοφόνοιο ποτὶ στόμα χεῖρ' ὀρέγεσθαι
Juge de l'excès de mon malheur, puisque je baise la main qui a tué mes fils.

C'est Joseph s'écriant :
Ego sum Joseph, frater vester, quem vendidistis in Ægyptum.
Je suis Joseph, votre frère, que vous avez vendu pour l'Égypte[10].

Voilà les seules larmes qui doivent mouiller les cordes de la lyre, et en attendrir les sons. Les muses sont des femmes célestes qui ne défigurent point leurs traits par des grimaces ; quand elles pleurent, c'est avec un secret dessein de s'embellir.

Au reste, je ne suis point comme M. Rousseau, un enthousiaste des Sauvages ; et quoique j'aie peut-être autant à me plaindre de la société, que ce philosophe avait à s'en louer, je ne crois point que la *pure nature* soit la plus belle chose du monde. Je l'ai toujours trouvée fort laide, partout où j'ai eu l'occasion de la voir. Bien loin d'être d'opinion que l'homme qui pense soit un *animal dépravé*, je crois que c'est la pensée qui fait l'homme. Avec ce mot de *nature*, on a tout perdu. De là les détails fastidieux de mille romans où l'on décrit jusqu'au bonnet de nuit, et à la robe de chambre ; de là ces drames infâmes, qui ont succédé aux chefs-d'œuvre des Racine[11]. Peignons la nature, mais la belle nature : l'art ne doit pas s'occuper de l'imitation des monstres.

Les moralités que j'ai voulu faire dans *Atala*, étant faciles à découvrir, et se trouvant résumées dans l'épilogue, je n'en parlerai point ici ; je dirai seulement un mot de mes personnages.

Atala, comme le *Philoctète*, n'a que trois personnages. On trouvera peut-être dans la femme que j'ai cherché à peindre, un caractère assez nouveau. C'est une chose qu'on n'a pas assez développée, que les contrariétés du cœur humain : elles mériteraient d'autant plus de l'être, qu'elles tiennent à l'antique tradition d'une dégradation originelle, et que conséquemment elles ouvrent des vues profondes sur tout ce qu'il y a de grand et de mystérieux dans l'homme et son histoire[12].

Chactas, l'amant d'*Atala*, est un Sauvage, qu'on suppose né avec du génie, et qui est plus qu'à moitié civilisé, puisque non seulement il sait les langues vivantes, mais encore les langues mortes de l'Europe[13]. Il doit donc s'exprimer dans un style mêlé, convenable à la ligne sur laquelle il marche, entre la société et la nature. Cela m'a donné de grands avantages, en le faisant parler en Sauvage dans la peinture des mœurs, et en Européen dans le drame et la narration. Sans cela il eût fallu renoncer à l'ouvrage : si je m'étais toujours servi du style indien, *Atala* eût été de l'hébreu pour le lecteur.

Quant au missionnaire, j'ai cru remarquer que ceux qui jusqu'à présent ont mis le prêtre en action, en ont fait ou un scélérat fanatique, ou une espèce de philosophe. Le *père Aubry* n'est rien de tout cela. C'est un simple chrétien qui parle sans rougir *de la croix, du sang de son divin maître, de la chair corrompue*, etc., en un mot, c'est le prêtre tel qu'il est[14]. Je sais qu'il est difficile de peindre un pareil caractère aux yeux de certaines gens, sans toucher au ridicule. Si je n'attendris pas, je ferai rire : on en jugera.

Après tout, si l'on examine ce que j'ai fait entrer dans un si petit cadre, si l'on considère qu'il n'y a pas une circonstance intéressante des mœurs des Sauvages, que je n'aie touchée, pas un bel effet de la nature, pas un beau site de la Nouvelle-France[15] que je n'aie décrit ; si l'on observe que j'ai placé auprès du peuple chasseur un tableau complet du peuple agricole, pour montrer les avantages de la vie sociale, sur la vie sauvage ; si l'on fait attention aux difficultés que j'ai dû trouver à soutenir l'intérêt dramatique entre deux seuls personnages, pendant toute une longue peinture de mœurs, et de nombreuses descriptions de paysages ; si l'on remarque enfin que dans la catastrophe même, je me suis privé de tout secours, et n'ai tâché de me soutenir, comme les anciens, que par la force du dialogue : ces considérations me mériteront peut-être quelque indulgence de la part du lecteur. Encore une fois, je ne me flatte point d'avoir réussi ; mais on doit toujours savoir gré à un écrivain qui s'efforce de rappeler la littérature à ce goût antique, trop oublié de nos jours.

Il me reste une chose à dire ; je ne sais par quel hasard une lettre de moi, adressée au citoyen Fontanes[16], a excité l'attention du public beaucoup plus que je ne m'y attendais. Je croyais que quelques lignes d'un auteur inconnu passeraient sans être aperçues ; je me suis trompé. Les papiers publics ont bien voulu parler de cette lettre, et on m'a fait l'honneur de m'écrire, à moi personnellement, et à mes amis, des pages de compliments et d'injures. Quoique j'aie été moins étonné des dernières que des premiers, je pensais n'avoir mérité ni les unes, ni les autres. En réfléchissant sur ce caprice du public, qui a fait attention à une chose de si peu de valeur, j'ai pensé que cela pouvait venir du titre de mon grand ouvrage : *Génie du Christianisme*, etc. On s'est peut-être figuré qu'il s'agissait d'une affaire de parti, et que je dirais dans ce livre beaucoup de mal à la révolution et aux philosophes.

Il est sans doute permis à présent, sous un gouvernement qui ne proscrit aucune opinion paisible, de prendre la défense du christianisme, comme sujet de morale et de littérature. Il a été un temps où les adversaires de cette religion, avaient seuls le droit de parler. Maintenant la lice est ouverte, et ceux qui pensent que le christianisme est poétique et moral, peuvent le dire tout haut, comme les philosophes peuvent soutenir le contraire. J'ose croire que si le grand ouvrage que j'ai entrepris, et qui ne tardera pas à paraître, était traité par une main plus habile que la mienne, la question serait décidée sans retour.

Quoi qu'il en soit, je suis obligé de déclarer qu'il n'est pas question de la révolution dans le *Génie du Christianisme* ; et que je n'y parle le plus souvent que d'auteurs morts ; quant aux auteurs vivants qui s'y trouvent nommés, ils n'auront pas lieu d'être mécontents : en général, j'ai gardé une mesure, que, selon toutes les apparences, on ne gardera pas envers moi.

On m'a dit que la femme célèbre, dont l'ouvrage formait le sujet de ma lettre, s'est plaint[17] d'un passage de cette lettre. Je prendrai la liberté d'observer, que ce n'est pas moi qui ai employé le premier l'arme que l'on me reproche, et qui m'est odieuse. Je n'ai fait que repousser le coup qu'on portait à un homme dont je fais profession d'admirer les talents, et d'aimer tendrement la personne[18]. Mais dès lors que j'ai offensé, j'ai été trop loin ; qu'il soit donc tenu pour effacé ce passage. Au reste, quand on a l'existence brillante et les beaux talents de Mme de Staël, on doit oublier facilement les petites blessures que peut nous faire un solitaire, et un homme aussi ignoré que je le suis.

Pour dire un dernier mot sur *Atala* : si, par un dessein de la plus haute politique, le gouvernement français songeait un jour à redemander le Canada à l'Angleterre, ma description de la Nouvelle-France prendrait un nouvel intérêt. Enfin, le sujet d'Atala n'est pas tout de mon invention ; il est certain qu'il y a eu un Sauvage aux galères et à la cour de Louis XIV[19] ; il est certain qu'un missionnaire français a fait les choses que j'ai rapportées ; il est certain que j'ai trouvé des Sauvages emportant les os de leurs aïeux, et une jeune mère exposant le corps de son enfant sur les branches d'un arbre ; quelques autres circonstances aussi sont véritables : mais comme elles ne sont pas d'un intérêt général, je suis dispensé d'en parler.

J'ai profité de toutes les critiques, pour rendre ce petit ouvrage plus digne des succès qu'il a obtenus. J'ai eu le bonheur de voir que la vraie philosophie et la vraie religion sont une et même chose ; car des personnes fort distinguées, qui ne pensent pas comme moi sur le christianisme, ont été les premières à faire la fortune d'*Atala*. Ce seul fait répond à ceux qui voudraient faire croire que la *vogue* de cette anecdote indienne, est une affaire de parti. Cependant j'ai été amèrement, pour ne pas dire grossièrement censuré ; on[20] a été jusqu'à tourner en ridicule cette apostrophe aux Indiens[a] :

« Indiens infortunés, que j'ai vus errer dans les déserts du Nouveau-Monde avec les cendres de vos aïeux ; vous qui m'aviez donné l'hospitalité, malgré votre misère ! Je ne pourrais vous l'offrir aujourd'hui, car j'erre, ainsi que vous, à la merci des hommes, et moins heureux dans mon exil, je n'ai point emporté les os de mes pères. »

C'est sur la dernière phrase de cette apostrophe, que tombe la remarque du critique. Les cendres de ma famille, confondues avec celles de M. de Malesherbes ; six ans d'exil et d'infortunes, ne lui ont offert qu'un sujet de plaisanterie. Puisse-t-il n'avoir jamais à regretter les tombeaux de ses pères !

Au reste, il est facile de concilier les divers jugements qu'on a portés d'*Atala* : ceux qui m'ont blâmé, n'ont songé qu'à mes talents ; ceux qui m'ont loué, n'ont pensé qu'à mes malheurs.

P.-S. J'apprends dans le moment qu'on vient de découvrir à Paris une contrefaçon des deux premières éditions d'*Atala*, et qu'il s'en fait plusieurs autres à Nancy et à Strasbourg. J'espère que le public voudra bien n'acheter ce petit ouvrage que chez *Migneret* et à l'ancienne Librairie de *Dupont*.

a. *Décade philosophique*, n° 22, dans une note.

Avis sur la quatrième édition (1801)

Depuis quelque temps, il a paru de nouvelles critiques d'*Atala*. Je n'ai pas pu en profiter dans cette quatrième édition. Les avis qu'on m'a fait l'honneur de m'adresser, exigeaient trop de changements, et le Public semble maintenant accoutumé à ce petit ouvrage, avec tous ses défauts. Cette quatrième édition est donc parfaitement semblable à la troisième. J'ai seulement rétabli dans quelques endroits le texte des deux premières.

ATALA — RENÉ

Préface de 1805

L'indulgence, avec laquelle on a bien voulu accueillir mes ouvrages, m'a imposé la loi d'obéir au goût du public, et de céder au conseil de la critique.

Quant au premier, j'ai mis tous mes soins à le satisfaire. Des personnes, chargées de l'instruction de la jeunesse, ont désiré avoir une édition du *Génie du Christianisme*, qui fût dépouillée de cette partie de l'Apologie, uniquement destinée aux gens du monde : malgré la répugnance naturelle que j'avais à mutiler mon ouvrage, et ne considérant que l'utilité publique, j'ai publié l'abrégé que l'on attendait de moi.

Une autre classe de lecteurs demandait une édition séparée des deux épisodes de l'ouvrage : je donne aujourd'hui cette édition[21].

Je dirai maintenant ce que j'ai fait relativement à la critique.

Je me suis arrêté, pour le *Génie du Christianisme*, à des idées différentes de celles que j'ai adoptées pour ces épisodes.

Il m'a semblé d'abord que, par égard pour les personnes qui ont acheté les premières éditions, je ne devais faire, du moins à présent, aucun changement notable à un livre qui se vend aussi cher que le *Génie du Christianisme*. L'amour-propre et l'intérêt ne m'ont pas paru des raisons assez bonnes, même dans ce siècle, pour manquer à la délicatesse.

En second lieu, il ne s'est pas écoulé assez de temps depuis la publication du *Génie du Christianisme*, pour que je sois parfaitement éclairé sur les défauts d'un ouvrage de cette étendue. Où trouverais-je la vérité parmi une foule d'opinions contradictoires ? L'un vante mon sujet aux dépens de mon style ; l'autre approuve mon style et désapprouve mon sujet. Si l'on m'assure, d'une part, que le *Génie du Christianisme* est un monument à jamais mémorable pour la main qui l'éleva, et pour le commencement du XIXe siècle[a] ; de l'autre, on a pris soin de m'avertir, un mois ou deux après la publication de l'ouvrage, que les critiques venaient trop tard, puisque cet ouvrage était déjà oublié[b22].

Je sais qu'un amour-propre plus affermi que le mien trouverait peut-être quelques motifs d'espérance pour se rassurer contre cette dernière assertion. Les éditions du *Génie du Christianisme* se multiplient, malgré les circonstances qui ont ôté à la cause que j'ai défendue le puissant intérêt du malheur. L'ouvrage, si je ne m'abuse, paraît même augmenter d'estime dans l'opinion publique à mesure qu'il vieillit, et il semble que l'on commence à y voir autre chose qu'un ouvrage de *pure imagination*. Mais à Dieu ne plaise que je prétende persuader de mon faible mérite ceux qui ont sans doute de bonnes raisons pour ne pas y croire. Hors la religion et l'honneur, j'estime trop peu de choses dans le monde, pour ne pas souscrire aux arrêts de la critique la plus rigoureuse. Je suis si peu

a. M. de Fontanes.
b. M. Ginguené. (*Décad. philosoph.*)

aveuglé par quelques succès, et si loin de regarder quelques éloges comme un jugement définitif en ma faveur, que je n'ai pas cru devoir mettre la dernière main à mon ouvrage. J'attendrai encore, afin de laisser le temps aux préjugés de se calmer, à l'esprit de parti de s'éteindre ; alors l'opinion qui se sera formée sur mon livre, sera sans doute la véritable opinion ; je saurai ce qu'il faudra changer au *Génie du Christianisme*, pour le rendre tel que je désire le laisser après moi, s'il me survit[23].

Mais si j'ai résisté à la censure dirigée contre l'ouvrage entier par les raisons que je viens de déduire, j'ai suivi pour *Atala*, prise séparément, un système absolument opposé. Je n'ai pu être arrêté dans les corrections ni par la considération du prix du livre, ni par celle de la longueur de l'ouvrage. Quelques années ont été plus que suffisantes pour me faire connaître les endroits faibles ou vicieux de cet épisode. Docile sur ce point à la critique, jusqu'à me faire reprocher mon trop de facilité, j'ai prouvé à ceux qui m'attaquaient que je ne suis jamais volontairement dans l'erreur, et que, dans tous les temps et sur tous les sujets, je suis prêt à céder à des lumières supérieures aux miennes. *Atala* a été réimprimée onze fois : cinq fois séparément, et six fois dans le *Génie du Christianisme* ; si l'on confrontait ces onze éditions, à peine en trouverait-on deux tout à fait semblables.

La douzième, que je publie aujourd'hui, a été revue avec le plus grand soin. J'ai consulté des *amis prompts à me censurer* ; j'ai pesé chaque phrase, examiné chaque mot. Le style, dégagé des épithètes qui l'embarrassaient, marche peut-être avec plus de naturel et de simplicité. J'ai mis plus d'ordre et de suite dans quelques idées ; j'ai fait disparaître jusqu'aux moindres incorrections de langage. M. de la Harpe[24] me disait au sujet d'*Atala* : « Si vous voulez vous enfermer avec moi seulement quelques heures, ce temps nous suffira pour effacer les taches qui font crier si haut vos censeurs. » J'ai passé quatre ans à revoir cet épisode, mais aussi il est tel qu'il doit rester. C'est la seule Atala que je reconnaîtrai à l'avenir.

Cependant il y a des points sur lesquels je n'ai pas cédé entièrement à la critique. On a prétendu que quelques sentiments exprimés par le père Aubry renfermaient une doctrine désolante. On a, par exemple, été révolté de ce passage (nous avons aujourd'hui tant de sensibilité !) :

« Que dis-je ! ô vanité des vanités ! Que parlé-je de la puissance des amitiés de la terre ! Voulez-vous, ma chère fille, en connaître l'étendue ? Si un homme revenait à la lumière quelques années après sa mort, je doute qu'il fût revu avec joie par ceux-là même qui ont donné le plus de larmes à sa mémoire : tant on forme vite d'autres liaisons, tant on prend facilement d'autres habitudes, tant l'inconstance est naturelle à l'homme, tant notre vie est peu de chose, même dans le cœur de nos amis ! »

Il ne s'agit pas de savoir si ce sentiment est pénible à avouer, mais s'il est vrai et fondé sur la commune expérience. Il serait difficile de ne pas en convenir. Ce n'est pas surtout chez les Français que l'on peut avoir la prétention de ne rien oublier. Sans parler des morts dont on ne se souvient guère, que de vivants sont revenus dans leurs familles et n'y ont trouvé que l'oubli, l'humeur et le dégoût ! D'ailleurs quel est ici le but du père Aubry ? N'est-ce pas d'ôter à Atala tout regret d'une existence qu'elle vient de s'arracher volontairement, et à laquelle elle voudrait en vain revenir ? Dans cette intention, le missionnaire, en exagérant même à cette infortunée les maux de la vie, ne ferait encore qu'un acte d'humanité. Mais il n'est pas nécessaire de recourir à cette explication. Le père Aubry exprime une chose malheureusement trop vraie. S'il ne faut pas calomnier la nature humaine, il est aussi très inutile de la voir meilleure qu'elle ne l'est en effet.

Le même critique, M. l'abbé Morellet[25], s'est encore élevé contre cette autre pensée, comme fausse et paradoxale :

« Croyez-moi, mon fils, les douleurs ne sont point éternelles ; il faut tôt ou tard qu'elles finissent, parce que le cœur de l'homme est fini. C'est une de nos grandes misères : nous ne sommes pas même capables d'être longtemps malheureux. »

Le critique prétend que cette sorte d'incapacité de l'homme pour la douleur est au contraire un des grands biens de la vie. Je ne lui répondrai pas que, si cette réflexion est vraie, elle détruit l'observation qu'il a faite sur le premier passage du discours du père Aubry. En effet, ce serait soutenir, d'un côté, que l'on n'oublie jamais ses amis ; et de l'autre, qu'on est très heureux de n'y plus penser. Je remarquerai seulement que l'habile grammairien me semble ici confondre les mots. Je n'ai pas dit : « C'est une de nos grandes *infortunes* » ; ce qui serait faux, sans doute ; mais « C'est une de nos grandes *misères*[26] », ce qui est très vrai. Eh ! qui ne sent que cette impuissance où est le cœur de l'homme de nourrir longtemps un sentiment, même celui de la douleur, est la preuve la plus complète de sa stérilité, de son indigence, de sa *misère* ? M. l'abbé Morellet paraît faire, avec beaucoup de raison, un cas infini du bon sens, du jugement, du naturel. Mais suit-il toujours dans la pratique la théorie qu'il professe ? Il serait assez singulier que ses idées riantes sur l'homme et sur la vie, me donnassent le droit de le soupçonner, à mon tour, de porter dans ses sentiments l'exaltation et les illusions de la jeunesse.

La nouvelle nature et les mœurs nouvelles que j'ai peintes, m'ont attiré encore un autre reproche peu réfléchi. On m'a cru l'inventeur de quelques détails extraordinaires, lorsque je rappelais seulement des choses connues de tous les voyageurs. Des notes ajoutées à cette édition d'*Atala* m'auraient aisément justifié, mais s'il en avait fallu mettre dans tous les endroits où chaque lecteur pouvait en avoir besoin, elles auraient bientôt surpassé la longueur de l'ouvrage. J'ai donc renoncé à faire des notes. Je me contenterai de transcrire ici un passage de la

Défense du Génie du Christianisme. Il s'agit des ours enivrés de raisin, que les doctes censeurs avaient pris pour une gaîté de mon imagination. Après avoir cité des autorités respectables et le témoignage de Carver, Bartram, Imley, Charlevoix, j'ajoute : « Quand on trouve dans un auteur une circonstance qui ne fait pas beauté en elle-même, et qui ne sert qu'à donner de la ressemblance au tableau ; si cet auteur a d'ailleurs montré quelque sens commun, il serait assez naturel de supposer qu'il n'a pas inventé cette circonstance, et qu'il n'a fait que rapporter une chose réelle, bien qu'elle ne soit pas très connue. Rien n'empêche qu'on ne trouve Atala une méchante production ; mais j'ose dire que la nature américaine y est peinte avec la plus scrupuleuse exactitude. C'est une justice que lui rendent tous les voyageurs qui ont visité la Louisiane et les Florides. Les deux traductions anglaises d'*Atala* sont parvenues en Amérique ; les papiers publics ont annoncé, en outre, une troisième traduction publiée à Philadelphie avec succès ; si les tableaux de cette histoire eussent manqué de vérité, auraient-ils réussi chez un peuple qui pouvait dire à chaque pas : "Ce ne sont pas là nos fleuves, nos montagnes, nos forêts" ? Atala est retournée au désert, et il semble que sa patrie l'ait reconnue pour véritable enfant de la solitude*a*. »

René, qui accompagne *Atala* dans la présente édition, n'avait point encore été imprimé à part. Je ne sais s'il continuera d'obtenir la préférence que plusieurs personnes lui donnent sur *Atala*. Il fait suite naturelle à cet épisode[27], dont il diffère néanmoins par le style et par le ton. Ce sont à la vérité les mêmes lieux et les mêmes personnages. Mais ce sont d'autres mœurs et un autre ordre de sentiments et d'idées. Pour toute préface, je citerai encore les passages du *Génie du christianisme* et de la *Défense* qui se rapportent à René.

a. *Défense du Génie du Christianisme.*

56

Extrait du Génie du Christianisme, *IIe partie, liv. III, chap.* IX, *intitulé :* « Du Vague des passions ».

« Il reste à parler d'un état de l'âme, qui, ce nous semble, n'a pas encore été bien observé : c'est celui qui précède le développement des grandes passions, lorsque toutes les facultés, jeunes, actives, entières, mais renfermées, ne se sont exercées que sur elles-mêmes, sans but et sans objet. Plus les peuples avancent en civilisation, plus cet état du vague des passions augmente ; car il arrive alors une chose fort triste : le grand nombre d'exemples qu'on a sous les yeux, la multitude de livres qui traitent de l'homme et de ses sentiments, rendent habile sans expérience. On est détrompé sans avoir joui ; il reste encore des désirs, et l'on n'a plus d'illusions. L'imagination est riche, abondante et merveilleuse, l'existence pauvre, sèche et désenchantée. On habite, avec un cœur plein, un monde vide ; et sans avoir usé de rien, on est désabusé de tout.

« L'amertume que cet état de l'âme répand sur la vie, est incroyable ; le cœur se retourne et se replie en cent manières, pour employer des forces qu'il sent lui être inutiles. Les anciens ont peu connu cette inquiétude secrète, cette aigreur des passions étouffées qui fermentent toutes ensemble : une grande existence politique, les jeux du gymnase et du champ de Mars, les affaires du forum et de la place publique, remplissaient tous leurs moments, et ne laissaient aucune place aux ennuis du cœur.

« D'une autre part, ils n'étaient pas enclins aux exagérations, aux espérances, aux craintes sans objet, à la mobilité des idées et des sentiments, à la perpétuelle inconstance, qui n'est qu'un dégoût constant : dispositions que nous acquérons dans la société intime des femmes. Les femmes, chez les peuples modernes, indépendamment de la passion qu'elles inspirent, influent encore sur tous les autres sentiments. Elles ont dans leur existence un certain abandon qu'elles font passer dans la nôtre ; elles rendent notre caractère d'homme moins décidé ; et nos passions, amollies par le mélange des leurs, prennent à la fois quelque chose d'incertain et de tendre[28]. »

. . . .

« Il suffirait de joindre quelques infortunes à cet état indéterminé des passions, pour qu'il pût servir de fond à un drame admirable. Il est étonnant que les écrivains modernes n'aient pas encore songé à peindre cette singulière position de l'âme. Puisque nous manquons d'exemples, nous serait-il permis de donner aux lecteurs un épisode extrait, comme Atala, de nos anciens Natchez ? C'est la vie de ce jeune René, à qui Chactas a raconté son histoire, etc.[29] »

Extrait de la Défense du Génie du Christianisme[30].

« On a déjà fait remarquer la tendre sollicitude des critiques[a] pour la pureté de la Religion ; on devait donc s'attendre qu'ils se formaliseraient des deux épisodes que l'auteur a introduits dans son livre. Cette objection particulière rentre dans la grande objection qu'ils ont opposée à tout l'ouvrage, et elle se détruit par la réponse générale qu'on y a faite plus haut. Encore une fois, l'auteur a dû combattre des poèmes et des romans impies, avec des poèmes et des romans pieux ; il s'est couvert des mêmes armes dont il voyait l'ennemi revêtu : c'était une conséquence naturelle et nécessaire du genre d'apologie qu'il avait choisi. Il a cherché à donner l'exemple avec le précepte. Dans la partie théorique de son ouvrage, il avait dit que la Religion embellit notre existence, corrige les passions sans les éteindre, jette un intérêt singulier sur tous les sujets où elle est employée ; il avait dit que sa

a. Il s'agit ici des philosophes uniquement.

doctrine et son culte se mêlent merveilleusement aux émotions du cœur et aux scènes de la nature ; qu'elle est enfin la seule ressource dans les grands malheurs de la vie : il ne suffisait pas d'avancer tout cela, il fallait encore le prouver. C'est ce que l'auteur a essayé de faire dans les deux épisodes de son livre. Ces épisodes étaient en outre une amorce préparée à l'espèce de lecteurs pour qui l'ouvrage est spécialement écrit. L'auteur avait-il donc si mal connu le cœur humain, lorsqu'il a tendu ce piège innocent aux incrédules ? Et n'est-il pas probable que tel lecteur n'eût jamais ouvert le *Génie du Christianisme*, s'il n'y avait cherché *René* et *Atala* ?

> Sai che là corre il mondo, ove più versi
> Di sue dolcezze il lusinger parnasso,
> E che'l vero, condito in molli versi,
> I piu schivi alletando, ha persuaso[31].

« Tout ce qu'un critique impartial qui veut entrer dans l'esprit de l'ouvrage, était en droit d'exiger de l'auteur, c'est que les épisodes de cet ouvrage eussent une tendance visible à faire aimer la Religion et à en démontrer l'utilité. Or, la nécessité des cloîtres pour certains malheurs de la vie, et pour ceux-là même qui sont les plus grands, la puissance d'une religion qui peut seule fermer des plaies que tous les baumes de la terre ne sauraient guérir, ne sont-elles pas invinciblement prouvées dans l'histoire de René ? L'auteur y combat en outre le travers particulier des jeunes gens du siècle, le travers qui mène directement au suicide. C'est J.-J. Rousseau qui introduisit le premier parmi nous ces rêveries si désastreuses et si coupables. En s'isolant des hommes, en s'abandonnant à ses songes, il a fait croire à une foule de jeunes gens, qu'il est beau de se jeter ainsi dans le vague de la vie. Le roman de Werther a développé depuis ce germe de poison. L'auteur du *Génie du Christianisme*, obligé de faire entrer dans le cadre de son apologie quelques tableaux pour l'imagination, a voulu dénoncer cette espèce de vice nouveau, et peindre les funestes conséquences de l'amour outré de la solitude. Les couvents offraient autrefois des retraites à ces âmes contemplatives, que la nature appelle impérieusement aux méditations. Elles y trouvaient auprès de Dieu de quoi remplir le vide qu'elles sentent en elles-mêmes, et souvent l'occasion d'exercer de rares et sublimes vertus. Mais, depuis la destruction des monastères et les progrès de l'incrédulité, on doit s'attendre à voir se multiplier au milieu de la société (comme il est arrivé en Angleterre), des espèces de solitaires tout à la fois passionnés et philosophes, qui ne pouvant ni renoncer aux vices du siècle, ni aimer ce siècle, prendront la haine des hommes pour l'élévation du génie, renonceront à tout devoir divin et humain, se nourriront à l'écart des plus vaines chimères, et se plongeront de plus en plus dans une misanthropie orgueilleuse qui les conduira à la folie, ou à la mort.

« Afin d'inspirer plus d'éloignement pour ces rêveries criminelles, l'auteur a pensé qu'il devait prendre la punition de René dans le cercle de ces malheurs épouvantables, qui appartiennent moins à l'individu qu'à la famille de l'homme, et que les anciens attribuaient à la fatalité. L'auteur eût choisi le sujet de Phèdre s'il n'eût été traité par Racine. Il ne restait que celui d'Érope et de Thyeste[a] chez les Grecs, ou d'Amnon et de Thamar chez les Hébreux[b] ; et bien qu'il ait été aussi transporté sur notre scène[c], il est toutefois moins connu que celui de Phèdre. Peut-être aussi s'applique-t-il mieux aux caractères que l'auteur a voulu peindre[32]. En effet, les folles rêveries de René commencent le mal, et ses extravagances l'achèvent : par les premières, il égare l'imagination d'une faible

a. Sen. *in Atr. et Th*. Voyez aussi Canacé et Macareus, et Caune et Byblis dans les *Métamorphoses* et dans les *Héroïdes* d'Ovide. J'ai rejeté comme trop abominable le sujet de Myrra, qu'on retrouve encore dans celui de Loth et de ses filles.

b. Reg., 13, 14.

c. Dans l'*Abufar* de M. Ducis.

femme ; par les dernières, en voulant attenter à ses jours, il oblige cette infortunée à se réunir à lui ; ainsi le malheur naît du sujet, et la punition sort de la faute.

« Il ne restait qu'à sanctifier, par le Christianisme, cette catastrophe empruntée à la fois de l'antiquité païenne et de l'antiquité sacrée. L'auteur, même alors, n'eut pas tout à faire ; car il trouve cette histoire presque naturalisée chrétienne dans une vieille ballade de Pèlerin[33], que les paysans chantent encore dans plusieurs provinces[a]. Ce n'est pas par les maximes répandues dans un ouvrage, mais par l'impression que cet ouvrage laisse au fond de l'âme, que l'on doit juger de sa moralité. Or, la sorte d'épouvante et de mystère qui règne dans l'épisode de René, serre et contriste le cœur sans y exciter d'émotion criminelle. Il ne faut pas perdre de vue qu'Amélie meurt heureuse et guérie, et que René finit misérablement. Ainsi, le vrai coupable est puni, tandis que sa trop faible victime, remettant son âme blessée entre les mains de *celui qui retourne le malade sur sa couche*, sent renaître une joie ineffable du fond même des tristesses de son cœur. Au reste, le discours du père Souël ne laisse aucun doute sur le but et les moralités religieuses de l'histoire de René. »

On voit, par le chapitre cité du *Génie du Christianisme*, quelle espèce de passion nouvelle j'ai essayé de peindre ; et, par l'extrait de la *Défense*, quel vice non encore attaqué j'ai voulu combattre. J'ajouterai que quant au style, René a été revu avec autant de soin qu'Atala, et qu'il a reçu le degré de perfection que je suis capable de lui donner.

---

a. *C'est le chevalier des Landes,*
   Malheureux chevalier, etc.

Préface des Natchez (1826)

Lorsqu'en 1800 je quittai l'Angleterre pour rentrer en France sous un nom supposé, je n'osai me charger d'un trop gros bagage : je laissai la plupart de mes manuscrits à Londres. Parmi ces manuscrits se trouvait celui des *Natchez*, dont je n'apportais à Paris que *René*, *Atala*, et quelques descriptions de l'Amérique.

Quatorze années s'écoulèrent avant que les communications avec la Grande-Bretagne se rouvrissent[34]. Je ne songeai guère à mes papiers dans le premier moment de la Restauration, et d'ailleurs comment les retrouver ? Ils étaient restés renfermés dans une malle, chez une Anglaise qui m'avait loué un petit appartement à Londres. J'avais oublié le nom de cette femme ; le nom de la rue, et le numéro de la maison où j'avais demeuré, étaient également sortis de ma mémoire.

Sur quelques renseignements vagues et même contradictoires, que je fis passer à Londres, MM. de Thuisy eurent la bonté de commencer des recherches ; ils les poursuivirent avec un zèle, une persévérance dont il y a très peu d'exemples : je me plais ici à leur en témoigner publiquement ma reconnaissance.

Ils découvrirent d'abord avec une peine infinie la maison que j'avais habitée dans la partie ouest de Londres. Mais mon hôtesse était morte depuis plusieurs années, et l'on ne savait ce que ses enfants étaient devenus. D'indications en indications, de renseignements en renseignements, MM. de Thuisy, après bien des courses infructueuses, retrouvèrent enfin dans un village à plusieurs milles de Londres, la famille de mon hôtesse.

Avait-elle gardé la malle d'un émigré, une malle remplie de vieux papiers à peu près indéchiffrables ? N'avait-elle point jeté au feu cet inutile ramas de manuscrits français ?

D'un autre côté, si mon nom sorti de son obscurité avait attiré dans les journaux de Londres l'attention des enfants de mon ancienne hôtesse, n'auraient-ils point voulu profiter de ces papiers, qui dès lors acquéraient une certaine valeur ?

Rien de tout cela n'était arrivé : les manuscrits avaient été conservés ; la malle n'avait pas même été ouverte. Une religieuse fidélité, dans une famille malheureuse, avait été gardée à un enfant du malheur. J'avais confié avec simplicité le produit des travaux d'une partie de ma vie à la probité d'un dépositaire étranger, et mon *trésor* m'était rendu avec la même simplicité. Je ne connais rien qui m'ait plus touché dans ma vie que la bonne foi et la loyauté de cette pauvre famille anglaise.

Voici comment je parlais des *Natchez*, dans la préface de la première édition d'*Atala*[35] :

« J'étais encore très jeune, lorsque je conçus l'idée de faire *l'épopée de l'homme de la nature*, ou de peindre les mœurs des Sauvages, en les liant à quelque événement connu. Après la découverte de l'Amérique, je ne vis pas de sujet plus intéressant, surtout pour des Français, que le massacre de la colonie des Natchez à la Louisiane, en 1727. Toutes les tribus indiennes conspirant, après deux siècles d'oppression, pour rendre la liberté au Nouveau-Monde, me parurent offrir un sujet presque aussi heureux que la conquête du Mexique. Je jetai quelques fragments de cet ouvrage sur le papier, mais je m'aperçus bientôt que je manquais des vraies couleurs, et que si je voulais faire une image semblable, il fallait, à l'exemple d'Homère, visiter les peuples que je voulais peindre.

« En 1789, je fis part à M. de Malesherbes du dessein que j'avais de passer en Amérique. Mais, désirant en même temps donner un but utile à mon voyage, je formai le dessein de découvrir par terre le *passage* tant cherché, et sur lequel Cook même avait laissé des doutes. Je partis, je vis les solitudes américaines, et je revins avec des plans pour un second voyage, qui devait durer neuf ans. Je me proposais de traverser tout le continent de l'Amérique septentrionale, de remonter ensuite le long des côtes, au nord de la Californie, et de revenir par la baie d'Hudson, en tournant sous le pôle[a]. M. de Malesherbes se chargea de présenter mes plans au gouvernement, et ce fut alors qu'il entendit les premiers fragments du petit ouvrage que je donne aujourd'hui au public. La révolution mit fin à tous mes projets. Couvert du sang de mon frère unique, de ma belle-sœur, de celui de l'illustre vieillard leur père, ayant vu ma mère et une autre sœur pleine de talents mourir des suites du traitement qu'elles avaient éprouvé dans les cachots, j'ai erré sur les terres étrangères...

« De tous mes manuscrits sur l'Amérique, je n'ai sauvé que quelques fragments, en particulier *Atala*, qui n'était elle-même qu'un épisode des *Natchez*. *Atala* a été écrite dans le désert, et sous les huttes des Sauvages. Je ne sais si le public goûtera cette histoire, qui sort de toutes les routes connues, et qui présente une nature et des mœurs tout à fait étrangères à l'Europe[b]. »

Dans le *Génie du christianisme*, tome II des anciennes éditions, au chapitre du *Vague des passions*, on lisait ces mots : « Nous serait-il permis de donner aux lecteurs cet épisode extrait, comme *Atala*, de nos anciens *Natchez* : c'est la vie de ce jeune René à qui Chactas a raconté son histoire, etc. »

Enfin dans la préface de l'édition générale de mes œuvres, j'ai déjà donné quelques renseignements sur les *Natchez*.

Un manuscrit, dont j'ai pu tirer *Atala*, *René* et plusieurs descriptions placées dans le *Génie du christianisme*, n'est pas tout à fait stérile. Il se compose, comme je l'ai dit ailleurs[c], de deux mille trois cent quatre-vingt-trois pages in-folio. Ce premier manuscrit est écrit de suite sans section[36] ; tous les sujets y sont confondus : voyages,

---

a. M. Mackenzie a depuis exécuté une partie de ce plan.

Le capitaine Franklin est entré dernièrement dans la mer Polaire, vue par Hearne, et continue dans ce moment ses recherches.

b. Préface de la première édition d'*Atala*.

c. Avertissement des *Œuvres complètes*.

histoire naturelle, partie dramatique, etc. ; mais auprès de ce manuscrit d'un seul jet, il en existe un autre partagé en livres, qui malheureusement n'est pas complet, et où j'avais commencé à établir l'ordre. Dans ce second travail non achevé, j'avais non seulement procédé à la division de la matière, mais j'avais encore changé le genre de la composition, en la faisant passer du roman à l'épopée.

La révision, et même la simple lecture de cet immense manuscrit, a été un travail pénible : il a fallu mettre à part ce qui est voyage, à part ce qui est histoire naturelle, à part ce qui est drame ; il a fallu beaucoup rejeter et brûler encore davantage de ces compositions surabondantes. Un jeune homme qui entasse pêle-mêle ses idées, ses inventions, ses études, ses lectures, doit produire le chaos ; mais aussi dans ce chaos, il y a une certaine fécondité qui tient à la puissance de l'âge, et qui diminue en avançant dans la vie.

Il m'est arrivé ce qui n'est peut-être jamais arrivé à un auteur, c'est de relire après trente années un manuscrit que j'avais totalement oublié. Je l'ai jugé, comme j'aurais pu juger l'ouvrage d'un étranger : le vieil écrivain formé à son art, l'homme éclairé par la critique, l'homme d'un esprit calme et d'un sang rassis, a corrigé les essais d'un auteur inexpérimenté, abandonné aux caprices de son imagination.

J'avais pourtant un danger à craindre. En repassant le pinceau sur le tableau, je pouvais éteindre les couleurs ; une main plus sûre, mais moins rapide, courait risque de faire disparaître les traits moins corrects, mais aussi les touches plus vives de la jeunesse : il fallait conserver à la composition son indépendance, et pour ainsi dire sa fougue ; il fallait laisser l'écume au frein du jeune coursier. S'il y a dans les *Natchez* des choses que je ne hasarderais qu'en tremblant aujourd'hui, il y a aussi des choses que je n'écrirais plus[37], notamment la lettre de René dans le second volume.

Partout, dans cet immense tableau, des difficultés considérables se sont présentées au peintre : il n'était pas tout à fait aisé, par exemple, de mêler à des combats, à des dénombrements de troupes à la manière des anciens, de mêler, dis-je, des descriptions de batailles, de revues, de manœuvres, d'uniformes et d'armes modernes. Dans ces sujets mixtes, on marche constamment entre deux écueils : l'affectation ou la trivialité[38]. Quant à l'impression générale qui résulte de la lecture des *Natchez*, c'est, si je ne me trompe, celle qu'on éprouve à la lecture de *René* et d'*Atala* : il est naturel que le tout ait de l'affinité avec la partie.

On peut lire dans Charlevoix (*Histoire de la Nouvelle-France*, t. IV, p. 24) le fait historique qui sert de base à la composition des *Natchez*[39]. C'est de l'action particulière, racontée par l'historien, que j'ai fait, en l'agrandissant, le sujet de mon ouvrage. Le lecteur verra ce que la fiction a ajouté à la vérité.

J'ai déjà dit qu'il existait deux manuscrits des *Natchez* : l'un divisé en livres, et qui ne va guère qu'à la moitié de l'ouvrage ; l'autre qui contient le tout sans division, et avec tout le désordre de la matière. De là une singularité littéraire dans l'ouvrage, tel que je le donne au public : le premier volume s'élève à la dignité de l'épopée, comme dans *Les Martyrs* ; le second descend à la narration ordinaire, comme dans *Atala* et dans *René*.

Pour arriver à l'unité du style, il eût fallu effacer du premier volume la couleur épique, ou l'étendre sur le second : or, dans l'un ou l'autre cas, je n'aurais plus reproduit avec fidélité le travail de ma jeunesse.

Ainsi donc, dans le premier volume des *Natchez*, on trouvera le *merveilleux*, et le merveilleux de toutes les espèces : le merveilleux *chrétien*, le merveilleux *mythologique*, le merveilleux *indien* ; on rencontrera des muses, des anges, des démons, des génies, des combats, des personnages allégoriques : la Renommée, le Temps, la Nuit, la Mort, l'Amitié. Ce volume offre des invocations, des sacrifices, des prodiges, des comparaisons multipliées, les unes courtes, les autres longues, à la façon d'Homère, et formant de petits tableaux.

Dans le second volume, le *merveilleux* disparaît, mais l'intrigue se complique, et les personnages se multiplient : quelques-uns d'entre eux sont pris jusque dans les rangs inférieurs de la société. Enfin le roman remplace le poème, sans néanmoins descendre au-dessous du style de *René* et d'*Atala*, et en remontant quelquefois, par la nature du sujet, par celle des caractères et par la description des lieux, au ton de l'épopée.

Le premier volume contient la suite de l'histoire de Chactas et son voyage à Paris. L'intention de ce récit est de mettre en opposition les mœurs des peuples chasseurs, pêcheurs et pasteurs, avec les mœurs du peuple le plus policé de la terre. C'est à la fois la critique et l'éloge du siècle de Louis XIV, et un plaidoyer entre la civilisation et l'état de nature : on verra quel juge décide la question.

Pour faire passer sous les yeux de Chactas les hommes illustres du grand siècle, j'ai quelquefois été obligé de serrer les temps, de grouper ensemble des hommes qui n'ont pas vécu tout à fait ensemble, mais qui se sont succédé dans la suite d'un long règne. Personne ne me reprochera sans doute ces légers anachronismes, que je devais pourtant faire remarquer ici.

Je dis la même chose des événements que j'ai transportés et renfermés dans une période obligée, et qui s'étendent, historiquement, en deçà et au-delà de cette période.

On ne me montrera, j'espère, pas plus de rigueur pour la critique des lois. La procédure criminelle cessa d'être publique en France sous François Ier, et les accusés n'avaient pas de défenseurs. Ainsi, quand Chactas assiste à la plaidoirie d'un jugement criminel, il y a anachronisme pour les lois : si j'avais besoin sur ce point d'une justification, je la trouverais dans Racine même ; Dandin dit à Isabelle :

Avez-vous jamais vu donner la question ?

ISABELLE

Non, et ne le verrai, que je crois, de ma vie.

DANDIN

Venez ; je vous en veux faire passer l'envie.

ISABELLE

Ah ! monsieur, peut-on voir souffrir des malheureux !

DANDIN

Bon ! cela fait toujours passer une heure ou deux[40].

Racine suppose qu'on voyait de son temps donner la question, et cela n'était pas : les juges, le greffier, le bourreau et ses garçons assistaient seuls à la torture.

J'espère, enfin, qu'aucun véritable savant de nos jours ne s'offensera du récit d'une séance à l'Académie, et d'une innocente critique de la science sous Louis XIV, critique qui trouve d'ailleurs son contrepoids au *souper chez Ninon*. Ils ne s'en offenseront pas davantage que les gens de robe ne se blesseront de ma relation d'une audience au Palais. Nos avocats, nobles défenseurs des libertés publiques, ne parlent plus comme le Petit-Jean des *Plaideurs* ; et dans notre siècle où la science a fait de si grands pas et créé tant de prodiges, la pédanterie est un ridicule complètement ignoré de nos illustres savants.

On trouve aussi dans le premier volume des *Natchez* un livre d'un *Ciel chrétien*, différent du Ciel des *Martyrs* : en le lisant j'ai cru éprouver un sentiment de l'infini qui m'a déterminé à conserver ce livre. Les idées de Platon y sont confondues avec les idées chrétiennes, et ce mélange ne m'a paru présenter rien de profane ou de bizarre.

Si on s'occupait encore de style, les jeunes écrivains pourraient apprendre, en comparant le premier volume des *Natchez* au second, par quels artifices on peut changer une composition littéraire, et la faire passer d'un genre à un autre. Mais nous sommes dans le siècle des faits, et ces études de mots paraîtraient sans doute oiseuses. Reste à savoir si le style n'est pas cependant un peu nécessaire pour faire vivre les faits : Voltaire n'a pas mal servi la renommée de Newton. L'histoire, qui punit et qui récompense, perdrait sa puissance, si elle ne savait peindre : sans Tite-Live, qui se souviendrait du vieux Brutus ? sans Tacite, qui penserait à Tibère ? César a plaidé lui-même la cause de son immortalité dans ses *Commentaires*, et il l'a gagnée. Achille n'existe que par Homère. Otez de ce monde l'art d'écrire, il est probable que vous en ôterez la gloire. Cette gloire est peut-être une assez belle inutilité pour qu'il soit bon de la conserver, du moins encore quelque temps.

La description de l'Amérique *sauvage* appellerait naturellement le tableau de l'Amérique *policée* ; mais ce tableau me paraîtrait mal placé dans la préface d'un ouvrage d'imagination. C'est dans le volume où se trouveront les souvenirs de mes voyages en Amérique, qu'après avoir peint les déserts je dirai ce qu'est devenu le Nouveau Monde, et ce qu'il peut attendre de l'avenir[41]. L'histoire ainsi fera suite à l'histoire, et les divers sujets ne seront pas confondus.

LES NATCHEZ

Première partie

Livre premier

A l'ombre des forêts américaines, je veux chanter des airs de la solitude tels que n'en ont point encore entendu des oreilles mortelles ; je veux raconter vos malheurs, ô Natchez[42], ô nation de la Louisiane, dont il ne reste plus que des souvenirs. Les infortunes d'un obscur habitant des bois[43] auraient-elles moins de droits à nos pleurs que celles des autres hommes ? et les mausolées des rois dans nos temples sont-ils plus touchants que le tombeau d'un Indien sous le chêne de sa patrie ?

Et toi, flambeau des méditations, astre des nuits, sois pour moi l'astre du Pinde[44] ! marche devant mes pas, à travers les régions inconnues du Nouveau Monde[45], pour me découvrir à ta lumière les secrets ravissants de ces déserts !

René, accompagné de ses guides, avait remonté le cours du Meschacebé[46] ; sa barque flottait au pied des trois collines dont le rideau dérobe aux regards le beau pays des enfants du Soleil. Il s'élance sur la rive, gravit la côte escarpée, et atteint le sommet le plus élevé des trois coteaux. Le grand village des Natchez se montrait à quelque distance dans une plaine parsemée de bocages de sassafras[47] : çà et là erraient des Indiennes aussi légères que les biches avec lesquelles elles bondissaient ; leur bras gauche était chargé d'une corbeille suspendue à une longue écorce de bouleau, elles cueillaient les fraises dont l'incarnat teignait leurs doigts et les gazons d'alentour[48]. René descend de la colline et s'avance vers le village. Les femmes s'arrêtaient à quelque distance pour voir passer les étrangers, et puis s'enfuyaient vers les bois : ainsi des colombes regardent le chasseur du haut d'une roche élevée, et s'envolent à son approche.

Les voyageurs arrivent aux premières cabanes du grand village ; ils se présentent à la porte d'une de ces cabanes. Là, une famille assemblée était assise sur des nattes de jonc ; les hommes fumaient le calumet ; les femmes filaient des nerfs de chevreuil. Des melons d'eau, des plakmines sèches, et des pommes de mai[49] étaient posées sur des feuilles de vigne vierge au milieu du cercle : un nœud de bambou[50] servait pour boire l'eau d'érable.

Les voyageurs s'arrêtèrent sur le seuil et dirent : « Nous sommes venus. » Et le chef de la famille répondit : « Vous êtes venus, c'est bien. » Après quoi chaque voyageur s'assit sur une natte et partagea le festin sans parler. Quand cela fut fait, un des interprètes éleva la voix et dit : « Où est le Soleil[a] ? » Le chef répondit : « Absent. » Et le silence recommença.

Une jeune fille parut à l'entrée de la cabane. Sa taille haute, fine et déliée, tenait à la fois de l'élégance du palmier et de la faiblesse du roseau. Quelque chose de souffrant et de rêveur se mêlait à ses grâces presque divines. Les Indiens, pour peindre la tristesse et la beauté de Céluta, disaient qu'elle avait le regard de la Nuit et le sourire de l'Aurore. Ce n'était point encore une femme malheureuse, mais une femme destinée à le devenir. On aurait été tenté de presser cette admirable créature dans ses bras, si l'on n'eût craint de sentir palpiter un cœur dévoué d'avance aux chagrins de la vie.

Céluta entre en rougissant dans la cabane, passe devant les étrangers, se penche à l'oreille de la matrone du lieu, lui dit quelques mots à voix basse et se retire. Sa robe blanche d'écorce de mûrier ondoyait légèrement derrière elle, et ses deux talons de rose en relevaient le bord à chaque pas. L'air demeura embaumé sur les traces de l'Indienne du parfum des fleurs de magnolia qui couron-

a. Le *Soleil*, le Grand Chef, ou Empereur des Natchez.

naient sa tête : telle parut Héro aux fêtes d'Abydos ; telle Vénus se fit connaître, dans les bois de Carthage, à sa démarche et à l'odeur d'ambroisie qu'exhalait sa chevelure[51].

Cependant les guides achèvent leur repas, se lèvent et disent : « Nous nous en allons. » Et le chef indien répond : « Allez où le veulent les Génies » ; et ils sortent avec René sans qu'on leur demande quels soins le Ciel leur a commis.

Ils passent au milieu du grand village, dont les cabanes carrées supportaient un toit arrondi en dôme. Ces toits de chaume de maïs entrelacé de feuilles, s'appuyaient sur des murs recouverts en dedans et en dehors de nattes fort minces. A l'extrémité du village les voyageurs arrivèrent sur une place irrégulière que formaient la cabane du Grand Chef des Natchez, et celle de sa plus proche parente, la *Femme-Chef*[a].

Le concours d'Indiens de tous les âges animait ces lieux. La nuit était survenue, mais des flambeaux de cèdre allumés de toutes parts, jetaient une vive clarté sur la mobilité du tableau. Des vieillards fumaient leurs calumets, en s'entretenant des choses du passé ; des mères allaitaient leurs enfants, ou les suspendaient dans leurs berceaux aux branches des tamarins ; plus loin de jeunes garçons, les bras attachés ensemble, s'essayaient à qui supporterait plus longtemps l'ardeur d'un charbon enflammé ; les guerriers jouaient à la balle avec des raquettes garnies de peaux de serpents ; d'autres guerriers avaient de vives contentions aux jeux des pailles et des osselets[52] ; un plus grand nombre exécutait la danse de la guerre ou celle du buffle, tandis que des musiciens frappaient avec une seule baguette une sorte de tambour, soufflaient dans une conque sauvage, ou tiraient des sons d'un os de chevreuil percé à quatre trous, comme le fifre aimé du soldat.

a. Le fils de cette femme héritait de la royauté.

C'était l'heure où les fleurs de l'hibiscus commencent à s'entrouvrir dans les savanes[53], et où les tortues du fleuve viennent déposer leurs œufs dans les sables : les étrangers avaient déjà passé sur la place des jeux tout le temps qu'un enfant indien met à parcourir une cabane, quand pour essayer sa marche, sa mère lui présente la mamelle, et se retire en souriant devant lui[54]. On vit alors paraître un vieillard. Le ciel avait voulu l'éprouver : ses yeux ne voyaient plus la lumière du jour. Il cheminait tout courbé, s'appuyant d'un côté sur le bras d'une jeune femme, de l'autre sur un bâton de chêne[55].

Le patriarche du désert se promenait au milieu de la foule charmée ; les Sachems[56] même paraissaient saisis de respect, et faisaient, en le suivant, un cortège de siècles au vénérable homme qui jetait tant d'éclat et attirait tant d'amour sur le vieil âge.

René et ses guides l'ayant salué à la manière de l'Europe, le Sauvage averti s'inclina à son tour devant eux, et prenant la parole dans leur langue maternelle, il leur dit : « Étrangers, j'ignorais votre présence parmi nous. Je suis fâché que mes yeux ne puissent vous voir ; j'aimais autrefois à contempler mes hôtes et à lire sur leurs fronts s'ils étaient aimés du ciel. » Il se tourna ensuite vers la foule qu'il entendait autour de lui : « Natchez, comment avez-vous laissé ces Français si longtemps seuls ? Êtes-vous assurés que vous ne serez jamais voyageurs, loin de votre terre natale ? Sachez que toutes les fois qu'il arrive parmi vous un étranger, vous devez, un pied nu dans le fleuve et une main étendue sur les eaux, faire un sacrifice au Meschacebé ; car l'étranger est aimé du Grand Esprit[57]. »

Près du lieu où parlait ainsi le vieillard se voyait un catalpa au tronc noueux, aux rameaux étendus et chargés de fleurs : le vieillard ordonne à sa fille de l'y conduire. Il s'assied au pied de l'arbre avec René et les guides. Des enfants montés sur les branches du catalpa, éclairaient avec des flambeaux la scène au-dessous d'eux. Frappés de

la lueur rougeâtre des torches, le vieil arbre et le vieil homme se prêtaient mutuellement une beauté religieuse ; l'un et l'autre portaient les marques des rigueurs du ciel, et pourtant ils fleurissaient encore après avoir été frappés de la foudre.

Le frère d'Amélie[58] ne se lassait point d'admirer le Sachem. Chactas, c'était son nom[59], ressemblait aux héros représentés par ces bustes antiques qui expriment le repos dans le génie, et qui semblent naturellement aveugles. La paix des passions éteintes se mêlait sur le front de Chactas, à cette sérénité remarquable chez les hommes qui ont perdu la vue ; soit qu'en étant privés de la lumière terrestre nous commercions plus intimement avec celle des cieux, soit que l'ombre où vivent les aveugles ait un calme qui s'étende sur l'âme, de même que la nuit est plus silencieuse que le jour.

Le Sachem, prenant le calumet de paix chargé de feuilles odorantes du laurier de montagne, poussa la première vapeur vers le ciel, la seconde vers la terre, et la troisième autour de l'horizon. Ensuite il le présente aux étrangers. Alors le frère d'Amélie dit : « Vieillard ! puisse le ciel te bénir dans tes enfants ! Es-tu le pasteur de ce peuple qui t'environne ? Permets-moi de me ranger parmi ton troupeau.

— Étranger, repartit le sage des bois, je ne suis qu'un simple Sachem, fils d'Outalissi[60]. On me nomme Chactas, parce qu'on prétend que ma voix a quelque douceur, ce qui peut provenir de la crainte que j'ai du Grand Esprit. Si nous te recevons comme un fils, nous ne devons point en retirer de louanges : depuis longtemps nous sommes amis d'Ononthio[a] dont le Soleil[b] habite de l'autre côté du lac sans rivage[c]. Les vieillards de ton pays ont discouru avec les vieillards du mien, et mené dans leur temps la

a. Le gouverneur français.
b. Le roi de France.
c. La mer.

danse des forts, car nos aïeux étaient une race puissante. Que sommes-nous auprès de nos aïeux ? Moi-même qui te parle, j'ai habité jadis parmi tes pères : je n'étais pas courbé vers la terre comme aujourd'hui, et mon nom retentissait dans les forêts. J'ai contracté une grande dette envers la France. Si l'on me trouve quelque sagesse, c'est à un Français que je la dois[61] ; ce sont ses leçons qui ont germé dans mon cœur : les paroles de l'homme selon les voies du Grand Esprit sont des graines fines, que les brises de la fécondité dispersent dans mille climats, où elles se développent en pur maïs ou en fruits délicieux. Mes os, ô mon fils ! reposeraient mollement dans la cabane de la mort, si je pouvais, avant de descendre à la contrée des âmes, prouver ma reconnaissance, par quelque service rendu aux compatriotes de mon ancien hôte du pays des blancs. »

En achevant de prononcer ces mots, le Nestor des Natchez se couvrit la tête de son manteau, et parut se perdre dans quelque grand souvenir. La beauté de ce vieillard, l'éloge d'un homme policé prononcé au milieu du désert par un Sauvage, le titre de fils donné à un étranger, cette coutume naïve des peuples de la nature de traiter de parents tous les hommes, touchaient profondément René.

Chactas, après quelques moments de silence, reprit ainsi la parole : « Étranger du pays de l'Aurore, si je t'ai bien compris, il me semble que tu es venu pour habiter les forêts où le soleil se couche ? Tu fais là une entreprise périlleuse ; il n'est pas aussi aisé que tu le penses d'errer par les sentiers du chevreuil. Il faut que les Manitous du malheur t'aient donné des songes bien funestes, pour t'avoir conduit à une pareille résolution. Raconte-nous ton histoire, jeune étranger ; je juge par la fraîcheur de ta voix, et en touchant tes bras je vois par leur souplesse, que tu dois être dans l'âge des passions. Tu trouveras ici des cœurs qui pourront compatir à tes souffrances. Plusieurs des Sachems qui nous écoutent connaissent la langue et les mœurs de ton pays ; tu dois apercevoir aussi, dans la foule, des blancs, tes compatriotes du fort Rosalie[62], qui seront charmés d'entendre parler de leur pays. »

Le frère d'Amélie répondit d'une voix troublée : « Indien, ma vie est sans aventures, et le cœur de René ne se raconte point[63]. »

Ces paroles brusques furent suivies d'un profond silence : les regards du frère d'Amélie étincelaient d'un feu sombre ; les pensées s'amoncelaient et s'entrouvraient sur son front comme des nuages ; ses cheveux avaient une légère agitation sur ses tempes. Mille sentiments confus régnaient dans la multitude : les uns prenaient l'étranger pour un insensé, les autres pour un Génie revêtu de la forme humaine.

Chactas étendant la main dans l'ombre prit celle de René. « Étranger, lui dit-il, pardonne à ma prière indiscrète : les vieillards sont curieux ; ils aiment à écouter des histoires pour avoir le plaisir de faire des leçons. »

Sortant de l'amertume de ses pensées, et ramené au sentiment de sa nouvelle existence, René supplia Chactas de le faire admettre au nombre des guerriers natchez, et de l'adopter lui-même pour son fils.

« Tu trouveras une natte dans ma cabane, répondit le Sachem, et mes vieux ans s'en réjouiront. Mais le Soleil est absent ; tu ne peux être adopté qu'après son retour. Mon hôte, réfléchis bien au parti que tu veux prendre. Trouveras-tu dans nos savanes le repos que tu viens y chercher ? Es-tu certain de ne jamais nourrir dans ton cœur les regrets de la patrie ? Tout se réduit souvent, pour le voyageur, à échanger dans la terre étrangère des illusions contre des souvenirs[64]. L'homme entretient dans son sein un désir de bonheur qui ne se détruit, ni ne se réalise ; il y a dans nos bois une plante dont la fleur se forme et ne s'épanouit jamais : c'est l'espérance. »

Ainsi parlait le Sachem : mêlant la force à la douceur, il ressemblait à ces vieux chênes où les abeilles ont caché leur miel.

Chactas se lève à l'aide du bras de sa fille. Le frère d'Amélie suit le Sachem que la foule empressée reconduit à sa cabane. Les guides retournèrent au fort Rosalie.

Cependant René était entré sous le toit de son hôte, qu'ombrageaient quatre superbes tulipiers. On fait chauffer une eau pure dans un vase de pierre noire, pour laver les pieds du frère d'Amélie. Chactas sacrifie aux Manitous protecteurs des étrangers ; il brûle en leur honneur des feuilles de saule : le saule est agréable aux Génies des voyageurs, parce qu'il croît au bord des fleuves, emblèmes d'une vie errante. Après ceci Chactas présenta à René la calebasse de l'hospitalité, où six générations avaient bu l'eau d'érable ; elle était couronnée d'hyacinthes bleues qui répandaient une bonne odeur : deux Indiens, célèbres par leur esprit ingénieux, avaient crayonné sur ses flancs dorés l'histoire d'un voyageur égaré dans les bois. René, après avoir mouillé ses lèvres dans la coupe fragile, la rendit aux mains tremblantes du patron de la solitude. Le calumet de paix, dont le fourneau était fait d'une pierre rouge, fut de nouveau présenté au frère d'Amélie. On lui servit en même temps deux jeunes ramiers qui, nourris de baies de genévrier par leur mère, étaient un mets digne de la table d'un roi. Le repas achevé, une jeune fille aux bras nus parut devant l'étranger ; et dansant la chanson de l'hospitalité, elle disait :

« Salut, hôte du Grand Esprit ; salut, ô le plus sacré des hommes ! Nous avons du maïs et une couche pour toi : salut, hôte du Grand Esprit ; salut, ô le plus sacré des hommes ! » La jeune fille prit l'étranger par la main, le conduisit à la peau d'ours qui devait lui servir de lit, et puis elle se retira auprès de ses parents. René s'étendit sur la couche du chasseur, et dormit son premier sommeil chez les Natchez.

RÉSUMÉ

Suite du livre I : *Réveil du camp français de Fort Rosalie ; dénombrement des bataillons et revue des troupes.*

Début du livre II : *Conseil des Démons pour « armer toutes les nations idolâtres du nouveau continent ».*

Livre deuxième (suite)

Le soleil ne faisait que paraître à l'horizon, lorsque le frère d'Amélie ouvrit les yeux dans la demeure d'un Sauvage. L'écorce qui servait de porte à la hutte, avait été roulée et relevée sur le toit. Enveloppé dans son manteau, René se trouvait couché sur sa natte de manière que sa tête était placée à l'ouverture de la cabane. Les premiers objets qui s'offrirent à sa vue, en sortant d'un profond sommeil, furent la vaste coupole d'un ciel bleu où volaient quelques oiseaux, et la cime des tulipiers qui frémissaient au souffle des brises du matin. Des écureuils se jouaient dans les branches de ces beaux arbres, et des perruches sifflaient sous leurs feuilles satinées. Le visage tourné vers le dôme azuré, le jeune étranger enfonçait ses regards dans ce dôme qui lui paraissait d'une immense profondeur et transparent comme le verre. Un sentiment confus de bonheur, trop inconnu à René, reposait au fond de son âme, en même temps que le frère d'Amélie croyait sentir son sang rafraîchi descendre de son cœur dans ses veines, et par un long détour remonter à sa source : telle l'antiquité nous peint des ruisseaux de lait s'égarant au sein de la terre, lorsque les hommes avaient leur innocence, et que le soleil de l'âge d'or se levait aux chants d'un peuple de pasteurs[65].

Un mouvement dans la cabane tira le voyageur de sa rêverie : il aperçut alors le patriarche des Sauvages assis sur une natte de roseau. Auprès du foyer, Saséga, laborieuse matrone, faisait infuser des dentelles de Loghetto, avec des écorces de pin rouge qui donne une pourpre éclatante. Dans un lieu retiré, la nièce de Chactas empennait des flèches avec des plumes de faucon. Céluta, son amie, qui l'était venue visiter, semblait l'aider dans son travail ; mais sa main, arrêtée sur l'ouvrage, annonçait que d'autres sentiments occupaient son cœur.

Le frère d'Amélie s'était endormi l'homme de la société, il se réveillait l'homme de la nature. Le ciel était sur sa tête, comme le dais de sa couche ; des courtines de feuillages et de fleurs semblaient pendre de ce dais superbe ; des vents soufflaient la fraîcheur et la santé ; des hommes libres, des femmes pures entouraient la couche du jeune homme. Il se serait volontiers touché pour s'assurer de son existence, pour se convaincre qu'autour de lui tout n'était pas illusion. Tel fut le réveil du guerrier aimé d'Armide, lorsque l'enchanteresse trouvant son ennemi plongé dans le sommeil, l'emporta sur une nue et le déposa dans les bocages des îles Fortunées[66].

René se lève, sort, se plonge dans l'onde voisine, respire l'odeur des sassafras et des liquidambars, salue la lumière de l'orient, les flots du Meschacebé, les savanes et les forêts, et rentre dans la cabane.

Cependant les femmes souriaient des manières de l'étranger ; c'était de ce sourire de femmes qui ne blesse point. Céluta fut chargée d'apprêter le repas de l'hôte de Chactas : elle prit de la farine de maïs, qu'elle pétrit avec de l'eau de fontaine ; elle en forma un gâteau qu'elle présenta à la flamme, en le soutenant avec une pierre. Elle fit ensuite bouillir de l'eau dans un vase en forme de corbeille ; elle versa cette eau sur la poudre de la racine de smilax : ce mélange, exposé à l'air, se changea en une gelée rose d'un goût délicieux. Alors Céluta retira le pain du foyer et l'offrit au frère d'Amélie : elle lui servit en même temps avec la gelée nouvelle, un rayon de miel et de l'eau d'érable.

Ayant fini ces choses avec un grand zèle, elle se tint debout fort agitée devant l'étranger. Celui-ci enseigné par Chactas se leva, imposa les deux mains en signe de deuil sur la tête de l'Indienne, car elle avait perdu son père et sa mère, et elle n'avait plus pour soutien que son frère Outougamiz[67]. La famille poussa les trois cris de douleur, appelés cris de veuve : Céluta retourna à son ouvrage ; René commença son repas du matin.

Alors Céluta, chargée d'amuser le guerrier blanc, se mit à chanter. Elle disait :

« Voici le plaqueminier ; sous ce plaqueminier il y a un gazon ; sous ce gazon repose une femme. Moi qui pleure sous le plaqueminier, je m'appelle Céluta : je suis fille de la femme qui repose sous le gazon ; elle était ma mère.

« Ma mère me dit en mourant : travaille ; sois fidèle à ton époux quand tu l'auras trouvé. S'il est heureux, sois humble et timide ; n'approche de lui que lorsqu'il te dira : viens, mes lèvres veulent parler aux tiennes.

« S'il est infortuné, sois prodigue de tes caresses ; que ton âme environne la sienne, que ta chair soit insensible aux vents et aux douleurs. Moi, qui m'appelle Céluta, je pleure maintenant sous le plaqueminier ; je suis la fille de la femme qui repose sous le gazon. »

L'Indienne, en chantant ces paroles, tremblait, et des larmes coulaient comme des perles le long de ses joues : elle ne savait pourquoi, à la vue du frère d'Amélie, elle se souvenait des derniers conseils de sa mère. René sentait lui-même ses yeux humides. La famille partageait l'émotion de Céluta, et toute la cabane pleurait de regret, d'amour et de vertu. Tel fut le repas du matin.

A peine cette scène était terminée qu'un guerrier parut : il apportait une hache en présent à l'étranger, pour qu'il se bâtît une cabane. Il conduisait en même temps une vierge plus belle et plus jeune que Chryséis[68], afin que le nouveau fils de Chactas commençât un lit dans le désert.

Céluta baissa la tête dans son sein : Chactas, averti de ce qui se passait, devina le reste. Alors d'une voix courroucée : « Veut-on faire un affront à Chactas ? Le guerrier adopté par moi ne doit pas être traité comme un étranger. »

Consterné à cette réprimande du vieillard, l'envoyé frappa des mains et s'écria : « René adopté par Chactas ne doit pas être regardé comme un étranger. »

Cependant Chactas conseilla au frère d'Amélie de faire un présent à Mila[69], dans la crainte d'offenser une famille puissante qui comptait plus de trente tombeaux. René obéit : il ouvrit une cassette de bois de papaya ; il en tira un collier de porcelaine ; ce collier était monté sur un fil de la racine du tremble, appelé l'arbre du refus, parce que la liane se dessèche autour de son tronc. René faisait ces choses par le conseil de Chactas ; il donna le collier à Mila, à peine âgée de quatorze ans, en lui disant : « Heureux votre père et votre mère ! plus heureux celui qui sera votre époux ! » Mila jeta le collier à terre.

La paix descendit sur la cabane le reste de la journée ; Céluta retourna chez son frère Outougamiz, Mila chez ses parents, et Chactas alla converser avec les Sachems.

Le soir on se rassembla sous les tulipiers : la famille prit un repas sur l'herbe semée de verveine empourprée et de ruelles d'or. Le chant monotone du will-poor-will, le bourdonnement du colibri, le cri des dindes sauvages, les soupirs de la nonpareille, le sifflement de l'oiseau moqueur, le sourd mugissement des crocodiles dans les glaïeuls, formaient l'inexprimable symphonie de ce banquet.

Échappés du royaume des ombres, et descendant sans bruit à la clarté des étoiles, les songes venaient se reposer sur le toit des Sauvages. C'était l'heure où le cyclope européen rallume la fournaise dont la flamme se dilate ou se concentre, aux mouvements des larges soufflets. Tout à coup un cri retentit ; réveillées en sursaut dans la cabane, les femmes se dressent sur leur couche ; Chactas prête l'oreille ; une Indienne soulève l'écorce de la porte, et ces mots se pressent sur ses lèvres : « Les méchants Manitous sont déchaînés : sortez ! sortez ! » La famille se précipite sous les tulipiers.

La nuit régnait : des nuages brisés ressemblaient dans leur désordre sur le firmament, aux ébauches d'un peintre dont le pinceau se serait essayé au hasard sur une toile azurée. Des langues de feu livides et mouvantes léchaient la voûte du ciel. Soudain ces feux s'éteignent : on entend quelque chose de terrible passer dans l'obscurité ; et du fond des forêts s'élève une voix qui n'a rien de l'homme.

Dans ce moment un guerrier se présente à la porte de la cabane ; il adresse à Chactas ces paroles précipitées : « Le conseil de la nation s'assemble ; les Blancs se préparent à lever la hache contre nous ; il leur est arrivé de nouveaux soldats. D'une autre part le trouble est dans la nation : la Femme-Chef, mère du jeune Soleil, est en proie aux mauvais Génies ; Ondouré paraît possédé d'une passion funeste. Le grand prêtre parle d'oracles et de songes ; on murmure sourdement contre le Français que vous voulez faire adopter. Vous êtes témoin des prodiges de la nuit : hâtez-vous de vous rendre au conseil. »

RÉSUMÉ

Suite du livre II : Les Natchez sont conviés en pleine nuit à un conseil de guerre. Le vieil Adario pousse à prendre les armes. Son avis est appuyé par le guerrier Ondouré, aimé de la Femme-Chef Akansie, qui se déchaîne comme une furie. Chactas apaise le conseil, mais, encouragé par Satan, son père, le Démon de la Renommée va exciter la jalousie et la haine, en « racontant le doux penchant de Céluta pour René ».

Livre troisième

Le départ de Chactas pour le conseil, avait laissé René à la solitude. Il sortait et rentrait dans la cabane, suivait un sentier dans le désert, ou regardait le fleuve couler. Un bois de cyprès avait attiré sa vue : perdu quelque temps dans l'épaisseur des ombres, il se trouva tout à coup auprès de l'habitation de Céluta. Devant la hutte s'élevaient quelques gordonias[70] qui étalaient l'or et l'azur dans leurs feuilles vieillies, la verdure dans leurs jeunes rameaux, et la blancheur dans leurs fleurs de neige. Des copalmes se mêlaient à ces arbustes, et des azaléas[71] formaient un buisson de corail à leurs racines.

Conduit par le chemin derrière ce bocage, le frère d'Amélie jeta les yeux dans la cabane, où il aperçut Céluta : ainsi, après son naufrage, le fils de Laërte[72] regardait, à travers les branches de la forêt, Nausicaa semblable à la tige du palmier de Délos.

La fille des Natchez était assise sur une natte ; elle traçait, en fil de pourpre, sur une peau d'orignal, les guerres des Natchez contre les Siminoles. On voyait Chactas au moment d'être brûlé dans le cadre de feu, et délivré par Atala[73]. Profondément occupée, Céluta se penchait sur son ouvrage : ses cheveux, semblables à la fleur d'hyacinthe, se partageaient sur son cou, et tombaient des deux côtés de son sein comme un voile. Lorsqu'elle venait à tirer en arrière un long fil, en déployant lentement son bras nu, les Grâces étaient moins charmantes.

Non loin de Céluta, Outougamiz était assis sur des herbes parfumées, sculptant une pagaie. On retrouvait le frère dans la sœur, avec cette différence, qu'il y avait dans les traits du premier plus de naïveté, dans les traits de la seconde plus d'innocence. Égale candeur, égale simplicité, sortait de leurs cœurs par leurs bouches : tels, sur un même tronc, dans une vallée du Nouveau-Monde, croissent deux érables de sexe différent ; et cependant, le chasseur qui les voit du haut de la colline, les reconnaît pour frère et sœur à leur air de famille, et au langage que leur fait parler la brise du désert.

Le frère d'Amélie était le chasseur qui contemplait le couple solitaire ; et bien qu'il ne comprît pas ses paroles, il les écoutait pourtant, car les deux orphelins échangeaient alors de doux propos.

Génie des forêts à la voix naïve, Génie accoutumé à ces entretiens ignorés de l'Europe, qui font à la fois pleurer et sourire, refuseriez-vous de murmurer ceux-ci à mon oreille !

« Je ne veux plus voir dormir les jeunes hommes, disait la fille des Natchez. Mon frère, quand tu dors sur ta natte, ton sommeil est un baume rafraîchissant pour moi : est-ce que les hommes blancs n'ont pas le même repos ? »

Outougamiz répondit : « Ma sœur, demandez cela aux vieillards. »

Céluta repartit : « Il m'a semblé voir le Manitou de la beauté qui ouvrait et fermait tour à tour les lèvres du guerrier blanc, pendant son sommeil chez Chactas. »

« Un Esprit, dit Outougamiz, m'est apparu dans mes songes. Je n'ai pu voir son visage, car sa tête était voilée. Cet Esprit m'a dit : "Le grand jeune homme blanc porte la moitié de ton cœur." »

Ainsi parlaient les deux innocentes créatures ; leur tendresse fraternelle enchantait et attristait à la fois le frère d'Amélie. Il fit un mouvement, et Céluta, levant la tête, découvrit l'étranger à travers la feuillée. La pudeur monta au front de la fille des Natchez, et ses joues se colorèrent : ainsi un lis blanc, dont on a trempé le pied dans la sève purpurine d'une plante américaine, se peint, en une seule nuit de la couleur brillante, et étonne au matin l'empire de Flore par sa prodigieuse beauté.

A demi caché dans les guirlandes du buisson, René contemplait Céluta qui lui souriait, du même air que la divine Io souriait au maître des dieux, lorsqu'on ne voyait que la tête de l'Immortel dans la nue. Enfin, la fille de

Tabamica ouvrit ses lèvres comme celles de la persuasion, et d'une voix dont les inflexions ressemblaient aux accents de la linotte bleue : « Mon frère, voilà le fils de Chactas. »

Outougamiz, le plus léger des chasseurs, se lève, court à l'étranger, le prend par la main, et le conduit dans sa cabane de bois d'ilicium, dont les meubles reflétaient l'éclat des essences qui les avaient embaumés. Il le fait asseoir sur la dépouille d'un ours longtemps la terreur du pays des Esquimaux ; lui-même il s'assied à ses côtés, en lui disant : « Enfant de l'aurore, les étrangers et les pauvres viennent du Grand Esprit. »

Céluta, dans la couche de laquelle aucun guerrier n'avait dormi, essaya de continuer son ouvrage ; mais ses yeux ne voyaient plus que des erreurs sans issue dans les méandres de ses broderies.

Il est une coutume parmi ces peuples de la nature, coutume qu'on trouvait autrefois chez les Hellènes : tout guerrier se choisit un ami[74]. Le nœud, une fois formé, est indissoluble ; il résiste au malheur et à la prospérité. Chaque homme devient double et vit de deux âmes ; si l'un des deux amis s'éteint, l'autre ne tarde pas à disparaître. Ainsi ces mêmes forêts américaines nourrissent des serpents à deux têtes, dont l'union se fait par le milieu, c'est-à-dire par le cœur : si quelque voyageur écrase l'un des deux chefs de la mystérieuse créature, la partie morte reste attachée à la partie vivante, et bientôt le symbole de l'amitié périt.

Trop jeune encore lorsqu'il perdit son père, le frère de Céluta n'avait point fait le choix d'un ami. Il résolut d'unir sa destinée à celle du fils adoptif de Chactas ; il saisit donc la main de l'étranger, et lui dit : « Je veux être ton ami. » René ne comprit point ce mot, mais il répéta dans la langue de son hôte le mot *ami*. Plein de joie, Outougamiz se lève, prend une flèche, un collier de porcelaine[a], et fait signe à René et à Céluta de le suivre.

a. Sorte de coquillage.

Non loin de la cabane habitée, on voyait une autre cabane déserte dans laquelle Outougamiz était né ; un ruisseau en baignait le toit tombé et les débris épars. Le jeune Indien y pénètre avec son hôte ; Céluta, comme une femme appelée en témoignage devant un juge, demeure debout à quelque distance du lieu marqué par son frère. Outougamiz, parvenu au milieu des ruines, prend une contenance solennelle ; il donne à tenir à René un bout de la flèche dont l'autre bout repose dans sa main. Élevant la voix et attestant le ciel et la terre :

« Fils de l'étranger, dit-il, je me confie à toi sur mon berceau, et je mourrai sur ta tombe. Nous n'aurons plus qu'une natte pour le jour, qu'une peau d'ours pour la nuit. Dans les batailles, je serai à tes côtés. Si je te survis, je donnerai à manger à ton Esprit, et après plusieurs soleils passés en festins ou en combats, tu me prépareras à ton tour une fête dans le pays des âmes. Les amis de mon pays sont des castors qui bâtissent en commun. Souvent ils frappent leurs tomahawks[a] ensemble, et quand ils se trouvent ennuyés de la vie, ils se soulagent avec leur poignard.

« Reçois ce collier : vingt graines rouges marquent le nombre de mes neiges[b] ; les dix-sept graines blanches qui les suivent indiquent les neiges de Céluta, témoin de notre engagement ; neuf graines violettes disent que c'est dans la neuvième lune, ou la lune des chasseurs, que nous nous sommes juré amitié ; trois graines noires succèdent aux graines violettes ; elles désignent le nombre des nuits que cette lune a déjà brillé. J'ai dit. »

Outougamiz cessa de parler, et des larmes tombèrent de ses paupières. Comme les premiers rayons du soleil descendent sur une terre fraîchement labourée et humectée de la rosée de la nuit, ainsi l'amitié du jeune Natchez pénétra dans l'âme attendrie de René. A la vivacité du

a. Massues.
b. Années.

frère de Céluta, au mot d'ami souvent répété, au choix extraordinaire du lieu, René comprit qu'il s'agissait de quelque chose de grand et d'auguste ; il s'écria à son tour : « Quel que soit ce que tu me proposes, homme sauvage, je te jure de l'accomplir ; j'accepte les présents que tu me fais. » Et le frère d'Amélie presse sur son sein le frère de Céluta. Jamais cœur plus calme, jamais cœur plus troublé ne s'étaient approchés l'un de l'autre.

Après ce pacte, les deux amis échangèrent les Manitous de l'amitié. Outougamiz donna à René le bois d'un élan, qui tombant chaque année, chaque année se relève avec une branche de plus, comme l'amitié qui doit s'accroître en vieillissant. René fit présent à Outougamiz d'une chaîne d'or. Le Sauvage la saisit d'une main empressée, parla tout bas à la chaîne, car il l'animait de ses sentiments, et la suspendit sur sa poitrine, jurant qu'il ne la quitterait qu'avec la vie ; serment trop fidèlement gardé ! Comme un arbre consacré dans une forêt à quelque divinité, et dont les rameaux sont chargés de saintes reliques, mais qui va bientôt tomber sous la cognée du bûcheron, ainsi parut Outougamiz portant à son cou l'offrande de l'amitié.

Les deux amis plongèrent leurs pieds nus dans le ruisseau de la cabane, pour marquer que désormais ils étaient deux pèlerins devant finir l'un avec l'autre leur voyage.

Dans la fontaine qui donnait naissance au ruisseau, Outougamiz puisa une eau pure où Céluta mouilla ses lèvres, afin de se payer de son témoignage, et de participer à l'amitié qui venait de naître dans l'âme des deux nouveaux frères.

René, Outougamiz et Céluta errèrent ensuite dans la forêt ; Outougamiz s'appuyait sur le bras de René ; Céluta les suivit. Outougamiz tournait souvent la tête pour la regarder, et autant de fois il rencontrait les yeux de l'Indienne, où l'on voyait sourire des larmes. Comme trois vertus habitant la même âme, ainsi passaient dans ce lieu ces trois modèles d'amitié, d'amour et de noblesse. Bientôt le frère et la sœur chantèrent la chanson de l'amitié ; ils disaient :

« Nous attaquerons avec le même fer l'ours sur le tronc des pins ; nous écarterons avec le même rameau l'insecte des savanes : nos paroles secrètes seront entendues dans la cime des arbres.

« Si vous êtes dans un désert, c'est mon ami qui en fait le charme ; si vous dansez dans l'assemblée des peuples, c'est encore mon ami qui cause vos plaisirs.

« Mon ami et moi nous avons tressé nos cœurs comme des lianes : ces lianes fleuriront et se dessécheront ensemble. »

Tels étaient les chants du couple fraternel. Le soleil dans ce moment vint toucher de ses derniers rayons les gazons de la forêt : les roseaux, les buissons, les chênes s'animèrent ; chaque fontaine soupirait ce que l'amitié a de plus doux, chaque arbre en parlait le langage, chaque oiseau en chantait les délices. Mais René était le Génie du malheur égaré dans ces retraites enchantées.

Rentrés dans la cabane, on servit le festin de l'amitié : c'étaient des fruits entourés de fleurs. Les deux amis s'apprenaient à prononcer dans leur langue les noms de père, de mère, de sœur, d'épouse. Outougamiz voulut que sa sœur s'occupât d'un vêtement indien pour l'homme blanc. Céluta déroule aussitôt un ruban de lin ; elle invite René à se lever, et appuie une main tremblante sur l'épaule du fils de Chactas, en laissant pendre le ruban jusqu'à terre. Mais lorsque passant le ruban sous les bras de René, elle approcha son sein si près de celui du jeune homme, qu'il en ressentit la chaleur sur sa poitrine ; lorsque levant sur le frère d'Amélie, des yeux qui brillaient timidement à travers ses longues paupières ; lorsque s'efforçant de prononcer quelques mots, les mots vinrent expirer sur ses lèvres, elle trouva l'épreuve trop forte et n'acheva point l'ouvrage de l'amitié.

Douce journée ! votre souvenir ne s'effaça de la cabane des Natchez, que quand les cœurs que vous aviez attendris, cessèrent de battre. Pour apprécier vos délices, il faut avoir élevé comme moi sa pensée vers le ciel, du fond des solitudes du Nouveau Monde.

RÉSUMÉ

Suite du livre III : *Chépar, qui commande le poste de Fort Rosalie, convoque lui aussi son conseil. Le père Souël invite à la modération ; mais le renégat Fébriano excite les esprits contre les Natchez, en dénonçant René comme traître à sa patrie. Chépar accepte une trêve provisoire. Pendant ce temps, René, attaqué par surprise, désarme Ondouré, son rival auprès de Céluta.*

Livre IV : *Discours dans le Ciel.*

Début du livre V : *Retour au village du Grand Chef des Natchez ; description de son cortège. Adoption définitive de René, malgré Ondouré. Mauvais présage.*

Livre cinquième (suite)

En ramenant la saison des chasses, l'automne suspendit quelque temps l'effet de ces craintes superstitieuses, et de ces machinations infernales. Chactas, quoique aveugle, est désigné maître de la grande chasse du castor, à cause de son expérience et du respect que les peuples lui portaient. Il part avec les jeunes guerriers : René, admis dans la tribu de l'Aigle et accompagné d'Outougamiz, est au nombre des chasseurs. Les pirogues remontent le Meschacebé et entrent dans le lit de l'Ohio. Pendant le cours d'une navigation solitaire, René interroge Chactas sur ses voyages au pays des Blancs, et lui demande le récit de ses aventures : le Sachem consent à le satisfaire. Assis auprès du frère d'Amélie à la poupe de la barque indienne, le vieillard raconte son séjour chez Lopez, sa captivité chez les Siminoles, ses amours avec Atala, sa délivrance, sa fuite, l'orage, la rencontre du père Aubry et la mort de la fille de Lopez[a] 75.

a. Voyez *Atala*.

ATALA

Prologue[76]

La France possédait autrefois, dans l'Amérique septentrionale, un vaste empire qui s'étendait depuis le Labrador jusqu'aux Florides, et depuis les rivages de l'Atlantique jusqu'aux lacs les plus reculés du haut Canada[77].

Quatre grands fleuves[78], ayant leurs sources dans les mêmes montagnes, divisaient ces régions immenses : le fleuve Saint-Laurent qui se perd à l'est dans le golfe de son nom, la rivière de l'Ouest qui porte ses eaux à des mers inconnues, le fleuve Bourbon qui se précipite du midi au nord dans la baie d'Hudson, et le Meschacebé[a], qui tombe du nord au midi dans le golfe du Mexique.

Ce dernier fleuve, dans un cours de plus de mille lieues, arrose une délicieuse contrée que les habitants des États-Unis appellent le nouvel Eden, et à laquelle les Français ont laissé le doux nom de Louisiane. Mille autres fleuves, tributaires du Meschacebé, le Missouri, l'Illinois, l'Akanza, l'Ohio, le Wabache, le Tenase, l'engraissent de leur limon et la fertilisent de leurs eaux. Quand tous ces fleuves se sont gonflés des déluges de l'hiver ; quand les tempêtes ont abattu des pans entiers de forêts, les arbres déracinés s'assemblent sur les sources. Bientôt les vases les cimen-

a. Vrai nom du Mississipi ou Meschassipi.

tent, les lianes les enchaînent, et des plantes y prenant racine de toutes parts, achèvent de consolider ces débris. Charriés par les vagues écumantes, ils descendent au Meschacebé. Le fleuve s'en empare, les pousse au golfe Mexicain, les échoue sur des bancs de sable et accroît ainsi le nombre de ses embouchures. Par intervalles, il élève sa voix, en passant sous les monts, et répand ses eaux débordées autour des colonnades des forêts et des pyramides des tombeaux indiens ; c'est le Nil des déserts. Mais la grâce est toujours unie à la magnificence dans les scènes de la nature : tandis que le courant du milieu entraîne vers la mer les cadavres des pins et des chênes, on voit sur les deux courants latéraux remonter le long des rivages, des îles flottantes de pistia et de nénuphar, dont les roses jaunes s'élèvent comme de petits pavillons. Des serpents verts, des hérons bleus, des flamants roses, de jeunes crocodiles s'embarquent passagers sur ces vaisseaux de fleurs, et la colonie, déployant au vent ses voiles d'or, va aborder endormie dans quelque anse retirée du fleuve[79].

Les deux rives du Meschacebé présentent le tableau le plus extraordinaire. Sur le bord occidental, des savanes se déroulent à perte de vue ; leurs flots de verdure, en s'éloignant, semblent monter dans l'azur du ciel où ils s'évanouissent. On voit dans ces prairies sans bornes errer à l'aventure des troupeaux de trois ou quatre mille buffles sauvages. Quelquefois un bison chargé d'années, fendant les flots à la nage, se vient coucher parmi de hautes herbes, dans une île du Meschacebé. A son front orné de deux croissants, à sa barbe antique et limoneuse, vous le prendriez pour le dieu du fleuve, qui jette un œil satisfait sur la grandeur de ses ondes, et la sauvage abondance de ses rives.

Telle est la scène sur le bord occidental ; mais elle change sur le bord opposé, et forme avec la première un admirable contraste[80]. Suspendus sur les cours des eaux, groupés sur les rochers et sur les montagnes, dispersés dans les vallées, des arbres de toutes les formes, de toutes les couleurs, de tous les parfums, se mêlent, croissent ensemble, montent dans les airs à des hauteurs qui fatiguent les regards. Les vignes sauvages, les bignonias, les coloquintes, s'entrelacent au pied de ces arbres, escaladent leurs rameaux, grimpent à l'extrémité des branches, s'élancent de l'érable au tulipier, du tulipier à l'alcée, en formant mille grottes, mille voûtes, mille portiques. Souvent égarées d'arbre en arbre, ces lianes traversent des bras de rivières, sur lesquels elles jettent des ponts de fleurs. Du sein de ces massifs, le magnolia élève son cône immobile ; surmonté de ses larges roses blanches, il domine toute la forêt[81], et n'a d'autre rival que le palmier, qui balance légèrement auprès de lui ses éventails de verdure.

Une multitude d'animaux placés dans ces retraites par la main du Créateur, y répandent l'enchantement et la vie. De l'extrémité des avenues, on aperçoit des ours enivrés de raisins, qui chancellent sur les branches des ormeaux ; des caribous se baignent dans un lac ; des écureuils noirs se jouent dans l'épaisseur des feuillages ; des oiseaux-moqueurs, des colombes de Virginie de la grosseur d'un passereau, descendent sur les gazons rougis par les fraises ; des perroquets verts à tête jaune, des piverts empourprés, des cardinaux de feu, grimpent en circulant au haut des cyprès ; des colibris étincellent sur le jasmin des Florides, et des serpents-oiseleurs sifflent suspendus aux dômes des bois, en s'y balançant comme des lianes[82].

Si tout est silence et repos dans les savanes de l'autre côté du fleuve, tout ici, au contraire, est mouvement et murmure : des coups de bec contre le tronc des chênes, des froissements d'animaux qui marchent, broutent ou broient entre leurs dents les noyaux des fruits, des bruissements d'ondes, de faibles gémissements, de sourds meuglements, de doux roucoulements, remplissent ces déserts d'une tendre et sauvage harmonie. Mais quand une brise vient à animer ces solitudes, à balancer ces corps flottants, à confondre ces masses de blanc, d'azur, de vert, de rose, à mêler toutes les couleurs, à réunir tous les murmures ; alors il sort de tels bruits du fond des forêts, il se passe de telles choses aux yeux, que j'essaierais en vain de les décrire à ceux qui n'ont point parcouru ces champs primitifs de la nature[83].

Après la découverte du Meschacebé par le père Marquette et l'infortuné La Salle, les premiers Français qui s'établirent au Biloxi et à la Nouvelle-Orléans, firent alliance avec les Natchez, nation Indienne[84], dont la puissance était redoutable dans ces contrées. Des querelles et des jalousies ensanglantèrent dans la suite la terre de l'hospitalité. Il y avait parmi ces Sauvages un vieillard nommé Chactas[a], qui, par son âge, sa sagesse, et sa science dans les choses de la vie, était le patriarche et l'amour des déserts. Comme tous les hommes, il avait acheté la vertu par l'infortune. Non seulement les forêts du Nouveau-Monde furent remplies de ses malheurs, mais il les porta jusque sur les rivages de la France. Retenu aux galères à Marseille par une cruelle injustice, rendu à la liberté, présenté à Louis XIV, il avait conversé avec les grands hommes de ce siècle, et assisté aux fêtes de Versailles, aux tragédies de Racine, aux oraisons funèbres de Bossuet : en un mot, le Sauvage avait contemplé la société à son plus haut point de splendeur[85].

Depuis plusieurs années, rentré dans le sein de sa patrie, Chactas jouissait du repos. Toutefois le ciel lui vendait encore cher cette faveur ; le vieillard était devenu aveugle. Une jeune fille l'accompagnait sur les coteaux du Meschacebé, comme Antigone guidait les pas d'Œdipe sur le Cythéron, ou comme Malvina conduisait Ossian sur les rochers de Morven.

Malgré les nombreuses injustices que Chactas avait éprouvées de la part des Français, il les aimait. Il se

_a._ La voix harmonieuse.

souvenait toujours de Fénelon, dont il avait été l'hôte[86], et désirait pouvoir rendre quelque service aux compatriotes de cet homme vertueux. Il s'en présenta une occasion favorable. En 1725, un Français, nommé René, poussé par des passions et des malheurs, arriva à la Louisiane. Il remonta le Meschacebé jusqu'aux Natchez, et demanda à être reçu guerrier de cette nation. Chactas l'ayant interrogé, et le trouvant inébranlable dans sa résolution, l'adopta pour fils, et lui donna pour épouse une Indienne, appelée Céluta. Peu de temps après ce mariage, les Sauvages se préparèrent à la chasse du castor[87].

Chactas, quoique aveugle, est désigné par le conseil des Sachems[a] pour commander l'expédition, à cause du respect que les tribus indiennes lui portaient. Les prières et les jeûnes commencent : les jongleurs interprètent les songes ; on consulte les Manitous ; on fait des sacrifices de petun ; on brûle des filets de langue d'orignal ; on examine s'ils pétillent dans la flamme, afin de découvrir la volonté des Génies ; on part enfin, après avoir mangé le chien sacré. René est de la troupe. A l'aide des contre-courants, les pirogues remontent le Meschacebé, et entrent dans le lit de l'Ohio[88]. C'est en automne. Les magnifiques déserts du Kentucky se déploient aux yeux étonnés du jeune Français[89]. Une nuit, à la clarté de la lune, tandis que tous les Natchez dorment au fond de leurs pirogues, et que la flotte indienne, élevant ses voiles de peaux de bêtes, fuit devant une légère brise, René, demeuré seul avec Chactas, lui demande le récit de ses aventures. Le vieillard consent à le satisfaire, et assis avec lui sur la poupe de la pirogue, il commence en ces mots :

a. Vieillards ou conseillers.

Le récit

LES CHASSEURS

« C'est une singulière destinée, mon cher fils, que celle qui nous réunit. Je vois en toi l'homme civilisé qui s'est fait sauvage ; tu vois en moi l'homme sauvage, que le Grand Esprit (j'ignore pour quel dessein) a voulu civiliser. Entrés l'un et l'autre dans la carrière de la vie par les deux bouts opposés, tu es venu te reposer à ma place, et j'ai été m'asseoir à la tienne : ainsi nous avons dû avoir des objets une vue totalement différente. Qui, de toi ou de moi, a le plus gagné ou le plus perdu[90] à ce changement de position ? C'est ce que savent les Génies, dont le moins savant a plus de sagesse que tous les hommes ensemble.

« A la prochaine lune des fleurs[a], il y aura sept fois dix neiges, et trois neiges de plus[b], que ma mère me mit au monde sur les bords du Meschacebé. Les Espagnols s'étaient depuis peu établis dans la baie de Pensacola, mais aucun blanc n'habitait encore la Louisiane[91]. Je comptais à peine dix-sept chutes de feuilles, lorsque je marchai avec mon père, le guerrier Outalissi[92], contre les Muscogulges, nation puissante des Florides. Nous nous joignîmes aux Espagnols nos alliés, et le combat se donna sur une des branches de la Maubile[93]. Areskoui[c] et les Manitous ne nous furent pas favorables. Les ennemis triomphèrent ; mon père perdit la vie ; je fus blessé deux fois en le défendant. Oh ! que ne descendis-je alors dans le pays des âmes[d] ! j'aurais évité les malheurs qui m'attendaient sur la terre. Les Esprits en ordonnèrent autrement : je fus entraîné par les fuyards à Saint-Augustin[94].

a. Mois de mai.
b. Neige pour année, 73 ans.
c. Dieu de la guerre.
d. Les enfers.

« Dans cette ville, nouvellement bâtie par les Espagnols, je courais le risque d'être enlevé pour les mines de Mexico, lorsqu'un vieux Castillan, nommé Lopez, touché de ma jeunesse et de ma simplicité, m'offrit un asile, et me présenta à une sœur avec laquelle il vivait sans épouse[95].

« Tous les deux prirent pour moi les sentiments les plus tendres. On m'éleva avec beaucoup de soin, on me donna toutes sortes de maîtres. Mais après avoir passé trente lunes à Saint-Augustin, je fus saisi du dégoût de la vie des cités. Je dépérissais à vue d'œil : tantôt je demeurais immobile pendant des heures, à contempler la cime des lointaines forêts ; tantôt on me trouvait assis au bord d'un fleuve, que je regardais tristement couler. Je me peignais les bois à travers lesquels cette onde avait passé, et mon âme était tout entière à la solitude.

« Ne pouvant plus résister à l'envie de retourner au désert, un matin je me présentai à Lopez, vêtu de mes habits de Sauvage, tenant d'une main mon arc et mes flèches, et de l'autre mes vêtements européens[96]. Je les remis à mon généreux protecteur, aux pieds duquel je tombai, en versant des torrents de larmes. Je me donnai des noms odieux, je m'accusai d'ingratitude : "Mais enfin, lui dis-je, ô mon père, tu le vois toi-même : je meurs, si je ne reprends la vie de l'Indien."

« Lopez, frappé d'étonnement, voulut me détourner de mon dessein. Il me représenta les dangers que j'allais courir, en m'exposant à tomber de nouveau entre les mains des Muscogulges. Mais voyant que j'étais résolu à tout entreprendre, fondant en pleurs, et me serrant dans ses bras : "Va, s'écria-t-il, enfant de la nature ! reprends cette indépendance de l'homme, que Lopez ne te veut point ravir. Si j'étais plus jeune moi-même, je t'accompagnerais au désert (où j'ai aussi de doux souvenirs !) et je te remettrais dans les bras de ta mère. Quand tu seras dans tes forêts, songe quelquefois à ce vieil Espagnol qui te donna l'hospitalité, et rappelle-toi, pour te porter à

103

l'amour de tes semblables, que la première expérience que tu as faite du cœur humain, a été toute en sa faveur." Lopez finit par une prière au Dieu des chrétiens, dont j'avais refusé d'embrasser le culte, et nous nous quittâmes avec des sanglots[97].

« Je ne tardai pas à être puni de mon ingratitude. Mon inexpérience m'égara dans les bois, et je fus pris par un parti de Muscogulges et de Siminoles[98], comme Lopez me l'avait prédit. Je fus reconnu pour Natchez, à mon vêtement et aux plumes qui ornaient ma tête. On m'enchaîna, mais légèrement, à cause de ma jeunesse. Simaghan, le chef de la troupe, voulut savoir mon nom, je répondis : "Je m'appelle Chactas, fils d'Outalissi, fils de Miscou, qui ont enlevé plus de cent chevelures aux héros muscogulges." Simaghan me dit : "Chactas, fils d'Outalissi, fils de Miscou, réjouis-toi ; tu seras brûlé au grand village." Je repartis : "Voilà qui va bien" ; et j'entonnai ma chanson de mort.

« Tout prisonnier que j'étais, je ne pouvais, durant les premiers jours, m'empêcher d'admirer mes ennemis. Le Muscogulge, et surtout son allié le Siminole, respire la gaieté, l'amour, le contentement. Sa démarche est légère, son abord ouvert et serein. Il parle beaucoup et avec volubilité ; son langage est harmonieux et facile[99]. L'âge même ne peut ravir aux Sachems cette simplicité joyeuse : comme les vieux oiseaux de nos bois, ils mêlent encore leurs vieilles chansons aux airs nouveaux de leur jeune postérité.

« Les femmes qui accompagnaient la troupe, témoignaient pour ma jeunesse une pitié tendre et une curiosité aimable. Elles me questionnaient sur ma mère, sur les premiers jours de ma vie ; elles voulaient savoir si l'on suspendait mon berceau de mousse aux branches fleuries des érables, si les brises m'y balançaient, auprès du nid des petits oiseaux[100]. C'était ensuite mille autres questions sur l'état de mon cœur : elles me demandaient si j'avais vu une biche blanche dans mes songes, et si les arbres de la vallée secrète m'avaient conseillé d'aimer. Je répondais avec naïveté aux mères, aux filles et aux épouses des hommes. Je leur disais : "Vous êtes les grâces du jour, et la nuit vous aime comme la rosée. L'homme sort de votre sein pour se suspendre à votre mamelle et à votre bouche ; vous savez des paroles magiques qui endorment toutes les douleurs. Voilà ce que m'a dit celle qui m'a mis au monde, et qui ne me reverra plus ! Elle m'a dit encore que les vierges étaient des fleurs mystérieuses qu'on trouve dans les lieux solitaires."

« Ces louanges faisaient beaucoup de plaisir aux femmes ; elles me comblaient de toute sorte de dons ; elles m'apportaient de la crème de noix, du sucre d'érable, de la sagamité*a*, des jambons d'ours, des peaux de castors, des coquillages pour me parer, et des mousses pour ma couche. Elles chantaient, elles riaient avec moi, et puis elles se prenaient à verser des larmes, en songeant que je serais brûlé.

« Une nuit que les Muscogulges avaient placé leur camp sur le bord d'une forêt, j'étais assis auprès du *feu de la guerre*, avec le chasseur commis à ma garde. Tout à coup j'entendis le murmure d'un vêtement sur l'herbe, et une femme à demi voilée vint s'asseoir à mes côtés. Des pleurs roulaient sous sa paupière ; à la lueur du feu un petit crucifix d'or brillait sur son sein. Elle était régulièrement belle ; l'on remarquait sur son visage je ne sais quoi de vertueux et de passionné, dont l'attrait était irrésistible. Elle joignait à cela des grâces plus tendres ; une extrême sensibilité, unie à une mélancolie profonde, respirait dans ses regards ; son sourire était céleste[101].

« Je crus que c'était la *Vierge des dernières amours*, cette vierge qu'on envoie au prisonnier de guerre pour enchanter sa tombe[102]. Dans cette persuasion, je lui dis en balbutiant, et avec un trouble qui pourtant ne venait pas de la crainte du bûcher : "Vierge, vous êtes digne des

a. Sorte de pâte de maïs.

premières amours, et vous n'êtes pas faite pour les dernières. Les mouvements d'un cœur qui va bientôt cesser de battre, répondraient mal aux mouvements du vôtre. Comment mêler la mort et la vie ? Vous me feriez trop regretter le jour. Qu'un autre soit plus heureux que moi, et que de longs embrassements unissent la liane et le chêne !"

« La jeune fille me dit alors : "Je ne suis point la *Vierge des dernières amours*. Es-tu chrétien ?" Je répondis que je n'avais point trahi les Génies de ma cabane. A ces mots, l'Indienne fit un mouvement involontaire. Elle me dit : "Je te plains de n'être qu'un méchant idolâtre. Ma mère m'a fait chrétienne ; je me nomme Atala, fille de Simaghan aux bracelets d'or, et chef des guerriers de cette troupe. Nous nous rendons à Apalachucla[103] où tu seras brûlé." En prononçant ces mots, Atala se lève et s'éloigne. »

Ici Chactas fut contraint d'interrompre son récit. Les souvenirs se pressèrent en foule dans son âme ; ses yeux éteints inondèrent de larmes ses joues flétries : telles deux sources, cachées dans la profonde nuit de la terre, se décèlent par les eaux qu'elles laissent filtrer entre les rochers.

« Ô mon fils, reprit-il enfin, tu vois que Chactas est bien peu sage, malgré sa renommée de sagesse. Hélas, mon cher enfant, les hommes ne peuvent déjà plus voir, qu'ils peuvent encore pleurer ! Plusieurs jours s'écoulèrent ; la fille du Sachem revenait chaque soir me parler. Le sommeil avait fui de mes yeux, et Atala était dans mon cœur, comme le souvenir de la couche de mes pères.

« Le dix-septième jour de marche, vers le temps où l'éphémère sort des eaux[104], nous entrâmes sur la grande savane Alachua[105]. Elle est environnée de coteaux, qui, fuyant les uns derrière les autres, portent, en s'élevant jusqu'aux nues, des forêts étagées de copalmes, de citronniers, de magnolias et de chênes verts. Le chef poussa le cri d'arrivée, et la troupe campa au pied des collines. On me relégua à quelque distance, au bord d'un de ces *puits naturels*, si fameux dans les Florides. J'étais attaché au pied d'un arbre ; un guerrier veillait impatiemment auprès de moi. J'avais à peine passé quelques instants dans ce lieu, qu'Atala parut sous les liquidambars[106] de la fontaine. "Chasseur, dit-elle au héros muscogulge, si tu veux poursuivre le chevreuil, je garderai le prisonnier." Le guerrier bondit de joie à cette parole de la fille du chef ; il s'élance du sommet de la colline et allonge ses pas dans la plaine.

« Étrange contradiction du cœur de l'homme ! Moi qui avais tant désiré de dire les choses du mystère à celle que j'aimais déjà comme le soleil, maintenant interdit et confus, je crois que j'eusse préféré d'être jeté aux crocodiles de la fontaine, à me trouver seul ainsi avec Atala[107]. La fille du désert était aussi troublée que son prisonnier ; nous gardions un profond silence ; les Génies de l'amour avaient dérobé nos paroles. Enfin, Atala, faisant un effort, dit ceci : "Guerrier, vous êtes retenu bien faiblement ; vous pouvez aisément vous échapper." A ces mots, la hardiesse revint sur ma langue, je répondis : "Faiblement retenu, ô femme... !" Je ne sus comment achever. Atala hésita quelques moments ; puis elle dit : "Sauvez-vous." Et elle me détacha du tronc de l'arbre. Je saisis la corde ; je la remis dans la main de la fille étrangère, en forçant ses beaux doigts à se fermer sur ma chaîne. "Reprenez-la ! reprenez-la !" m'écriai-je. "Vous êtes un insensé, dit Atala d'une voix émue. Malheureux ! ne sais-tu pas que tu seras brûlé ? Que prétends-tu ? Songes-tu bien que je suis la fille d'un redoutable Sachem ?" "Il fut un temps, répliquai-je avec des larmes, que j'étais aussi porté dans une peau de castor, aux épaules d'une mère. Mon père avait aussi une belle hutte, et ses chevreuils buvaient les eaux de mille torrents[108] ; mais j'erre maintenant sans patrie. Quand je ne serai plus, aucun ami ne mettra un peu d'herbe sur mon corps, pour le garantir des mouches. Le corps d'un étranger malheureux n'intéresse personne."

« Ces mots attendrirent Atala. Ses larmes tombèrent dans la fontaine. "Ah ! repris-je avec vivacité, si votre cœur parlait comme le mien ! Le désert n'est-il pas libre ? Les forêts n'ont-elles point des replis où nous cacher ? Faut-il donc, pour être heureux, tant de choses aux enfants des cabanes ! Ô fille plus belle que le premier songe de l'époux ! Ô ma bien-aimée ! ose suivre mes pas." Telles furent mes paroles. Atala me répondit d'une voix tendre : "Mon jeune ami, vous avez appris le langage des blancs, il est aisé de tromper une Indienne." "Quoi ! m'écriai-je, vous m'appelez votre jeune ami ! Ah ! si un pauvre esclave..." "Eh bien ! dit-elle, en se penchant sur moi, un pauvre esclave..." Je repris avec ardeur : "Qu'un baiser l'assure de ta foi !" Atala écouta ma prière. Comme un faon semble pendre aux fleurs de lianes roses, qu'il saisit de sa langue délicate dans l'escarpement de la montagne, ainsi je restai suspendu aux lèvres de ma bien-aimée.

« Hélas ! mon cher fils, la douleur touche de près au plaisir. Qui eût pu croire que le moment où Atala me donnait le premier gage de son amour, serait celui-là même où elle détruirait mes espérances ? Cheveux blanchis du vieux Chactas, quel fut votre étonnement, lorsque la fille du Sachem prononça ces paroles ! "Beau prisonnier, j'ai follement cédé à ton désir ; mais où nous conduira cette passion ? Ma religion me sépare de toi pour toujours... Ô ma mère ! qu'as-tu fait ?..." Atala se tut tout à coup, et retint je ne sus quel fatal secret près d'échapper à ses lèvres. Ses paroles me plongèrent dans le désespoir. "Eh bien ! m'écriai-je, je serai aussi cruel que vous ; je ne fuirai point. Vous me verrez dans le cadre de feu ; vous entendrez les gémissements de ma chair, et vous serez pleine de joie." Atala saisit mes mains entre les deux siennes. "Pauvre jeune idolâtre, s'écria-t-elle, tu me fais réellement pitié ! Tu veux donc que je pleure tout mon cœur ? Quel dommage que je ne puisse fuir avec toi ! Malheureux a été le ventre de ta mère, ô Atala ! Que ne te jettes-tu au crocodile de la fontaine !"

« Dans ce moment même, les crocodiles, aux approches du coucher du soleil, commençaient à faire entendre leurs rugissements. Atala me dit : "Quittons ces lieux." J'entraînai la fille de Simaghan aux pieds des coteaux qui formaient des golfes de verdure, en avançant leurs promontoires dans la savane. Tout était calme et superbe au désert. La cigogne[109] criait sur son nid, les bois retentissaient du chant monotone des cailles, du sifflement des perruches, du mugissement des bisons et du hennissement des cavales siminoles.

« Notre promenade fut presque muette. Je marchais à côté d'Atala ; elle tenait le bout de la corde, que je l'avais forcée de reprendre. Quelquefois nous versions des pleurs ; quelquefois nous essayions de sourire. Un regard, tantôt levé vers le ciel, tantôt attaché à la terre, une oreille attentive au chant de l'oiseau, un geste vers le soleil couchant, une main tendrement serrée, un sein tour à tour palpitant, tour à tour tranquille, les noms de Chactas et d'Atala doucement répétés par intervalles... Oh ! première promenade de l'amour, il faut que votre souvenir soit bien puissant, puisqu'après tant d'années d'infortune, vous remuez encore le cœur du vieux Chactas !

« Qu'ils sont incompréhensibles les mortels agités par les passions ! Je venais d'abandonner le généreux Lopez, je venais de m'exposer à tous les dangers pour être libre ; dans un instant le regard d'une femme avait changé mes goûts, mes résolutions, mes pensées ! Oubliant mon pays, ma mère, ma cabane et la mort affreuse qui m'attendait, j'étais devenu indifférent à tout ce qui n'était pas Atala ! Sans force pour m'élever à la raison de l'homme, j'étais retombé tout à coup dans une espèce d'enfance ; et loin de pouvoir rien faire pour me soustraire aux maux qui m'attendaient, j'aurais eu presque besoin qu'on s'occupât de mon sommeil et de ma nourriture !

« Ce fut donc vainement qu'après nos courses dans la savane, Atala, se jetant à mes genoux, m'invita de nouveau à la quitter. Je lui protestai que je retournerais seul au camp, si elle refusait de me rattacher au pied de mon arbre. Elle fut obligée de me satisfaire, espérant me convaincre une autre fois.

« Le lendemain de cette journée, qui décida du destin de ma vie, on s'arrêta dans une vallée, non loin de Cuscowilla, capitale des Siminoles. Ces Indiens, unis aux Muscogulges, forment avec eux la confédération des Creeks. La fille du pays des palmiers vint me trouver au milieu de la nuit. Elle me conduisit dans une grande forêt de pins, et renouvela ses prières pour m'engager à la fuite. Sans lui répondre, je pris sa main dans ma main, et je forçai cette biche altérée d'errer avec moi dans la forêt. La nuit était délicieuse. Le Génie des airs secouait sa chevelure bleue, embaumée de la senteur des pins, et l'on respirait la faible odeur d'ambre qu'exhalaient les crocodiles couchés sous les tamarins des fleuves. La lune brillait au milieu d'un azur sans tache, et sa lumière gris de perle descendait sur la cime indéterminée des forêts. Aucun bruit ne se faisait entendre, hors je ne sais quelle harmonie lointaine qui régnait dans la profondeur des bois : on eût dit que l'âme de la solitude soupirait dans toute l'étendue du désert[110].

« Nous aperçûmes à travers les arbres un jeune homme, qui, tenant à la main un flambeau, ressemblait au Génie du printemps, parcourant les forêts pour ranimer la nature[111]. C'était un amant qui allait s'instruire de son sort à la cabane de sa maîtresse[112].

« Si la vierge éteint le flambeau, elle accepte les vœux offerts ; si elle se voile sans l'éteindre, elle rejette un époux.

« Le guerrïer, en se glissant dans les ombres, chantait à demi-voix ces paroles :

« "Je devancerai les pas du jour sur le sommet des montagnes, pour chercher ma colombe solitaire parmi les chênes de la forêt.

« J'ai attaché à son cou un collier de porcelaines[a] ; on

---

a. Sorte de coquillage.

y voit trois grains rouges pour mon amour, trois violets pour mes craintes, trois bleus pour mes espérances.

« Mila a les yeux d'une hermine et la chevelure légère d'un champ de riz ; sa bouche est un coquillage rose, garni de perles ; ses deux seins sont comme deux petits chevreaux sans tache, nés au même jour d'une seule mère.

« Puisse Mila éteindre ce flambeau ! Puisse sa bouche verser sur lui une ombre voluptueuse ! Je fertiliserai son sein. L'espoir de la patrie pendra à sa mamelle féconde, et je fumerai mon calumet de paix sur le berceau de mon fils !

« Ah ! laissez-moi devancer les pas du jour sur le sommet des montagnes, pour chercher ma colombe solitaire parmi les chênes de la forêt !"

« Ainsi chantait ce jeune homme, dont les accents portèrent le trouble jusqu'au fond de mon âme, et firent changer de visage à Atala. Nos mains unies frémirent l'une dans l'autre. Mais nous fûmes distraits de cette scène, par une scène non moins dangereuse pour nous.

« Nous passâmes auprès du tombeau d'un enfant, qui servait de limite à deux nations. On l'avait placé au bord du chemin, selon l'usage, afin que les jeunes femmes, en allant à la fontaine, pussent attirer dans leur sein l'âme de l'innocente créature, et la rendre à la patrie. On y voyait dans ce moment des épouses nouvelles qui, désirant les douceurs de la maternité, cherchaient, en entrouvrant leurs lèvres, à recueillir l'âme du petit enfant, qu'elles croyaient voir errer sur les fleurs. La véritable mère vint ensuite déposer une gerbe de maïs et des fleurs de lis blancs sur le tombeau[113]. Elle arrosa la terre de son lait, s'assit sur le gazon humide, et parla à son enfant d'une voix attendrie :

« "Pourquoi te pleuré-je dans ton berceau de terre, ô mon nouveau-né ? Quand le petit oiseau devient grand, il faut qu'il cherche sa nourriture, et il trouve dans le désert bien des graines amères. Du moins tu as ignoré les pleurs ;

du moins ton cœur n'a point été exposé au souffle dévorant des hommes. Le bouton qui sèche dans son enveloppe, passe avec tous ses parfums, comme toi, ô mon fils ! avec toute ton innocence. Heureux ceux qui meurent au berceau[114], ils n'ont connu que les baisers et les souris d'une mère !"

« Déjà subjugués par notre propre cœur, nous fûmes accablés par ces images d'amour et de maternité, qui semblaient nous poursuivre dans ces solitudes enchantées. J'emportai Atala dans mes bras au fond de la forêt, et je lui dis des choses qu'aujourd'hui je chercherais en vain sur mes lèvres. Le vent du midi, mon cher fils, perd sa chaleur en passant sur des montagnes de glace. Les souvenirs de l'amour dans le cœur d'un vieillard sont les feux du jour réfléchis par l'orbe paisible de la lune, lorsque le soleil est couché et que le silence plane sur les huttes des Sauvages.

« Qui pouvait sauver Atala ? Qui pouvait l'empêcher de succomber à la nature ? Rien qu'un miracle, sans doute ; et ce miracle fut fait ! La fille de Simaghan eut recours au Dieu des chrétiens ; elle se précipita sur la terre, et prononça une fervente oraison, adressée à sa mère et à la reine des vierges[115]. C'est de ce moment, ô René, que j'ai conçu une merveilleuse idée de cette religion[116] qui, dans les forêts, au milieu de toutes les privations de la vie, peut remplir de mille dons les infortunés ; de cette religion qui, opposant sa puissance au torrent des passions, suffit seule pour les vaincre, lorsque tout les favorise, et le secret des bois, et l'absence des hommes, et la fidélité des ombres. Ah ! qu'elle me parut divine, la simple Sauvage, l'ignorante Atala, qui à genoux devant un vieux pin tombé, comme au pied d'un autel, offrait à son Dieu des vœux pour un amant idolâtre ! Ses yeux levés vers l'astre de la nuit, ses joues brillantes des pleurs de la religion et de l'amour, étaient d'une beauté immortelle. Plusieurs fois il me sembla qu'elle allait prendre son vol vers les cieux ; plusieurs fois je crus voir descendre sur les rayons de la lune et entendre dans les branches des arbres, ces Génies que le Dieu des chrétiens envoie aux ermites des rochers, lorsqu'il se dispose à les rappeler à lui. J'en fus affligé, car je craignis qu'Atala n'eût que peu de temps à passer sur la terre[117].

« Cependant elle versa tant de larmes, elle se montra si malheureuse, que j'allais peut-être consentir à m'éloigner, lorsque le cri de mort retentit dans la forêt. Quatre hommes armés se précipitent sur moi : nous avions été découverts ; le chef de guerre avait donné l'ordre de nous poursuivre.

« Atala, qui ressemblait à une reine pour l'orgueil de la démarche, dédaigna de parler à ces guerriers. Elle leur lança un regard superbe, et se rendit auprès de Simaghan.

« Elle ne put rien obtenir. On redoubla mes gardes, on multiplia mes chaînes, on écarta mon amante. Cinq nuits s'écoulent, et nous apercevons Apalachucla située au bord de la rivière Chata-Uche. Aussitôt on me couronne de fleurs ; on me peint le visage d'azur et de vermillon ; on m'attache des perles au nez et aux oreilles, et l'on me met à la main un chichikoué[a][118].

« Ainsi paré pour le sacrifice, j'entre dans Apalachucla, aux cris répétés de la foule. C'en était fait de ma vie, quand tout à coup le bruit d'une conque se fait entendre, et le Mico, ou chef de la nation[119], ordonne de s'assembler.

« Tu connais, mon fils, les tourments que les Sauvages font subir aux prisonniers de guerre. Les missionnaires chrétiens, aux périls de leurs jours, et avec une charité infatigable, étaient parvenus, chez plusieurs nations, à faire substituer un esclavage assez doux aux horreurs du bûcher. Les Muscogulges n'avaient point encore adopté cette coutume ; mais un parti nombreux s'était déclaré en sa faveur. C'était pour prononcer sur cette importante affaire que le Mico convoquait les Sachems. On me conduit au lieu des délibérations.

a. Instrument de musique des Sauvages.

« Non loin d'Apalachucla s'élevait, sur un tertre isolé, le pavillon du conseil[120]. Trois cercles de colonnes formaient l'élégante architecture de cette rotonde. Les colonnes étaient de cyprès poli et sculpté ; elles augmentaient en hauteur et en épaisseur, et diminuaient en nombre, à mesure qu'elles se rapprochaient du centre marqué par un pilier unique. Du sommet de ce pilier partaient des bandes d'écorce, qui, passant sur le sommet des autres colonnes, couvraient le pavillon, en forme d'éventail à jour.

« Le conseil s'assemble. Cinquante vieillards, en manteau de castor, se rangent sur des espèces de gradins faisant face à la porte du pavillon. Le grand chef est assis au milieu d'eux, tenant à la main le calumet de paix à demi coloré pour la guerre. A la droite des vieillards, se placent cinquante femmes couvertes d'une robe de plumes de cygnes. Les chefs de guerre, le tomahawk[a] à la main, le pennache[121] en tête, les bras et la poitrine teints de sang, prennent la gauche.

« Au pied de la colonne centrale, brûle le feu du conseil. Le premier jongleur[122], environné des huit gardiens du temple, vêtu de longs habits, et portant un hibou empaillé sur la tête, verse du baume de copalme sur la flamme et offre un sacrifice au soleil. Ce triple rang de vieillards, de matrones, de guerriers, ces prêtres, ces nuages d'encens, ce sacrifice, tout sert à donner à ce conseil un appareil imposant.

« J'étais debout enchaîné au milieu de l'assemblée. Le sacrifice achevé, le Mico prend la parole, et expose avec simplicité l'affaire qui rassemble le conseil. Il jette un collier bleu dans la salle, en témoignage de ce qu'il vient de dire.

« Alors un Sachem de la tribu de l'Aigle se lève, et parle ainsi :

« "Mon père le Mico, Sachems, matrones, guerriers des

a. La hache.

114

quatre tribus de l'Aigle, du Castor, du Serpent et de la Tortue, ne changeons rien aux mœurs de nos aïeux ; brûlons le prisonnier, et n'amollissons point nos courages. C'est une coutume des blancs qu'on vous propose, elle ne peut être que pernicieuse. Donnez un collier rouge qui contienne mes paroles. J'ai dit."

« Et il jette un collier rouge dans l'assemblée.

« Une matrone se lève, et dit :

« "Mon père l'Aigle, vous avez l'esprit d'un renard, et la prudente lenteur d'une tortue. Je veux polir avec vous la chaîne d'amitié, et nous planterons ensemble l'arbre de paix. Mais changeons les coutumes de nos aïeux, en ce qu'elles ont de funeste. Ayons des esclaves qui cultivent nos champs, et n'entendons plus les cris du prisonnier, qui troublent le sein des mères. J'ai dit."

« Comme on voit les flots de la mer se briser pendant un orage, comme en automne les feuilles séchées sont enlevées par un tourbillon, comme les roseaux du Mes-chacebé plient et se relèvent dans une inondation subite, comme un grand troupeau de cerfs brame au fond d'une forêt, ainsi s'agitait et murmurait le conseil[123]. Des Sachems, des guerriers, des matrones parlent tour à tour ou tous ensemble. Les intérêts se choquent, les opinions se divisent, le conseil va se dissoudre ; mais enfin l'usage antique l'emporte, et je suis condamné au bûcher.

« Une circonstance vint retarder mon supplice ; la *Fête des morts* ou le *Festin des âmes* approchait[124]. Il est d'usage de ne faire mourir aucun captif pendant les jours consacrés à cette cérémonie. On me confia à une garde sévère ; et sans doute les Sachems éloignèrent la fille de Simaghan, car je ne la revis plus.

« Cependant les nations de plus de trois cents lieues à la ronde arrivaient en foule pour célébrer le *Festin des âmes*. On avait bâti une longue hutte sur un site écarté. Au jour marqué, chaque cabane exhuma les restes de ses pères de leurs tombeaux particuliers, et l'on suspendit les squelettes, par ordre et par famille, aux murs de la *Salle commune des aïeux.* Les vents (une tempête s'était élevée), les forêts, les cataractes mugissaient au dehors, tandis que les vieillards des diverses nations concluaient entre eux des traités de paix et d'alliance sur les os de leurs pères.

« On célèbre les jeux funèbres, la course, la balle, les osselets. Deux vierges cherchent à s'arracher une baguette de saule. Les boutons de leurs seins viennent se toucher, leurs mains voltigent sur la baguette qu'elles élèvent au-dessus de leurs têtes. Leurs beaux pieds nus s'entrelacent, leurs bouches se rencontrent, leurs douces haleines se confondent ; elles se penchent et mêlent leurs chevelures ; elles regardent leurs mères, rougissent : on applaudit*ª*. Le jongleur invoque Michabou, génie des eaux. Il raconte les guerres du grand Lièvre contre Matchimanitou, dieu du mal. Il dit le premier homme et Atahensic la première femme précipités du ciel pour avoir perdu l'innocence, la terre rougie du sang fraternel, Jouskeka l'impie immolant le juste Tahouistsaron, le déluge descendant à la voix du Grand Esprit, Massou sauvé seul dans son canot d'écorce, et le corbeau envoyé à la découverte de la terre ; il dit encore la belle Endaé, retirée de la contrée des âmes par les douces chansons de son époux[125].

« Après ces jeux et ces cantiques, on se prépare à donner aux aïeux une éternelle sépulture.

« Sur les bords de la rivière Chata-Uche se voyait un figuier sauvage, que le culte des peuples avait consacré. Les vierges avaient accoutumé de laver leurs robes d'écorce dans ce lieu et de les exposer au souffle du désert, sur les rameaux de l'arbre antique. C'était là qu'on avait creusé un immense tombeau. On part de la salle funèbre, en chantant l'hymne à la mort ; chaque famille porte quelque débris sacré. On arrive à la tombe ; on y descend les reliques ; on les y étend par couche ; on les sépare avec

a. La rougeur est sensible chez les jeunes Sauvages.

116

des peaux d'ours et de castors ; le mont du tombeau s'élève, et l'on y plante l'*Arbre des pleurs et du sommeil*.

« Plaignons les hommes, mon cher fils ! Ces mêmes Indiens dont les coutumes sont si touchantes ; ces mêmes femmes qui m'avaient témoigné un intérêt si tendre, demandaient maintenant mon supplice à grands cris[126] ; et des nations entières retardaient leur départ pour avoir le plaisir de voir un jeune homme souffrir des tourments épouvantables.

« Dans une vallée au nord, à quelque distance du grand village, s'élevait un bois de cyprès et de sapins, appelé le *Bois du sang*. On y arrivait par les ruines d'un de ces monuments dont on ignore l'origine, et qui sont l'ouvrage d'un peuple maintenant inconnu[127]. Au centre de ce bois, s'étendait une arène, où l'on sacrifiait les prisonniers de guerre. On m'y conduit en triomphe. Tout se prépare pour ma mort : on plante le poteau d'Areskoui ; les pins, les ormes, les cyprès tombent sous la cognée ; le bûcher s'élève ; les spectateurs bâtissent des amphithéâtres avec des branches et des troncs d'arbres. Chacun invente un supplice : l'un se propose de m'arracher la peau du crâne, l'autre de me brûler les yeux avec des haches ardentes. Je commence ma chanson de mort[128].

« "Je ne crains point les tourments : je suis brave, ô Muscogulges, je vous défie ! je vous méprise plus que des femmes. Mon père Outalissi, fils de Miscou, a bu dans le crâne de vos plus fameux guerriers ; vous n'arracherez pas un soupir de mon cœur."

« Provoqué par ma chanson, un guerrier me perça le bras d'une flèche ; je dis : "Frère, je te remercie."

« Malgré l'activité des bourreaux, les préparatifs du supplice ne purent être achevés avant le coucher du soleil. On consulta le jongleur qui défendit de troubler les Génies des ombres, et ma mort fut encore suspendue jusqu'au lendemain. Mais dans l'impatience de jouir du spectacle, et pour être plus tôt prêts au lever de l'aurore, les Indiens ne quittèrent point le *Bois du sang* ; ils allumèrent de grands feux, et commencèrent des festins et des danses.

« Cependant on m'avait étendu sur le dos. Des cordes partant de mon cou, de mes pieds, de mes bras, allaient s'attacher à des piquets enfoncés en terre[129]. Des guerriers étaient couchés sur ces cordes, et je ne pouvais faire un mouvement, sans qu'ils en fussent avertis. La nuit s'avance : les chants et les danses cessent par degré ; les feux ne jettent plus que des lueurs rougeâtres, devant lesquelles on voit encore passer les ombres de quelques Sauvages ; tout s'endort ; à mesure que le bruit des hommes s'affaiblit, celui du désert augmente, et au tumulte des voix succèdent les plaintes du vent dans la forêt.

« C'était l'heure où une jeune Indienne qui vient d'être mère se réveille en sursaut au milieu de la nuit, car elle a cru entendre les cris de son premier-né, qui lui demande la douce nourriture. Les yeux attachés au ciel, où le croissant de la lune errait dans les nuages, je réfléchissais sur ma destinée. Atala me semblait un monstre d'ingratitude. M'abandonner au moment du supplice, moi qui m'étais dévoué aux flammes plutôt que de la quitter ! Et pourtant je sentais que je l'aimais toujours et que je mourrais avec joie pour elle.

« Il est dans les extrêmes plaisirs un aiguillon qui nous éveille, comme pour nous avertir de profiter de ce moment rapide ; dans les grandes douleurs, au contraire, je ne sais quoi de pesant nous endort ; des yeux fatigués par les larmes cherchent naturellement à se fermer, et la bonté de la Providence se fait ainsi remarquer jusque dans nos infortunes. Je cédai, malgré moi, à ce lourd sommeil que goûtent quelquefois les misérables. Je rêvais qu'on m'ôtait mes chaînes ; je croyais sentir ce soulagement qu'on éprouve, lorsqu'après avoir été fortement pressé, une main secourable relâche nos fers.

« Cette sensation devint si vive, qu'elle me fit soulever les paupières. A la clarté de la lune, dont un rayon s'échappait entre deux nuages, j'entrevois une grande figure blanche penchée sur moi, et occupée à dénouer silencieusement mes liens. J'allais pousser un cri, lorsqu'une main, que je reconnus à l'instant, me ferma la bouche. Une seule corde restait, mais il paraissait impossible de la couper, sans toucher un guerrier qui la couvrait tout entière de son corps. Atala y porte la main, le guerrier s'éveille à demi, et se dresse sur son séant. Atala reste immobile, et le regarde. L'Indien croit voir l'Esprit des ruines ; il se recouche en fermant les yeux et en invoquant son Manitou. Le lien est brisé. Je me lève ; je suis ma libératrice, qui me tend le bout d'un arc dont elle tient l'autre extrémité. Mais que de dangers nous environnent ! Tantôt nous sommes près de heurter des Sauvages endormis, tantôt une garde nous interroge, et Atala répond en changeant sa voix. Des enfants poussent des cris, des dogues aboient. A peine sommes-nous sortis de l'enceinte funeste, que des hurlements ébranlent la forêt. Le camp se réveille, mille feux s'allument ; on voit courir de tous côtés des Sauvages avec des flambeaux ; nous précipitons notre course.

« Quand l'aurore se leva sur les Apalaches, nous étions déjà loin. Quelle fut ma félicité, lorsque je me trouvai encore une fois dans la solitude avec Atala, avec Atala ma libératrice, avec Atala qui se donnait à moi pour toujours ! Les paroles manquèrent à ma langue, je tombai à genoux, et je dis à la fille de Simaghan : "Les hommes sont bien peu de chose ; mais quand les Génies les visitent, alors ils ne sont rien du tout. Vous êtes un Génie, vous m'avez visité, et je ne puis parler devant vous." Atala me tendit la main avec un sourire : "Il faut bien, dit-elle, que je vous suive, puisque vous ne voulez pas fuir sans moi. Cette nuit, j'ai séduit le jongleur par des présents, j'ai enivré vos bourreaux avec de l'essence de feu[a], et j'ai dû hasarder ma vie pour vous, puisque vous aviez donné la

a. De l'eau-de-vie.

119

vôtre pour moi. Oui, jeune idolâtre, ajouta-t-elle avec un accent qui m'effraya, le sacrifice sera réciproque."

« Atala me remit les armes qu'elle avait eu soin d'apporter ; ensuite elle pansa ma blessure. En l'essuyant avec une feuille de papaya, elle la mouillait de ses larmes. "C'est un baume, lui dis-je, que tu répands sur ma plaie. — Je crains plutôt que ce ne soit un poison", répondit-elle. Elle déchira un des voiles de son sein, dont elle fit une première compresse, qu'elle attacha avec une boucle de ses cheveux[130].

« L'ivresse qui dure longtemps chez les Sauvages, et qui est pour eux une espèce de maladie, les empêcha sans doute de nous poursuivre durant les premières journées. S'ils nous cherchèrent ensuite, il est probable que ce fut du côté du couchant, persuadés que nous aurions essayé de nous rendre au Meschacebé ; mais nous avions pris notre route vers l'étoile immobile[a], en nous dirigeant sur la mousse du tronc des arbres.

« Nous ne tardâmes pas à nous apercevoir que nous avions peu gagné à ma délivrance. Le désert déroulait maintenant devant nous ses solitudes démesurées. Sans expérience de la vie des forêts, détournés de notre vrai chemin, et marchant à l'aventure, qu'allions-nous devenir ? Souvent, en regardant Atala, je me rappelais cette antique histoire d'Agar, que Lopez m'avait fait lire, et qui est arrivée dans le désert de Bersabée, il y a bien longtemps, alors que les hommes vivaient trois âges de chêne[131].

« Atala me fit un manteau avec la seconde écorce du frêne, car j'étais presque nu. Elle me broda des mocassines[b] de peau de rat musqué, avec du poil de porc-épic. Je prenais soin à mon tour de sa parure. Tantôt je lui mettais sur la tête une couronne de ces mauves bleues, que nous trouvions sur notre route, dans des cimetières

a. Le Nord.
b. Chaussure indienne.

120

indiens abandonnés ; tantôt je lui faisais des colliers avec des graines rouges d'azalea ; et puis je me prenais à sourire, en contemplant sa merveilleuse beauté.

« Quand nous rencontrions un fleuve, nous le passions sur un radeau ou à la nage. Atala appuyait une de ses mains sur mon épaule ; et, comme deux cygnes voyageurs, nous traversions ces ondes solitaires.

« Souvent dans les grandes chaleurs du jour, nous cherchions un abri sous les mousses des cèdres. Presque tous les arbres de la Floride, en particulier le cèdre et le chêne-vert, sont couverts d'une mousse blanche qui descend de leurs rameaux jusqu'à terre[132]. Quand la nuit, au clair de lune, vous apercevez sur la nudité d'une savane, une yeuse isolée revêtue de cette draperie, vous croiriez voir un fantôme, traînant après lui ses longs voiles. La scène n'est pas moins pittoresque au grand jour ; car une foule de papillons, de mouches brillantes, de colibris, de perruches vertes, de geais d'azur, vient s'accrocher à ces mousses, qui produisent alors l'effet d'une tapisserie en laine blanche, où l'ouvrier Européen aurait brodé des insectes et des oiseaux éclatants.

« C'était dans ces riantes hôtelleries, préparées par le Grand Esprit, que nous nous reposions à l'ombre. Lorsque les vents descendaient du ciel pour balancer ce grand cèdre, que le château aérien bâti sur ses branches allait flottant avec les oiseaux et les voyageurs endormis sous ses abris, que mille soupirs sortaient des corridors et des voûtes du mobile édifice, jamais les merveilles de l'ancien monde n'ont approché de ce monument du désert.

« Chaque soir nous allumions un grand feu, et nous bâtissions la hutte du voyage, avec une écorce élevée sur quatre piquets[133]. Si j'avais tué une dinde sauvage, un ramier, un faisan des bois, nous le suspendions devant le chêne embrasé, au bout d'une gaule plantée en terre, et nous abandonnions au vent le soin de tourner la proie du chasseur. Nous mangions des mousses appelées tripes de roches[134], des écorces sucrées de bouleau, et des pommes de mai qui ont le goût de la pêche et de la framboise. Le noyer noir, l'érable, le sumach, fournissaient le vin à notre table. Quelquefois j'allais chercher, parmi les roseaux, une plante dont la fleur allongée en cornet contenait un verre de la plus pure rosée[135]. Nous bénissions la Providence qui, sur la faible tige d'une fleur, avait placé cette source limpide au milieu des marais corrompus, comme elle a mis l'espérance au fond des cœurs ulcérés par le chagrin, comme elle a fait jaillir la vertu du sein des misères de la vie.

« Hélas ! je découvris bientôt que je m'étais trompé sur le calme apparent d'Atala. A mesure que nous avancions, elle devenait triste. Souvent elle tressaillait sans cause, et tournait précipitamment la tête. Je la surprenais attachant sur moi un regard passionné, qu'elle reportait vers le ciel avec une profonde mélancolie. Ce qui m'effrayait surtout, était un secret, une pensée cachée au fond de son âme, que j'entrevoyais dans ses yeux[136]. Toujours m'attirant et me repoussant, ranimant et détruisant mes espérances, quand je croyais avoir fait un peu de chemin dans son cœur, je me retrouvais au même point. Que de fois elle m'a dit : "Ô mon jeune amant ! je t'aime comme l'ombre des bois au milieu du jour ! Tu es beau comme le désert avec toutes ses fleurs et toutes ses brises. Si je me penche sur toi, je frémis ; si ma main tombe sur la tienne, il me semble que je vais mourir. L'autre jour le vent jeta tes cheveux sur mon visage, tandis que tu te délassais sur mon sein, je crus sentir le léger toucher des Esprits invisibles. Oui, j'ai vu les chevrettes de la montagne d'Occone[137] ; j'ai entendu les propos des hommes rassasiés de jours ; mais la douceur des chevreaux et la sagesse des vieillards sont moins plaisantes et moins fortes que tes paroles. Eh ! bien, pauvre Chactas, je ne serai jamais ton épouse !"

« Les perpétuelles contradictions de l'amour et de la religion d'Atala, l'abandon de sa tendresse et la chasteté de ses mœurs, la fierté de son caractère et sa profonde sensibilité, l'élévation de son âme dans les grandes choses, sa susceptibilité dans les petites, tout en faisait pour moi un être incompréhensible. Atala ne pouvait pas prendre sur un homme un faible empire : pleine de passions, elle était pleine de puissance ; il fallait ou l'adorer, ou la haïr.

« Après quinze nuits d'une marche précipitée, nous entrâmes dans la chaîne des monts Allégany, et nous atteignîmes une des branches du Tenase[138], fleuve qui se jette dans l'Ohio. Aidé des conseils d'Atala, je bâtis un canot, que j'enduisis de gomme de prunier, après en avoir recousu les écorces avec des racines de sapin. Ensuite je m'embarquai avec Atala, et nous nous abandonnâmes au cours du fleuve.

« Le village indien de Sticoë, avec ses tombes pyramidales et ses huttes en ruines[139], se montrait à notre gauche, au détour d'un promontoire ; nous laissions à droite la vallée de Keow[140], terminée par la perspective des cabanes de Jore, suspendues au front de la montagne du même nom. Le fleuve qui nous entraînait, coulait entre de hautes falaises, au bout desquelles on apercevait le soleil couchant. Ces profondes solitudes n'étaient point troublées par la présence de l'homme. Nous ne vîmes qu'un chasseur indien qui, appuyé sur son arc et immobile sur la pointe d'un rocher, ressemblait à une statue élevée dans la montagne au Génie de ces déserts[141].

« Atala et moi joignions notre silence au silence de cette scène. Tout à coup la fille de l'exil fit éclater dans les airs une voix pleine d'émotion et de mélancolie ; elle chantait la patrie absente[142] :

« "Heureux ceux qui n'ont point vu la fumée des fêtes de l'étranger, et qui ne se sont assis qu'aux festins de leurs pères !

« "Si le geai bleu du Meschacebé disait à la nonpareille des Florides : 'Pourquoi vous plaignez-vous si tristement ? N'avez-vous pas ici de belles eaux et de beaux ombrages, et toutes sortes de pâtures comme dans vos forêts ? — Oui, répondrait la nonpareille fugitive ; mais mon nid est dans le jasmin, qui me l'apportera ? Et le soleil de ma savane, l'avez-vous ?'

« "Heureux ceux qui n'ont point vu la fumée des fêtes de l'étranger, et qui ne se sont assis qu'aux festins de leurs pères !

« "Après les heures d'une marche pénible, le voyageur s'assied tristement. Il contemple autour de lui les toits des hommes ; le voyageur n'a pas un lieu où reposer sa tête. Le voyageur frappe à la cabane, il met son arc derrière la porte, il demande l'hospitalité ; le maître fait un geste de la main ; le voyageur reprend son arc, et retourne au désert !

« "Heureux ceux qui n'ont point vu la fumée des fêtes de l'étranger, et qui ne se sont assis qu'aux festins de leurs pères !

« "Merveilleuses histoires racontées autour du foyer, tendres épanchements du cœur, longues habitudes d'aimer si nécessaires à la vie, vous avez rempli les journées de ceux qui n'ont point quitté leur pays natal ! Leurs tombeaux sont dans leur patrie, avec le soleil couchant, les pleurs de leurs amis et les charmes de la religion.

« "Heureux ceux qui n'ont point vu la fumée des fêtes de l'étranger, et qui ne se sont assis qu'aux festins de leurs pères !"

« Ainsi chantait Atala. Rien n'interrompait ses plaintes, hors le bruit insensible de notre canot sur les ondes. En deux ou trois endroits seulement, elles furent recueillies par un faible écho, qui les redit à un second plus faible, et celui-ci à un troisième plus faible encore : on eût cru que les âmes de deux amants, jadis infortunés comme nous, attirées par cette mélodie touchante, se plaisaient à en soupirer les derniers sons dans la montagne[143].

« Cependant la solitude, la présence continuelle de l'objet aimé, nos malheurs même, redoublaient à chaque instant notre amour. Les forces d'Atala commençaient à l'abandonner, et les passions, en abattant son corps, allaient triompher de sa vertu. Elle priait continuellement sa mère, dont elle avait l'air de vouloir apaiser l'ombre irritée. Quelquefois elle me demandait si je n'entendais pas une voix plaintive, si je ne voyais pas des flammes sortir de la terre. Pour moi, épuisé de fatigue, mais toujours brûlant de désir, songeant que j'étais peut-être perdu sans retour au milieu de ces forêts, cent fois je fus prêt à saisir mon épouse dans mes bras, cent fois je lui proposai de bâtir une hutte sur ces rivages et de nous y ensevelir ensemble. Mais elle me résista toujours : "Songe, me disait-elle, mon jeune ami, qu'un guerrier se doit à sa patrie. Qu'est-ce qu'une femme auprès des devoirs que tu as à remplir ? Prends courage, fils d'Outalissi, ne murmure point contre ta destinée. Le cœur de l'homme est comme l'éponge du fleuve, qui tantôt boit une onde pure dans les temps de sérénité, tantôt s'enfle d'une eau bourbeuse, quand le ciel a troublé les eaux. L'éponge a-t-elle le droit de dire : 'Je croyais qu'il n'y aurait jamais d'orages, que le soleil ne serait jamais brûlant' ?"

« Ô René, si tu crains les troubles du cœur, défie-toi de la solitude : les grandes passions sont solitaires, et les transporter au désert, c'est les rendre à leur empire[144]. Accablés de soucis et de craintes, exposés à tomber entre les mains des Indiens ennemis, à être engloutis dans les eaux, piqués des serpents, dévorés des bêtes, trouvant difficilement une chétive nourriture, et ne sachant plus de quel côté tourner nos pas, nos maux semblaient ne pouvoir plus s'accroître, lorsqu'un accident y vint mettre le comble.

« C'était le vingt-septième soleil depuis notre départ des cabanes : la *lune de feu*[a] avait commencé son cours, et tout annonçait un orage[145]. Vers l'heure où les matrones indiennes suspendent la crosse du labour aux branches du savinier, et où les perruches se retirent dans le creux des cyprès, le ciel commença à se couvrir. Les voix de la solitude s'éteignirent, le désert fit silence, et les forêts

---

a. Mois de juillet.

demeurèrent dans un calme universel. Bientôt les roulements d'un tonnerre lointain, se prolongeant dans ces bois aussi vieux que le monde, en firent sortir des bruits sublimes. Craignant d'être submergés, nous nous hâtâmes de gagner le bord du fleuve, et de nous retirer dans une forêt.

« Ce lieu était un terrain marécageux. Nous avancions avec peine sous une voûte de smilax, parmi des ceps de vigne, des indigos, des faséoles, des lianes rampantes, qui entravaient nos pieds comme des filets. Le sol spongieux tremblait autour de nous, et à chaque instant nous étions près d'être engloutis dans des fondrières. Des insectes sans nombre, d'énormes chauves-souris nous aveuglaient ; les serpents à sonnette bruissaient de toutes parts ; et les loups, les ours, les carcajous[146], les petits tigres, qui venaient se cacher dans ces retraites, les remplissaient de leurs rugissements.

« Cependant l'obscurité redouble : les nuages abaissés entrent sous l'ombrage des bois. La nue se déchire, et l'éclair trace un rapide losange de feu. Un vent impétueux sorti du couchant, roule les nuages sur les nuages ; les forêts plient ; le ciel s'ouvre coup sur coup, et à travers ses crevasses, on aperçoit de nouveaux cieux et des campagnes ardentes. Quel affreux, quel magnifique spectacle ! La foudre met le feu dans les bois ; l'incendie s'étend comme une chevelure de flammes ; des colonnes d'étincelles et de fumée assiègent les nues qui vomissent leurs foudres dans le vaste embrasement. Alors le Grand Esprit couvre les montagnes d'épaisses ténèbres ; du milieu de ce vaste chaos s'élève un mugissement confus formé par le fracas des vents, le gémissement des arbres, le hurlement des bêtes féroces, le bourdonnement de l'incendie, et la chute répétée du tonnerre qui siffle en s'éteignant dans les eaux.

« Le Grand Esprit le sait ! Dans ce moment je ne vis qu'Atala, je ne pensai qu'à elle. Sous le tronc penché d'un bouleau, je parvins à la garantir des torrents de la pluie.

Assis moi-même sous l'arbre, tenant ma bien-aimée sur mes genoux, et réchauffant ses pieds nus entre mes mains, j'étais plus heureux que la nouvelle épouse qui sent pour la première fois son fruit tressaillir dans son sein.

« Nous prêtions l'oreille au bruit de la tempête ; tout à coup je sentis une larme d'Atala sur mon sein : "Orage du cœur, m'écriai-je, est-ce une goutte de votre pluie ?" Puis embrassant étroitement celle que j'aimais : "Atala, lui dis-je, vous me cachez quelque chose. Ouvre-moi ton cœur, ô ma beauté ! cela fait tant de bien, quand un ami regarde dans notre âme ! Raconte-moi cet autre secret de la douleur, que tu t'obstines à taire. Ah ! je le vois, tu pleures ta patrie." Elle repartit aussitôt : "Enfant des hommes, comment pleurerais-je ma patrie, puisque mon père n'était pas du pays des palmiers ?" "Quoi, répliquai-je avec un profond étonnement, votre père n'était point du pays des palmiers ! Quel est donc celui qui vous a mise sur cette terre ? Répondez." Atala dit ces paroles :

« "Avant que ma mère eût apporté en mariage au guerrier Simaghan trente cavales, vingt buffles, cent mesures d'huile de glands, cinquante peaux de castors et beaucoup d'autres richesses, elle avait connu un homme de la chair blanche. Or, la mère de ma mère lui jeta de l'eau au visage[147], et la contraignit d'épouser le magnanime Simaghan, tout semblable à un roi, et honoré des peuples comme un Génie. Mais ma mère dit à son nouvel époux : 'Mon ventre a conçu ; tuez-moi.' Simaghan lui répondit : 'Le Grand Esprit me garde d'une si mauvaise action. Je ne vous mutilerai point, je ne vous couperai point le nez ni les oreilles, parce que vous avez été sincère et que vous n'avez point trompé ma couche. Le fruit de vos entrailles sera mon fruit, et je ne vous visiterai qu'après le départ de l'oiseau de rizière, lorsque la treizième lune aura brillé.' En ce temps-là, je brisai le sein de ma mère, et je commençai à croître, fière comme une Espagnole et comme une Sauvage. Ma mère me fit chrétienne, afin que son Dieu et le Dieu de mon père fût aussi mon Dieu.

Ensuite le chagrin d'amour vint la chercher, et elle descendit dans la petite cave garnie de peaux, d'où l'on ne sort jamais."

« Telle fut l'histoire d'Atala. "Et quel était donc ton père, pauvre orpheline ? lui dis-je. Comment les hommes l'appelaient-ils sur la terre, et quel nom portait-il parmi les Génies ?" "Je n'ai jamais lavé les pieds de mon père, dit Atala ; je sais seulement qu'il vivait avec sa sœur à Saint-Augustin, et qu'il a toujours été fidèle à ma mère : Philippe était son nom parmi les anges[148], et les hommes le nommaient Lopez."

« A ces mots, je poussai un cri qui retentit dans toute la solitude ; le bruit de mes transports se mêla au bruit de l'orage. Serrant Atala sur mon cœur, je m'écriai avec des sanglots : "Ô ma sœur ! ô fille de Lopez ! fille de mon bienfaiteur !" Atala, effrayée, me demanda d'où venait mon trouble ; mais quand elle sut que Lopez était cet hôte généreux qui m'avait adopté à Saint-Augustin, et que j'avais quitté pour être libre, elle fut saisie elle-même de confusion et de joie.

« C'en était trop pour nos cœurs que cette amitié fraternelle qui venait nous visiter, et joindre son amour à notre amour[149]. Désormais les combats d'Atala allaient devenir inutiles : en vain je la sentis porter une main à son sein, et faire un mouvement extraordinaire ; déjà je l'avais saisie, déjà je m'étais enivré de son souffle, déjà j'avais bu toute la magie de l'amour sur ses lèvres. Les yeux levés vers le ciel, à la lueur des éclairs, je tenais mon épouse dans mes bras, en présence de l'Éternel. Pompe nuptiale, digne de nos malheurs et de la grandeur de nos amours : superbes forêts qui agitiez vos lianes et vos dômes comme les rideaux et le ciel de notre couche, pins embrasés qui formiez les flambeaux de notre hymen, fleuve débordé, montagnes mugissantes, affreuse et sublime nature, n'étiez-vous donc qu'un appareil préparé pour nous tromper[150], et ne pûtes-vous cacher un moment dans vos mystérieuses horreurs la félicité d'un homme !

128

« Atala n'offrait plus qu'une faible résistance ; je touchais au moment du bonheur, quand tout à coup un impétueux éclair, suivi d'un éclat de la foudre, sillonne l'épaisseur des ombres, remplit la forêt de soufre et de lumière, et brise un arbre à nos pieds. Nous fuyons. Ô surprise !... dans le silence qui succède, nous entendons le son d'une cloche ! Tous deux interdits, nous prêtons l'oreille à ce bruit, si étrange dans un désert. A l'instant un chien aboie dans le lointain ; il approche, il redouble ses cris, il arrive, il hurle de joie à nos pieds ; un vieux Solitaire portant une petite lanterne, le suit à travers les ténèbres de la forêt[151]. "La Providence soit bénie ! s'écriat-il, aussitôt qu'il nous aperçut. Il y a bien longtemps que je vous cherche ! Notre chien vous a sentis dès le commencement de l'orage, et il m'a conduit ici. Bon Dieu ! comme ils sont jeunes ! Pauvres enfants ! comme ils ont dû souffrir ! Allons : j'ai apporté une peau d'ours, ce sera pour cette jeune femme ; voici un peu de vin dans notre calebasse. Que Dieu soit loué dans toutes ses œuvres ! sa miséricorde est bien grande, et sa bonté est infinie !"

« Atala était aux pieds du religieux[152] : "Chef de la prière, lui disait-elle, je suis chrétienne, c'est le ciel qui t'envoie pour me sauver." "Ma fille, dit l'ermite en la relevant, nous sonnons ordinairement la cloche de la Mission pendant la nuit et pendant les tempêtes, pour appeler les étrangers[/] ; et, à l'exemple de nos frères des Alpes et du Liban, nous avons appris à notre chien à découvrir les voyageurs égarés." Pour moi, je comprenais à peine l'ermite ; cette charité me semblait si fort au-dessus de l'homme, que je croyais faire un songe. A la lueur de la petite lanterne que tenait le religieux, j'entrevoyais sa barbe et ses cheveux tout trempés d'eau ; ses pieds, ses mains et son visage étaient ensanglantés par les ronces. "Vieillard, m'écriai-je enfin, quel cœur as-tu donc, toi qui n'as pas craint d'être frappé de la foudre ?" "Craindre ! repartit le père avec une sorte de chaleur ; craindre, lorsqu'il y a des hommes en péril, et que je puis leur être utile ! je serais donc un bien indigne serviteur de Jésus-Christ !" "Mais sais-tu, lui dis-je, que je ne suis pas chrétien ?" "Jeune homme, répondit l'ermite, vous ai-je demandé votre religion ? Jésus-Christ n'a pas dit : 'Mon sang lavera celui-ci, et non celui-là.' Il est mort pour le Juif et le Gentil, et il n'a vu dans tous les hommes que des frères et des infortunés. Ce que je fais ici pour vous, est fort peu de chose, et vous trouveriez ailleurs bien d'autres secours ; mais la gloire n'en doit point retomber sur les prêtres. Que sommes-nous, faibles Solitaires, sinon de grossiers instruments d'une œuvre céleste ? Eh ! quel serait le soldat assez lâche pour reculer, lorsque son chef, la croix à la main, et le front couronné d'épines, marche devant lui au secours des hommes ?"

« Ces paroles saisirent mon cœur ; des larmes d'admiration et de tendresse tombèrent de mes yeux. "Mes chers enfants, dit le missionnaire, je gouverne dans ces forêts un petit troupeau de vos frères sauvages. Ma grotte est assez près d'ici dans la montagne ; venez vous réchauffer chez moi ; vous n'y trouverez pas les commodités de la vie, mais vous y aurez un abri ; et il faut encore en remercier la Bonté divine, car il y a bien des hommes qui en manquent."

LES LABOUREURS

« Il y a des justes dont la conscience est si tranquille, qu'on ne peut approcher d'eux sans participer à la paix qui s'exhale, pour ainsi dire, de leur cœur et de leurs discours. A mesure que le Solitaire parlait, je sentais les passions s'apaiser dans mon sein, et l'orage même du ciel semblait s'éloigner à sa voix. Les nuages furent bientôt assez dispersés pour nous permettre de quitter notre retraite. Nous sortîmes de la forêt, et nous commençâmes à gravir le revers d'une haute montagne. Le chien marchait devant nous, en portant au bout d'un bâton la lanterne éteinte. Je tenais la main d'Atala, et nous suivions le missionnaire. Il se détournait souvent pour nous regarder, contemplant avec pitié nos malheurs et notre jeunesse. Un livre était suspendu à son cou ; il s'appuyait sur un bâton blanc. Sa taille était élevée, sa figure pâle et maigre, sa physionomie simple et sincère. Il n'avait pas les traits morts et effacés de l'homme né sans passions ; on voyait que ses jours avaient été mauvais, et les rides de son front montraient les belles cicatrices des passions guéries par la vertu et par l'amour de Dieu et des hommes. Quand il nous parlait debout et immobile, sa longue barbe, ses yeux modestement baissés, le ton affectueux de sa voix, tout en lui avait quelque chose de calme et de sublime. Quiconque a vu, comme moi, le père Aubry cheminant seul avec son bâton et son bréviaire dans le désert, a une véritable idée du voyageur chrétien sur la terre[153].

« Après une demi-heure d'une marche dangereuse par les sentiers de la montagne, nous arrivâmes à la grotte du missionnaire. Nous y entrâmes à travers les lierres et les giraumonts[154] humides, que la pluie avait abattus des rochers. Il n'y avait dans ce lieu qu'une natte de feuilles de papaya, une calebasse pour puiser de l'eau, quelques vases de bois, une bêche, un serpent familier, et sur une pierre qui servait de table, un crucifix et le livre des chrétiens[155].

« L'homme des anciens jours[156] se hâta d'allumer du feu avec des lianes sèches ; il brisa du maïs entre deux pierres, et en ayant fait un gâteau, il le mit cuire sous la cendre. Quand ce gâteau eut pris au feu une belle couleur dorée, il nous le servit tout brûlant, avec de la crème de noix dans un vase d'érable.

« Le soir ayant ramené la sérénité, le serviteur du Grand Esprit nous proposa d'aller nous asseoir à l'entrée de la grotte. Nous le suivîmes dans ce lieu qui commandait une vue immense[157]. Les restes de l'orage étaient jetés en désordre vers l'orient ; les feux de l'incendie allumé dans les forêts par la foudre, brillaient encore dans le lointain ; au pied de la montagne un bois de pins tout entier était renversé dans la vase, et le fleuve roulait pêle-mêle les argiles détrempées, les troncs des arbres, les corps des animaux et les poissons morts, dont on voyait le ventre argenté flotter à la surface des eaux.

« Ce fut au milieu de cette scène, qu'Atala raconta notre histoire au vieux Génie de la montagne. Son cœur parut touché, et des larmes tombèrent sur sa barbe[158] : "Mon enfant, dit-il à Atala, il faut offrir vos souffrances à Dieu, pour la gloire de qui vous avez déjà fait tant de choses ; il vous rendra le repos. Voyez fumer ces forêts, sécher ces torrents, se dissiper ces nuages ; croyez-vous que celui qui peut calmer une pareille tempête ne pourra pas apaiser les troubles du cœur de l'homme ? Si vous n'avez pas de meilleure retraite, ma chère fille, je vous offre une place au milieu du troupeau que j'ai eu le bonheur d'appeler à Jésus-Christ. J'instruirai Chactas, et je vous le donnerai pour époux quand il sera digne de l'être."

« A ces mots je tombai aux genoux du Solitaire, en versant des pleurs de joie ; mais Atala devint pâle comme la mort. Le vieillard me releva avec bénignité, et je m'aperçus alors qu'il avait les deux mains mutilées. Atala comprit sur-le-champ ses malheurs. "Les barbares !" s'écriat-elle.

« "Ma fille, reprit le père avec un doux sourire, qu'est-ce que cela auprès de ce qu'a enduré mon divin Maître ? Si les Indiens idolâtres m'ont affligé, ce sont de pauvres aveugles que Dieu éclairera un jour. Je les chéris même davantage, en proportion des maux qu'ils m'ont faits. Je n'ai pu rester dans ma patrie où j'étais retourné, et où une illustre reine m'a fait l'honneur de vouloir contempler ces faibles marques de mon apostolat. Et quelle récompense plus glorieuse pouvais-je recevoir de mes travaux, que d'avoir obtenu du chef de notre religion la permission de célébrer le divin sacrifice avec ces mains mutilées[159] ? Il ne me restait plus, après un tel honneur, qu'à tâcher de m'en rendre digne : je suis revenu au Nouveau-Monde, consumer le reste de ma vie au service de mon Dieu. Il y a bientôt trente ans que j'habite cette solitude, et il y en aura demain vingt-deux, que j'ai pris possession de ce rocher. Quand j'arrivai dans ces lieux, je n'y trouvai que des familles vagabondes, dont les mœurs étaient féroces et la vie fort misérable. Je leur ai fait entendre la parole de paix, et leurs mœurs se sont graduellement adoucies. Ils vivent maintenant rassemblés au bas de cette montagne. J'ai tâché, en leur enseignant les voies du salut, de leur apprendre les premiers arts de la vie, mais sans les porter trop loin, et en retenant ces honnêtes gens dans cette simplicité qui fait le bonheur. Pour moi, craignant de les gêner par ma présence, je me suis retiré sous cette grotte, où ils viennent me consulter[160]. C'est ici que, loin des hommes, j'admire Dieu dans la grandeur de ces solitudes, et que je me prépare à la mort, que m'annoncent mes vieux jours."

« En achevant ces mots, le Solitaire se mit à genoux, et nous imitâmes son exemple. Il commença à haute voix une prière, à laquelle Atala répondait. De muets éclairs ouvraient encore les cieux dans l'orient, et sur les nuages du couchant, trois soleils brillaient ensemble[161]. Quelques renards dispersés par l'orage allongeaient leurs museaux noirs au bord des précipices, et l'on entendait le frémissement des plantes qui, séchant à la brise du soir, relevaient de toutes parts leurs tiges abattues.

« Nous rentrâmes dans la grotte, où l'ermite étendit un lit de mousse de cyprès pour Atala. Une profonde langueur se peignait dans les yeux et dans les mouvements de cette vierge ; elle regardait le père Aubry, comme si elle eût voulu lui communiquer un secret ; mais quelque chose semblait la retenir, soit ma présence, soit une certaine honte, soit l'inutilité de l'aveu. Je l'entendis se lever au milieu de la nuit ; elle cherchait le Solitaire, mais comme il lui avait donné sa couche, il était allé contempler la beauté du ciel et prier Dieu sur le sommet de la montagne.

Il me dit le lendemain que c'était assez sa coutume, même pendant l'hiver, aimant à voir les forêts balancer leurs cimes dépouillées, les nuages voler dans les cieux, et à entendre les vents et les torrents gronder dans la solitude. Ma sœur fut donc obligée de retourner à sa couche, où elle s'assoupit. Hélas ! comblé d'espérance, je ne vis dans la faiblesse d'Atala que des marques passagères de lassitude !

« Le lendemain je m'éveillai aux chants des cardinaux et des oiseaux-moqueurs, nichés dans les acacias et les lauriers qui environnaient la grotte. J'allai cueillir une rose de magnolia, et je la déposai humectée des larmes du matin, sur la tête d'Atala endormie. J'espérais, selon la religion de mon pays, que l'âme de quelque enfant mort à la mamelle, serait descendue sur cette fleur dans une goutte de rosée, et qu'un heureux songe la porterait au sein de ma future épouse. Je cherchai ensuite mon hôte ; je le trouvai la robe relevée dans ses deux poches, un chapelet à la main, et m'attendant assis sur le tronc d'un pin tombé de vieillesse. Il me proposa d'aller avec lui à la Mission, tandis qu'Atala reposait encore ; j'acceptai son offre, et nous nous mîmes en route à l'instant.

« En descendant la montagne, j'aperçus des chênes où les Génies semblaient avoir dessiné des caractères étrangers. L'ermite me dit qu'il les avait tracés lui-même, que c'étaient des vers d'un ancien poète appelé Homère, et quelques sentences d'un autre poète plus ancien encore, nommé Salomon. Il y avait je ne sais quelle mystérieuse harmonie entre cette sagesse des temps, ces vers rongés de mousse, ce vieux Solitaire qui les avait gravés, et ces vieux chênes qui lui servaient de livres[162].

« Son nom, son âge, la date de sa mission, étaient aussi marqués sur un roseau de savane, au pied de ces arbres. Je m'étonnai de la fragilité du dernier monument : "Il durera encore plus que moi, me répondit le père, et aura toujours plus de valeur que le peu de bien que j'ai fait."

« De là, nous arrivâmes à l'entrée d'une vallée, où je vis

134

un ouvrage merveilleux : c'était un pont naturel, semblable à celui de la Virginie, dont tu as peut-être entendu parler[163]. Les hommes, mon fils, surtout ceux de ton pays, imitent souvent la nature, et leurs copies sont toujours petites ; il n'en est pas ainsi de la nature quand elle a l'air d'imiter les travaux des hommes, en leur offrant en effet des modèles. C'est alors qu'elle jette des ponts du sommet d'une montagne au sommet d'une autre montagne, suspend des chemins dans les nues, répand des fleuves pour canaux, sculpte des monts pour colonnes, et pour bassins creuse des mers.

« Nous passâmes sous l'arche unique de ce pont, et nous nous trouvâmes devant une autre merveille : c'était le cimetière des Indiens de la Mission, ou *les Bocages de la mort*. Le père Aubry avait permis à ses néophytes d'ensevelir leurs morts à leur manière et de conserver au lieu de leurs sépultures son nom sauvage ; il avait seulement sanctifié ce lieu par une croix[a]. Le sol en était divisé, comme le champ commun des moissons, en autant de lots qu'il y avait de familles. Chaque lot faisait à lui seul un bois qui variait selon le goût de ceux qui l'avaient planté. Un ruisseau serpentait sans bruit au milieu de ces bocages ; on l'appelait *le Ruisseau de la paix*. Ce riant asile des âmes était fermé à l'orient par le pont sous lequel nous avions passé ; deux collines le bornaient au septentrion et au midi ; il ne s'ouvrait qu'à l'occident, où s'élevait un grand bois de sapins. Les troncs de ces arbres, rouges marbrés de vert, montant sans branches jusqu'à leurs cimes, ressemblaient à de hautes colonnes, et formaient le péristyle de ce temple de la mort ; il y régnait un bruit religieux, semblable au sourd mugissement de l'orgue sous les voûtes d'une église ; mais lorsqu'on pénétrait au fond du sanctuaire, on n'entendait plus que

a. Le père Aubry avait fait comme les Jésuites à la Chine, qui permettaient aux Chinois d'enterrer leurs parents dans leurs jardins, selon leur ancienne coutume.

les hymnes des oiseaux qui célébraient à la mémoire des morts une fête éternelle[164].

« En sortant de ce bois, nous découvrîmes le village de la Mission, situé au bord d'un lac, au milieu d'une savane semée de fleurs. On y arrivait par une avenue de magnolias et de chênes-verts, qui bordaient une de ces anciennes routes, que l'on trouve vers les montagnes qui divisent le Kentucky des Florides. Aussitôt que les Indiens aperçurent leur pasteur dans la plaine, ils abandonnèrent leurs travaux et accoururent au-devant de lui. Les uns baisaient sa robe, les autres aidaient ses pas ; les mères élevaient dans leurs bras leurs petits enfants, pour leur faire voir l'homme de Jésus-Christ, qui répandait des larmes. Il s'informait, en marchant, de ce qui se passait au village ; il donnait un conseil à celui-ci, réprimandait doucement celui-là ; il parlait des moissons à recueillir, des enfants à instruire, des peines à consoler, et il mêlait Dieu à tous ses discours.

« Ainsi escortés, nous arrivâmes au pied d'une grande croix qui se trouvait sur le chemin. C'était là que le serviteur de Dieu avait accoutumé de célébrer les mystères de sa religion[165] : "Mes chers néophytes, dit-il en se tournant vers la foule, il vous est arrivé un frère et une sœur ; et pour surcroît de bonheur, je vois que la divine Providence a épargné hier vos moissons : voilà deux grandes raisons de la remercier. Offrons donc le saint sacrifice, et que chacun y apporte un recueillement profond, une foi vive, une reconnaissance infinie et un cœur humilié."

« Aussitôt le prêtre divin revêt une tunique blanche d'écorce de mûriers ; les vases sacrés sont tirés d'un tabernacle au pied de la croix, l'autel se prépare sur un quartier de roche, l'eau se puise dans le torrent voisin, et une grappe de raisin sauvage fournit le vin du sacrifice. Nous nous mettons tous à genoux dans les hautes herbes ; le mystère commence.

« L'aurore paraissant derrière les montagnes, enflammait l'orient. Tout était d'or ou de rose dans la solitude. L'astre annoncé par tant de splendeur sortit enfin d'un abîme de lumière, et son premier rayon rencontra l'hostie consacrée, que le prêtre, en ce moment même, élevait dans les airs[166]. Ô charme de la religion ! Ô magnificence du culte chrétien ! Pour sacrificateur un vieil ermite, pour autel un rocher, pour église le désert, pour assistance d'innocents Sauvages ! Non, je ne doute point qu'au moment où nous nous prosternâmes, le grand mystère ne s'accomplît, et que Dieu ne descendît sur la terre, car je le sentis descendre dans mon cœur.

« Après le sacrifice, où il ne manqua pour moi que la fille de Lopez, nous nous rendîmes au village. Là, régnait le mélange le plus touchant de la vie sociale et de la vie de la nature[167] : au coin d'une cyprière de l'antique désert, on découvrait une culture naissante ; les épis roulaient à flots d'or sur le tronc du chêne abattu, et la gerbe d'un été remplaçait l'arbre de trois siècles. Partout on voyait les forêts livrées aux flammes pousser de grosses fumées dans les airs, et la charrue se promener lentement entre les débris de leurs racines. Des arpenteurs avec de longues chaînes allaient mesurant le terrain ; des arbitres établissaient les premières propriétés ; l'oiseau cédait son nid ; le repaire de la bête féroce se changeait en une cabane ; on entendait gronder des forges, et les coups de la cognée faisaient, pour la dernière fois, mugir des échos expirant eux-mêmes avec les arbres qui leur servaient d'asile.

« J'errais avec ravissement au milieu de ces tableaux, rendus plus doux par l'image d'Atala et par les rêves de félicité dont je berçais mon cœur. J'admirais le triomphe du Christianisme sur la vie sauvage[168] ; je voyais l'Indien se civilisant à la voix de la religion ; j'assistais aux noces primitives de l'Homme et de la Terre : l'homme, par ce grand contrat[169], abandonnant à la terre l'héritage de ses sueurs, et la terre s'engageant, en retour, à porter fidèlement les moissons, les fils et les cendres de l'homme.

« Cependant on présenta un enfant au missionnaire, qui

le baptisa parmi des jasmins en fleurs, au bord d'une source, tandis qu'un cercueil, au milieu des jeux et des travaux, se rendait aux Bocages de la mort. Deux époux reçurent la bénédiction nuptiale sous un chêne, et nous allâmes ensuite les établir dans un coin du désert. Le pasteur[170] marchait devant nous, bénissant çà et là, et le rocher, et l'arbre, et la fontaine, comme autrefois, selon le livre des Chrétiens, Dieu bénit la terre inculte, en la donnant en héritage à Adam. Cette procession, qui pêle-mêle avec ses troupeaux suivait de rocher en rocher son chef vénérable, représentait à mon cœur attendri ces migrations des premières familles, alors que Sem, avec ses enfants, s'avançait à travers le monde inconnu, en suivant le soleil qui marchait devant lui.

« Je voulus savoir du saint ermite, comment il gouvernait ses enfants[171] ; il me répondit avec une grande complaisance : "Je ne leur ai donné aucune loi ; je leur ai seulement enseigné à s'aimer, à prier Dieu, et à espérer une meilleure vie ; toutes les lois du monde sont là-dedans[172]. Vous voyez au milieu du village une cabane plus grande que les autres : elle sert de chapelle dans la saison des pluies. On s'y assemble soir et matin pour louer le Seigneur, et quand je suis absent, c'est un vieillard qui fait la prière ; car la vieillesse est, comme la maternité, une espèce de sacerdoce. Ensuite on va travailler dans les champs, et si les propriétés sont divisées, afin que chacun puisse apprendre l'économie sociale, les moissons sont déposées dans des greniers communs, pour maintenir la charité fraternelle. Quatre vieillards distribuent avec égalité le produit du labeur. Ajoutez à cela des cérémonies religieuses, beaucoup de cantiques, la croix où j'ai célébré les mystères, l'ormeau sous lequel je prêche dans les bons jours, nos tombeaux tout près de nos champs de blé, nos fleuves où je plonge les petits enfants et les saint Jean de cette nouvelle Béthanie[173], vous aurez une idée complète de ce royaume de Jésus-Christ."

« Les paroles du Solitaire me ravirent, et je sentis la

supériorité de cette vie stable et occupée, sur la vie errante et oisive du Sauvage[174].

« Ah ! René, je ne murmure point contre la Providence, mais j'avoue que je ne me rappelle jamais cette société évangélique, sans éprouver l'amertume des regrets. Qu'une hutte, avec Atala sur ces bords, eût rendu ma vie heureuse ! Là finissaient toutes mes courses ; là, avec une épouse, inconnu des hommes, cachant mon bonheur au fond des forêts, j'aurais passé comme ces fleuves, qui n'ont pas même un nom dans le désert[175]. Au lieu de cette paix que j'osais alors me promettre, dans quel trouble n'ai-je point coulé mes jours ! Jouet continuel de la fortune, brisé sur tous les rivages, longtemps exilé de mon pays, et n'y trouvant, à mon retour, qu'une cabane en ruine et des amis dans la tombe : telle devait être la destinée de Chactas[176]. »

LE DRAME

« Si mon songe de bonheur fut vif, il fut aussi d'une courte durée, et le réveil m'attendait à la grotte du Solitaire[177]. Je fus surpris, en y arrivant au milieu du jour, de ne pas voir Atala accourir au-devant de nos pas. Je ne sais quelle soudaine horreur me saisit. En approchant de la grotte, je n'osais appeler la fille de Lopez : mon imagination était également épouvantée, ou du bruit, ou du silence qui succéderait à mes cris. Encore plus effrayé de la nuit qui régnait à l'entrée du rocher, je dis au missionnaire : "Ô vous, que le ciel accompagne et fortifie, pénétrez dans ces ombres."

« Qu'il est faible celui que les passions dominent ! Qu'il est fort celui qui se repose en Dieu ! Il y avait plus de courage dans ce cœur religieux, flétri par soixante-seize années, que dans toute l'ardeur de ma jeunesse. L'homme de paix entra dans la grotte, et je restai au-dehors plein de terreur. Bientôt un faible murmure semblable à des plaintes sortit du fond du rocher, et vint frapper mon oreille. Poussant un cri, et retrouvant mes forces, je m'élançai dans la nuit de la caverne... Esprits de mes pères ! vous savez seuls le spectacle qui frappa mes yeux !

« Le Solitaire avait allumé un flambeau de pin ; il le tenait d'une main tremblante, au-dessus de la couche d'Atala. Cette belle et jeune femme, à moitié soulevée sur le coude, se montrait pâle et échevelée. Les gouttes d'une sueur pénible brillaient sur son front ; ses regards à demi éteints cherchaient encore à m'exprimer son amour, et sa bouche essayait de sourire. Frappé comme d'un coup de foudre, les yeux fixés, les bras étendus, les lèvres entrouvertes, je demeurai immobile. Un profond silence règne un moment parmi les trois personnages de cette scène de douleur. Le Solitaire le rompt le premier : "Ceci, dit-il, ne sera qu'une fièvre occasionnée par la fatigue, et si nous nous résignons à la volonté de Dieu, il aura pitié de nous."

« A ces paroles, le sang suspendu reprit son cours dans mon cœur, et avec la mobilité du Sauvage, je passai subitement de l'excès de la crainte à l'excès de la confiance. Mais Atala ne m'y laissa pas longtemps. Balançant tristement la tête, elle nous fit signe de nous approcher de sa couche.

« "Mon père, dit-elle d'une voix affaiblie, en s'adressant au religieux, je touche au moment de la mort. Ô Chactas ! écoute sans désespoir le funeste secret que je t'ai caché, pour ne pas te rendre trop misérable, et pour obéir à ma mère. Tâche de ne pas m'interrompre par des marques d'une douleur, qui précipiteraient le peu d'instants que j'ai à vivre. J'ai beaucoup de choses à raconter, et aux battements de ce cœur, qui se ralentissent... à je ne sais quel fardeau glacé que mon sein soulève à peine... je sens que je ne me saurais trop hâter."

« Après quelques moments de silence, Atala poursuivit ainsi :

« "Ma triste destinée a commencé presque avant que j'eusse vu la lumière. Ma mère m'avait conçue dans le malheur ; je fatiguais son sein, et elle me mit au monde avec de grands déchirements d'entrailles : on désespéra de ma vie. Pour sauver mes jours, ma mère fit un vœu : elle promit à la Reine des Anges que je lui consacrerais ma virginité, si j'échappais à la mort... Vœu fatal qui me précipite au tombeau !

« "J'entrais dans ma seizième année, lorsque je perdis ma mère. Quelques heures avant de mourir, elle m'appela au bord de sa couche. 'Ma fille, me dit-elle en présence d'un missionnaire qui consolait ses derniers instants ; ma fille, tu sais le vœu que j'ai fait pour toi. Voudrais-tu démentir ta mère ? Ô mon Atala ! je te laisse dans un monde qui n'est pas digne de posséder une chrétienne, au milieu d'idolâtres qui persécutent le Dieu de ton père et le mien, le Dieu qui, après t'avoir donné le jour, te l'a conservé par un miracle. Eh ! ma chère enfant, en acceptant le voile des vierges, tu ne fais que renoncer aux soucis de la cabane et aux funestes passions qui ont troublé le sein de ta mère ! Viens donc, ma bien-aimée, viens ; jure sur cette image de la mère du Sauveur, entre les mains de ce saint prêtre et de ta mère expirante, que tu ne me trahiras point à la face du ciel. Songe que je me suis engagée pour toi, afin de te sauver la vie, et que si tu ne tiens ma promesse, tu plongeras l'âme de ta mère dans des tourments éternels[178].'

« "Ô ma mère ! pourquoi parlâtes-vous ainsi ! Ô Religion qui fais à la fois mes maux et ma félicité, qui me perds et qui me consoles ! Et toi, cher et triste objet d'une passion qui me consume jusque dans les bras de la mort, tu vois maintenant, ô Chactas, ce qui a fait la rigueur de notre destinée !... Fondant en pleurs et me précipitant dans le sein maternel, je promis tout ce qu'on me voulut faire promettre. Le missionnaire prononça sur moi les paroles redoutables, et me donna le scapulaire qui me lie pour jamais. Ma mère me menaça de sa malédiction, si jamais je rompais mes vœux, et après m'avoir recommandé un secret inviolable envers les païens, persécuteurs de ma religion, elle expira, en me tenant embrassée.

« "Je ne connus pas d'abord le danger de mes serments. Pleine d'ardeur, et chrétienne véritable, fière du sang espagnol qui coule dans mes veines, je n'aperçus autour de moi que des hommes indignes de recevoir ma main ; je m'applaudis de n'avoir d'autre époux que le Dieu de ma mère. Je te vis, jeune et beau prisonnier, je m'attendris sur ton sort, je t'osai parler au bûcher de la forêt ; alors je sentis tout le poids de mes vœux."

« Comme Atala achevait de prononcer ces paroles, serrant les poings, et regardant le missionnaire d'un air menaçant, je m'écriai : "La voilà donc cette religion que vous m'avez tant vantée ! Périsse le serment qui m'enlève Atala ! Périsse le Dieu qui contrarie la nature ! Homme, prêtre, qu'es-tu venu faire dans ces forêts[179] ?"

« "Te sauver, dit le vieillard d'une voix terrible, dompter tes passions, et t'empêcher, blasphémateur, d'attirer sur toi la colère céleste ! Il te sied bien, jeune homme, à peine entré dans la vie, de te plaindre de tes douleurs ! Où sont les marques de tes souffrances ? Où sont les injustices que tu as supportées ? Où sont tes vertus, qui seules pourraient te donner quelques droits à la plainte ? Quel service as-tu rendu ? Quel bien as-tu fait ? Eh ! malheureux, tu ne m'offres que des passions, et tu oses accuser le ciel ! Quand tu auras, comme le père Aubry, passé trente années exilé sur les montagnes, tu seras moins prompt à juger des desseins de la Providence ; tu comprendras alors que tu ne sais rien, que tu n'es rien, et qu'il n'y a point de châtiment si rigoureux, point de maux si terribles, que la chair corrompue ne mérite de souffrir[180]."

« Les éclairs qui sortaient des yeux du vieillard, sa barbe qui frappait sa poitrine, ses paroles foudroyantes le rendaient semblable à un Dieu. Accablé de sa majesté, je tombai à ses genoux, et lui demandai pardon de mes emportements. "Mon fils, me répondit-il avec un accent si doux, que le remords entra dans mon âme, mon fils, ce n'est pas pour moi-même que je vous ai réprimandé.

Hélas ! vous avez raison, mon cher enfant : je suis venu faire bien peu de chose dans ces forêts, et Dieu n'a pas de serviteur plus indigne que moi. Mais, mon fils, le ciel, le ciel, voilà ce qu'il ne faut jamais accuser ! Pardonnez-moi si je vous ai offensé, mais écoutons votre sœur. Il y a peut-être du remède, ne nous lassons point d'espérer. Chactas, c'est une religion bien divine que celle-là qui a fait une vertu de l'espérance !"

« "Mon jeune ami, reprit Atala, tu as été témoin de mes combats, et cependant tu n'en as vu que la moindre partie ; je te cachais le reste. Non, l'esclave noir qui arrose de ses sueurs les sables ardents de la Floride est moins misérable que n'a été Atala. Te sollicitant à la fuite, et pourtant certaine de mourir si tu t'éloignais de moi ; craignant de fuir avec toi dans les déserts, et cependant haletant après l'ombrage des bois... Ah ! s'il n'avait fallu que quitter parents, amis, patrie ; si même (chose affreuse) il n'y eût eu que la perte de mon âme ! Mais ton ombre, ô ma mère, ton ombre était toujours là, me reprochant ses tourments ! J'entendais tes plaintes, je voyais les flammes de l'enfer te consumer. Mes nuits étaient arides et pleines de fantômes, mes jours étaient désolés ; la rosée du soir séchait en tombant sur ma peau brûlante ; j'entrouvrais mes lèvres aux brises, et les brises, loin de m'apporter la fraîcheur, s'embrasaient du feu de mon souffle. Quel tourment de te voir sans cesse auprès de moi, loin de tous les hommes, dans de profondes solitudes, et de sentir entre toi et moi une barrière invincible ! Passer ma vie à tes pieds, te servir comme ton esclave, apprêter ton repas et ta couche dans quelque coin ignoré de l'univers, eût été pour moi le bonheur suprême ; ce bonheur, j'y touchais, et je ne pouvais en jouir. Quel dessein n'ai-je point rêvé ! Quel songe n'est point sorti de ce cœur si triste ! Quelquefois en attachant mes yeux sur toi, j'allais jusqu'à former des désirs aussi insensés que coupables : tantôt j'aurais voulu être avec toi la seule créature vivante sur la terre ; tantôt, sentant une divinité qui m'arrêtait dans mes horribles transports, j'aurais désiré que cette divinité se fût anéantie, pourvu que serrée dans tes bras, j'eusse roulé d'abîme en abîme avec les débris de Dieu et du monde[181] ! A présent même... le dirai-je ? à présent que l'éternité va m'engloutir, que je vais paraître devant le Juge inexorable, au moment où, pour obéir à ma mère, je vois avec joie ma virginité dévorer ma vie ; eh bien ! par une affreuse contradiction, j'emporte le regret de n'avoir pas été à toi !"

« "Ma fille, interrompit le missionnaire, votre douleur vous égare. Cet excès de passion auquel vous vous livrez est rarement juste, il n'est pas même dans la nature ; et en cela il est moins coupable aux yeux de Dieu, parce que c'est plutôt quelque chose de faux dans l'esprit, que de vicieux dans le cœur. Il faut donc éloigner de vous ces emportements, qui ne sont pas dignes de votre innocence. Mais aussi, ma chère enfant, votre imagination impétueuse vous a trop alarmée sur vos vœux. La religion n'exige point de sacrifice plus qu'humain. Ses sentiments vrais, ses vertus tempérées sont bien au-dessus des sentiments exaltés et des vertus forcées d'un prétendu héroïsme[182]. Si vous aviez succombé, eh bien ! pauvre brebis égarée, le Bon Pasteur vous aurait cherchée, pour vous ramener au troupeau. Les trésors du repentir vous étaient ouverts : il faut des torrents de sang pour effacer nos fautes aux yeux des hommes, une seule larme suffit à Dieu. Rassurez-vous donc, ma chère fille, votre situation exige du calme ; adressons-nous à Dieu, qui guérit toutes les plaies de ses serviteurs. Si c'est sa volonté, comme je l'espère, que vous échappiez à cette maladie, j'écrirai à l'évêque de Québec ; il a les pouvoirs nécessaires pour vous relever de vos vœux, qui ne sont que des vœux simples, et vous achèverez vos jours près de moi avec Chactas votre époux."

« A ces paroles du vieillard, Atala fut saisie d'une longue convulsion, dont elle ne sortit que pour donner des marques d'une douleur effrayante. "Quoi ! dit-elle en joignant les deux mains avec passion, il y avait du remède ! Je pouvais être relevée de mes vœux !" "Oui, ma fille, répondit le père ; et vous le pouvez encore." "Il est trop tard, il est trop tard ! s'écria-t-elle. Faut-il mourir, au moment où j'apprends que j'aurais pu être heureuse ! Que n'ai-je connu plus tôt ce saint vieillard ! Aujourd'hui, de quel bonheur je jouirais, avec toi, avec Chactas chrétien..., consolée, rassurée par ce prêtre auguste... dans ce désert... pour toujours... oh ! c'eût été trop de félicité !" "Calme-toi, lui dis-je, en saisissant une des mains de l'infortunée ; calme-toi, ce bonheur, nous allons le goûter." "Jamais ! jamais !" dit Atala. "Comment ?" repartis-je. "Tu ne sais pas tout, s'écria la vierge : c'est hier... pendant l'orage... J'allais violer mes vœux, j'allais plonger ma mère dans les flammes de l'abîme ; déjà sa malédiction était sur moi ; déjà je mentais au Dieu qui m'a sauvé la vie... Quand tu baisais mes lèvres tremblantes, tu ne savais pas, tu ne savais pas que tu n'embrassais que la mort !" "Ô ciel ! s'écria le missionnaire, chère enfant, qu'avez-vous fait ?" "Un crime, mon père, dit Atala les yeux égarés ; mais je ne perdais que moi, et je sauvais ma mère." "Achève donc", m'écriai-je plein d'épouvante. "Eh bien ! dit-elle, j'avais prévu ma faiblesse ; en quittant les cabanes, j'ai emporté avec moi..." "Quoi ?" repris-je avec horreur. "Un poison !" dit le père. "Il est dans mon sein", s'écria Atala.

« Le flambeau échappe de la main du Solitaire, je tombe mourant près de la fille de Lopez, le vieillard nous saisit l'un et l'autre dans ses bras, et tous trois, dans l'ombre, nous mêlons un moment nos sanglots sur cette couche funèbre.

« "Réveillons-nous, réveillons-nous, dit bientôt le courageux ermite en allumant une lampe ! Nous perdons des moments précieux : intrépides chrétiens, bravons les assauts de l'adversité ; la corde au cou, la cendre sur la tête, jetons-nous aux pieds du Très-Haut, pour implorer sa clémence, ou pour nous soumettre à ses décrets. Peut-être est-il temps encore. Ma fille, vous eussiez dû m'avertir hier au soir."

« "Hélas ! mon père, dit Atala, je vous ai cherché la nuit dernière ; mais le ciel, en punition de mes fautes, vous a éloigné de moi. Tout secours eût d'ailleurs été inutile ; car les Indiens mêmes, si habiles dans ce qui regarde les poisons, ne connaissent point de remède à celui que j'ai pris. Ô Chactas ! juge de mon étonnement, quand j'ai vu que le coup n'était pas aussi subit que je m'y attendais ! Mon amour a redoublé mes forces, mon âme n'a pu si vite se séparer de toi."

« Ce ne fut plus ici par des sanglots que je troublai le récit d'Atala, ce fut par ces emportements qui ne sont connus que des Sauvages. Je me roulai furieux sur la terre en me tordant les bras, et en me dévorant les mains. Le vieux prêtre, avec une tendresse merveilleuse, courait du frère à la sœur, et nous prodiguait mille secours. Dans le calme de son cœur et sous le fardeau des ans, il savait se faire entendre à notre jeunesse, et sa religion lui fournissait des accents plus tendres et plus brûlants que nos passions mêmes. Ce prêtre, qui depuis quarante années s'immolait chaque jour au service de Dieu et des hommes dans ces montagnes, ne te rappelle-t-il pas ces holocaustes d'Israël, fumant perpétuellement sur les hauts lieux, devant le Seigneur ?

« Hélas ! ce fut en vain qu'il essaya d'apporter quelque remède aux maux d'Atala. La fatigue, le chagrin, le poison et une passion plus mortelle que tous les poisons ensemble, se réunissaient pour ravir cette fleur à la solitude. Vers le soir, des symptômes effrayants se manifestèrent[183] ; un engourdissement général saisit les membres d'Atala, et les extrémités de son corps commencèrent à refroidir : "Touche mes doigts, me disait-elle, ne les trouves-tu pas bien glacés ?" Je ne savais que répondre, et mes cheveux se hérissaient d'horreur ; ensuite elle ajoutait : "Hier encore, mon bien-aimé, ton seul toucher me faisait tressaillir, et voilà que je ne sens plus ta main, je n'entends presque plus ta voix, les objets de la grotte disparaissent tour à tour. Ne sont-ce pas les oiseaux qui chantent ? Le soleil doit être près de se coucher maintenant ? Chactas, ses rayons seront bien beaux au désert, sur ma tombe !"

« Atala s'apercevant que ces paroles nous faisaient fondre en pleurs, nous dit : "Pardonnez-moi, mes bons amis, je suis bien faible ; mais peut-être que je vais devenir plus forte. Cependant mourir si jeune, tout à la fois, quand mon cœur était si plein de vie ! Chef de la prière, aie pitié de moi ; soutiens-moi. Crois-tu que ma mère soit contente, et que Dieu me pardonne ce que j'ai fait ?"

« "Ma fille, répondit le bon religieux[184], en versant des larmes, et les essuyant avec ses doigts tremblants et mutilés ; ma fille, tous vos malheurs viennent de votre ignorance ; c'est votre éducation sauvage et le manque d'instruction nécessaire qui vous ont perdue ; vous ne saviez pas qu'une chrétienne ne peut disposer de sa vie. Consolez-vous donc, ma chère brebis ; Dieu vous pardonnera, à cause de la simplicité de votre cœur. Votre mère et l'imprudent missionnaire qui la dirigeait, ont été plus coupables que vous ; ils ont passé leurs pouvoirs, en vous arrachant un vœu indiscret ; mais que la paix du Seigneur soit avec eux ! Vous offrez tous trois un terrible exemple des dangers de l'enthousiasme, et du défaut de lumières en matière de religion. Rassurez-vous, mon enfant ; celui qui sonde les reins et les cœurs vous jugera sur vos intentions, qui étaient pures, et non sur votre action qui est condamnable.

« "Quant à la vie, si le moment est arrivé de vous endormir dans le Seigneur, ah ! ma chère enfant, que vous perdez peu de choses, en perdant ce monde ! Malgré la solitude où vous avez vécu, vous avez connu les chagrins ; que penseriez-vous donc, si vous eussiez été témoin des maux de la société, si, en abordant sur les rivages de l'Europe, votre oreille eût été frappée de ce long cri de douleur, qui s'élève de cette vieille terre ? L'habitant de la cabane, et celui des palais, tout souffre, tout gémit ici-bas ; les reines ont été vues pleurant comme de simples femmes, et l'on s'est étonné de la quantité de larmes que contiennent les yeux des rois !

« "Est-ce votre amour que vous regrettez ? Ma fille, il faudrait autant pleurer un songe. Connaissez-vous le cœur de l'homme, et pourriez-vous compter les inconstances de son désir ? Vous calculeriez plutôt le nombre des vagues que la mer roule dans une tempête. Atala, les sacrifices, les bienfaits ne sont pas des liens éternels : un jour, peut-être, le dégoût fût venu avec la satiété, le passé eût été compté pour rien, et l'on n'eût plus aperçu que les inconvénients d'une union pauvre et méprisée. Sans doute, ma fille, les plus belles amours furent celles de cet homme et de cette femme, sortis de la main du Créateur. Un paradis avait été formé pour eux, ils étaient innocents et immortels. Parfaits de l'âme et du corps, ils se convenaient en tout : Ève avait été créée pour Adam, et Adam pour Ève. S'ils n'ont pu toutefois se maintenir dans cet état de bonheur, quels couples le pourront après eux ? Je ne vous parlerai point des mariages des premiers-nés des hommes, de ces unions ineffables, alors que la sœur était l'épouse du frère, que l'amour et l'amitié fraternelle se confondaient dans le même cœur, et que la pureté de l'une augmentait les délices de l'autre[185]. Toutes ces unions ont été troublées ; la jalousie s'est glissée à l'autel de gazon où l'on immolait le chevreau, elle a régné sous la tente d'Abraham, et dans ces couches mêmes où les patriarches goûtaient tant de joie, qu'ils oubliaient la mort de leurs mères[186].

« "Vous seriez-vous donc flattée, mon enfant, d'être plus innocente et plus heureuse dans vos liens, que ces saintes familles dont Jésus-Christ a voulu descendre ? Je vous épargne les détails des soucis du ménage, les disputes, les reproches mutuels, les inquiétudes et toutes ces peines secrètes qui veillent sur l'oreiller du lit conjugal. La femme renouvelle ses douleurs chaque fois qu'elle est mère, et elle se marie en pleurant. Que de maux dans la seule perte d'un nouveau-né à qui l'on donnait le lait, et qui meurt sur votre sein ! La montagne a été pleine de gémissements ; rien ne pouvait consoler Rachel, parce que ses fils n'étaient plus. Ces amertumes attachées aux tendresses humaines sont si fortes, que j'ai vu dans ma patrie de grandes dames, aimées par des rois, quitter la cour pour s'ensevelir dans des cloîtres, et mutiler cette chair révoltée, dont les plaisirs ne sont que des douleurs.

« "Mais peut-être direz-vous que ces derniers exemples ne vous regardent pas ; que toute votre ambition se réduisait à vivre dans une obscure cabane avec l'homme de votre choix ; que vous cherchiez moins les douceurs du mariage, que les charmes de cette folie que la jeunesse appelle amour ? Illusion, chimère, vanité, rêve d'une imagination blessée ! Et moi aussi, ma fille, j'ai connu les troubles du cœur[187] : cette tête n'a pas toujours été chauve, ni ce sein aussi tranquille qu'il vous le paraît aujourd'hui. Croyez-en mon expérience : si l'homme, constant dans ses affections, pouvait sans cesse fournir à un sentiment renouvelé sans cesse, sans doute, la solitude et l'amour l'égaleraient à Dieu même ; car ce sont là les deux éternels plaisirs du Grand Être. Mais l'âme de l'homme se fatigue, et jamais elle n'aime longtemps le même objet avec plénitude[188]. Il y a toujours quelques points par où deux cœurs ne se touchent pas, et ces points suffisent à la longue pour rendre la vie insupportable.

« "Enfin, ma chère fille, le grand tort des hommes, dans leur songe de bonheur, est d'oublier cette infirmité de la mort attachée à leur nature : il faut finir. Tôt ou tard, quelle qu'eût été votre félicité, ce beau visage se fût changé en cette figure uniforme que le sépulcre donne à la famille d'Adam ; l'œil même de Chactas n'aurait pu vous reconnaître entre vos sœurs de la tombe. L'amour n'étend point son empire sur les vers du cercueil. Que dis-je ? (ô vanité des vanités !) Que parlé-je de la puissance des amitiés de la terre ? Voulez-vous, ma chère fille, en connaître l'étendue ? Si un homme revenait à la lumière, quelques années après sa mort, je doute qu'il fût revu avec joie, par ceux-là même qui ont donné le plus de larmes à sa mémoire[189] : tant on forme vite d'autres liaisons, tant on prend facilement d'autres habitudes, tant l'inconstance est naturelle à l'homme, tant notre vie est peu de chose même dans le cœur de nos amis !

« "Remerciez donc la Bonté divine, ma chère fille, qui vous retire si vite de cette vallée de misère. Déjà le vêtement blanc et la couronne éclatante des vierges se préparent pour vous sur les nuées ; déjà j'entends la Reine des Anges qui vous crie : 'Venez, ma digne servante, venez, ma colombe, venez vous asseoir sur un trône de candeur, parmi toutes ces filles qui ont sacrifié leur beauté et leur jeunesse au service de l'humanité, à l'éducation des enfants et aux chefs-d'œuvre de la pénitence. Venez, rose mystique[190], vous reposer sur le sein de Jésus-Christ. Ce cercueil, lit nuptial que vous vous êtes choisi, ne sera point trompé ; et les embrassements de votre céleste époux ne finiront jamais !'"

« Comme le dernier rayon du jour abat les vents et répand le calme dans le ciel, ainsi la parole tranquille du vieillard apaisa les passions dans le sein de mon amante. Elle ne parut plus occupée que de ma douleur, et des moyens de me faire supporter sa perte. Tantôt elle me disait qu'elle mourrait heureuse, si je lui promettais de sécher mes pleurs ; tantôt elle me parlait de ma mère, de ma patrie ; elle cherchait à me distraire de la douleur présente, en réveillant en moi une douleur passée. Elle m'exhortait à la patience, à la vertu. "Tu ne seras pas toujours malheureux, disait-elle : si le ciel t'éprouve aujourd'hui, c'est seulement pour te rendre plus compatissant aux maux des autres. Le cœur, ô Chactas, est comme ces sortes d'arbres qui ne donnent leur baume pour les blessures des hommes, que lorsque le fer les a blessés eux-mêmes."

« Quand elle avait ainsi parlé, elle se tournait vers le missionnaire, cherchait auprès de lui le soulagement qu'elle m'avait fait éprouver, et, tour à tour consolante et consolée, elle donnait et recevait la parole de vie sur la couche de la mort[191].

« Cependant l'ermite redoublait de zèle. Ses vieux os s'étaient ranimés par l'ardeur de la charité, et toujours préparant des remèdes, rallumant le feu, rafraîchissant la couche, il faisait d'admirables discours sur Dieu et sur le bonheur des justes. Le flambeau de la religion à la main, il semblait précéder Atala dans la tombe, pour lui en montrer les secrètes merveilles. L'humble grotte était remplie de la grandeur de ce trépas chrétien, et les esprits célestes étaient, sans doute, attentifs à cette scène où la religion luttait seule contre l'amour, la jeunesse et la mort.

« Elle triomphait cette religion divine, et l'on s'apercevait de sa victoire à une sainte tristesse qui succédait dans nos cœurs aux premiers transports des passions. Vers le milieu de la nuit, Atala sembla se ranimer pour répéter des prières que le religieux prononçait au bord de sa couche. Peu de temps après, elle me tendit la main, et avec une voix qu'on entendait à peine, elle me dit : "Fils d'Outalissi, te rappelles-tu cette première nuit où tu me pris pour la Vierge des dernières amours ? Singulier présage de notre destinée !" Elle s'arrêta ; puis elle reprit : "Quand je songe que je te quitte pour toujours, mon cœur fait un tel effort pour revivre, que je me sens presque le pouvoir de me rendre immortelle à force d'aimer. Mais, ô mon Dieu, que votre volonté soit faite !" Atala se tut pendant quelques instants ; elle ajouta : "Il ne me reste plus qu'à vous demander pardon des maux que je vous ai causés. Je vous ai beaucoup tourmenté par mon orgueil et mes caprices. Chactas, un peu de terre jetée sur mon corps va mettre tout un monde entre vous et moi, et vous délivrer pour toujours du poids de mes infortunes."

« "Vous pardonner, répondis-je noyé de larmes, n'est-ce pas moi qui ai causé tous vos malheurs ?" "Mon ami, dit-elle en m'interrompant, vous m'avez rendue très heu-

151

reuse, et si j'étais à recommencer la vie, je préférerais encore le bonheur de vous avoir aimé quelques instants dans un exil infortuné, à toute une vie de repos dans ma patrie."

« Ici la voix d'Atala s'éteignit ; les ombres de la mort se répandirent autour de ses yeux et de sa bouche ; ses doigts errants cherchaient à toucher quelque chose ; elle conversait tout bas avec des esprits invisibles. Bientôt, faisant un effort, elle essaya, mais en vain, de détacher de son cou le petit crucifix ; elle me pria de le dénouer moi-même, et elle me dit :

« "Quand je te parlai pour la première fois, tu vis cette croix briller à la lueur du feu sur mon sein ; c'est le seul bien que possède Atala. Lopez, ton père et le mien, l'envoya à ma mère, peu de jours après ma naissance. Reçois donc de moi cet héritage, ô mon frère, conserve-le en mémoire de mes malheurs[192]. Tu auras recours à ce Dieu des infortunés dans les chagrins de ta vie. Chactas, j'ai une dernière prière à te faire. Ami, notre union aurait été courte sur la terre, mais il est après cette vie une plus longue vie. Qu'il serait affreux d'être séparée de toi pour jamais ! Je ne fais que te devancer aujourd'hui, et je te vais attendre dans l'empire céleste. Si tu m'as aimée, fais-toi instruire dans la religion chrétienne, qui préparera notre réunion. Elle fait sous tes yeux un grand miracle cette religion, puisqu'elle me rend capable de te quitter, sans mourir dans les angoisses du désespoir. Cependant, Chactas, je ne veux de toi qu'une simple promesse, je sais trop ce qu'il en coûte, pour te demander un serment. Peut-être ce vœu te séparerait-il de quelque femme plus heureuse que moi... Ô ma mère, pardonne à ta fille. Ô Vierge, retenez votre courroux. Je retombe dans mes faiblesses, et je te dérobe, ô mon Dieu, des pensées qui ne devraient être que pour toi !"

« Navré de douleur, je promis à Atala d'embrasser un jour la religion chrétienne. A ce spectacle, le Solitaire se levant d'un air inspiré, et étendant les bras vers la voûte de la grotte : "Il est temps, s'écria-t-il, il est temps d'appeler Dieu ici !"

« A peine a-t-il prononcé ces mots, qu'une force surnaturelle me contraint de tomber à genoux, et m'incline la tête au pied du lit d'Atala. Le prêtre ouvre un lieu secret où était renfermée une urne d'or, couverte d'un voile de soie ; il se prosterne et adore profondément. La grotte parut soudain illuminée ; on entendit dans les airs les paroles des anges et les frémissements des harpes célestes ; et lorsque le Solitaire tira le vase sacré de son tabernacle, je crus voir Dieu lui-même sortir du flanc de la montagne.

« Le prêtre ouvrit le calice ; il prit entre ses deux doigts une hostie blanche comme la neige, et s'approcha d'Atala, en prononçant des mots mystérieux. Cette sainte avait les yeux levés au ciel, en extase. Toutes ses douleurs parurent suspendues, toute sa vie se rassembla sur sa bouche ; ses lèvres s'entrouvrirent, et vinrent avec respect chercher le Dieu caché sous le pain mystique. Ensuite le divin vieillard trempe un peu de coton dans une huile consacrée ; il en frotte les tempes d'Atala, il regarde un moment la fille mourante, et tout à coup ces fortes paroles lui échappent[193] : "Partez, âme chrétienne : allez rejoindre votre Créateur !" Relevant alors ma tête abattue, je m'écriai, en regardant le vase où était l'huile sainte : "Mon père, ce remède rendra-t-il la vie à Atala ?" "Oui, mon fils, dit le vieillard en tombant dans mes bras, la vie éternelle !" Atala venait d'expirer. »

Dans cet endroit, pour la seconde fois depuis le commencement de son récit, Chactas fut obligé de s'interrompre. Ses pleurs l'inondaient, et sa voix ne laissait échapper que des mots entrecoupés. Le Sachem aveugle ouvrit son sein, il en tira le crucifix d'Atala. « Le voilà, s'écria-t-il, ce gage de l'adversité ! Ô René, ô mon fils, tu le vois ; et moi, je ne le vois plus ! Dis-moi, après tant d'années, l'or n'en est-il point altéré ? N'y vois-tu point la trace de mes larmes ? Pourrais-tu reconnaître l'endroit qu'une sainte a touché de ses lèvres ? Comment Chactas n'est-il point encore chrétien[194] ? Quelles frivoles raisons de politique et de patrie l'ont jusqu'à présent retenu dans les erreurs de ses pères ? Non, je ne veux pas tarder plus longtemps. La terre me crie : "Quand donc descendras-tu dans la tombe, et qu'attends-tu pour embrasser une religion divine ?"... Ô terre, vous ne m'attendrez pas longtemps : aussitôt qu'un prêtre aura rajeuni dans l'onde cette tête blanchie par les chagrins, j'espère me réunir à Atala... Mais achevons ce qui me reste à conter de mon histoire :

LES FUNÉRAILLES

« Je n'entreprendrai point, ô René, de te peindre aujourd'hui le désespoir qui saisit mon âme, lorsque Atala eut rendu le dernier soupir. Il faudrait avoir plus de chaleur qu'il ne m'en reste ; il faudrait que mes yeux fermés se pussent rouvrir au soleil, pour lui demander compte des pleurs qu'ils versèrent à sa lumière. Oui, cette lune qui brille à présent sur nos têtes se lassera d'éclairer les solitudes du Kentucky ; oui, le fleuve qui porte maintenant nos pirogues suspendra le cours de ses eaux, avant que mes larmes cessent de couler pour Atala ! Pendant deux jours entiers, je fus insensible aux discours de l'ermite. En essayant de calmer mes peines, cet excellent homme ne se servait point des vaines raisons de la terre, il se contentait de me dire : "Mon fils, c'est la volonté de Dieu", et il me pressait dans ses bras. Je n'aurais jamais cru qu'il y eût tant de consolation dans ce peu de mots du chrétien résigné, si je ne l'avais éprouvé moi-même.

« La tendresse, l'onction, l'inaltérable patience du vieux serviteur de Dieu, vainquirent enfin l'obstination de ma douleur. J'eus honte des larmes que je lui faisais répandre. "Mon père, lui dis-je, c'en est trop : que les passions d'un jeune homme ne troublent plus la paix de tes jours. Laisse-moi emporter les restes de mon épouse ; je les ensevelirai dans quelque coin du désert, et si je suis encore condamné à la vie, je tâcherai de me rendre digne de ces noces éternelles qui m'ont été promises par Atala."

« A ce retour inespéré de courage, le bon père tressaillit de joie ; il s'écria : "Ô sang de Jésus-Christ, sang de mon divin maître, je reconnais là tes mérites ! Tu sauveras sans doute ce jeune homme. Mon Dieu, achève ton ouvrage. Rends la paix à cette âme troublée, et ne lui laisse de ses malheurs, que d'humbles et utiles souvenirs."

« Le juste refusa de m'abandonner le corps de la fille de Lopez, mais il me proposa de faire venir ses néophytes, et de l'enterrer avec toute la pompe chrétienne ; je m'y refusai à mon tour. "Les malheurs et les vertus d'Atala, lui dis-je, ont été inconnus des hommes ; que sa tombe, creusée furtivement par nos mains, partage cette obscurité." Nous convînmes que nous partirions le lendemain au lever du soleil pour enterrer Atala sous l'arche du pont naturel, à l'entrée des Bocages de la mort. Il fut aussi résolu que nous passerions la nuit en prières auprès du corps de cette sainte.

« Vers le soir, nous transportâmes ses précieux restes à une ouverture de la grotte, qui donnait vers le nord. L'ermite les avait roulés dans une pièce de lin d'Europe, filé par sa mère : c'était le seul bien qui lui restât de sa patrie, et depuis longtemps il le destinait à son propre tombeau[195]. Atala était couchée sur un gazon de sensitives de montagnes ; ses pieds, sa tête, ses épaules et une partie de son sein étaient découverts. On voyait dans ses cheveux une fleur de magnolia fanée... celle-là même que j'avais déposée sur le lit de la vierge, pour la rendre féconde. Ses lèvres, comme un bouton de rose cueilli depuis deux matins, semblaient languir et sourire. Dans ses joues d'une blancheur éclatante, on distinguait quelques veines bleues. Ses beaux yeux étaient fermés, ses pieds modestes étaient joints, et ses mains d'albâtre pressaient sur son cœur un crucifix d'ébène ; le scapulaire de ses vœux était passé à son cou. Elle paraissait enchantée par l'Ange de

155

la mélancolie, et par le double sommeil de l'innocence et de la tombe. Je n'ai rien vu de plus céleste. Quiconque eût ignoré que cette jeune fille avait joui de la lumière, aurait pu la prendre pour la statue de la Virginité endormie.

« Le religieux ne cessa de prier toute la nuit. J'étais assis en silence au chevet du lit funèbre de mon Atala. Que de fois, durant son sommeil, j'avais supporté sur mes genoux cette tête charmante ! Que de fois je m'étais penché sur elle, pour entendre et pour respirer son souffle ! Mais à présent aucun bruit ne sortait de ce sein immobile, et c'était en vain que j'attendais le réveil de la beauté !

« La lune prêta son pâle flambeau à cette veillée funèbre. Elle se leva au milieu de la nuit, comme une blanche vestale qui vient pleurer sur le cercueil d'une compagne. Bientôt elle répandit dans les bois ce grand secret de mélancolie, qu'elle aime à raconter aux vieux chênes et aux rivages antiques des mers. De temps en temps, le religieux plongeait un rameau fleuri dans une eau consacrée, puis secouant la branche humide, il parfumait la nuit des baumes du ciel. Parfois il répétait sur un air antique quelques vers d'un vieux poète nommé Job ; il disait :

« "J'ai passé comme une fleur ; j'ai séché comme l'herbe des champs.

« "Pourquoi la lumière a-t-elle été donnée à un misérable, et la vie à ceux qui sont dans l'amertume du cœur ?"

« Ainsi chantait l'ancien des hommes. Sa voix grave et un peu cadencée, allait roulant dans le silence des déserts. Le nom de Dieu et du tombeau sortait de tous les échos, de tous les torrents, de toutes les forêts. Les roucoulements de la colombe de Virginie, la chute d'un torrent dans la montagne, les tintements de la cloche qui appelait les voyageurs, se mêlaient à ces chants funèbres, et l'on croyait entendre dans les Bocages de la mort le chœur lointain des décédés, qui répondait à la voix du Solitaire.

« Cependant une barre d'or se forma dans l'Orient. Les éperviers criaient sur les rochers, et les martres rentraient dans le creux des ormes : c'était le signal du convoi d'Atala. Je chargeai le corps sur mes épaules ; l'ermite marchait devant moi, une bêche à la main. Nous commençâmes à descendre de rochers en rochers ; la vieillesse et la mort ralentissaient également nos pas. A la vue du chien qui nous avait trouvés dans la forêt, et qui maintenant, bondissant de joie, nous traçait une autre route, je me mis à fondre en larmes. Souvent la longue chevelure d'Atala, jouet des brises matinales, étendait son voile d'or sur mes yeux ; souvent pliant sous le fardeau, j'étais obligé de le déposer sur la mousse, et de m'asseoir auprès, pour reprendre des forces. Enfin, nous arrivâmes au lieu marqué par ma douleur ; nous descendîmes sous l'arche du pont. Ô mon fils, il eût fallu voir un jeune Sauvage et un vieil ermite, à genoux l'un vis-à-vis de l'autre dans un désert, creusant avec leurs mains un tombeau pour une pauvre fille dont le corps était étendu près de là, dans la ravine desséchée d'un torrent !

« Quand notre ouvrage fut achevé, nous transportâmes la beauté dans son lit d'argile[196]. Hélas, j'avais espéré de préparer une autre couche pour elle ! Prenant alors un peu de poussière dans ma main, et gardant un silence effroyable, j'attachai, pour la dernière fois, mes yeux sur le visage d'Atala. Ensuite je répandis la terre du sommeil sur un front de dix-huit printemps ; je vis graduellement disparaître les traits de ma sœur, et ses grâces se cacher sous le rideau de l'éternité ; son sein surmonta quelque temps le sol noirci, comme un lis blanc s'élève du milieu d'une sombre argile : "Lopez, m'écriai-je alors, vois ton fils inhumer ta fille !" et j'achevai de couvrir Atala de la terre du sommeil.

« Nous retournâmes à la grotte, et je fis part au missionnaire du projet que j'avais formé de me fixer près de lui.

Le saint, qui connaissait merveilleusement le cœur de l'homme, découvrit ma pensée et la ruse de ma douleur. Il me dit : "Chactas, fils d'Outalissi, tandis qu'Atala a vécu, je vous ai sollicité moi-même de demeurer auprès de moi ; mais à présent votre sort est changé : vous vous devez à votre patrie. Croyez-moi, mon fils, les douleurs ne sont point éternelles ; il faut tôt ou tard qu'elles finissent, parce que le cœur de l'homme est fini ; c'est une de nos grandes misères : nous ne sommes pas même capables d'être longtemps malheureux[197]. Retournez au Meschacebé : allez consoler votre mère, qui vous pleure tous les jours, et qui a besoin de votre appui. Faites-vous instruire dans la religion de votre Atala, lorsque vous en trouverez l'occasion, et souvenez-vous que vous lui avez promis d'être vertueux et chrétien. Moi, je veillerai ici sur son tombeau. Partez, mon fils. Dieu, l'âme de votre sœur, et le cœur de votre vieil ami vous suivront."

« Telles furent les paroles de l'homme du rocher ; son autorité était trop grande, sa sagesse trop profonde, pour ne lui obéir pas. Dès le lendemain, je quittai mon vénérable hôte qui, me pressant sur son cœur, me donna ses derniers conseils, sa dernière bénédiction et ses dernières larmes. Je passai au tombeau ; je fus surpris d'y trouver une petite croix qui se montrait au-dessus de la mort, comme on aperçoit encore le mât d'un vaisseau qui a fait naufrage. Je jugeai que le Solitaire était venu prier au tombeau, pendant la nuit ; cette marque d'amitié et de religion fit couler mes pleurs en abondance. Je fus tenté de rouvrir la fosse, et de voir encore une fois ma bien-aimée ; une crainte religieuse me retint. Je m'assis sur la terre, fraîchement remuée. Un coude appuyé sur mes genoux, et la tête soutenue dans ma main, je demeurai enseveli dans la plus amère rêverie. Ô René, c'est là que je fis, pour la première fois, des réflexions sérieuses sur la vanité de nos jours, et la plus grande vanité de nos projets ! Eh ! mon enfant, qui ne les a point faites ces réflexions ! Je ne suis plus qu'un vieux cerf blanchi par les hivers ; mes ans le disputent à ceux de la corneille : eh bien ! malgré tant de jours accumulés sur ma tête, malgré une si longue expérience de la vie, je n'ai point encore rencontré d'homme qui n'eût été trompé dans ses rêves de félicité, point de cœur qui n'entretînt une plaie cachée. Le cœur le plus serein en apparence ressemble au puits naturel de la savane Alachua : la surface en paraît calme et pure, mais quand vous regardez au fond du bassin, vous apercevez un large crocodile, que le puits nourrit dans ses eaux[198].

« Ayant ainsi vu le soleil se lever et se coucher sur ce lieu de douleur, le lendemain au premier cri de la cigogne, je me préparai à quitter la sépulture sacrée. J'en partis comme de la borne d'où je voulais m'élancer dans la carrière de la vertu. Trois fois j'évoquai l'âme d'Atala ; trois fois le Génie du désert répondit à mes cris sous l'arche funèbre. Je saluai ensuite l'Orient, et je découvris au loin, dans les sentiers de la montagne, l'ermite qui se rendait à la cabane de quelque infortuné. Tombant à genoux et embrassant étroitement la fosse, je m'écriai : "Dors en paix dans cette terre étrangère, fille trop malheureuse ! Pour prix de ton amour, de ton exil et de ta mort, tu vas être abandonnée, même de Chactas !" Alors, versant des flots de larmes, je me séparai de la fille de Lopez, alors je m'arrachai de ces lieux, laissant au pied du monument de la nature, un monument plus auguste : l'humble tombeau de la vertu. »

Épilogue[199]

Chactas, fils d'Outalissi, le Natché, a fait cette histoire à René l'Européen. Les pères l'ont redite aux enfants, et

159

moi, voyageur aux terres lointaines, j'ai fidèlement rapporté ce que des Indiens m'en ont appris. Je vis dans ce récit le tableau du peuple chasseur et du peuple laboureur, la religion, première législatrice des hommes, les dangers de l'ignorance et de l'enthousiasme religieux, opposés aux lumières, à la charité et au véritable esprit de l'Évangile, les combats des passions et des vertus dans un cœur simple, enfin le triomphe du christianisme sur le sentiment le plus fougueux et la crainte la plus terrible, l'amour et la mort.

Quand un Siminole me raconta cette histoire, je la trouvai fort instructive et parfaitement belle, parce qu'il y mit la fleur du désert, la grâce de la cabane, et une simplicité à conter la douleur, que je ne me flatte pas d'avoir conservées. Mais une chose me restait à savoir. Je demandais ce qu'était devenu le père Aubry, et personne ne me le pouvait dire. Je l'aurais toujours ignoré, si la Providence qui conduit tout, ne m'avait découvert ce que je cherchais. Voici comment la chose se passa :

J'avais parcouru les rivages du Meschacebé, qui formaient autrefois la barrière méridionale de la Nouvelle-France, et j'étais curieux de voir au nord l'autre merveille de cet empire, la cataracte de Niagara. J'étais arrivé tout près de cette chute, dans l'ancien pays des Agonnonsioni[a], lorsqu'un matin, en traversant une plaine, j'aperçus une femme assise sous un arbre, et tenant un enfant mort sur ses genoux[200]. Je m'approchai doucement de la jeune mère, et je l'entendis qui disait :

« Si tu étais resté parmi nous, cher enfant, comme ta main eût bandé l'arc avec grâce ! Ton bras eût dompté l'ours en fureur ; et sur le sommet de la montagne, tes pas auraient défié le chevreuil à la course. Blanche hermine du rocher, si jeune être allé dans le pays des âmes ! Comment feras-tu pour y vivre ! Ton père n'y est point, pour t'y nourrir de sa chasse. Tu auras froid, et

a. Les Iroquois.

aucun Esprit ne te donnera des peaux pour te couvrir. Oh ! il faut que je me hâte de t'aller rejoindre, pour te chanter des chansons, et te présenter mon sein. »

Et la jeune mère chantait d'une voix tremblante, balançait l'enfant sur ses genoux, humectait ses lèvres du lait maternel, et prodiguait à la mort tous les soins qu'on donne à la vie.

Cette femme voulait faire sécher le corps de son fils sur les branches d'un arbre, selon la coutume indienne, afin de l'emporter ensuite aux tombeaux de ses pères. Elle dépouilla donc le nouveau-né, et respirant quelques instants sur sa bouche, elle dit : « Âme de mon fils, âme charmante, ton père t'a créée jadis sur mes lèvres par un baiser ; hélas, les miens n'ont pas le pouvoir de te donner une seconde naissance ! » Ensuite elle découvrit son sein, et embrassa ces restes glacés, qui se fussent ranimés au feu du cœur maternel, si Dieu ne s'était réservé le souffle qui donne la vie.

Elle se leva, et chercha des yeux un arbre sur les branches duquel elle pût exposer son enfant. Elle choisit un érable à fleurs rouges, festonné de guirlandes d'apios, et qui exhalait les parfums les plus suaves. D'une main elle en abaissa les rameaux inférieurs, de l'autre elle y plaça le corps ; laissant alors échapper la branche, la branche retourna à sa position naturelle, emportant la dépouille de l'innocence, cachée dans un feuillage odorant[201]. Oh ! que cette coutume indienne est touchante ! Je vous ai vus dans vos campagnes désolées, pompeux monuments des Crassus et des Césars[202], et je vous préfère encore ces tombeaux aériens du Sauvage, ces mausolées de fleurs et de verdure que parfume l'abeille, que balance le zéphyr, et où le rossignol bâtit son nid et fait entendre sa plaintive mélodie. Si c'est la dépouille d'une jeune fille que la main d'un amant a suspendue à l'arbre de la mort ; si ce sont les restes d'un enfant chéri qu'une mère a placés dans la demeure des petits oiseaux, le charme redouble encore. Je m'approchai de celle qui gémissait au pied de l'érable ; je lui imposai les mains sur la tête, en poussant les trois cris de douleur. Ensuite, sans lui parler, prenant comme elle un rameau, j'écartai les insectes qui bourdonnaient autour du corps de l'enfant. Mais je me donnai de garde d'effrayer une colombe voisine. L'Indienne lui disait : « Colombe, si tu n'es pas l'âme de mon fils qui s'est envolée, tu es, sans doute, une mère qui cherche quelque chose pour faire un nid. Prends de ces cheveux, que je ne laverai plus dans l'eau d'esquine ; prends-en pour coucher tes petits : puisse le grand Esprit te les conserver ! »

Cependant la mère pleurait de joie en voyant la politesse de l'étranger. Comme nous faisions ceci, un jeune homme approcha, et dit : « Fille de Céluta[203], retire notre enfant, nous ne séjournerons pas plus longtemps ici et nous partirons au premier soleil. » Je dis alors : « Frère, je te souhaite un ciel bleu, beaucoup de chevreuils, un manteau de castor, et l'espérance. Tu n'es donc pas de ce désert ? » « Non, répondit le jeune homme, nous sommes des exilés, et nous allons chercher une patrie. » En disant cela, le guerrier baissa la tête dans son sein, et avec le bout de son arc, il abattait la tête des fleurs. Je vis qu'il y avait des larmes au fond de cette histoire, et je me tus. La femme retira son fils des branches de l'arbre, et elle le donna à porter à son époux. Alors je dis : « Voulez-vous me permettre d'allumer votre feu cette nuit ? » « Nous n'avons point de cabane, reprit le guerrier ; si vous voulez nous suivre, nous campons au bord de la chute. » « Je le veux bien », répondis-je, et nous partîmes ensemble.

Nous arrivâmes bientôt au bord de la cataracte[204], qui s'annonçait par d'affreux mugissements. Elle est formée par la rivière Niagara, qui sort du lac Érié, et se jette dans le lac Ontario ; sa hauteur perpendiculaire est de cent quarante-quatre pieds. Depuis le lac Érié jusqu'au Saut, le fleuve accourt, par une pente rapide, et au moment de la chute, c'est moins un fleuve qu'une mer, dont les torrents se pressent à la bouche béante d'un gouffre. La cataracte se divise en deux branches, et se courbe en fer à cheval. Entre les deux chutes s'avance une île creusée en dessous, qui pend avec tous ses arbres sur le chaos des ondes. La masse du fleuve qui se précipite au midi, s'arrondit en un vaste cylindre, puis se déroule en nappe de neige, et brille au soleil de toutes les couleurs. Celle qui tombe au levant descend dans une ombre effrayante ; on dirait une colonne d'eau du déluge. Mille arcs-en-ciel se courbent et se croisent sur l'abîme. Frappant le roc ébranlé, l'eau rejaillit en tourbillons d'écume, qui s'élèvent au-dessus des forêts, comme les fumées d'un vaste embrasement. Des pins, des noyers sauvages, des rochers taillés en forme de fantômes, décorent la scène. Des aigles entraînés par le courant d'air, descendent en tournoyant au fond du gouffre ; et des carcajous se suspendent par leurs queues flexibles au bout d'une branche abaissée, pour saisir dans l'abîme, les cadavres brisés des élans et des ours.

Tandis qu'avec un plaisir mêlé de terreur je contemplais ce spectacle, l'Indienne et son époux me quittèrent. Je les cherchai en remontant le fleuve au-dessus de la chute, et bientôt je les trouvai dans un endroit convenable à leur deuil. Ils étaient couchés sur l'herbe avec des vieillards, auprès de quelques ossements humains enveloppés dans des peaux de bêtes. Étonné de tout ce que je voyais depuis quelques heures, je m'assis auprès de la jeune mère, et je lui dis : « Qu'est-ce que tout ceci, ma sœur ? » Elle me répondit : « Mon frère, c'est la terre de la patrie ; ce sont les cendres de nos aïeux, qui nous suivent dans notre exil. » « Et comment, m'écriai-je, avez-vous été réduits à un tel malheur ? » La fille de Céluta repartit : « Nous sommes les restes des Natchez. Après le massacre que les Français firent de notre nation pour venger leurs frères, ceux de nos frères qui échappèrent aux vainqueurs trouvèrent un asile chez les Chikassas nos voisins. Nous y sommes demeurés assez longtemps tranquilles ; mais il y a sept lunes que les blancs de la Virginie se sont emparés de nos terres, en disant qu'elles leur ont été données par un roi d'Europe. Nous avons levé les yeux au ciel, et chargés des restes de nos aïeux, nous avons pris notre route à travers le désert. Je suis accouchée pendant la marche ; et comme mon lait était mauvais, à cause de la douleur, il a fait mourir mon enfant. » En disant cela, la jeune mère essuya ses yeux avec sa chevelure ; je pleurais aussi.

Or, je dis bientôt : « Ma sœur, adorons le grand Esprit, tout arrive par son ordre. Nous sommes tous voyageurs ; nos pères l'ont été comme nous ; mais il y a un lieu où nous nous reposerons. Si je ne craignais d'avoir la langue aussi légère que celle d'un blanc, je vous demanderais si vous avez entendu parler de Chactas, le Natché ? » A ces mots, l'Indienne me regarda et me dit : « Qui est-ce qui vous a parlé de Chactas, le Natché ? » Je répondis : « C'est la sagesse. » L'Indienne reprit : « Je vous dirai ce que je sais, parce que vous avez éloigné les mouches du corps de mon fils, et que vous venez de dire de belles paroles sur le grand Esprit. Je suis la fille de la fille de René l'Européen, que Chactas avait adopté. Chactas, qui avait reçu le baptême[205], et René mon aïeul si malheureux, ont péri dans le massacre. » « L'homme va toujours de douleur en douleur, répondis-je en m'inclinant. Vous pourriez donc aussi m'apprendre des nouvelles du père Aubry ? » « Il n'a pas été plus heureux que Chactas, dit l'Indienne. Les Chéroquois, ennemis des Français, pénétrèrent à sa Mission ; ils y furent conduits par le son de la cloche qu'on sonnait pour secourir les voyageurs. Le père Aubry se pouvait sauver ; mais il ne voulut pas abandonner ses enfants, et il demeura pour les encourager à mourir, par son exemple. Il fut brûlé avec de grandes tortures ; jamais on ne put tirer de lui un cri qui tournât à la honte de son Dieu, ou au déshonneur de sa patrie. Il ne cessa, durant le supplice, de prier pour ses bourreaux, et de compatir au sort des victimes. Pour lui arracher une marque de faiblesse, les Chéroquois amenèrent à ses pieds un Sauvage chrétien, qu'ils avaient horriblement mutilé. Mais ils furent bien surpris, quand ils virent le jeune homme se jeter à genoux, et baiser les plaies du vieil ermite qui lui criait : "Mon enfant, nous avons été mis en spectacle aux anges et aux hommes." Les Indiens furieux lui plongèrent un fer rouge dans la gorge, pour l'empêcher de parler. Alors ne pouvant plus consoler les hommes, il expira.

« On dit que les Chéroquois, tout accoutumés qu'ils étaient à voir des Sauvages souffrir avec constance, ne purent s'empêcher d'avouer qu'il y avait dans l'humble courage du père Aubry, quelque chose qui leur était inconnu, et qui surpassait tous les courages de la terre[206]. Plusieurs d'entre eux, frappés de cette mort, se sont faits chrétiens.

« Quelques années après, Chactas, à son retour de la terre des blancs, ayant appris les malheurs du chef de la prière, partit pour aller recueillir ses cendres et celles d'Atala. Il arriva à l'endroit où était située la Mission, mais il put à peine le reconnaître. Le lac s'était débordé, et la savane était changée en un marais ; le pont naturel, en s'écroulant, avait enseveli sous ses débris le tombeau d'Atala et les Bocages de la mort. Chactas erra longtemps dans ce lieu ; il visita la grotte du Solitaire qu'il trouva remplie de ronces et de framboisiers, et dans laquelle une biche allaitait son faon. Il s'assit sur le rocher de la Veillée de la mort, où il ne vit que quelques plumes tombées de l'aile de l'oiseau de passage. Tandis qu'il y pleurait, le serpent familier du missionnaire sortit des broussailles voisines, et vint s'entortiller à ses pieds. Chactas réchauffa dans son sein ce fidèle ami, resté seul au milieu de ces ruines. Le fils d'Outalissi a raconté que plusieurs fois aux approches de la nuit, il avait cru voir les ombres d'Atala et du père Aubry s'élever dans la vapeur du crépuscule. Ces visions le remplirent d'une religieuse frayeur et d'une joie triste.

« Après avoir cherché vainement le tombeau de sa sœur et celui de l'ermite, il était près d'abandonner ces lieux, lorsque la biche de la grotte se mit à bondir devant lui. Elle s'arrêta au pied de la croix de la Mission. Cette croix était alors à moitié entourée d'eau ; son bois était rongé de mousse, et le pélican du désert aimait à se percher sur ses bras vermoulus. Chactas jugea que la biche reconnaissante l'avait conduit au tombeau de son hôte. Il creusa sous la roche qui jadis servait d'autel, et il y trouva les restes d'un homme et d'une femme. Il ne douta point que ce ne fussent ceux du prêtre et de la vierge, que les anges avaient peut-être ensevelis dans ce lieu ; il les enveloppa dans des peaux d'ours, et reprit le chemin de son pays emportant les précieux restes, qui résonnaient sur ses épaules comme le carquois de la mort[207]. La nuit, il les mettait sous sa tête, et il avait des songes d'amour et de vertu. Ô étranger, tu peux contempler ici cette poussière avec celle de Chactas lui-même ! »

Comme l'Indienne achevait de prononcer ces mots, je me levai ; je m'approchai des cendres sacrées, et me prosternai devant elles en silence. Puis m'éloignant à grands pas, je m'écriai : « Ainsi passe sur la terre tout ce qui fut bon, vertueux, sensible ! Homme, tu n'es qu'un songe rapide, un rêve douloureux[208] ; tu n'existes que par le malheur ; tu n'es quelque chose que par la tristesse de ton âme et l'éternelle mélancolie de ta pensée ! »

Ces réflexions m'occupèrent toute la nuit. Le lendemain, au point du jour, mes hôtes me quittèrent. Les jeunes guerriers ouvraient la marche, et les épouses la fermaient ; les premiers étaient chargés des saintes reliques ; les secondes portaient leurs nouveau-nés ; les vieillards cheminaient lentement au milieu, placés entre leurs aïeux et leur postérité, entre les souvenirs et l'espérance, entre la patrie perdue et la patrie à venir. Oh ! que de larmes sont répandues, lorsqu'on abandonne ainsi la terre natale, lorsque du haut de la colline de l'exil, on découvre pour la dernière fois le toit où l'on fut nourri et le fleuve de la cabane, qui continue de couler tristement à travers les champs solitaires de la patrie !

Indiens infortunés que j'ai vus errer dans les déserts du Nouveau-Monde[209], avec les cendres de vos aïeux, vous qui m'aviez donné l'hospitalité malgré votre misère, je ne pourrais vous la rendre aujourd'hui, car j'erre, ainsi que vous, à la merci des hommes ; et moins heureux dans mon exil, je n'ai point emporté les os de mes pères.

LES NATCHEZ
(suite)

RÉSUMÉ

Suite du livre V : *Le récit de Chactas, interrompu p. 93, continue en ces termes :*

« Après avoir quitté le pieux Solitaire et les cendres d'Atala, continua Chactas, je traversai des régions immenses sans savoir où j'allais : tous les chemins étaient bons à ma douleur, et peu m'importait de vivre.

« Un jour, au lever du soleil... »

Chactas passe ensuite quelques années chez les Iroquois qui font de lui un véritable guerrier. Mais, capturé par les Français, au mépris de la foi jurée, il est déporté à Marseille, pour devenir galérien. Dans cette ville, il retrouve Lopez, lui aussi exilé. Bientôt justice lui est rendue. Il est envoyé à Paris, avant son rapatriement.

Livre VI : *Chactas est présenté à Versailles. Après avoir vu Louis XIV, il visite Paris : institutions (Académie, Palais de Justice) et célébrités littéraires ou mondaines (Ninon de Lenclos).*

Livre VII : *Après avoir assisté à une exécution capitale (un protestant, revenu en cachette dans sa patrie), Chactas, bouleversé, se retrouve seul.*

Je m'écriai : "Ramenez-moi à mes déserts ! reconduisez-moi dans mes forêts !" et je m'éloignai à grands pas. Longtemps j'errai à l'aventure tout en pleurs, et comme hors de moi-même. Mais enfin la lassitude du corps parvint à distraire les fatigues de l'âme, et me trouvant aussi harassé qu'un chasseur qui a poursuivi un cerf agile, je fus contraint de demander quelque part les dons de l'hospitalité.

« Je heurte à la porte d'une très belle cabane ; un esclave vient m'ouvrir : "Que veux-tu ? me dit-il brusquement. — Va dire à ton maître, répondis-je, qu'un guerrier des chairs rouges veut boire avec lui la coupe du banquet." L'esclave se prit à rire et referma la porte.

« Cette épreuve ne me découragea point. A quelque distance, dans une petite voie écartée, une habitation assez semblable à nos huttes, s'offrit à mes regards. Je me présente sur le seuil de cette demeure. J'aperçois au fond d'une case obscure un guerrier demi-nu, une femme et trois enfants ; j'augurai bien de mes hôtes, lorsque je vis qu'ils restaient tranquilles à mon aspect comme des Indiens. J'entre dans la cabane, je m'assieds au foyer dont je salue le Manitou domestique, et prenant dans mes bras le plus jeune des trois enfants, ces douces lumières de leur mère, j'entonne la chanson du suppliant.

« Quand cela fut fait, je dis en français : "J'ai faim", et le guerrier me répondit : "Tu as faim ?" Ce qui me fit penser qu'il avait été voyageur chez les peuples de la solitude. Il se leva, prit un gâteau de maïs noir, et me le donna : je ne pus le manger, car je vis la mère répandre une larme, et les enfants dévorer des yeux le pain que je portais à ma bouche. Je le distribuai à leur innocence, et je dis au guerrier leur père : "Les mânes des ours n'ont donc pas été apaisés par des sacrifices la neige^a dernière, puisque la chasse n'a pas été bonne et que tes enfants ont faim ? — Faim ! répondit mon hôte, oui ! Pour nous autres, misérables, cette faim dure toute notre vie."

« Je repartis : "Il y a sans doute quelque autre guerrier dont le soleil a regardé les érables, et dont les flèches ont été plus favorisées du Grand Castor : il te fera part de son abondance." L'homme sourit amèrement, ce qui me fit juger que j'avais dit une chose peu sage.

« Une veuve qui, du lit désert où elle est couchée, voit les toiles de l'insecte suspendues sur sa tête, se plaint de l'abandon de sa cabane ; ainsi la laborieuse matrone dont je recevais l'hospitalité, adressa les paroles de l'injure à son époux, en l'accusant d'oisiveté. Le guerrier frappa rudement son épouse : je me hâtai d'étendre le calumet de paix entre mes hôtes, et d'apaiser la colère qui monte du cœur au visage en nuage de sang. J'eus alors pour la première fois l'idée de la dégradation européenne dans toute sa laideur. Je vis l'homme abruti par la misère, au milieu d'une famille affamée, ne jouissant point des avantages de la société, et ayant perdu ceux de la nature.

« Je me levai ; je mis un grain d'or dans la main du guerrier, je l'invitai à venir s'asseoir avec sa famille dans ma cabane. "Ah ! s'écria mon hôte tout ému, quoique vous ne soyez qu'un Iroquois, on voit bien que vous êtes un roi des Sauvages.

« — Je ne suis point un roi", répondis-je en me hâtant de quitter cette cabane où j'avais trouvé quelques vertus primitives poussant encore faiblement au milieu des vices de la civilisation : le bouquet de romarin que nos chefs décédés emportent avec eux au tombeau, prend quelquefois racine sur l'argile même de l'homme, et végète jusque dans la main des morts.

« J'avoue qu'après de telles expériences, je fus prêt à renoncer à mes études, à retourner chez Ononthio. En

a. Année.

vain je cherchais ta nation et des mœurs, et je ne trouvais ni les secondes ni la première. La nature me semblait renversée ; je ne la découvrais dans la société, que comme ces objets dont on voit les images inverties dans les eaux. Génie propice, qui arrêtâtes mes pas, qui m'engageâtes à continuer mes recherches, puissiez-vous en récompense des faveurs que vous m'avez faites, puissiez-vous approcher le plus près du Grand Esprit ! Sans vous, sans votre conseil, je ne serais pas ce que je suis, je n'aurais pas connu un homme qui m'a réconcilié avec les hommes, et de qui mes cheveux blancs tiennent le peu de sagesse qui les couronne.

« Je marchais le cœur serré, la tête baissée, lorsque la voix de deux esclaves qui causaient à la porte d'une cabane, me tira de ma rêverie. Mon premier mouvement fut de m'éloigner, mais, frappé de l'air d'honnêteté des deux esclaves, je me sentis disposé à faire une dernière tentative. Je m'avançai donc, et, m'adressant au plus vieux des serviteurs : "Va, lui dis-je, apprendre à ton maître qu'un guerrier étranger a faim."

« L'esclave me regarda avec étonnement, mais je ne vis point l'impudence et la bassesse dans ses regards. Sans me répondre, il entra précipitamment dans les cours de la cabane, et, revenant quelques moments après tout hors d'haleine, il me dit : "Seigneur Sauvage, mon maître vous prie de lui faire l'honneur d'entrer." Je suivis aussitôt le bon esclave.

« Nous montons les degrés de marbre qui circulaient autour d'une rampe de bronze. Nous traversons plusieurs huttes où régnait, avec la paix, une demi-lumière, et nous arrivons enfin à une cabane pleine de colliers[a]. Là, je vis un homme occupé à tracer sur des feuilles les signes de ses pensées. Il était assez maigre, et d'une taille élevée : un air de bonté intelligente était répandu sur son visage ; l'expression de ses yeux ne se saurait décrire : c'était un

a. De livres, de papiers, etc. Une bibliothèque.

mélange de génie et de tendresse, une beauté, je ne sais laquelle, que jamais peintre n'a pu exprimer. Ainsi me le raconta depuis Ononthio.

« "Chactas, me dit l'homme en se levant, aussitôt qu'il m'aperçut, nous ne sommes déjà plus des étrangers l'un à l'autre. Un de mes parents, qui a prêché notre sainte religion en Amérique, se hâta de m'écrire lorsque vous fûtes si injustement arrêté. Je sollicitai, de concert avec le gouverneur du Canada, votre délivrance, et nous avons eu le bonheur de l'obtenir. Je vous ai vu depuis à Versailles, et d'après le portrait qu'on m'a fait de vous, il me serait difficile de vous méconnaître. Je vous avouerai d'ailleurs que la manière dont vous venez, par hasard, de me faire demander l'hospitalité, m'a singulièrement touché ; car, ajouta-t-il avec un léger sourire, je suis moi-même un peu Sauvage.

« — Serais-tu, m'écriai-je aussitôt, ce généreux chef de la prière qui s'est intéressé à ma liberté et à celle de mes frères ? Puisse le Grand Esprit te récompenser ! Je ne t'ai vu encore qu'un moment, mais je sens que je t'aime et te respecte déjà comme un Sachem."

« Mon hôte me prenant par la main, me fit asseoir avec lui auprès d'une table. On servit le pain et le vin, la force de l'homme. Les esclaves s'étant retirés pleins de vénération pour leur maître, je commençai à échanger les paroles de la confiance avec le serviteur des autels[210].

« "Chactas, me dit-il, nous sommes nés dans des pays bien éloignés l'un de l'autre, mais croyez-vous qu'il y ait entre les hommes de grandes différences de vertus et conséquemment de bonheur ?"

« Je lui répondis : "Mon père, à te parler sans détour, je crois les hommes de ton pays plus malheureux que ceux du mien. Ils s'enorgueillissent de leurs arts et rient de notre ignorance ; mais si toute la vie se borne à quelques jours, qu'importe que nous ayons accompli le voyage dans un petit canot d'écorce ou sur une grande pirogue chargée de lianes et de machines ? Le canot

175

même est préférable, car il voyage sur le fleuve le long de la terre où il peut trouver mille abris ; la pirogue européenne voyage sur un lac orageux où les ports sont rares, les écueils fréquents, et où souvent on ne peut jeter l'ancre, à cause de la profondeur de l'abîme.

« "Les arts ne font donc rien à la félicité de la vie, et c'est là pourtant le seul point où vous paraissez l'emporter sur nous. J'ai été ce matin témoin d'un spectacle exécrable qui seul déciderait la question en faveur de mes bois. Je viens de frapper à la porte du riche, et à celle du pauvre : les esclaves du riche m'ont repoussé ; le pauvre n'est lui-même qu'un esclave.

« "Jusqu'à présent j'avais eu la simplicité de croire que je n'avais point encore vu ta nation ; ma dernière course m'a donné d'autres idées. Je commence à entrevoir que ce mélange odieux de rangs et de fortunes, d'opulence extraordinaire et de privations excessives, de crime impuni et d'innocence sacrifiée, forme en Europe ce qu'on appelle la société. Il n'en est pas de même parmi nous : entre dans les huttes des Iroquois, tu ne trouveras ni grands, ni petits, ni riches, ni pauvres ; partout le repos du cœur et la liberté de l'homme." Ici, je fis le mieux qu'il me fut possible la peinture de nôtre bonheur, et je finis, comme à l'ordinaire, par inviter mon hôte à se faire Sauvage.

« Il m'avait écouté avec la plus grande attention : le tableau de notre félicité le toucha : "Mon enfant, me dit-il, je me confirme dans ma première pensée : les hommes de tous les pays, quand ils ont le cœur pur, se ressemblent, car c'est Dieu alors qui parle en eux, Dieu qui est toujours le même. Le vice seul établit entre nous des différences hideuses : la beauté n'est qu'une ; il y a mille laideurs. Si jamais je trace le tableau d'une vie heureuse et sauvage, j'emploierai les couleurs sous lesquelles vous me la venez de peindre[211].

« "Mais, Chactas, je crains que dans vos opinions, vous n'apportiez un peu de préjugés, car les Indiens en ont comme les autres hommes. Il arrive un temps[212] où le genre humain trop multiplié ne peut plus exister par la chasse : il faut alors avoir recours à la culture. La culture entraîne des lois, les lois des abus. Serait-il raisonnable de dire qu'il ne faut point de lois, parce qu'il y a des abus ? Serait-il sensé de supposer que Dieu a rendu la condition sociale la pire de toutes, lorsque cette condition paraît être l'état universel des hommes ?

« "Ce qui vous blesse, sincère Sauvage, ce sont nos travaux, l'inégalité de nos rangs, enfin cette violation du droit naturel, qui fait que vous nous regardez comme des esclaves infiniment malheureux : ainsi votre mépris pour nous tombe en partie sur nos souffrances. Mais, mon fils, s'il existait une félicité relative dont vous n'avez ni ne pouvez avoir aucune idée ; si le laboureur à son sillon, l'artisan dans son atelier, goûtaient des biens supérieurs à ceux que vous trouvez dans vos forêts, il faudrait donc retrancher d'abord de votre mépris, tout ce que vous donnez de ce mépris à nos prétendues misères.

« "Comment vous expliquerai-je ensuite, ce sixième sens où les cinq autres viennent se confondre, le sens des beaux-arts[213] ? Les arts nous rapprochent de la Divinité ; ils nous font entrevoir une perfection au-dessus de la nature, et qui n'existe que dans notre intelligence. Si vous m'objectiez que les jouissances dont je parle sont vraisemblablement inconnues de la classe indigente de nos villes, je vous répondrais qu'il est d'autres plaisirs sociaux accordés à tous : ces plaisirs sont ceux du cœur.

« "Chez vous les attachements de la famille ne sont fondés que sur des rapports intéressés de secours accordés et rendus : chez nous, la société change ces rapports en sentiments. On s'aime pour s'aimer ; on commerce d'âmes ; on arrive au bout de sa carrière à travers une vie pleine d'amour. Est-il un labeur pénible à celui qui travaille pour un père, une mère, un frère, une sœur ? Non, Chactas, il n'en est point ; et, tout considéré, il me semble que l'on peut tirer de la civilisation autant de bonheur que de l'état sauvage. L'or n'existe pas toujours sous sa forme primitive, tel qu'on le trouve dans les mines de votre Amérique : souvent il est façonné, filé, fondu en mille manières ; mais c'est toujours de l'or.

« "La condition politique qui nous courbe vers la terre, qui oblige l'un à se sacrifier à l'autre, qui fait des pauvres et des riches, qui semble, en un mot, dégrader l'homme, est précisément ce qui l'élève : la générosité, la pitié céleste, l'amour véritable, le courage dans l'adversité, toutes ces choses divines sont nées de cette condition politique. Le citoyen charitable qui va chercher, pour la secourir, l'humanité souffrante dans les lieux où elle se cache, peut-il être un objet de mépris ? Le prêtre vertueux qui naguère trempait vos fers de ses larmes, sera-t-il frappé de vos dédains ? L'homme qui, pendant de longues années, a lutté contre le malheur, qui a supporté sans se plaindre toutes les sortes de misères, est-il moins admirable dans sa force que le prisonnier sauvage, dont le mérite se réduit à braver quelques heures de tourments ?

« "Si les vertus sont des émanations du Tout-Puissant ; si elles sont nécessairement plus nombreuses dans l'ordre social que dans l'ordre naturel, l'état de société qui nous rapproche davantage de la Divinité, est donc un état supérieur à celui de nature[214].

« "Il est parmi nous d'ardents amis de leur patrie, des cœurs nobles et désintéressés, des courages magnanimes, des âmes capables d'atteindre à ce qu'il y a de plus grand. Songeons, quand nous voyons un misérable, non à ses haillons, non à son air humilié et timide, mais aux sacrifices qu'il fait, aux vertus quotidiennes qu'il est obligé de reprendre chaque matin avec ses pauvres vêtements, pour affronter les tempêtes de la journée ! Alors, loin de le regarder comme un être vil, vous lui porterez respect. Et s'il existait dans la société un homme qui en possédât les vertus sans en avoir les vices, serait-ce à cet homme que vous oseriez comparer le Sauvage ? En paraissant tous les deux au tribunal du Dieu des chrétiens, du Dieu véritable, quelle serait la sentence du juge ? Toi, dirait-il au Sauvage, tu ne fis point de mal, mais tu ne fis point de bien. Qu'il passe à ma droite, celui qui vêtit l'orphelin, qui protégea la veuve, qui réchauffa le vieillard, qui donna à manger au Lazare, car c'est ainsi que j'en agis, lorsque j'habitais entre les hommes[a]."

« Ici le chef de la prière cessa de se faire entendre. Le miel distillait de ses lèvres ; l'air se calmait autour de lui à mesure qu'il parlait. Ce qu'il faisait éprouver n'était pas des transports, mais une succession de sentiments paisibles et ineffables : il y avait dans son discours je ne sais quelle tranquille harmonie, je ne sais quelle douce lenteur, je ne sais quelle longueur de grâces, qu'aucune expression ne peut rendre. Saisi de respect et d'amour, je me jetai aux pieds de ce bon Génie[215].

« "Mon père, lui dis-je, tu viens de faire de moi un nouvel homme. Les objets s'offrent à mes yeux sous des rapports qui m'étaient auparavant inconnus. Ô le plus vénérable des Sachems, chaste et pure hermine des vieux chênes, que ne puis-je t'emmener dans mes forêts ! Mais je le sens, tu n'es pas fait pour habiter parmi des Sauvages ; ta place est chez un peuple où l'on peut admirer ton génie et jouir de tes vertus. Je vais bientôt rentrer dans les déserts du Nouveau Monde ; je vais reprendre la vie errante de l'Indien ; après avoir conversé avec ce qu'il y a de plus sublime dans la société, je vais entendre les paroles de ce qu'il y a de plus simple dans la nature : mais quels que soient les lieux où le Grand Esprit conduise mes pas, sous l'arbre, au bord du fleuve, sur le rocher, je rappellerai tes leçons, et je tâcherai de devenir sage de ta sagesse.

« — Mon fils, me répondit mon hôte en me relevant,

a. J'avais pris autrefois quelque chose de ce dernier paragraphe pour le transporter dans un morceau littéraire, que l'on peut voir dans les *Mélanges littéraires*, t. XXI, p. 410 de cette édition complète. Je n'ai pas cru devoir retrancher cette vingtaine de lignes dans le récit de Chactas : elles se trouvent ici à leur véritable place.

chaque homme se doit à sa patrie : mon devoir me retient sur ces bords pour y faire le peu de bien dont je suis capable, le vôtre est de retourner dans votre pays. Dieu se sert souvent de l'adversité comme d'un marchepied pour nous élever ; il a permis contre vous une injustice afin de vous rendre meilleur. Partez, Chactas ; allez retrouver votre cabane ; moins heureux que vous, je suis enchaîné dans un palais. Si je vous ai inspiré quelque estime, répandez-la sur ma nation, de même que je chéris la vôtre ; devenez parmi vos compatriotes le protecteur des Français. N'oubliez pas que, tous tant que nous sommes, nous méritons plus de pitié que de mépris : Dieu a fait l'homme comme un épi de blé ; sa tige est fragile et se tourmente au moindre souffle, mais son grain est excellent.

« "Souvenez-vous enfin, Chactas, que si les habitants de votre pays ne sont encore qu'à la base de l'échelle sociale, les Français sont loin d'être arrivés au sommet : dans la progression des lumières croissantes, nous paraîtrons nous-mêmes des Barbares à nos arrière-neveux. Ne vous irritez donc point contre cette civilisation qui appartient à notre nature, contre une civilisation qui peut-être un jour envahissant vos forêts, les remplira d'un peuple où la liberté de l'homme policé s'unira à l'indépendance de l'homme sauvage[216]." »

RÉSUMÉ

Suite du livre VII : *Chactas quitte Paris, puis va se rembarquer pour la Nouvelle-France.*

De petits canots nous portent aux grands navires ; nous arrivons sous leurs flancs ; nous y demeurons quelque temps balancés par la lame grossie : nous montons sur les machines flottantes à l'aide de cordes qu'on nous jette. A peine avons-nous atteint le bord que nos matelots,

180

comme des oiseaux de la tempête, se répandent sur les vergues. La foudre[a], sortant du vaisseau d'Ononthio, donne le signal au reste de la flotte : tous les vaisseaux, avec de longs efforts, arrachent leur pied[b] d'airain des vases tenaces. La double serre ne s'est pas plutôt déprise de la chevelure de l'abîme, qu'un mouvement se fait sentir dans le corps entier du vaisseau. Les bâtiments se couvrent de leurs voiles : les plus basses, déployées dans toute leur largeur, s'arrondissent comme de vastes cylindres ; les plus élevées, comprimées dans leur milieu, ressemblent aux mamelles gonflées d'une jeune mère. Le pavillon sans tache de la France se déroule sur les haleines harmonieuses du matin. Alors de la flotte épandue s'élève un chœur qui salue par trois cris d'amour, les rivages de la patrie. A ce dernier signal, nos coursiers marins déploient leurs dernières ailes, s'animent d'un souffle plus impétueux, et, s'excitant mutuellement dans la carrière, ils labourent à grand bruit le champ des mers.

« Les transports de la joie ne descendirent point dans mon cœur à ce départ de la contrée des mille cabanes. J'avais perdu Atala ; je quittais Lopez ; le pays des belliqueuses nations du Canada n'était pas celui qui m'avait vu naître : sorti presque enfant de la terre des sassafras, que retrouverais-je dans la hutte de mes aïeux, si jamais les Génies bienfaisants me permettaient de rentrer sous son écorce ?

« La scène imposante que j'avais sous les yeux, servait à nourrir ma mélancolie : je ne pouvais me rassasier du spectacle de l'Océan[217]. Ma retraite favorite, lorsque je voulais méditer durant le jour, était la cabane grillée[c] du grand mât de notre navire, où je montais et m'asseyais, dominant les vagues au-dessous de moi. La nuit, renfermé dans ma couche étroite, je prêtais l'oreille au bruit de

a. Le canon.
b. L'ancre.
c. La hune.

l'eau qui coulait le long du bord : je n'avais qu'à déployer le bras pour atteindre de mon lit à mon cercueil.

« Cependant le cristal des eaux que nous avaient donné les rochers de la France, commençait à s'altérer. On résolut d'aborder aux îles non loin desquelles les vaisseaux se trouvaient alors. Nous saluons les Génies de ces terres propices ; nous laissons derrière nous Fayal enivrée de ses vins, Tercère aux moissons parfumées, Santa-Crux qui ignore les forêts, et Pico dont la tête porte une chevelure de feu. Comme une troupe de colombes passagères, notre flotte vient ployer ses ailes sous les rivages de la plus solitaire des filles de l'Océan[218].

« Quelques marins étant descendus à terre, je les suivis ; tandis qu'ils s'arrêtaient au bord d'une source, je m'égarai sur les grèves et je parvins à l'entrée d'un bois de figuiers sauvages : la mer se brisait en gémissant à leurs pieds, et dans leurs cimes on entendait le sifflement aride du vent du nord. Saisi de je ne sais quelle horreur, je pénètre dans l'épaisseur de ce bois, à travers les sables blancs et les joncs stériles. Arrivé à l'extrémité opposée, mes yeux découvrent une statue portée sur un cheval de bronze : de sa main droite, elle montrait les régions du couchant[a].

« J'approche de ce monument extraordinaire. Sur sa base baignée de l'écume des flots étaient gravés des caractères inconnus : la mousse et le salpêtre des mers rongeaient la surface du bronze antique ; l'alcyon perché sur le casque du colosse y jetait, par intervalles, des voix langoureuses ; des coquillages se collaient aux flancs et aux crins du coursier, et lorsqu'on approchait l'oreille de ses naseaux ouverts, on croyait ouïr des rumeurs confuses. Je ne sais si jamais rien de plus étonnant s'est présenté à la vue et à l'imagination d'un mortel.

« Quel Dieu ou quel homme éleva ce monument ? quel siècle, quelle nation le plaça sur ces rivages ? qu'enseigne-t-il par sa main déployée ? Veut-il prédire quelque grande

---

a. Tradition historique.

182

révolution sur le globe, laquelle viendra de l'Occident ?
Est-ce le Génie même de ces mers qui garde son empire
et menace quiconque oserait y pénétrer ?

« A l'aspect de ce monument qui m'annonçait un noir
océan de siècles écoulés, je sentis l'impuissance et la
rapidité des jours de l'homme. Tout nous échappe dans
le passé et dans l'avenir ; sortis du néant pour arriver au
tombeau, à peine connaissons-nous le moment de notre
existence.

« Je m'empressai de retourner aux vaisseaux, et de
raconter à Ononthio la découverte que j'avais faite. Il se
préparait à visiter avec moi cette merveille, mais une
tempête s'éleva, et la flotte fut obligée de gagner la haute
mer.

« Bientôt cette flotte est dispersée. Demeuré seul et
chassé par le souffle du midi, notre vaisseau, pendant
douze nuits entières, vole sur les vagues troublées. Nous
arrivons dans ces parages où Michabou fait paître ses
innombrables troupeaux[a]. Une brume froide et humide
enveloppe la mer et le ciel ; les flots glapissent[219] dans les
ténèbres ; un bourdonnement continu sort des bordages
du vaisseau dont toutes les voiles sont ployées ; la lame
couvre et découvre sans cesse le pont inondé ; des feux
sinistres voltigent sur les vergues, et, en dépit de nos
efforts, la houle qui grossit nous pousse sur l'île des
Esquimaux[b].

« J'avais, ô mon fils, été coupable d'un souhait témé-
raire : j'avais appelé de mes vœux le spectacle d'une
tempête[220]. Qu'il est insensé celui qui désire être témoin
de la colère des Génies ! Déjà nous avions été le jouet des
mers, autant de jours qu'un étranger peut en passer dans
une cabane, avant que son hôte lui demande le nom de
ses aïeux : le soleil avait disparu pour la sixième fois. La
nuit était horrible : j'étais couché dans mon hamac agité ;

a. Le banc de Terre-Neuve.
b. Terre-Neuve.

je prêtais l'oreille aux coups des vagues qui ébranlaient la structure du vaisseau : tout à coup j'entends courir sur le pont, et des paquets de cordages tomber ; j'éprouve en même temps le mouvement que l'on ressent lorsqu'un vaisseau vire de bord. Le couvercle de l'entrepont s'ouvre et une voix appelle le capitaine. Cette voix solitaire au milieu de la nuit et de la tempête, avait quelque chose qui faisait frémir. Je me dresse sur ma couche ; il me semble ouïr des marins discutant le gisement d'une terre que l'on avait en vue. Je monte sur le pont : Ononthio et les passagers s'y trouvaient déjà rassemblés.

« En mettant la tête hors de l'entrepont, je fus frappé d'un spectacle affreux, mais sublime. A la lueur de la lune qui sortait de temps en temps des nuages, on découvrait sur les deux bords du navire, à travers une brume jaune et immobile, des côtes sauvages. La mer élevait ses flots comme des monts dans le canal où nous étions engouffrés. Tantôt les vagues se couvraient d'écume et d'étincelles ; tantôt elles n'offraient plus qu'une surface huileuse, marbrée de taches noires, cuivrées ou verdâtres, selon la couleur des bas-fonds sur lesquels elles mugissaient : quelquefois une lame monstrueuse venait roulant sur elle-même sans se briser, comme une mer qui envahirait les flots d'une autre mer. Pendant un moment le bruit de l'abîme et celui des vents étaient confondus ; le moment d'après, on distinguait le fracas des courants, le sifflement des récifs, la triste voix de la lame lointaine. De la concavité du bâtiment sortaient des bruits qui faisaient battre le cœur au plus intrépide. La proue du navire coupait la masse épaisse des vagues avec un froissement affreux ; et au gouvernail, des torrents d'eau s'écoulaient en tourbillonnant comme au débouché d'une écluse. Au milieu de ce fracas, rien n'était peut-être plus alarmant qu'un murmure sourd, pareil à celui d'un vase qui se remplit.

« Cependant des cartes, des compas, des instruments de toutes les sortes, étaient étendus à nos pieds. Chacun parlait diversement de cette terre où était assis sur un écueil le Génie du naufrage. Le pilote déclara que le naufrage était inévitable. Alors l'aumônier du vaisseau lut à haute voix la prière qui porte, dans un tourbillon, l'âme du marin au Dieu des tempêtes. Je remarquai que des passagers allaient chercher ce qu'ils avaient de plus précieux, pour le sauver : l'espérance est comme la Montagne Bleue dans les Florides : de ses hauts sommets le chasseur découvre un pays enchanté, et il oublie les précipices qui l'en séparent. Moi et les autres chefs sauvages, nous prîmes un poignard pour nous défendre, et un fer tranchant pour couper un arc et tailler une flèche. Hors la vie qu'avions-nous à perdre ? Le flot qui nous jetait sur une côte inhabitée nous rendait à notre bonheur : l'homme nu saluait le désert et rentrait en possession de son empire.

« Il plut à la souveraine sagesse de sauver le vaisseau, mais la même vague qui le poussa hors des écueils, emporta l'un de ses mâts et me jeta dans l'abîme : j'y tombai comme un oiseau de mer qui se précipite sur sa proie. En un clin d'œil le vaisseau, chassé par les vents, parut à une immense distance de moi ; il ne pouvait s'arrêter sans s'exposer une seconde fois au naufrage, et il fut contraint de m'abandonner. Perdant tout espoir de le rejoindre, je commençai à nager vers la côte éloignée[221]. »

Livre huitième

« Les premiers pas du matin s'étaient imprimés en taches rougeâtres dans les nuages de la tempête, lorsque couvert de l'écume des flots j'abordai au rivage. Courant sur les limons verdis, tout hérissés des pyramides de l'insecte des sables, je me dérobe à la fureur du Génie des eaux. A quelque distance s'offrait une grotte dont l'entrée était fermée par des framboisiers. J'écarte les broussailles et pénètre sous la voûte du rocher, où je fus agréablement surpris d'entendre couler une fontaine. Je puisai de l'eau dans le creux de ma main, et faisant une libation : "Qui que tu sois, m'écriai-je, Manitou de cette grotte, ne repousse pas un suppliant que le Grand Esprit a jeté sur tes rivages ; que cette malédiction du ciel ne t'irrite pas contre un infortuné. Si jamais je revois la terre des sassafras, je te sacrifierai deux jeunes corbeaux dont les ailes seront plus noires que celles de la nuit."

« Après cette prière, je me couchai sur des branches de pin : épuisé de fatigue je m'endormis aux soupirs du Sommeil qui baignait ses membres délicats dans l'eau de la fontaine.

« A l'heure où le fils des cités, couvert d'un riche manteau, se livre aux joies d'un festin servi par la main de l'abondance, je me réveillai dans ma grotte solitaire. En proie aux attaques de la faim, je me lève : comme un élan, échappé à la flèche du chasseur, croit bientôt retourner à ses forêts ; près de rentrer sous leur ombrage, il rencontre une autre troupe de guerriers qui l'écartent avec des cris et le poursuivent de nouveau sur les montagnes : ainsi j'étais éloigné de ma patrie par les traits de la fortune.

« A l'instant où je sortais de la grotte, un ours blanc se présente pour y entrer ; je recule quelques pas et tire mon poignard. Le monstre poussant un mugissement, me menace de ses serres énormes, de son museau noirci et de ses yeux sanglants : il se lève et me saisit dans ses bras comme un lutteur qui cherche à renverser son adversaire. Son haleine me brûle le visage, la faim de ses dents est prête à se rassasier de ma chair ; il m'étouffe dans ses embrassements ; aussi facilement qu'ils ouvrent un coquillage au bord de la mer, ses ongles vont séparer mes épaules. J'invoque le Manitou de mes pères ; et, de la main qui me reste libre, je plonge mon poignard dans le cœur de mon ennemi. Les bras du monstre se relâchent ; il abandonne sa proie, s'affaisse, roule à terre, expire.

« Plein de joie, j'assemble des mousses et des racines à l'entrée de ma grotte. Deux cailloux me donnent le feu : j'allume un bûcher dont la flamme et la fumée s'élèvent au-dessus des bois. Je dépouille la victime, je la mets en pièces, je brûle les filets de la langue et les portions consacrées aux Génies : je prends soin de ne point briser les os[222], et je fais rôtir les morceaux les plus succulents. Je m'assieds sur des pierres polies par la douce lime des eaux ; je commence un repas avec l'hostie[223] de la destinée, avec des cressons piquants et des mousses de roches[224] aussi tendres que les entrailles d'un jeune chevreuil. La solitude de la terre et de la mer était assise à ma table : je découvrais à l'horizon, non sans une sorte d'agréable tristesse, les voiles du vaisseau où j'avais fait naufrage.

« L'abondance ayant chassé la faim, et la nuit étant revenue sur la terre, je me retirai de nouveau au fond de l'antre, avec la fourrure du monstre que j'avais terrassé. Je remerciai le Grand Esprit qui m'avait fait Sauvage, et qui me donnait dans ce moment tant d'avantages sur l'homme policé. Mes pieds étaient rapides, mon bras vigoureux, ma vie habituée aux déserts : un Génie ami des enfants, le Sommeil, fils de l'Innocence et de la Nuit, ferma mes yeux, et je bus le frais sumac[225] du Meschacebé dans la coupe dorée des songes.

« Les sifflements du courlis et le cri de la barnacle perchée sur les framboisiers de la grotte, m'annoncèrent

187

le retour du matin : je sors. Je suspends par des racines de fraisiers, les restes de la victime à mes épaules ; j'arme mon bras d'une branche de pin ; je me fais une ceinture de joncs où je place mon poignard, et comme un lion marin[226] je m'avance le long des flots.

« Pendant mon séjour chez les Cinq Nations iroquoises, le commerce et la guerre m'avaient conduit chez les Esquimaux, et j'avais appris quelque chose de la langue de ce peuple. Je savais que l'île[a] de mon naufrage s'approchait, dans la région de l'étoile immobile[b], des côtes du Labrador : je cherchai donc à remonter vers ce détroit.

« Je marchai autant de nuits qu'une jeune femme, qui n'a point encore nourri de premier-né, reste dans le doute sur le fruit que son sein a conçu : craignant de tromper son époux, elle ne confie ses tendres espérances qu'à sa mère ; mais aux défaillances de cette femme, annonces mystérieuses de l'homme, à son secret qui éclate dans ses regards, le père devine son bonheur, et tombant à genoux, offre au Grand Esprit son fils à naître.

« Je traversai des vallées de pierres revêtues de mousse, et au fond desquelles coulaient des torrents d'eau demi-glacée : des bouquets de framboisiers, quelques bouleaux, une multitude d'étangs salés couverts de toutes sortes d'oiseaux de mer, variaient la tristesse de la scène. Ces oiseaux me procuraient une abondante nourriture, et des fraises, des oseilles, des racines, ajoutaient à la délicatesse de mes banquets.

« Déjà mes pas étaient arrivés au détroit des tempêtes. Les côtes du Labrador se montraient quelquefois par delà les flots au coucher et au lever du soleil. Dans l'espoir de rencontrer quelque navigateur, je cheminais le long des grèves ; mais lorsque j'avais franchi des caps orageux, je

a. Terre-Neuve.
b. Étoile polaire.

188

n'apercevais qu'une suite de promontoires aussi solitaires que les premiers.

« Un jour j'étais assis sous un pin : les flots étaient devant moi ; je m'entretenais avec les vents de la mer et les tombeaux de mes ancêtres[227]. Une brise froide s'élève des régions du Nord, et un reflet lumineux voltige sous la voûte du ciel. Je découvre une montagne de glace flottante ; poussée par le vent, elle s'approche de la rive. Manitou du foyer de ma cabane ! dites quel fut mon étonnement lorsqu'une voix sortant de l'écueil mobile, vint frapper mon oreille. Cette voix chantait ces paroles, dans la langue des Esquimaux :

« "Salut, Esprit des tempêtes, salut, ô le plus beau des fils de l'Océan.

« "Descends de ta colline où l'importun soleil ne luit jamais, descends, charmante Élina ! Embarquons-nous sur cette glace. Les courants nous emportent en pleine mer ; les loups marins viennent se livrer à l'amour sur la même glace que nous.

« "Sois-moi propice, Esprit des tempêtes, ô le plus beau des fils de l'Océan !

« "Élina, je darderai pour toi la baleine ; je te ferai un bandeau pour garantir tes beaux yeux de l'éclat des neiges ; je te creuserai une demeure sous la terre pour y habiter avec un feu de mousse ; je te donnerai trente tuniques impénétrables aux eaux de la mer. Viens sur le sommet de notre rocher flottant. Nos amours y seront enchaînées par les vents, au milieu des nuages, et de l'écume des flots.

« "Salut, Esprit des tempêtes, ô le plus beau des fils de l'Océan !"

« Tel était ce chant extraordinaire[228]. Couvrant mes yeux de ma main, et jetant dans les flots une partie de mon vêtement, je m'écriai : "Divinité de cette mer dont je viens d'entendre la voix, soyez-moi propice ; favorisez mon retour !" Aucune réponse ne sortit de la montagne qui vint s'échouer sur les sables à quelque distance du lieu où j'étais assis.

« J'en vis bientôt descendre un homme et une femme vêtus de peaux de loups marins. Aux caresses qu'ils prodiguaient à un enfant, je les reconnus pour mari et femme. Ainsi l'a voulu le Grand Esprit ; le bonheur est de tous les peuples et de tous les climats : le misérable Esquimau, sur son écueil de glace, est aussi heureux que le monarque européen sur son trône ; c'est le même instinct qui fait palpiter le cœur des mères et des amantes dans les neiges du Labrador et sur le duvet des cygnes de la Seine[229].

« Je dirige mes pas vers la femme, dans l'espérance que l'homme accourrait au secours de son épouse et de son enfant. L'Esprit qui m'inspira cette pensée ne trompa point mon attente. Le guerrier s'avance vers moi avec fureur : il était armé d'un javelot surmonté d'une dent de vache marine : ses yeux sanglants étincelaient derrière ses ingénieuses lunettes ; sa barbe rousse se joignant à ses cheveux noirs lui donnait un air affreux. J'évite les premiers coups de mon adversaire, et m'élançant sur lui, je le terrasse.

« Élina, arrêtée à quelque distance, faisait éclater les signes de la plus vive douleur ; ses genoux fléchirent ; elle tomba sur le rocher. Comme le pois fragile qui s'élève autour de la gerbe de maïs ; sa fleur délicate se marie au blé robuste, et joint ainsi la grâce à la vie utile de son époux ; mais si la pierre tranchante de l'Indienne vient à moissonner l'épi, l'humble pois qu'une tige amie ne soutient plus, s'affaisse et couvre de ses grappes fanées le sol qui l'a vu naître : ainsi la jeune Sauvage était tombée sur la terre. Elle tenait embrassé son fils, tendre fleur de son sein.

« Je rassure l'Esquimau vaincu ; je le caresse en passant la main sur ses bras, comme un chasseur encourage l'animal fidèle qui le guide au fond des bois ; l'Esquimau se relève à demi, et presse mes genoux, en signe de reconnaissance et de faiblesse. Dans cette attitude il n'avait rien de rampant à la manière de l'Europe : c'était l'homme obéissant à la nécessité.

« La femme revient de son évanouissement. Je l'appelle. Elle fait un pas vers nous, fuit, revient, et toujours resserrant le cercle, s'approche de plus en plus de son maître et de son mari. Bientôt elle met les mains à terre et s'avance ainsi jusqu'à mes pieds. Je prends l'enfant qu'elle portait sur son dos ; je lui prodigue des caresses : ces caresses apprivoisèrent tellement la mère de l'enfant, qu'elle se mit à bondir de joie à mes côtés. Lorsqu'un guerrier emporte dans ses bras un chevreau qu'il a trouvé sur la montagne, la mère, traînant ses longues mamelles et surmontant sa frayeur, suit avec de doux bêlements le ravisseur qu'elle semble craindre d'irriter contre le jeune hôte des forêts.

« Aussitôt que l'Esquimau eut reconnu mon droit de force, il devint aussi soumis qu'il s'était montré intraitable. Je descendis la côte avec mes deux nouveaux sujets, et je leur fis entendre que je voulais passer au Labrador.

« L'Esquimau va prendre sur le rocher de glace des peaux de loup marin que je n'avais pas aperçues ; il les étend avec des barbes de baleine ; il en forme un long canot ; il recouvre ce canot d'une peau élastique. Il se place au milieu de cette espèce d'outre, et m'y fait entrer avec sa femme et son enfant : refermant alors la peau autour de ses reins, semblable à Michabou lui-même, il gourmande les mers.

« Un traîneau parti du grand village de tes pères, au moment où nous quittâmes l'île du naufrage, n'aurait atteint le palais de tes Rois qu'après notre arrivée aux rivages du Labrador. C'était l'heure où les coquillages des grèves s'entrouvrent au soleil, et la saison où les cerfs commencent à changer de parure. Les Génies me préparaient encore une nouvelle destinée : je commandais ; j'allais servir.

« Nous ne tardâmes pas à rencontrer un parti d'Esquimaux. Ces guerriers, sans s'informer des arbres de mon pays, ni du nom de ma mère, me chargèrent de l'attirail de leurs pêches, et me contraignirent d'entrer dans un grand canot. Ils armèrent mon bras d'une rame, comme si depuis longtemps leurs Manitous eussent été en alliance avec les miens, et nous remontâmes le long des rochers du Labrador.

« Les deux époux naguère mes esclaves s'étaient embarqués avec nous ; ils ne me donnèrent pas la moindre marque de pitié ou de reconnaissance : ils avaient cédé à mon pouvoir ; ils trouvaient tout simple que je subisse le leur : au plus fort l'empire, au plus faible l'obéissance.

« Je me résignai à mon sort.

« Nous arrivâmes à une contrée où le soleil ne se couchait plus[230]. Pâle et élargi, cet astre tournait tristement autour d'un ciel glacé ; de rares animaux erraient sur des montagnes inconnues. D'un côté s'étendaient des champs de glace contre lesquels se brisait une mer décolorée ; de l'autre, s'élevait une terre hâve et nue qui n'offrait qu'une morne succession de baies solitaires et de caps décharnés. Nous cherchions quelquefois un asile dans des trous de rochers, d'où les aigles marins s'envolaient avec de grands cris. J'écoutais le bruit des vents répétés par les échos de la caverne, et le gémissement des glaces qui se fendaient sur la rive.

« Et cependant, mon jeune ami, il est quelquefois un charme à ces régions désolées. Rien ne te peut donner une idée du moment où le soleil, touchant la terre, semblait rester immobile, et remontait ensuite dans le ciel, au lieu de descendre sous l'horizon. Les monts revêtus de neige, les vallées tapissées de la mousse blanche que broutent les rennes, les mers couvertes de baleines et semées de glaces flottantes, toute cette scène éclairée comme à la fois par les feux du couchant et par la lumière de l'aurore, brillait des plus tendres et des plus riches couleurs : on ne savait si on assistait à la création ou à la fin du monde. Un petit oiseau, semblable à celui qui chante la nuit dans tes bois, faisait entendre un ramage plaintif. L'amour amenait alors le sauvage Esquimau sur le rocher où l'attendait sa compagne : ces noces de l'homme aux dernières bornes de la terre, n'étaient ni sans pompe ni sans félicité.

« Mais bientôt à une clarté perpétuelle succéda une nuit sans fin. Un soir le soleil se coucha et ne se leva plus. Une aurore stérile, qui n'enfanta point l'astre du jour, parut dans le septentrion. Nous marchions à la lueur du météore dont les flammes mouvantes et livides s'attachaient à la voûte du ciel comme à une surface onctueuse.

« Les neiges descendirent ; les daims, les caribous, les oiseaux même disparurent : on voyait tous ces animaux passer et retourner vers le Midi ; rien n'était triste comme cette migration qui laissait l'homme seul. Quelques coups de foudre qui se prolongeaient dans des solitudes où aucun être animé ne les pouvait entendre, semblèrent séparer les deux scènes de la vie et de la mort. La mer fixa ses flots ; tout mouvement cessa, et au bruit des glaces brisées succéda un silence universel.

« Aussitôt mes hôtes s'occupèrent à bâtir des cabanes de neige : elles se composaient de deux ou trois chambres qui communiquaient ensemble par des espèces de portes abaissées. Une lampe de pierre, remplie d'huile de baleine et dont la mèche était faite d'une mousse séchée, servait à la fois à nous réchauffer et à cuire la chair des veaux marins. La voûte de ces grottes sans air, fondait en gouttes glacées ; on ne pouvait vivre qu'en se pressant les uns contre les autres, et en s'abstenant, pour ainsi dire, de respirer. Mais la faim nous forçait encore de sortir de ces sépulcres de frimas : il fallait aller aux dernières limites de la mer gelée épier les troupeaux de Michabou.

« Mes hôtes avaient alors des joies si sauvages[231], que j'en étais moi-même épouvanté. Après une longue abstinence, avions-nous dardé un phoque ? on le traînait sur la glace : la matrone la plus expérimentée montait sur l'animal palpitant, lui ouvrait la poitrine, lui arrachait le foie, et en buvait l'huile avec avidité. Tous les hommes, tous les enfants se jetaient sur la proie, la déchiraient avec les dents, dévoraient les chairs crues ; les chiens, accourus au banquet, en partageaient les restes, et léchaient le visage ensanglanté des enfants. Le guerrier vainqueur du monstre recevait une part de la victime plus grande que celle des autres ; et, lorsque, gonflé de nourriture, il ne se pouvait plus repaître, sa femme, en signe d'amour, le forçait encore d'avaler d'horribles lambeaux qu'elle lui enfonçait dans la bouche. Il y avait loin de là, René, à ma visite au palais de tes Rois, et au souper chez l'élégante Ikouessen.

« Un chef des Esquimaux vint à mourir ; on le laissa auprès de nous, dans une des chambres de la hutte où l'humidité causée par les lampes, amena la dissolution du corps. Les ossements humains, ceux des dogues et les débris des poissons, étaient jetés à la porte de nos cabanes ; l'été fondant le tombeau de glace qui croissait autour de ces dépouilles, les laissait pêle-mêle sur la terre.

« Un jour nous vîmes arriver sur un traîneau que tiraient six chiens à longs poils, une famille alliée à celle dont j'étais l'esclave. Cette famille retourna bientôt après aux lieux d'où elle était venue ; mon maître l'accompagna et m'ordonna de le suivre.

« La tribu d'Esquimaux chez laquelle nous arrivâmes n'habitait point, comme la nôtre, dans des cabanes de neige ; elle s'était retirée dans une grotte dont on fermait l'ouverture avec une pierre. Comme on voit, au commencement de la lune voyageuse, des corneilles se réunir en bataillons dans quelque vallée, ou comme des fourmis se retirent sous une racine de chêne, ainsi cette nombreuse tribu d'Esquimaux, était réfugiée dans le souterrain.

« Je fis le tour de la salle, pour chercher quelques vieillards qui sont la mémoire des peuples : le Grand Esprit lui-même doit sa science à son éternité. Je remarquai un homme âgé, dont la tête était enveloppée dans la dépouille d'une bête sauvage. Je le saluai en lui disant :

"Mon père !" Ensuite j'ajoutai : "Tu as beaucoup honoré tes parents, car je vois que le Ciel t'a accordé une longue vie. En faveur de mon respect pour tes aïeux, permets-moi de m'asseoir sur la natte à tes côtés. Si je savais où une douce mort a déposé les os de tes pères, je te les aurais apportés pour te réjouir."

« Le vieillard souleva son bonnet de peau d'ours, et me regarda quelque temps, en méditant sa réponse. Non, le bruit des ailes de la cigogne qui s'élève d'un bocage de magnolias dans le ciel des Florides, est moins délicieux à l'oreille d'une vierge, que ne le furent pour moi les paroles de cet homme, lorsque je retrouvai sur ses lèvres, dans l'antre des affreux Esquimaux, le langage du prêtre divin des bords de la Seine.

« "Je suis fils de la France, me dit le vieillard ; lorsque nous enlevâmes aux enfants d'Albion les forts bâtis aux confins du Labrador, je suivais le brave d'Iberville[232]. Ma tendresse pour une jeune fille des mers me retint dans ces régions désolées, où j'ai adopté les mœurs et la vie des aïeux de celle que j'aimais."

« Tels que dans les puits des savanes d'Atala, on voit sortir des canaux souterrains, l'habitant des ondes, brillant étranger que l'amour a égaré loin de sa patrie, ainsi, ô Grand Esprit ! tu te plais à conduire les hommes par des chemins qui ne sont connus que de ta Providence. René, on trouve les guerriers de ton pays chez tous les peuples : les plus civilisés des hommes, ils en deviennent, quand ils le veulent, les plus barbares. Ils ne cherchent point à nous policer, nous autres Sauvages ; ils trouvent plus aisé de se faire Sauvages comme nous. La solitude n'a point de chasseurs plus adroits, de combattants plus intrépides ; on les a vus supporter les tourments du cadre de feu[a] avec la fortitude des Indiens mêmes, et malheureusement devenir aussi cruels que leurs bourreaux. Serait-ce que le dernier degré de la civilisation touche à la nature ? Serait-

a. Les tourments que l'on fait subir aux prisonniers de guerre.

ce que le Français possède une sorte de génie universel[233] qui le rend propre à toutes les vies, à tous les climats ? Voilà ce que pourrait seul décider la sagesse du père Aubry, ou du chef de la prière[a] qui corrigea l'orgueil de mon ignorance.

« Je passai la saison des neiges dans la société du vieillard demi-sauvage, à m'instruire de tout ce qui regardait les lois ou plutôt les mœurs des peuples au milieu desquels j'habitais.

« L'hiver finissait ; la lune avait regardé trois mois, du haut des airs, les flots fixes et muets qui ne réfléchissaient point son image. Une pâle aurore se glissa dans les régions du Midi, et s'évanouit : elle revint, s'agrandit et se colora. Un Esquimau, envoyé à la découverte, nous apprit, un matin, que le soleil allait paraître ; nous sortîmes en foule du souterrain, pour saluer le père de la vie. L'astre se montra un moment à l'horizon, mais il se replongea soudain dans la nuit, comme un juste qui élevant sa tête rayonnante du séjour des morts, se recoucherait dans son tombeau à la vue de la désolation de la terre : nous poussâmes un cri de joie et de deuil.

« Le soleil parcourut peu à peu un plus long chemin dans le ciel. Des brouillards couvrirent la terre et la mer. La surface solide des fleuves se détacha des rivages ; on entendit pour premier bruit le cri d'un oiseau ; ensuite quelques ruisseaux murmurèrent : les vents retrouvèrent la voix. Enfin les nuages amassés dans les airs crevèrent de toutes parts. Des cataractes d'une eau troublée se précipitèrent des montagnes ; les monceaux de neiges tombèrent avec fracas des rocs escarpés : le vieil Océan[234] réveillé au fond de ses abîmes, rompit ses chaînes, secoua sa tête hérissée de glaçons, et vomissant les flots renfermés dans sa vaste poitrine, répandit sur ses rivages les marées mugissantes.

« A ce signal les pêcheurs du Labrador quittèrent leur

a. Fénelon.

caverne et se dispersèrent : chaque couple retourna à sa solitude pour bâtir son nouveau nid et chanter ses nouvelles amours. Et moi, me dérobant par la fuite à mon maître, je m'avançai vers les régions du Midi et du couchant, dans l'espoir de rencontrer les sources de mon fleuve natal.

« Après avoir traversé d'immenses déserts et vécu quelques années chez des hordes errantes, j'arrivai chez les Sioux[235], hommes chéris des Génies pour leur hospitalité, leur justice, leur piété et pour la douceur de leurs mœurs.

« Ces peuples habitent des prairies entre les eaux du Missouri et du Meschacebé, sans chef et sans loi ; ils paissent de nombreux troupeaux dans les savanes[236].

« Aussitôt qu'ils apprirent l'arrivée d'un étranger, ils accoururent et se disputèrent le bonheur de me recevoir. Nadoué, qui comptait six garçons et un grand nombre de gendres, obtint la préférence : on déclara qu'il la méritait comme le plus juste des Sioux et le plus heureux par sa couche. Je fus introduit dans une tente de peaux de buffle, ouverte de tous côtés, supportée par quatre piquets, et dressée au bord d'un courant d'eau. Les autres tentes, sous lesquelles on apercevait les joyeuses familles, étaient distribuées çà et là dans les plaines.

« Après que les femmes eurent lavé mes pieds, on me servit de la crème de noix et des gâteaux de malomines. Mon hôte ayant fait des libations de lait et d'eau de fontaine au paisible Tébée, Génie pastoral de ces peuples, conduisit mes pas à un lit d'herbe, recouvert de la toison d'une chèvre. Accablé de lassitude je m'endormis au bruit des vœux de la famille hospitalière, aux chants des pasteurs, et aux rayons du soleil couchant, qui passant horizontalement sous la tente, fermèrent avec leurs baguettes d'or mes paupières appesanties.

« Le lendemain je me préparai à quitter mes hôtes ; mais il me fut impossible de m'arracher à leurs sollicitations. Chaque famille me voulut donner une fête. Il fallut raconter mon histoire que l'on ne se lassait point d'entendre et de me faire répéter.

« De toutes les nations que j'ai visitées, celle-ci m'a paru la plus heureuse : ni misérable comme le pêcheur du Labrador, ni cruel comme le chasseur du Canada, ni esclave comme jadis les Natchez, ni corrompu comme l'Européen, le Sioux réunit tout ce qui est désirable chez l'homme sauvage et chez l'homme policé. Ses mœurs sont douces comme les plantes dont il se nourrit ; il fuit les hivers, et, s'attachant au printemps, il conduit ses troupeaux de prairie en prairie : ainsi la voyageuse des nuits, la lune, semble garder dans les plaines du ciel les nuages qu'elle mène avec elle ; ainsi l'hirondelle suit les fleurs et les beaux jours ; ainsi la jeune fille, dans ses gracieuses chimères, laisse errer ses pensées de rivages en rivages et de félicités en félicités.

« Je pressais mon hôte de me permettre de retourner à la cabane de mes aïeux. Un matin, au lever du soleil, je fus étonné de voir tous les pasteurs rassemblés. Nadoué se présente à moi avec deux de ses fils, et me conduit au milieu des anciens : ils étaient assis en cercle à l'ombre d'un petit bocage d'où l'on découvrait toute la plaine. Les jeunes gens se tenaient debout autour de leurs pères.

« Nadoué prit la parole et me dit : « "Chactas, la sagesse de nos vieillards a examiné ce qu'il y avait de mieux pour la nation des Sioux. Nous avons vu que le Manitou de nos foyers n'allait point avec nous aux batailles, et qu'il nous livrait à l'ennemi, car nous ignorons les arts de la guerre. Or, vous avez le cœur droit ; l'expérience des hommes a rempli votre âme d'excellentes choses : soyez notre chef, défendez-nous ; régnez avec la justice. Nous quitterons pour vous les coutumes des anciens jours ; nous cesserons de former des familles isolées ; nous deviendrons un peuple : par là vous acquerrez une gloire immortelle.

« "Or voici ce que nous ferons : vous choisirez la plus belle des filles des Sioux. Chaque famille vous offrira quatre génisses de trois ans avec un fort taureau, sept chèvres pleines, cinquante autres donnant déjà une grande abondance de lait, et six chiens rapides qui pressent également les chevreuils, les cerfs et toutes les bêtes fauves. Nous joindrons à ces dons quarante toisons de buffles noirs pour couvrir votre tente. En voyant vos grandes richesses, nul ne pourra s'empêcher de vous réputer heureux. Que les Génies vous gardent de rejeter notre prière ! Votre père n'est plus ; votre mère dort avec lui. Vous ne serez qu'un étranger dans votre patrie. Si nous allions vous maudire dans notre douleur, vous savez que le Grand Esprit accomplit les malédictions prononcées par les hommes simples. Soyez donc touché de notre peine et entendez nos paroles."

« Frappé des flèches invisibles d'un Génie, je demeurai muet au milieu de l'assemblée. Rompant enfin le silence, je répondis : "Ô Nadoué, que les peuples honorent ! je vous dirai la vérité toute pure. Je prends à témoin les Manitous hospitaliers du foyer où je reçus un asile, que la parole du mensonge n'a jamais souillé mes lèvres : vous voyez si je suis touché. Sioux des savanes ! jamais l'accueil que j'ai reçu de vous ne sortira de ma mémoire. Les présents que vous m'offrez ne pourraient être rejetés par aucun homme qui aurait quelque sens ; mais je suis un infortuné condamné à errer sur la terre. Quel charme la royauté m'offrirait-elle ? Craignez d'ailleurs de vous donner un maître : un jour vous vous repentiriez d'avoir abandonné la liberté. Si d'injustes ennemis vous attaquent, implorez le ciel, il vous sauvera, car vos mœurs sont saintes.

«" Ô Sioux ! puisqu'il est vrai que je vous ai inspiré quelque pitié, ne retenez plus mes pas ; conduisez-moi aux rives du Meschacebé ; donnez-moi un canot de cyprès : que je descende à la terre des sassafras. Je ne suis point un méchant que les Génies ont puni pour ses crimes ; vous n'avez point à craindre la colère du Grand Esprit en favorisant mon retour. Mes songes, mes veilles, mon repos, sont tout remplis des images d'une patrie que je pleure sans cesse. Je suis le plus misérable des chevreuils des bois ; ne fermez pas l'oreille à mes plaintes."

« Les bergers furent attendris : le Grand Esprit les avait faits compatissants. Quand le murmure de la foule eut cessé, Nadoué me dit : " Les hommes sont touchés de vos paroles, et les Génies le sont aussi. Nous vous accordons la pirogue du retour. Mais contractons d'abord l'alliance : rassemblons des pierres pour faire un haut lieu, et mangeons dessus."

« Or cela fut fait comme il avait été dit : le Manitou de Nadoué, celui des Sioux, celui des Natchez, reçurent le sacrifice. L'alliance accomplie et trouvée parfaitement belle par les pasteurs, je marchai avec eux pendant six jours pour arriver au Meschacebé ; mon cœur tressaillait en approchant. Du plus loin que je découvris le fleuve, je me mis à courir vers lui ; je m'y élançai comme un poisson qui, échappé du filet, retombe plein de joie dans les flots. Je m'écriai en portant à ma bouche l'eau sacrée :

« "Te voilà donc enfin, ô fleuve qui coules dans le pays de Chactas ! fleuve où mes parents me plongèrent en venant au monde ! fleuve où je me jouais dans mon enfance avec mes jeunes compagnons ! fleuve qui baignes la cabane de mon père et l'arbre sous lequel je fus nourri ! Oui, je te reconnais ! Voilà les osiers pliants qui croissent dans ton lit aux Natchez, et que j'avais accoutumé de tresser en corbeilles ; voilà les roseaux dont les nœuds me servaient de coupe. C'est bien encore le goût et la douceur de ton onde, et cette couleur qui ressemble à celle du lait de nos troupeaux."

« Ainsi je parlais dans mon transport, et les délices de la patrie coulaient déjà dans mon cœur. Les Sioux, doués de simplicité et de justice, se réjouissaient de mon bonheur. J'embrassai Nadoué et ses fils ; je souhaitai toutes sortes de dons à mes hôtes, et, entrant dans ma pirogue chargée de présents, je m'abandonnai au cours du Meschacebé. Les Sioux rangés sur la rive me saluaient du geste et de la voix ; moi-même je les regardais en faisant des signes d'adieu, et priant les Génies d'accorder leur faveur à cette nation innocente. Nous continuâmes de nous donner des marques d'amour jusqu'au détour d'un promontoire qui me déroba la vue des pasteurs ; mais j'entendais encore le son de leurs voix affaiblies, que les brises dispersaient sur les eaux, le long des rivages du fleuve.

« Maintenant chaque heure me rapprochait de ce champ paternel dont j'étais absent depuis tant de neiges. J'en étais sorti sans expérience, dans ma dix-septième lune des fleurs ; j'allais y rentrer dans ma trente-troisième feuille tombée, et plein de la triste connaissance des hommes. Que d'aventures éprouvées ! que de régions parcourues ! que de peuples les pas de mes malheurs avaient visités ! Ces réflexions roulaient dans mon esprit, et le courant entraînait ma nacelle.

« Je franchis l'embouchure du Missouri. Je vis à l'orient le désert des Casquias et des Tamarouas qui vivent dans des républiques unies ; au confluent de l'Ohio, fils de la montagne Allegany et du fleuve Monhougohalla, j'aperçus le pays des Chéroquois qui sèment comme l'Européen, et des Wabaches, toujours en guerre avec les Illinois. Plus loin je passai la rivière Blanche fréquentée des crocodiles, et l'Akensas qui se joint au Meschacebé par la rive occidentale. Je remarquai à ma gauche la contrée des Chicassas venus du Midi, et celle des Yazous coureurs des montagnes ; à ma droite je laissai les Sélonis et les Panimas qui boivent les eaux du ciel et vivent sous des lataniers[237]. Enfin je découvris la cime des hauts magnolias qui couronnent le village des Natchez. Mes yeux se troublèrent, mon cœur flotta dans mon sein : je tombai sans mouvement au fond de ma pirogue qui, poussée par la main du Fleuve, alla s'échouer sur la rive.

« Bocages de la Mort, qui couvrirez bientôt de votre ombre les cendres du vieux Chactas ! Chênes antiques, mes contemporains de solitude ! vous savez quelles furent mes pensées, quand revenu de l'atteinte du Génie de la

Patrie, je me trouvai assis au pied d'un arbre et livré à une foule curieuse qui s'empressait autour de moi. Je regardais le ciel, la terre, le fleuve, les Sauvages, sans pouvoir ni parler, ni déclarer les transports de mon âme. Mais lorsqu'un des inconnus vint à prononcer quelques mots en natchez, alors soulagé et tout en pleurs, je serre dans mes bras ma terre natale ; j'y colle mes lèvres comme un amant à celles d'une amante ; puis me relevant :

« "Ce sont donc là les Natchez ! Manitou de mes malheurs, ne me trompez-vous point encore ? Est-ce la langue de mon pays que je viens d'entendre ? Mon oreille ne m'a-t-elle point déçu ?"

« Je touchais les mains, le visage, le vêtement de mes frères. Je dis à la troupe étonnée : "Mes amis, mes chers amis, parlez, répétez ces mots que je n'ai point oubliés ! Parlez, que je retrouve dans votre bouche les doux accents de la patrie ! Ô langage chéri des Génies ! langage dans lequel j'appris à prononcer le nom de mon père, et que j'entendais lorsque je reposais encore dans le sein maternel !"

« Les Natchez ne pouvaient revenir de leur surprise : au désordre de mes sens, ils se persuadèrent que j'étais un homme possédé d'Athaënsic pour quelque crime commis dans un pays lointain ; ils songeaient déjà à m'écarter, comme un sacrilège, du bois du Temple et des Bocages de la Mort.

« La foule grossissait. Tout à coup un cri s'élève ; je pousse moi-même un cri en reconnaissant les chefs compagnons de mon esclavage dans ta patrie, et en m'élançant dans leurs bras : nous mêlons nos pleurs d'amitié et de joie... "Chactas ! Chactas !" C'est tout ce qu'ils peuvent dire dans leur attendrissement. Mille voix répètent : "Chactas ! Chactas ! Génies immortels, est-ce là le fils d'Outalissi, ce Chactas que nous n'avons point connu, et qu'on disait enseveli au sein des flots !"

« Telles étaient les acclamations. On entendait un bruit confus semblable aux échos des vagues dans les rochers.

Mes amis m'apprirent qu'arrivés à Québec sur le vaisseau, après mon naufrage, ils retournèrent d'abord chez les Iroquois d'où ils vinrent, après trois ans, conter mes malheurs à mes parents et à mon pays. Leur récit achevé, ils me conduisirent au temple du Soleil, où je suspendis mes vêtements en offrande. De là, après m'être purifié et avant d'avoir pris aucune nourriture, je me rendis aux Bocages de la Mort pour saluer les cendres de mes aïeux. Les vieillards m'y vinrent trouver, car la nouvelle de mon retour avait déjà volé de cabane en cabane. Plusieurs d'entre eux me reconnurent à ma ressemblance avec mon père. L'un disait : "Voilà les cheveux d'Outalissi." Un autre : "C'est son regard et sa voix." Un troisième : "C'est sa démarche, mais il diffère de son aïeul par sa taille qui est plus élevée."

« Les hommes de mon âge accouraient aussi et à l'aide de circonstances reproduites à ma mémoire, ils me rappelaient les jours de notre jeunesse ; alors je retrouvais sur leur visage des traits qui ne m'étaient point inconnus. Les matrones et les jeunes femmes ne pouvaient rassasier leur curiosité : elles m'apportaient toutes sortes de présents.

« La sœur de ma mère existait encore, mais elle était mourante : mes amis me conduisirent auprès d'elle. Lorsqu'elle entendit prononcer mon nom, elle fit un effort pour me regarder ; elle me reconnut, me tendit la main, leva les yeux au ciel avec un sourire, et accomplit sa destinée. Je me retirai l'âme en proie aux plus tristes pressentiments en voyant mon retour marqué par la mort du dernier parent que j'eusse au monde.

« Mes compagnons d'esclavage me menèrent à leur hutte d'écorce ; j'y passai la nuit avec eux. Nous y racontâmes sur la peau d'ours beaucoup de choses tirées du fond du cœur, de ces choses que l'on dit à un ami échappé d'un grand danger.

« Le lendemain, après avoir salué la lumière, les arbres, les rochers, le fleuve et toute la patrie, je désirai rentrer dans la cabane de mon père. Je la trouvai telle que l'avaient mise la solitude et les années : un magnolia s'élevait au milieu, et ses branches passaient à travers le toit ; les murs crevassés étaient recouverts de mousse, et un lierre embrassait le contour de la porte de ses mains noires et chevelues.

« Je m'assis au pied du magnolia, et je m'entretins avec la foule de mes souvenirs. "Peut-être, me disais-je, selon ma religion du désert, est-ce ma mère elle-même qui est revenue dans sa cabane sous la forme de ce bel arbre !" Ensuite je caressais le tronc de ce suppliant réfugié au foyer de mes ancêtres, et qui s'en était fait le Génie domestique pendant l'ingrate absence des amis de ma famille. J'aimais à retrouver pour successeur sous mon toit héréditaire, non les fils indifférents des hommes, mais une paisible génération d'arbres et de fleurs : la conformité des destinées, qui semblait exister entre moi et le magnolia demeuré seul debout parmi ces ruines, m'attendrissait. N'était-ce pas aussi une rose de magnolia que j'avais donnée à la fille de Lopez, et qu'elle emporta dans la tombe ?

« Plein de ces pensées qui font le charme intérieur de l'âme, je songeais à rétablir ma hutte, à consacrer le magnolia à la mémoire d'Atala, lorsque j'entendis quelque bruit. Un Sachem, aussi vieux que la terre, se présente sous les lierres de la porte : une barbe épaisse ombrageait son menton ; sa poitrine était hérissée d'un long poil semblable aux herbes qui croissent dans le lit des fleuves ; il s'appuyait sur un roseau ; une ceinture de joncs pressait ses reins ; une couronne de fleurs de marais ornait sa tête, un manteau de loutre et de castor flottait suspendu à ses épaules ; il paraissait sortir du fleuve, car l'eau ruisselait de ses vêtements, de sa barbe et de ses cheveux.

« Je n'ai jamais su si ce vieillard était en effet quelque antique Sachem, quelque prêtre instruit de l'avenir et habitant une île du Meschacebé, ou si ce n'était pas l'ancêtre des fleuves, le Meschacebé lui-même. "Chactas, me dit-il d'un son de voix semblable au bruit de la chute d'une onde, cesse de méditer le rétablissement de cette cabane. En disputeras-tu la possession contre un Génie, ô le plus imprudent des hommes ? Crois-tu donc être arrivé à la fin de tes travaux, et qu'il ne te reste plus qu'à t'asseoir sur la natte de tes pères ? Un jour viendra que le sang des Natchez... »

« Il s'interrompt, agite le roseau qu'il tenait à la main, me lance des regards prophétiques, tandis que, baissant et relevant la tête, sa barbe limoneuse frappe sa poitrine. Je me prosterne aux pieds du vieillard, mais lui, s'élançant dans le fleuve, disparaît au milieu des vagues bouillonnantes.

« Je n'osai violer les ordres de cet homme ou de ce Génie, et j'allai bâtir ma nouvelle demeure sur la colline où tu la vois aujourd'hui. Adario revint du pays des Iroquois ; je travaillai avec lui et le vieux Soleil à l'amélioration des lois de la patrie. Pour un peu de bien que j'ai fait, on m'a rendu beaucoup d'amour[238].

« J'avance à grands pas vers le terme de ma carrière ; je prie le ciel de détourner les orages dont il a menacé les Natchez, ou de me recevoir en sacrifice. A cette fin je tâche de sanctifier mes jours, pour que la pureté de la victime soit agréable aux Génies : c'est la seule précaution que j'aie prise contre l'avenir. Je n'ai point interrogé les jongleurs : nous devons remplir les devoirs que nous enseigne la vertu, sans rechercher curieusement les secrets de la Providence. Il est une sorte de sagesse inquiète et de prudence coupable que le ciel punit. Telle est, ô mon fils ! la trop longue histoire du vieux Chactas. »

RÉSUMÉ

Livre IX : *Pendant la chasse, René tue sans le savoir des femelles de castor, violant ainsi un grave interdit. Malgré le retour précipité des Natchez à leur village, les Illinois déterrent la hache de guerre.*

Livre neuvième (suite)

Une nuit, Chactas, au milieu de sa famille, veillait sur sa natte : la flamme du foyer éclairait l'intérieur de la cabane. Une hache teinte de sang tombe aux pieds du vieillard : sur le manche de cette hache étaient gravés l'image de deux femelles de castors, et le symbole de la nation des Illinois. Dans les cabanes des différents Sachems de pareilles armes furent jetées, et les hérauts Illinois, qui étaient ainsi venus déclarer la guerre, avaient disparu dans les ténèbres.

Ondouré, dans l'espoir de perdre celui qui lui enlevait le cœur de Céluta, avait fait avertir secrètement les Illinois de l'accident de la chasse. Peu importait à ce chef de plonger son pays dans un abîme de maux, s'il pouvait à la fois rendre son rival odieux à la nation, et atteindre peut-être par la chance des armes à la puissance absolue. Il avait prévu que le vieux Soleil serait obligé de marcher à l'ennemi : au défaut de la flèche des Illinois, Ondouré ne pourrait-il pas employer la sienne pour se débarrasser d'un chef importun ? Akansie, mère du jeune Soleil, disposerait alors du pouvoir souverain, et par elle l'homme qu'elle adorait parviendrait facilement à la dignité d'édile, dignité qui le rendrait tuteur du nouveau prince. Enfin Ondouré, qui détestait les Français, mais qui les servait pour se faire appuyer d'eux, ne trouverait-il pas quelque moyen de les chasser de la Louisiane, lorsqu'il serait revêtu de l'autorité suprême ? Maître alors de la fortune, il immolerait le frère d'Amélie, et soumettrait Céluta à son amour.

Tels étaient les desseins qu'Ondouré roulait vaguement dans son âme. Il connaissait Akansie ; il savait qu'elle se prêterait à tous ses forfaits, s'il la persuadait de son repentir, si elle se pouvait croire aimée. Il affecte donc pour cette femme une ardeur qu'il ne ressent pas ; il promet de sacrifier Céluta, exigeant à son tour d'Akansie qu'elle serve une ambition dont elle recueillera les fruits. La crédule amante consent à des crimes pour une caresse.

La passion de Céluta s'augmentait en silence. René était devenu l'ami d'Outougamiz. Ne serait-il pas possible à Céluta d'obtenir la main de René ? Les murmures que l'on commençait à élever de toutes parts contre le guerrier blanc, ne faisaient qu'attacher davantage l'Indienne à ce guerrier : l'amour se plaît au dévouement et aux sacrifices. Les prêtres ne cessaient de répéter que des signes s'étaient montrés dans les airs, la nuit de la convocation du conseil ; que le Serpent sacré avait disparu le jour d'une adoption funeste ; que les femelles de castor avaient été tuées ; que le salut de la nation se trouvait exposé par la présence d'un étranger sacrilège : il fallait des expiations. Redits autour d'elle, ces propos troublaient Céluta : l'injustice de l'accusation la révoltait, et le sentiment de cette injustice fortifiait son amour, désormais irrésistible.

Mais René ne partageait point ce penchant ; il n'avait point changé de nature ; il accomplissait son sort dans toute sa rigueur ; déjà la distraction qu'un long voyage et des objets nouveaux avaient produite dans son âme, commençait à perdre sa puissance : les tristesses du frère d'Amélie revenaient, et le souvenir de ses chagrins, au lieu de s'affaiblir par le temps, semblait s'accroître. Les déserts n'avaient pas plus satisfait René que le monde, et dans l'insatiabilité de ses vagues désirs, il avait déjà tari la solitude, comme il avait épuisé la société. Personnage immobile au milieu de tant de personnages en mouvement ; centre de mille passions qu'il ne partageait point ; objet de toutes les pensées par des raisons diverses ; le frère d'Amélie devenait la cause invisible de tout : aimer et souffrir était la double fatalité qu'il imposait à quiconque s'approchait de sa personne. Jeté dans le monde comme un grand malheur, sa pernicieuse influence s'étendait aux êtres environnants : c'est ainsi qu'il y a de beaux arbres sous lesquels on ne peut s'asseoir ou respirer sans mourir.

Toutefois René ne se voyait pas sans une douleur amère, tout innocent qu'il était, la cause de la guerre entre les Illinois et les Natchez. « Quoi ! se disait-il, pour prix de l'hospitalité que j'ai reçue, je livre à la désolation les cabanes de mes hôtes ! Qu'avais-je besoin d'apporter à ces Sauvages le trouble et les misères de ma vie ? Je répondrai à chaque famille du sang qui sera versé. Ah ! qu'on accepte plutôt en réparation le sacrifice de mes jours ! »

Ce sacrifice n'était plus possible que sur le champ de bataille : la guerre était déclarée, et il ne restait aux Natchez qu'à la soutenir avec courage. Le Soleil prit le commandement de la tribu de l'Aigle, avec laquelle il fut résolu qu'il envahirait les terres des Illinois. Adario demeura aux Natchez avec la tribu de la Tortue et du Serpent, pour défendre la patrie. Outougamiz fut nommé chef des jeunes guerriers qui devaient garder les cabanes. René, adopté dans la tribu de l'Aigle, devait être de l'expédition commandée par le vieux Soleil.

Le jour du départ étant fixé, Outougamiz dit au frère d'Amélie : « Tu me quittes ; les Sachems m'obligent à demeurer ici ; tu vas marcher au combat sans ton compagnon d'armes : c'est bien mal à moi de te laisser seul ainsi. Si tu meurs, comment ferai-je pour t'aller rejoindre ? Souviens-toi de nos Manitous dans la bataille. Voici la chaîne d'or de notre amitié, qui m'avertira de tout ce que tu feras. J'aurais voulu au moins que tu eusses été mon frère avant de me quitter. Ma sœur t'aime ; tout le monde le dit ; il n'y a que toi qui l'ignores. Tu ne lui parles jamais d'amour. Comment ne la trouves-tu pas belle ? Ton âme est-elle engagée ailleurs ? Je suis Outougamiz, qu'on appelle le Simple, parce que je n'ai point d'esprit ; mais je serai toujours heureux de t'aimer, soit que je devienne malheureux ou heureux par toi. » Ainsi parla le Sauvage : René le pressa sur son sein, et des pleurs d'attendrissement mouillèrent ses yeux.

Bientôt la tribu se mit en marche, ayant le Soleil à sa tête ; toutes les familles étaient accourues sur son passage : les femmes et les enfants pleuraient. Céluta pouvait à peine contenir les mouvements de sa douleur, et suivait des regards le frère d'Amélie. Chactas bénit en passant son fils adoptif, et regretta de ne le pouvoir suivre. La petite Mila, à moitié confuse, cria à René : « Ne va pas mourir ! » et rentra, toute rougissante, dans la foule. Le capitaine d'Artaguette salua le frère d'Amélie lorsqu'il passa devant lui, en l'invitant à se souvenir de la gloire de la France. Ondouré fermait la marche : il devait commander la tribu, dans le cas où le vieux Soleil succomberait aux fatigues de la marche ou sous les coups de l'ennemi.

A peine la tribu de l'Aigle s'était éloignée des Natchez, que des inquiétudes se répandirent parmi les habitants du fort Rosalie. Les colons découvrirent les traces d'un complot parmi les noirs, et l'on disait qu'il avait des ramifications chez les Sauvages. En effet, Ondouré entretenait depuis longtemps des intelligences avec les esclaves des blancs : il avait fait entendre à leur oreille le doux nom de liberté, pour se servir d'eux, si jamais ils pouvaient devenir utiles à son ambition. Un jeune nègre, nommé Imley, chef de cette association mystérieuse, cultivait une concession voisine de la cabane de Céluta et d'Outougamiz.

RÉSUMÉ

Suite du livre IX : *Chépar, influencé par le renégat Fébriano, exige des concessions de terre de la part des Natchez. Chactas, qui est venu plaider la cause des siens à Fort Rosalie, est retenu prisonnier. Les troupes françaises se déploient face à celles des Indiens. Adario leur lance un défi ; un prodige les émerveille.*

Livre X : *Bataille rangée, corps à corps. Adario se déchaîne, ainsi qu'Outougamiz. Le démon de la Nuit arrête le carnage.*

Livre XI : *Une trêve est décidée, en attendant que soit réglé le partage des terres. Retour des Natchez partis en expédition contre les Illinois. Ondouré raconte que le Soleil est mort et que René est demeuré prisonnier des ennemis, qu'on a renoncé à poursuivre pour revenir combattre les Français. En réalité, le Soleil est lui aussi tombé entre les mains des Illinois. De retour à leur village, ces derniers lui infligent les plus atroces supplices, en présence de René.*

Livre douzième

Le courage du Chef des Natchez avait exalté la fureur des Illinois. Ils s'écriaient pleins de rage : « Si nous n'avons pu tirer un mugissement de ce vieux buffle, voici un jeune cerf qui nous dédommagera de nos peines. » Femmes, enfants, Sachems, tous s'empressent au nouveau sacrifice : le Génie des vengeances sourit aux tourments et aux larmes qu'il prépare.

Sur une habitation américaine que gouverne un maître humain et généreux, de nombreux esclaves s'empressent à recueillir la cerise du café : les enfants la précipitent dans des bassins d'une eau pure ; les jeunes Africaines l'agitent avec un râteau pour détacher la pulpe vermeille du noyau précieux, ou étendent sur des claies la récolte opulente. Cependant le maître se promène sous des orangers, promettant des amours et du repos à ses esclaves qui font retentir l'air des chansons de leur pays : ainsi les Illinois s'empressent, sous les regards d'Athaënsic, à recueillir une nouvelle moisson de douleurs. En peu de temps l'ouvrage se consomme, et le frère d'Amélie, dépouillé par les sacrificateurs, est attaché au pilier du sacrifice.

Au moment où le flambeau abaissait sa chevelure de feu pour la répandre sur les écorces, des tourbillons de fumée s'élèvent des cabanes voisines : parmi des clameurs confuses on entend retentir le cri des Natchez ; un parti de cette nation portait la flamme chez les Illinois. L'épouvante et la confusion se mettent dans la foule assemblée autour du frère d'Amélie ; les jongleurs prennent la fuite ; les femmes et les enfants les suivent : on se disperse sans écouter la voix des chefs, sans se réunir pour se défendre. Dans la terreur dont les esprits sont frappés, la petite troupe des Natchez pénètre jusqu'au lieu du sang. Un jeune chef, la hache à la main, devance ses compagnons. Qui déjà ne l'a nommé ? C'est Outougamiz. Il est au bûcher ; il a coupé les liens funestes !

Toutes les paroles de tendresse et de pitié prêtes à s'échapper de son âme, par lui sont étouffées. Rien n'est fait encore : René n'est pas sauvé ; un seul instant de retard le peut perdre. Revenus de leur première frayeur, les Illinois se sont aperçus du petit nombre des Natchez ; ils se rassemblent avec des cris, et entourent la troupe libératrice. Les efforts de cette troupe lui ouvrent un chemin ; mais que peuvent douze guerriers contre tant d'ennemis ? En vain les Natchez ont placé au milieu d'eux le frère d'Amélie : ses blessures le rendent boiteux et pesant ; sa main percée d'une flèche ne peut lever la hache, et presque à chaque pas il va mesurer la terre.

Outougamiz charge le frère d'Amélie sur ses épaules : le fardeau sacré semble lui avoir donné des ailes : le frère de Céluta glisse sur la pointe des herbes ; on n'entend ni le bruit de ses pas, ni le murmure de son haleine. D'une main il retient son ami, de l'autre il frappe et combat. A mesure qu'il s'avance vers la forêt voisine, ses compagnons tombent un à un à ses côtés : quand il pénétra avec René dans la forêt, il restait seul.

Déjà la nuit était descendue ; déjà Outougamiz s'était

enfoncé dans l'épaisseur des taillis où déposant René parmi de longues herbes, il s'était couché près de lui : bientôt il entend des pas. Les Illinois allument des flambeaux qui éclairent les plus sombres détours du bois.

René veut adresser les paroles de sa tendre admiration au jeune Sauvage, mais celui-ci lui ferme la bouche : il connaissait l'oreille subtile des Indiens. Il se lève, trouve avec joie que le frère d'Amélie a repris quelque force, lui ceint les reins d'une corde, et l'entraîne au bas d'une colline qui domine un marais.

Les deux infortunés cherchent un asile au fond de ce marais : tantôt ils plongent dans le limon qui bouillonne autour de leur ceinture ; tantôt ils montrent à peine la tête au-dessus des eaux. Ils se fraient une route à travers les herbes aquatiques qui entravent leurs pieds comme des liens, et parviennent ainsi à de hauts cyprès, sur les genoux*a* desquels ils se reposent.

Des voix errantes s'élèvent autour du marais. Des guerriers se disaient les uns aux autres : « Il s'est échappé. » Plusieurs soutenaient qu'un Génie l'avait délivré. Les jeunes Illinois se faisaient de mutuels reproches, tandis que des Sachems assuraient qu'on retrouverait le prisonnier, puisqu'on était sur ses traces ; et ils poussaient des dogues dans les roseaux. Les voix se firent entendre ainsi quelque temps : par degré elles s'éloignèrent, et se perdirent enfin dans la profondeur des forêts.

Le souffle refroidi de l'aube engourdit les membres de René ; ses plaies étaient déchirées par les buissons et les ronces ; et de la nudité de son corps découlait une eau glacée : la fièvre vint habiter ses os ; et ses dents commencèrent à se choquer avec un bruit sinistre. Outougamiz saisit René de nouveau, le réchauffa sur son cœur, et quand la lumière du soleil eut pénétré sous la voûte des

a. On appelle *genoux* du cyprès chauve les grosses racines qui sortent de terre[239].

cyprès, elle trouva le Sauvage tenant encore son ami dans ses bras.

Mère des actions sublimes ! toi qui depuis que la Grèce n'est plus, as établi ta demeure sur les tombeaux indiens, dans les solitudes du Nouveau Monde ! toi qui parmi ces déserts es pleine de grandeur parce que tu es pleine d'innocence ! Amitié sainte ! prête-moi tes paroles les plus fortes et les plus naïves, ta voix la plus mélodieuse et la plus touchante, tes sentiments exaltés, tes feux immortels, et toutes les choses ineffables qui sortent de ton cœur, pour chanter les sacrifices que tu inspires ! Oh ! qui me conduira au champ des Rutules, à la tombe d'Euryale et de Nisus, où la Muse console encore des mânes fidèles ! Tendre divinité de Virgile, tu n'eus à soupirer que la mort de deux amis : moi j'ai à peindre leur vie infortunée[240].

Qui dira les douces larmes du frère d'Amélie, qui fera voir ses lèvres tremblantes où son âme venait errer ; qui pourra représenter sous l'abri d'un cyprès, parmi des roseaux, Outougamiz, sa chaîne d'or, Manitou de l'amitié, serrée à triple nœud sur sa poitrine, Outougamiz soutenant dans ses bras l'ami qu'il a délivré, cet ami couvert de fange et de sang, et dévoré d'une fièvre ardente ? Que celui qui le peut exprimer nous rende le regard de ces deux hommes, quand, se contemplant l'un l'autre en silence, les sentiments du Ciel et du malheur rayonnaient et se confondaient sur leur front. Amitié ! que sont les empires, les amours, la gloire, toutes les joies de la terre, auprès d'un seul instant de ce douloureux bonheur ?

Outougamiz, par cet instinct de la vertu qui fait deviner le crime, avait ajouté peu de foi au récit d'Ondouré ; ce qu'il recueillit de la bouche de divers guerriers, augmenta ses doutes. Dans tous les cas, René était mort ou pris, et il fallait ou lui donner la sépulture ou le délivrer des flammes.

Outougamiz cache ses desseins à Céluta ; il n'avertit qu'une troupe de jeunes Natchez qui consentent à le suivre. Il se dépouille de tout vêtement, et ne garde qu'une ceinture pour être plus léger ; il peint son corps de la couleur des ombres, ceint le poignard, s'arme du tomahawk[a] ; attache sur son cœur la chaîne d'or, suspend de petits pains de maïs à son côté, jette l'arc sur son épaule, et rejoint dans la forêt ses compagnons. Il se glisse avec eux dans les ténèbres : arrivé au Bayouc des Pierres, il le traverse, aborde la rive opposée, pousse le cri du castor qui a perdu ses petits, bondit, et il disparaît dans le désert.

Huit jours entiers il marche, ou plutôt il vole ; pour lui plus de sommeil, pour lui plus de repos. Ah ! le moment où il fermerait la paupière, ne pourrait-il pas être le moment même qui lui ravirait son ami ? Montagnes, précipices, rivières, tout est franchi : on dirait un aimant qui cherche à se réunir à l'objet qui l'attire à travers les corps qui s'opposent à son passage. Si l'excès de la fatigue arrête le frère de Céluta, s'il sent, malgré lui, ses yeux s'appesantir, il croit entendre une voix qui lui crie du milieu des flammes : « Outougamiz ! Outougamiz ! où est le Manitou que je t'ai donné ? » A cette voix intérieure, il tressaille, se lève, baise la chaîne d'or, et reprend sa course.

La lenteur avec laquelle les Illinois retournèrent à leurs villages, donna le temps à Outougamiz d'arriver avant la consumption de l'holocauste. Ce Sauvage n'est plus le simple, le crédule Outougamiz : à sa résolution, à son adresse, à la manière dont il a tout prévu, tout calculé, on prendrait ce soldat pour un chef expérimenté. Il sauve René, mais en perdant ses nobles compagnons, troupe d'amis qui offre à l'amitié ce magnanime sacrifice ! il sauve René, l'entraîne dans le marais, mais que de périls il reste encore à surmonter !

Le lieu où les deux amis se reposèrent d'abord étant trop voisin du rivage, Outougamiz résolut de se réfugier sous d'autres cyprès qui croissaient au milieu des eaux :

a. Hache.

lorsqu'il voulut exécuter son dessein, il sentit toute sa détresse. Un peu de pain de maïs n'avait pu rendre les forces à René ; ses douleurs s'étaient augmentées, ses plaies s'étaient rouvertes ; une fièvre pesante l'accablait, et l'on ne s'apercevait de sa vie qu'à ses souffrances.

Accablé par ses chagrins et ses travaux, affaibli par la privation presque totale de nourriture, le frère de Céluta eût eu besoin pour lui-même des soins qu'il prodiguait à son ami. Mais il ne s'abandonna point au désespoir ; son âme, s'agrandissant avec les périls, s'élève comme un chêne qui semble croître à l'œil, à mesure que les tempêtes du ciel s'amoncellent autour de sa tête. Plus ingénieux dans son amitié qu'une mère indienne qui ramasse de la mousse pour en faire un berceau à son fils, Outougamiz coupe des joncs avec son poignard, en forme une sorte de nacelle, parvient à y coucher le frère d'Amélie, et, se jetant à la nage, traîne après lui, le fragile vaisseau qui porte le trésor de l'amitié[241].

Outougamiz avait été au moment d'expirer de douleur ; il se sentit près de mourir de joie, lorsqu'il aborda la cyprière. « Oh ! s'écria-t-il en rompant alors pour la première fois le silence, il est sauvé ! Délicieuse nécessité de mon cœur ! pauvre colombe fugitive ! te voilà donc à l'abri des chasseurs ! Mais, René, je crains que tu ne me veuilles pas pardonner, car c'est moi qui suis la cause de tout ceci, puisque je n'étais point auprès de toi dans la bataille. Comment ai-je pu quitter mon ami qui m'avait donné un Manitou sur mon berceau ? C'est fort mal, fort mal à toi, Outougamiz ! »

Ainsi parlait le Sauvage : la simplicité de ses propos en contraste avec la sublimité de ses actions, firent sortir un moment René de l'accablement de la douleur : levant une main débile et des yeux éteints, il ne put prononcer que ces mots : « Te pardonner ! »

Outougamiz entre sous les cyprès : il coupe les rameaux trop abaissés ; il écarte des genoux de ces arbres les débris des branches : il y fait un doux lit avec des cimes de joncs pleins d'une moelle légère ; puis, attirant son ami sur ce lit, il le recouvre de feuilles séchées : ainsi, un castor, dont les eaux ont inondé les premiers travaux, prend son nourrisson et le transporte dans la chambre la plus élevée de son palais.

Le second soin du frère de Céluta fut de panser les plaies du frère d'Amélie. Il sépare deux nœuds de roseaux, puise un peu d'eau du marais, verse cette eau d'une coupe dans l'autre pour l'épurer, et lave les blessures, dont il a sucé d'abord le venin. La main d'un fils d'Esculape, armée des instruments les plus ingénieux, n'aurait été ni plus douce, ni plus salutaire que la main de cet ami. René ne pouvait exprimer sa reconnaissance que par le mouvement de ses lèvres. De temps en temps l'Indien lui disait, avec inquiétude : « Te fais-je mal ? te trouves-tu un peu soulagé ? » René répondait par un signe qu'il se sentait soulagé, et Outougamiz continuait son opération avec délices.

Le Sauvage ne songeait point à lui : il avait encore quelque reste de maïs, il le réservait pour René. Outougamiz ne faisait qu'obéir à un instinct sublime[242], et les plus belles actions n'étaient chez lui que l'accomplissement des facultés de sa vie. Comme un charmant olivier nourri parmi les ruisseaux et les ombrages, laisse tomber, sans s'en apercevoir, au gré des brises ses fruits mûrs sur les gazons fleuris ; ainsi l'enfant des forêts américaines semait, au souffle de l'amitié, ses vertus sur la terre, sans se douter des merveilleux présents qu'il faisait aux hommes.

Rafraîchi et calmé par les soins de son libérateur, René sentit ses paupières se fermer, et Outougamiz tomba lui-même dans un profond sommeil à ses côtés : les Anges veillèrent sur le repos de ces deux hommes, qui avaient trouvé grâce auprès de celui qui dormit dans le sein de Jean[243].

Outougamiz eut un songe. Une jeune femme lui apparut : elle s'appuyait en marchant sur un arc détendu, entouré de lierre comme un thyrse ; un chien la suivait.

Ses yeux étaient bleus ; un sourire sincère entrouvrait ses lèvres de roses : son air était un mélange de force et de grâce. Presque nue, elle ne portait qu'une ceinture plus belle que celle de Vénus. Outougamiz se figurait lui tenir ce discours :

« Étrangère, j'avais planté un érable sur le sol de la hutte où je suis né : voilà que, pendant mon absence, de méchants Manitous ont blessé son écorce et ont fait couler sa sève. Je cherche des simples dans ces marais pour les appliquer sur les plaies de mon érable. Dis-moi où je trouverai la feuille du savinier. »

D'une voix paisible l'Indienne paraissait répondre à Outougamiz : « En vérité, je dis qu'il connaîtra toutes les ruses de la sagesse, l'homme qui pourra pénétrer celle de votre amitié. Ne craignez rien ; j'ai dans le jardin de mon père des simples pour guérir tous les arbres, et en particulier les érables blessés. »

En prononçant ces paroles, qu'Outougamiz croyait entendre, l'Indienne fille du songe prit un air de majesté : sa tête se couronna de rayons ; deux ailes blanches bordées d'or ombragèrent ses épaules divines. L'extrémité d'un de ses pieds touchait légèrement la terre, tandis que son corps flottait déjà dans l'air diaphane.

« Outougamiz, semblait dire le brillant fantôme, élève-toi par l'adversité. Que les vertus de la nature te servent d'échelons, pour atteindre aux vertus plus sublimes de la religion de cet homme à qui tu as dévoué ta vie : alors je reviendrai vers toi, et tu pourras compter sur les secours de l'Ange de l'Amitié. »

Ainsi parle la vision au jeune Natchez plongé dans le sommeil. Un parfum d'ambroisie, embaumant les lieux d'alentour, répand la force dans l'âme du frère de Céluta, comme l'huile sacrée qui fait les rois, ou prépare l'âme du mourant aux béatitudes célestes.

En même temps le rêve devient magnifique : le Séraphin dont il produit l'image, poussant la terre de son pied comme un plongeur qui remonte du fond de l'abîme, s'élève dans les airs. Cette Vertu calme ne se meut point avec la rapidité des messagers qui portent les ordres redoutables du Tout-Puissant ; son assomption vers la région de l'éternelle paix, est mesurée, grave et majestueuse. Aux champs de l'Europe un globe lumineux, arrondi par la main d'un enfant des Gaules, perce lentement la voûte du ciel ; aux champs de l'Inde l'oiseau du paradis flotte sur un nuage d'or, dans le fluide azuré du firmament[244].

Outougamiz se réveille ; la voix du héron annonçait le retour de l'aurore : le frère de Céluta se sentait tout fortifié par son rêve et par son sommeil. Après quelques moments employés à rassembler ses idées, l'Indien, rappelant et les périls passés et les dangers à venir, se lève pour commencer sa journée. Il visite d'abord les blessures de René, frotte les membres engourdis du malade avec un bouquet d'herbes aromatiques, partage avec lui quelques morceaux de maïs, change les joncs de la couche, renouvelle l'air en agitant les branches des cyprès, et replace son ami sur de frais roseaux ; on eût dit d'une matrone laborieuse qui arrange au matin sa cabane, ou d'une mère qui donne de tendres soins à son fils.

Ces choses de l'amitié étant faites, Outougamiz songe à se parer, avant d'accomplir les desseins qu'il méditait. Il se mire dans les eaux, peigne sa chevelure, et ranime ses joues décolorées avec la pourpre d'une craie précieuse. Ce Sauvage avait tout oublié dans son héroïque entreprise, hors le vermillon des fêtes, mêlant ainsi l'homme et l'enfant, portant la gravité du premier dans les frivolités du second[245], et la simplicité du second dans les occupations du premier : sur l'arbre d'Atalante, le bouton parfumé qui sert d'ornement à la jeune fille, grossit auprès de la pomme d'or qui rafraîchit la bouche du voyageur fatigué.

La nature avait placé dans le cœur d'Outougamiz l'intelligence qu'elle a mise dans la tête des autres hommes : le souffle divin donnait à la Pythie des vues de l'avenir moins claires et moins pénétrantes, que l'Esprit dont il était animé ne découvrait au frère de Céluta les malheurs qui pouvaient menacer son ami. Saisissant le Temps corps à corps, l'Amitié forçait ce mystérieux Protée à lui révéler ses secrets.

Outougamiz, ayant pris ses armes, dit au nouveau Philoctète couché dans son antre, mais que l'amitié des déserts, plus fidèle que celle des palais, n'avait point trahi : « Je vais chercher les dons du Grand Esprit, car il faut bien que tu vives, et il faut aussi que je vive. Si je ne mangeais pas, j'aurais faim, et mon âme s'en irait dans le pays des âmes. Et comment ferais-tu alors ? Je vois bien tes pieds, mais ils sont immobiles ; je vois bien tes mains, mais elles sont froides et ne peuvent serrer les miennes. Tu es loin de ta forêt, et de ta retraite : qui donnerait la pâture à l'hermine blessée, si le castor qui l'accompagne allait mourir ? Elle baisserait la tête, ses yeux se fermeraient, elle tomberait en défaillance : les chasseurs la trouveraient expirante, et diraient : voyez l'hermine blessée loin de sa forêt et de sa retraite[246]. »

A ces mots, l'Indien s'enfonça dans la cyprière, mais non sans tourner plusieurs fois la tête vers le lieu où reposait la vie de sa vie. Il se parlait incessamment, et se disait : « Outougamiz ! tu es un chevreuil sans esprit ; tu ne connais point les plantes, tu ne fais rien pour sauver ton frère. » Et il versait des larmes sur son peu d'expérience, et il se reprochait d'être inutile à son ami !

Il chercha longtemps dans les détours du marais des herbes salutaires : il cueillit des cressons, et tua quelques oiseaux. En revenant à l'asile consacré par son amitié, il aperçut de loin les joncs bouleversés et épars. Il approche, appelle, touche à la couche, soulève les roseaux : le frère d'Amélie n'y était plus !

Le désespoir s'empare d'Outougamiz : prêt à se briser la tête contre le tronc des cyprès, il s'écrie : « Où es-tu ? m'as-tu fui comme un faux ami ? Mais qui t'a donné des pieds ou des ailes ? Est-ce la Mort qui t'a enlevé ?... »

Tandis que le Sauvage s'abandonne à ses transports, il croit entendre un bruit à quelque distance : il se tait, retient son haleine, écoute : puis soudain se plonge dans l'onde, bondit, nage, bondit encore, et bientôt découvre René qui se débat expirant contre un Illinois.

Outougamiz pousse le cri de mort : l'effort qu'il fait en s'élançant est si prodigieux, que ses pieds s'élèvent au-dessus de la surface de l'eau. Il est déjà sur l'ennemi, le renverse, se roule avec lui parmi les limons et les roseaux. Comme lorsque deux taureaux viennent à se rencontrer dans un marais où il ne se trouve qu'un seul lieu pour désaltérer leur soif, ils baissent leurs dards recourbés ; leurs queues hérissées se nouent en cercle, ils se heurtent du front, des mugissements sortent de leur poitrine, l'onde jaillit sous leurs pieds, la sueur coule autour de leurs cornes et sur le poil de leurs flancs. Outougamiz est vainqueur ; il lie fortement avec des racines tressées son prisonnier, au pied d'un arbre, et étend à l'ombre sous le même arbre l'ami qu'il vient encore de sauver.

Par les violentes secousses que le frère d'Amélie avait éprouvées, ses plaies s'étaient rouvertes. Le Natchez, dans le premier moment de sa vengeance, fut près d'immoler l'Illinois.

« Comment, lui dit-il, as-tu pu être assez cruel pour entraîner ce cerf affaibli ? S'il eût été dans sa force, lâche ennemi, d'un seul coup de tête il eût brisé ton bouclier. Tu mériterais bien que cette main t'enlevât ta chevelure. »

Outougamiz s'arrêtant comme frappé d'une pensée : « As-tu un ami ? dit-il à l'Illinois. — Oui, répondit le prisonnier.

— Tu as un ami ! reprit le frère de Céluta, s'approchant de lui et le mesurant des yeux : ne va pas faire un mensonge.

— Je dis la vérité, reprit l'Illinois.

— Eh bien ! s'écria Outougamiz tirant son poignard, après avoir approché de son oreille la petite chaîne d'or ; eh bien ! rends grâce à ce Manitou qui vient de me défendre de te tuer : il ne sera pas dit qu'Outougamiz le Natchez, de la tribu du Serpent, ait jamais séparé deux amis. Que serait-ce de moi, si tu m'avais privé de René ? Ah ! je ne serais plus qu'un chevreuil solitaire. Tu vois, ô Illinois, ce que tu allais faire ! et ton ami serait ainsi ? et il irait seul en murmurant ton nom dans le désert ? Non ! il serait trop infortuné ! et ce serait moi !... »

Le Sauvage coupe aussitôt les liens de l'Illinois. « Sois libre, lui dit-il ; retourne à l'autre moitié de ton âme qui te cherche peut-être, comme je cherchais à l'instant ma couronne de fleurs, lorsque tu étais assez inhumain pour la dérober à ma chevelure. Mais je compte sur ta foi : tu ne découvriras point mon lieu à tes compatriotes. Tu ne leur diras point : "Sous le cyprès de l'amitié, Outougamiz le Simple a caché la chair de sa chair." Jure par ton ami, que tes lèvres resteront fermées, comme les deux coupes d'une noix que la lune des moissons n'a point achevé de mûrir.

— Moi, Nassoute, reprit l'étranger, je jure par mon ami, qui est pour moi comme un baume lorsque j'ai des peines dans le cœur, je jure que je ne découvrirai point ton lieu et que mes lèvres resteront fermées, comme les deux coupes d'une noix que la lune des moissons n'a point achevé de mûrir. »

A ces mots, Nassoute allait s'éloigner, lorsque Outougamiz l'arrêta et lui dit : « Où sont les guerriers illinois ? — Crois-tu, répliqua l'étranger, que je sois assez lâche pour te l'apprendre ? » Frère de Céluta, vous répondîtes : « Va retrouver ton ami : je te tendais un piège ; si tu avais trahi ta patrie, je n'eusse point cru à ton serment, et tu tombais sous mes coups. »

Nassoute s'éloigne : Outougamiz vient donner ses soins au frère d'Amélie, comme s'il ne s'était rien passé et comme s'il n'y eût aucun lieu de douter de la foi de l'Illinois, puisqu'il avait fait le serment de l'amitié.

Quelques jours s'écoulèrent : les blessures de René commençaient à se cicatriser ; les meurtrissures étaient moins douloureuses ; la fièvre se calmait. Le frère d'Amélie serait revenu plus promptement à la vie, si une nourriture abondante avait pu rétablir ses forces ; mais Outougamiz trouvait à peine quelques baies sauvages ; elles manquèrent enfin : il ne resta plus au frère de Céluta qu'à tenter les derniers efforts de l'amitié.

Une nuit, il sort furtivement du marais, cachant son entreprise à René, et laissant çà et là des paquets flottants de roseaux pour reconnaître la route, si les Génies lui permettaient le retour. Il monte à travers le bois de la colline ; il découvre le camp des Illinois où il était résolu de pénétrer.

Des feux étaient encore allumés : la plupart des familles dormaient étendues autour de ces feux. Le jeune Natchez, après avoir noué sa chevelure à la manière des guerriers ennemis, s'avance vers l'un des foyers. Il aperçoit un cerf à demi dépouillé, dont les chairs n'avaient point encore pétillé sur la braise. Outougamiz en dépèce avec son poignard les parties les plus tendres, aussi tranquillement que s'il eût préparé un festin dans la cabane de ses pères. Cependant on voyait çà et là quelques Illinois éveillés qui riaient et chantaient. La matrone du foyer où le frère de Céluta dérobait une part de la victime, ouvrit elle-même les yeux, mais elle prit l'étranger pour le jeune fils de ses entrailles, et se replongea dans le sommeil. Des chasseurs passent auprès de l'ami de René, lui souhaitent un ciel bleu, un manteau de castor et l'espérance. Outougamiz leur rend à demi-voix le salut de l'hospitalité.

Un d'entre eux s'arrêtant, lui dit : « Il a singulièrement échappé. — Un Génie sans doute l'a ravi », répond le frère de Céluta. L'Illinois repartit : « Il est caché dans le marais ; il ne se peut sauver, car il est environné de toutes parts : nous boirons dans son crâne. »

Tandis qu'Outougamiz se trouvait engagé dans cette conversation périlleuse, la voix d'une femme se fit entendre à quelque distance ; elle chantait : « Je suis l'épouse de Venclao. Mon sein, avec son bouton de rose, est comme

222

le duvet d'un cygne que la flèche du chasseur a taché d'une goutte de sang au milieu. Oui, mon sein est blessé, car je ne puis secourir l'étranger qui respecta la *Vierge des dernières amours*[247]. Puissé-je du moins sauver son ami ! » L'Indienne se tut, puis, s'approchant du Natchez dans les ombres, elle continua de la sorte :

« La nonpareille des Florides croyait que l'hiver avait changé sa parure, et qu'elle ne serait point reconnue parmi les aigles des rochers chez lesquels elle cherchait la pâture ; mais la colombe fidèle la découvrit, et lui dit : "Fuis, imprudent oiseau ; la douceur de ton chant t'a trahi." »

Ces paroles frappèrent le frère de Céluta ; il lève les yeux et remarque les pleurs de la jeune femme ; il entrevoit en même temps des guerriers armés qui s'avancent. Il charge sur ses épaules une partie de la dépouille du cerf, s'enfonce dans les ombres, franchit le bois, rentre dans les détours du marais, et après quelques heures de fatigue et de périls se retrouve auprès de son ami.

Un ingénieux mensonge lui servit à cacher à René sa dangereuse aventure ; mais il fallait préparer le banquet : le jour on en pouvait voir la fumée ; la nuit on en pouvait découvrir les feux ; Outougamiz préféra pourtant la nuit : il espéra trouver un moyen de masquer la lueur de la flamme.

Lorsque le soleil fut descendu sous l'horizon et que les dernières teintes du jour se furent évanouies, l'Indien tira une étincelle de deux branches de cyprès en les frottant l'une contre l'autre, et en embrasa quelques feuilles. Tout réussit d'abord ; mais des roseaux secs placés trop près du foyer prennent feu, et jettent une grande lumière. Outougamiz les veut précipiter dans l'eau, et ne fait qu'étendre la flamme. Il s'élance sur le monceau ardent et cherche à l'écraser sous ses pieds. René épuise ses forces renaissantes pour seconder son ami : soins inutiles ! le feu se propage, court en pétillant sur la cime séchée des joncs, et gagne les branches résineuses des cyprès. Le

223

vent s'élève, des tourbillons de flammes, d'étincelles et de fumée montent dans les airs qui prennent une couleur sanglante. Un vaste incendie se déploie sur le marais.

Comment fuir ? comment échapper à l'élément terrible qui, après s'être éloigné de son centre, s'en rapprochait et menaçait les deux amis ? Déjà étaient consumés les paquets de joncs sur lesquels le frère de Céluta aurait pu tenter encore de transporter René dans d'autres parties du marais. Essayer de passer au désert voisin : les cruels Illinois n'y campaient-ils pas ? N'était-il pas probable qu'attirés par l'incendie, ils fermaient toutes les issues ? Ainsi, lorsqu'on croit être arrivé au comble de la misère, on aperçoit par delà de plus hautes adversités ; il est difficile au fils de la femme de dire : « Ceci est le dernier degré du malheur. »

Outougamiz était presque vaincu par la fortune : il voyait perdu tout ce qu'il avait fait jusqu'alors. Il n'avait donc sauvé son ami du cadre de feu que pour brûler cet ami de sa propre main ! Il s'écria d'une voix douloureuse : « René, c'est moi qui t'immole ! Que tu es infortuné de m'avoir eu pour ami ! »

Le frère d'Amélie, d'un bras affaibli et d'une main pâle, pressa tendrement le Sauvage sur son sein. « Crois-tu, lui dit-il, qu'il ne me soit pas doux de mourir avec toi ? Mais pourquoi descendrais-tu au tombeau ? Tu es vigoureux et habile ; tu te peux frayer un chemin à travers les flammes. Revole à tes ombrages ; les Natchez ont besoin de ton cœur et de ton bras ; une épouse, des enfants embelliront tes jours, et tu oublieras une amitié funeste. Pour moi, je n'ai ni patrie, ni parents sur la terre : étranger dans ces forêts, ma mort ou ma vie n'intéresse personne. Mais toi, Outougamiz, n'as-tu pas une sœur ?

— Et cette sœur, répliqua Outougamiz, n'a-t-elle pas levé sur toi des regards de tendresse ? Ne reposes-tu pas dans le secret de son cœur ? Pourquoi l'as-tu dédaignée ? Que me conseilles-tu ? De t'abandonner ! Et depuis quand t'ai-je prouvé que j'étais plus que toi attaché à la vie ?

Depuis quand m'as-tu vu me troubler au nom de la mort ? Ai-je tremblé, quand au milieu des Illinois j'ai brisé les liens qui te retenaient ? Mon cœur palpitait-il de crainte, quand je te portais sur mes épaules avec des angoisses que je n'aurais pas échangées contre toutes les joies du monde ? Oui ! il palpitait ce cœur, mais ce n'était pas pour moi ! Et tu oses me dire que tu n'as point d'ami ! Moi, t'abandonner ! Moi, trahir l'amitié ! Moi, former d'autres liens après ta mort ! Moi, heureux sans toi, avec une épouse et des enfants ! Apprends-moi donc ce qu'il faut que je raconte à Céluta, en arrivant aux Natchez ? Lui dirais-je : "J'avais délivré celui pour lequel je t'appelai en témoignage de l'amitié ; le feu a pris à des joncs ; j'ai eu peur, j'ai fui. J'ai vu de loin les flammes qui ont consumé mon ami." Tu sais mourir, prétends-tu, René ; moi, je sais plus, je sais vivre. Si j'étais dans ta place et toi dans la mienne, je ne t'aurais pas dit : "Fuis et laisse-moi." Je t'aurais dit : "Sauve-moi, ou mourons ensemble." »

Outougamiz avait prononcé ces paroles d'un ton qui ne lui était pas ordinaire. Le langage de la plus noble passion était sorti dans toute sa magnificence des lèvres du simple Sauvage. « Reste avec moi, s'écria à son tour le frère d'Amélie : je ne te presse plus de fuir. Tu n'es pas fait pour de tels conseils. »

A ces mots, quelque chose de serein et d'ineffable se répandit sur le visage d'Outougamiz, comme si le ciel s'était entrouvert, et que la clarté divine se fût réfléchie sur le front du frère de Céluta. Avec le plus beau sourire que l'Ange des amitiés vertueuses ait jamais mis sur les lèvres d'un mortel, l'Indien répondit : « Tu viens de parler comme un homme ; je sens dans mon sein toutes les délices de la mort. »

Les deux amis cessant d'opposer à l'incendie des efforts impuissants, et de tenter une retraite impossible, assis l'un près de l'autre, attendirent l'accomplissement de leur destinée.

La flamme se repliant sur elle-même avait embrasé le

cyprès qui leur servait d'asile ; des brandons commençaient à tomber sur leurs têtes. Tout à coup, à travers les masses de feu et de fumée, on entend un léger bruit dans les eaux. Une espèce de fantôme apparaît : ses cheveux sont consumés sur ses tempes ; sa poitrine et ses bras sont à demi brûlés, tandis que le bas de son corps dégoutte d'une eau bourbeuse. « Qui es-tu ? lui crie Outougamiz ; es-tu l'Esprit de mon père qui vient nous chercher, pour nous conduire au pays des âmes ?

— Je suis Venclao, répond le spectre, l'ami de Nassoute, auquel tu as donné la vie, et l'époux de Nélida, cette *Vierge des dernières amours*, que ton ami a respectée. Je viens payer ma double dette. La flamme a découvert votre asile ; les tribus des Illinois environnent le marais ; déjà plusieurs guerriers nagent pour arriver jusqu'à vous ; je les ai devancés. Nassoute nous attend à l'endroit de la rive que l'on a confié à sa garde. Hâtons-nous. »

Venclao passe un bras vigoureux sous le bras du frère d'Amélie, et fait signe à Outougamiz de le soutenir du côté opposé. Ainsi entrelacés, tous trois se plongent dans les eaux ; ils s'avancent à travers des champs de cannes embrasées, tantôt menacés par le feu, tantôt prêts à s'engloutir dans l'onde. Chaque instant augmente le danger : des cris, des voix se font entendre de toutes parts. Tels furent les périls d'Énée lorsque, dans la nuit fatale d'Ilion, il allait à la lueur des flammes, par des rues solitaires et détournées, cacher sur le mont Ida, et les anciens dieux de l'antique Troie et les dieux futurs du Capitole.

Outougamiz, Venclao et René, arrivent au lieu où Nassoute les attendait. Le frère d'Amélie est à l'instant placé sur un lit de branchages que Venclao, Nassoute et Outougamiz portent tour à tour. Ils s'éloignent à grands pas du fatal marais ; toute la nuit ils errent par le silence des bois. Aux premiers rayons de l'aurore, les deux Illinois s'arrêtent, et disent aux deux guerriers ennemis : « Natchez, implorez vos Manitous ; fuyez. Nous vous avons rendu vos bienfaits. Quittes envers vous, nous nous devons maintenant à notre patrie. Adieu. »

Venclao et Nassoute posent à terre le lit du blessé, mettent un bâton de houx dans la main gauche du frère d'Amélie, donnent à Outougamiz des plantes médicinales, de la farine de maïs, deux peaux d'ours, et se retirent.

Les deux fugitifs continuèrent leur chemin. René marchait lentement le premier, courbé sur le bâton qu'il soulevait à peine ; Outougamiz le suivait répandant des feuilles séchées, afin de cacher l'empreinte de son passage : l'hôte des forêts est moins habile à tromper la meute avide que ne l'était l'Indien à mêler les traces de René pour le dérober à la recherche de l'ennemi.

Parvenu sur une bruyère, Outougamiz dit tout à coup : « J'entends des pas précipités » ; et bientôt après une troupe d'Illinois se montre à l'horizon vers le nord. Le couple infortuné eut le temps de gagner un bois étroit qui bordait l'autre extrémité ; il y pénètre, et, l'ayant traversé, il se trouve à l'endroit même où s'était donné le combat si fatal au Grand Chef des Natchez et au frère d'Amélie.

A peine les deux amis foulaient-ils le champ de la mort, qu'ils ouïrent l'ennemi dans le bois voisin. Outougamiz dit à René : « Couche-toi à terre : je te viendrai bientôt trouver. »

René ne voulait plus disputer sa vie ; il était las de lutter si longtemps pour quelques misérables jours ; mais il fut encore obligé d'obéir à l'amitié. Son infatigable libérateur le couvre des effroyables débris du combat, et s'enfonce dans l'épaisseur d'une forêt.

Lorsque des enfants ont découvert le lieu où un rossignol a bâti son nid, la mère poussant des cris plaintifs et laissant pendre ses ailes, voltige, comme blessée, devant les jeunes ravisseurs qui s'égarent à sa poursuite et s'éloignent du gage fragile de ses amours : ainsi le frère de Céluta, jetant des voix dans la solitude, attire les ennemis de ce côté, et les écarte du trésor plus cher à son cœur que l'œuf plein d'espérance ne l'est à l'oiseau amoureux.

Les Illinois ne purent joindre le léger Sauvage à qui l'amitié avait, pour un moment, rendu toute sa vigueur. Ils approchaient du pays des Natchez, et n'osant aller plus loin ils abandonnèrent la poursuite.

Le frère de Céluta vint alors dégager René des ruines hideuses qui avaient protégé sa jeunesse et sa beauté. Les deux amis reprirent leur chemin au lever de l'aurore après s'être lavés dans une belle source. Il se trouva que les restes glacés sous lesquels René avait conservé l'étincelle de la vie, étaient ceux de deux Natchez, d'Aconda et d'Irinée. Le frère d'Amélie les reconnut, et, frappé de cette fortune extraordinaire, il dit à Outougamiz :

« Vois-tu ces corps défigurés, déchirés par les aigles et étendus sans honneurs sur la terre ? Aconda et Irinée ! vous étiez deux amis comme nous ; vous fûtes jeunes et infortunés comme nous ! Je vous ai vus périr, lorsqu'abattus j'essayais encore de vous défendre. Outougamiz, tu confiais, cette nuit même, l'ami vivant au secret de deux amis décédés. Ces morts se sont ranimés au feu de ton âme, pour me prêter leur abri. »

Outougamiz pleura sur Aconda et sur Irinée, mais il était trop faible pour leur creuser un tombeau.

Comme des laboureurs, après une longue journée de sueurs et de travaux, ramènent leurs bœufs fatigués à leur chaumière ; ils croient déjà découvrir leur toit rustique ; ils se voient déjà entourés de leurs épouses et de leurs enfants : ainsi les deux amis, en approchant du pays des Natchez, commençaient à sentir renaître l'espérance ; leurs désirs franchissaient l'espace qui les séparait de leurs foyers. Ces illusions, comme toutes celles de la vie, furent de courte durée.

Les forces de René, épuisées une dernière fois, touchaient à leur terme ; et pour comble de calamité il ne restait plus rien des dons de Venclao et de Nassoute.

Outougamiz lui-même succombait : ses joues étaient creuses ; ses jambes amaigries et tremblantes ne portaient plus son corps. Trois fois le soleil vint donner la lumière aux hommes, et trois fois il retrouva les voyageurs se traînant sur une bruyère qui n'offrait aucune ressource. Le frère d'Amélie et le frère de Céluta ne se parlaient plus ; ils jetaient seulement par intervalles l'un sur l'autre des regards furtifs et douloureux. Quelquefois Outougamiz cherchait encore à aider la marche de René : deux jumeaux, qui se soutiennent à peine, s'appuient de leurs faibles bras, et ébauchent des pas incertains aux yeux de leur mère attendrie.

Du lieu où les amis étaient parvenus, jusqu'au pays des Natchez, il ne restait plus que quelques heures de chemin ; mais René fut contraint de s'arrêter. Excité par Outouga-miz qui le conjurait d'avancer, il voulut faire quelques pas, afin de ne point ravir volontairement à son sublime ami le fruit de tant de sacrifices : ses efforts furent vains. Outougamiz essaya de le porter sur ses épaules ; mais il plia et tomba sous le fardeau.

Non loin du sentier battu murmurait une fontaine ; René s'en approcha en rampant sur les genoux et sur les mains, suivi d'Outougamiz qui pleurait : le pasteur affligé accompagne ainsi le chevreau qui a brisé ses pieds délicats en tombant d'une roche élevée, et qui se traîne vers la bergerie.

La fontaine marquait la lisière même de la savane qui s'étend jusqu'au Bayouc des Pierres, et qui n'a d'autres bornes à l'orient que les bois du fort Rosalie. Outougamiz assit son compagnon au pied d'un saule. Le jeune Sauvage attachait ses regards sur le pays de ses aïeux : être venu si près ! « René ! dit-il, je vois notre cabane.

— Tourne-moi le visage de ce côté », répondit le frère d'Amélie. Outougamiz obéit.

Le frère de Céluta eut un moment la pensée de se rendre aux Natchez, pour y chercher du secours ; mais, craignant que l'homme de son cœur n'expirât pendant son absence, il résolut de ne le point quitter. Il s'assit auprès de René, lui prit le front dans ses deux mains, et le pencha doucement sur sa poitrine : alors, baissant son visage sur une tête chérie, il se prépara à recueillir le dernier soupir de son ami. Comme deux fleurs que le soleil a brûlées sur la même tige, ainsi paraissaient ces deux jeunes hommes inclinés l'un sur l'autre vers la terre.

Un bruit léger et le souffle d'un air parfumé firent relever la tête à Outougamiz : une femme était à ses côtés. Malgré la pâleur et le vêtement en désordre de cette femme, comment l'Indien l'aurait-il méconnue ? Outougamiz laisse échapper de surprise et de joie le front de René ; il s'écrie : « Ma sœur, est-ce toi ? »

Céluta recule ; elle s'était approchée des amis sans les découvrir ; le son de la voix de son frère l'a étonnée. « Mon frère ! répond-elle, mon frère ! les Génies me l'ont ravi ! L'homme blanc a expiré dans le cadre de feu ! Tous les jours je viens attendre les voyageurs à cette limite ; mais ils ne reparaîtront plus ! »

Outougamiz se lève, s'avance vers Céluta qui aurait pris la fuite, si elle n'avait remarqué avec une pitié profonde, la marche chancelante du guerrier. Vous eussiez vu sur le front de l'Indienne passer tour à tour le sentiment de la plus profonde terreur et de la plus vive espérance. Céluta hésitait encore, quand elle aperçoit, attaché au sein de son frère, le Manitou de l'amitié. Elle vole à Outougamiz, qu'elle embrasse et soutient à la fois ; mais Outougamiz :

« Je l'ai sauvé ! il est là ! mais il est mort si tu n'as rien pour le nourrir. »

L'amour a entendu la voix de l'amitié ! Céluta est déjà à genoux : timide et tremblante, elle a relevé le front de l'étranger mourant ; René lui-même a reconnu la fille du désert, et ses lèvres ont essayé de sourire. Outougamiz, la tête penchée dans son sein, les mains jointes et tombantes, disait : « Témoin du serment de l'amitié, ma sœur, tu viens voir si je l'ai bien tenu. J'aurais dû ramener mon

230

ami plein de vie, et le voilà qui expire ! je suis un mauvais ami, un guerrier sans force. Mais toi, as-tu quelque chose pour ranimer mon ami ?

— Je n'ai rien, s'écrie Céluta désespérée. Ah ! s'il eût été mon époux, s'il eût fécondé mon sein, il pourrait boire avec son enfant à la source de la vie[248] ! » Souhait divin de l'amante et de la mère !

La chaste Indienne rougit comme si elle eût craint d'avoir été comprise de René. Les yeux de cette femme étaient fixés au ciel, son visage était inspiré : on eût dit que, dans une illusion passionnée, Céluta croyait nourrir et son fils et le père de son fils.

Amitié ! qui m'avez raconté ces merveilles, que ne me donnâtes-vous le talent pour les peindre ! j'avais le cœur pour les sentir.

LES NATCHEZ[a]

Seconde partie

Lorsque Céluta rencontra les deux amis au bord de la fontaine, il y avait déjà plusieurs jours qu'elle était errante dans les bois. Une fièvre ardente l'avait saisie à la nouvelle de la captivité de René : le départ subit d'Outougamiz redoubla les maux de l'infortunée, car elle devina que son frère avait volé à la délivrance de son ami. Or, cette seconde victime n'aurait-elle pas été immolée à la rage des Illinois ?

La fille de Tabamica[250] s'était obstinée à demeurer seule dans sa cabane. Un jour, couchée sur la natte de douleur, elle vit entrer Ondouré. Les succès de cet homme avaient enflé son orgueil ; ses vices s'étaient augmentés de toute l'espérance de ses passions. Sûr maintenant d'Akansie qui connaissait son crime et en profitait, Ondouré se croyait déjà maître du pouvoir absolu, sous le nom de tuteur du jeune Soleil : il songeait à rétablir l'ancienne tyrannie ; et, après avoir trompé les Français, il se flattait de trouver quelque moyen de les perdre.

Une seule chose menaçait l'ambition du Sauvage, c'était un sentiment plus fort que cette ambition même, c'était l'amour toujours croissant qu'il ressentait pour Céluta : la vanité blessée, la soif de la vengeance, la fougue des sens avaient transformé cet amour en une sorte de frénésie dont les accès pouvaient réveiller la jalousie de la Femme-Chef.

Dans la première exaltation de son triomphe, Ondouré accourut donc à la demeure de la sœur d'Outougamiz. Il s'avança vers la couche où languissait la vierge solitaire. « Céluta, dit-il, réveille-toi ! » et il lui secouait rudement la main. « Réveille-toi, voici Ondouré : n'es-tu pas trop heureuse qu'un guerrier comme moi veuille bien encore te choisir pour maîtresse, toi, rose fanée par le misérable blanc dont les Manitous nous ont délivrés ? »

Céluta essaie de repousser le barbare. « Comme elle est charmante dans sa folie ! s'écrie Ondouré ; que son teint est animé ! que ses cheveux sont beaux ! » Et le Sauvage veut prodiguer des caresses à sa victime.

Dans ce moment, Akansie, que l'instinct jaloux égarait souvent autour de la cabane de sa rivale, paraît sur le seuil de la porte. Alors Céluta : « Ô mère du Soleil ! secourez-moi. » Ondouré laisse échapper sa proie : confondu, honteux, balbutiant, il suit Akansie qui s'éloigne les yeux sanglants, l'âme agitée par les Furies.

Les parentes de Céluta, qui l'avaient voulu garder dans l'absence de son frère, reviennent offrir leur secours à leur amie : elles voient le désordre de sa couche. Céluta leur tait ses nouveaux chagrins ; elle affecte de sourire, elle prétend qu'elle se sent soulagée : on la croit, on se retire. Libre des soins qui l'importunent, la fille de Tabamica sort au milieu de la nuit, s'enfonce dans les forêts, et va sur le chemin du pays des Illinois, attendre des protecteurs qu'elle rencontre ; protecteurs qu'elle supposait perdus sans retour, alors même qu'elle les cherchait encore.

Qui sauvera les trois infortunés ? Céluta seule conserve un peu de forces, mais a-t-elle le temps de voler jusqu'au village des Natchez ? René et Outougamiz n'auront-ils point expiré avant qu'elle revienne ? Elle pose doucement la tête de René sur la mousse, et se lève : la Providence aura pitié de tant de malheurs. Des guerriers se montrent vers la forêt. Qui sont-ils ? N'importe ! Dans ce moment Céluta implorerait le secours même d'Ondouré.

« Qui que vous soyez, s'écrie-t-elle en s'avançant vers les guerriers, venez rendre la vie à René et à mon frère ! »

Des soldats et de jeunes officiers du fort Rosalie accompagnaient le capitaine d'Artaguette à la source même où reposaient les deux amis ; source dont les eaux avaient la vertu de cicatriser les blessures. D'Artaguette reconnaît à la voix l'Indienne qu'il n'aurait pas reconnue à ses traits, tant ils étaient altérés. « Est-ce vous, ma sœur, ma libératrice ? » s'écrie à son tour le capitaine[251].

Céluta vole à lui, verse des pleurs de douleur et de joie, saisit la main de son frère adoptif, la porte avec ardeur à ses lèvres, cherche à entraîner d'Artaguette vers la fontaine, en répétant le nom d'Outougamiz et de René : la troupe se hâte sur les pas de Céluta.

Bientôt on découvre deux hommes, ou plutôt deux spectres, l'un couché, l'autre debout mais près de tomber ; on les environne. « Chasseurs, dit Outougamiz, je puis mourir à présent, prenez soin de mon ami ! » et il s'affaissa sur le gazon.

On croyait dans la colonie, comme aux Natchez, que René avait été brûlé par les Illinois. Les secours sont prodigués aux deux mourants : ce fut Céluta qui offrit les premiers aliments à son frère et à l'ami de son frère. D'Artaguette essayait de soutenir l'un et l'autre d'un bras encore mal assuré. Jacques, le grenadier attaché au généreux capitaine, est envoyé aux Natchez pour annoncer le retour miraculeux. Les guerriers et les femmes accourent, les Sachems les suivent. Déjà les Français avaient entrelacé des branches d'arbres sur lesquelles étaient déposés séparément les deux amis. Huit jeunes officiers portaient tour à tour les couches sacrées, comme ils auraient porté les trophées de l'honneur. Auprès de ces lits de feuillage marchaient Céluta, pleine d'un bonheur qu'elle n'osait croire, et d'Artaguette dont le front pâle annonçait qu'il manquait encore du sang à un noble cœur.

Ce fut dans cet ordre que la foule des Natchez rencontra la pompe triomphale de l'amitié, élevée par les mains de la vaillance. Les bois retentirent d'acclamations prolongées ; on se presse, on veut savoir jusqu'aux moindres circonstances d'une délivrance dont Outougamiz parle à peine, et que René ne peut encore raconter. Les jeunes gens serraient la main d'Outougamiz, et se juraient les uns aux autres une amitié pareille dans l'adversité. Les Sachems disaient à Adario et à Chactas qu'ils avaient d'illustres enfants : « C'est vrai », répondaient les deux vieillards. Adario même était attendri.

Les femmes et les enfants caressaient Céluta ; Mila la voulait porter, bien qu'elle se sentît un peu triste au milieu de la joie. Dans l'effusion générale des cœurs, les militaires français avaient leur part des éloges. D'Artaguette disait à Céluta : « Ma sœur, votre frère soutient bien son rôle de libérateur. » René, qui entendit ces mots, murmura d'une voix mourante : « Vous ne savez rien ; Outougamiz ne vous apprendra pas ce qu'il a fait : c'est moi qui vous le dirai, si je vis. » Tous les yeux versaient aussi des larmes sur les jeunes Indiens qui s'étaient immolés au triomphe de l'amitié.

Ondouré et Akansie seuls n'étaient pas présents à cette scène : les méchants fuient comme un supplice, le spectacle de la vertu récompensée. René fut déposé chez son père Chactas, mais Adario voulut qu'on portât son neveu Outougamiz et sa nièce Céluta à sa cabane, afin de prendre soin lui-même de ce couple qu'il reconnaissait digne de son sang.

Ondouré avait apaisé Akansie par ces mensonges, par ces serments et ces caresses que la passion trompée ne croit plus, mais auxquels elle se laisse aller comme à sa dernière ressource. Quand on a fait un pas dans le crime, on se persuade qu'il est impossible de reculer, et l'on s'abandonne à la fatalité du mal : la Femme-Chef se voyait forcée de servir les projets d'un scélérat, d'élever Ondouré jusqu'à elle pour se justifier de s'être abaissée jusqu'à lui. Le retour de René avait rallumé dans le cœur d'Ondouré les flammes de la jalousie ; déçu dans sa vengeance, il lui devenait plus que jamais nécessaire d'atteindre au rang suprême pour exécuter, comme souverain, le crime qu'il avait manqué comme sujet. Il alarme la Femme-Chef : « Il est possible, lui dit-il, que René m'ait vu lancer la flèche ; le seul moyen de dominer tous les périls est de s'élever au-dessus de tous les pouvoirs. Que je sois tuteur de votre fils ; que l'ancienne garde des Allouez soit rétablie, et je vous réponds de tout. » Akansie ne pouvait plus rien refuser ; elle avait livré sa vertu.

L'Indien, afin de mieux réussir dans ses desseins, s'adressa d'abord aux Français.

Traité rudement par Chépar, Fébriano avait repris peu à peu, à force d'humiliations, son ascendant sur le vieux militaire : la bassesse se sert des affronts qu'elle reçoit comme d'un marchepied pour s'élever. Mais le renégat sentait que son crédit était affaibli, s'il ne parvenait à détruire, par quelque service éclatant, la fâcheuse impression qu'avaient laissée ses premiers conseils. Le Gouverneur de la Louisiane avait témoigné son mécontentement au commandant du fort Rosalie, et dans la lettre où il lui annonçait l'envoi de troupes nouvelles il l'invitait à réparer une imprudence dont souffrait la colonie.

Fébriano épiait donc l'occasion de regagner sa puissance, au moment où Ondouré cherchait le moyen de satisfaire son ambition. Ces deux traîtres, jadis compagnons de débauche, par une conformité de passions avaient conçu l'un et l'autre une haine violente contre René. L'homme sauvage alla trouver l'homme policé ; il lui parla de la mort du Soleil : « Dans les changements prêts à s'opérer aux Natchez, lui dit-il, si le commandant des Français me veut seconder, je lui ferai obtenir les concessions, objet de tant de troubles et de malheurs. »

Ravi d'une proposition qui le rendait important, en le rendant utile, Fébriano court avertir Chépar : celui-ci consent à recevoir Ondouré au milieu de la nuit, sur un des ravelins du fort.

« Sachem des Français, dit Ondouré en l'abordant, je ne sais ce que vous méditez. De nouveaux guerriers vous sont arrivés ; peut-être est-ce votre dessein de lever encore une fois la hache contre nous ? Au lieu de vous engager dans cette route incertaine, je puis vous mener à votre but par une voie plus sûre. Depuis longtemps je suis l'ami des Français ; employez votre autorité à me faire élever à la place qui me rendra tuteur du jeune Soleil. Je m'engage alors à vous faire céder les terres que vous réclamez, et dont vos députés et les nôtres doivent régler les limites. Dans deux jours la nomination de l'édile aura lieu. Que l'on envoie par vos ordres des présents aux jeunes guerriers, aux matrones et aux prêtres, et je l'emporterai sur mes compétiteurs. »

Flatté d'entendre parler de sa puissance, regardant comme un grand coup politique de mettre Ondouré, qu'il croyait l'ami de la France, à la tête des Natchez, espérant surtout réparer sa faute par l'obtention des terres dont on lui fait la promesse, Chépar se précipite dans le projet d'Ondouré : il charge Fébriano de la distribution des présents.

Ondouré retourne auprès d'Akansie qu'il s'étonne de trouver abattue : il en est du crime comme de ces boissons amères que l'habitude seule rend supportables. « Il ne s'agit plus d'hésiter, s'écrie Ondouré, voulez-vous commander avec moi, ou voulez-vous rester esclave sous un Sachem de votre famille ? Songez qu'il y va de votre vie et de la mienne : si nous ne sommes pas assez forts pour proscrire nos ennemis, nous serons proscrits par eux. Tôt ou tard quelque voix accusatrice révélera le secret de la mort du Soleil, et au lieu de monter au pouvoir, nous serons traînés au supplice. Allez donc ; parlez aux matrones ; obtenez leurs voix ; je cours m'assurer de celles des jeunes guerriers. Outougamiz qui balance seul mon crédit auprès d'eux, Outougamiz, encore trop faible, ne peut sortir de sa cabane. Que le jongleur, dévoué à nos intérêts, fasse s'expliquer les Génies, et nous triompherons de la résistance de Chactas et d'Adario. »

L'assemblée générale de la nation étant convoquée pour

procéder au choix de l'édile, Chactas proposa d'élever René, son fils adoptif, à cette place importante ; mais le jongleur déclara que l'étranger, coupable à la fois de la disparition du Serpent sacré, de la mort des femelles de castors, et de la guerre dans laquelle le vieux Soleil avait péri, était réprouvé du Grand Esprit.

Le frère d'Amélie rejeté, Adario présenta son neveu Outougamiz, qui venait de faire éclater tant de vertu et de vaillance : Outougamiz fut écarté à cause de la simplicité de sa vertu. Chactas et Adario ne voulaient point pour eux-mêmes une charge dont leur âge ne leur permettait plus l'exercice.

Akansie désigna à son tour Ondouré : ce nom fit rougir les hommes qui conservaient encore quelque pudeur. Chactas repoussa de toute la dignité de son éloquence un guerrier dont il osa peindre les vices. Adario, qui sentait le tyran dans Ondouré, menaça de le poignarder s'il attentait jamais à la liberté de la patrie ; mais les présents de Fébriano avaient produit leur effet : les matrones enchantées par des parures, les jeunes guerriers séduits par des armes, un assez bon nombre de Sachems, à qui l'ambition ôtait la prudence, soutinrent le candidat de la Femme-Chef. Les Manitous consultés approuvèrent l'élection d'Ondouré. Ainsi l'éducation d'un enfant, qui devait un jour commander à des peuples, fut remise à des mains oppressives et souillées : le champ empoisonné de Gomorrhe fait mourir la plante qu'on lui confie, ou ne porte que des arbres dont les fruits sont remplis de cendre.

Cependant les blessures de René se fermaient ; des simples, connus des Sauvages, rétablissaient ses forces avec une étonnante rapidité. Il n'avait qu'un moyen de payer à Outougamiz la dette d'une amitié sublime, c'était d'épouser Céluta. Le sacrifice était grand : tout lien pesait au frère d'Amélie ; aucune passion ne pouvait entrer dans son cœur ; mais il crut qu'il se devait immoler à la reconnaissance ; du moins ce n'était pas à ses yeux démentir sa destinée, que de trouver un malheur dans un devoir[252].

Il fit part de sa résolution à Chactas : Chactas demanda la main de Céluta à Adario ; Outougamiz fut rempli de joie en apprenant que son ami allait devenir son frère. Céluta, rougissant, accorda son consentement avec cette grâce modeste qui respirait en elle ; mais elle éprouvait quelque chose de plus que ce plaisir mêlé de frayeur, qu'éprouve la jeune vierge prête à passer dans les bras d'un époux. Malgré l'amour qui entraînait vers René la fille de Tabamica, malgré la félicité dont elle se faisait l'image, elle était frappée d'une tristesse involontaire ; un secret pressentiment serrait son cœur : René lui inspirait une terreur dont elle ne se pouvait défendre ; elle sentait qu'elle allait tomber dans le sein de cet homme, comme on tombe dans un abîme.

Les parents ayant approuvé le mariage, Chactas dit à René : « Bâtis ta cabane, portes-y le collier pour charger les fardeaux, et le bois pour allumer le feu ; chasse pendant six nuits ; à la septième, Céluta te suivra à tes foyers. »

René établit sa demeure dans une petite vallée qu'arrosait une rivière tributaire du Meschacebé. Quand l'ouvrage fut fini, on découvrait de la porte de la nouvelle cabane, les prairies du vallon entrecoupées d'arbustes à fleurs : une forêt, vieille comme la terre, couvrait les collines, et dans l'épaisseur de cette forêt tombait un torrent.

Des danses et des jeux signalèrent le jour du mariage. Placés au milieu d'un cercle de leurs parents, René et Céluta furent instruits de leurs devoirs : on conduisit ensuite les époux au toit qu'ils devaient habiter[253].

L'aurore les trouva sur le seuil de la cabane : Céluta, un bras jeté autour du cou de René, s'appuyait sur le jeune homme. Les yeux de l'Indienne, avec une expression de respect et de tendresse, cherchaient ceux de son époux. D'un cœur religieux et reconnaissant, elle offrait sa félicité au Maître de la nature comme un don qu'elle tenait de lui : la rosée de la nuit, remonte au lever du soleil, vers le ciel d'où elle est descendue.

Les regards distraits du frère d'Amélie se promenaient sur la solitude : son bonheur ressemblait à du repentir. René avait désiré un désert, une femme et la liberté : il possédait tout cela, et quelque chose gâtait cette possession[254]. Il aurait béni la main qui, du même coup, l'eût débarrassé de son malheur passé, et de sa félicité présente, si toutefois c'était une félicité.

Il essaya de réaliser ses anciennes chimères : quelle femme était plus belle que Céluta ? Il l'emmena au fond des forêts et promena son indépendance de solitude en solitude ; mais quand il avait pressé sa jeune épouse contre son sein, au milieu des précipices ; quand il l'avait égarée dans la région des nuages, il ne rencontrait point les délices qu'il avait rêvées.

Le vide qui s'était formé au fond de son âme ne pouvait plus être comblé. René avait été atteint d'un arrêt du Ciel, qui faisait à la fois son supplice et son génie ; René troublait tout par sa présence : les passions sortaient de lui et n'y pouvaient rentrer ; il pesait sur la terre qu'il foulait avec impatience, et qui le portait à regret.

Si l'impitoyable Ondouré avait pénétré dans le cœur du frère d'Amélie, s'il en avait connu toute la misère, s'il avait vu les alarmes de Céluta et l'espèce d'épouvante que lui inspirait son mari, l'union du couple infortuné n'aurait point fait sentir au Sauvage les tourments qu'il éprouva, lorsque la renommée lui apprit la nouvelle de cette union. Qu'importait à Ondouré d'avoir satisfait son ambition ? Céluta échappait à son amour ! René n'était point encore immolé à sa jalousie ! Les succès du détestable Indien lui coûtaient cher : il était obligé de subir la tendresse d'une femme odieuse ; il avait fait à Chépar des promesses qu'il ne pouvait ni ne voulait remplir. Comment perdre ces étrangers du fort Rosalie qui étaient devenus ses maîtres, puisqu'ils possédaient une partie de son secret ; comment sacrifier ce rival, que les mauvais Génies avaient envoyé aux Natchez pour le désespoir d'Ondouré ?

Plusieurs projets s'offrirent d'abord à la pensée de l'édile, mais les uns n'étaient pas assez sûrs, les autres n'enveloppaient pas assez de victimes. Le dégoût de l'état de nature, le désir de posséder les jouissances de la vie sociale, augmentaient le trouble des esprits d'Ondouré : il dévorait des regards tout ce qu'il apercevait dans les habitations des blancs ; on le voyait errer à travers les villages, l'air farouche, l'œil en feu, les lèvres agitées d'un mouvement convulsif[255].

Un jour qu'il promenait ainsi ses noires rêveries, il arrive à la cabane de René ; le frère d'Amélie parcourait alors les déserts avec Céluta. Mille passions, mille souvenirs accompagnés de mille desseins funestes, agitent le cœur d'Ondouré. Il fait d'abord à pas lents le tour de la hutte ; bientôt il heurte à la porte, l'ouvre et jette des regards sinistres dans l'intérieur du lieu. Il y pénètre, s'assied au foyer solitaire, comme ces Génies du mal attachés à chaque homme, et qui, selon les Indiens, se plaisent à fréquenter les demeures abandonnées. Des lits de joncs, des armes européennes, quelques voiles de femmes, un berceau, présent de la famille de Céluta, tout ce qui frappe la vue d'Ondouré, accroît son supplice : « C'est donc ici qu'ils ont été heureux ! » murmure-t-il à voix basse. Son imagination s'égare ; il se lève, disperse les roseaux des couches et brise les armes dont il jette au loin les éclats. Les parures de Céluta appellent ensuite sa rage : il les soulève d'une main tremblante, les approche de sa bouche comme pour les couvrir de baisers, puis les déchire avec fureur[256]. Déjà ses bras se levaient sur le berceau, lorsqu'il les laisse tout à coup retomber à ses côtés ; sa tête se penche sur sa poitrine, son front se couvre d'un nuage sombre : le Sauvage paraît travaillé par la conception douloureuse d'un crime.

C'en est fait ! les destinées de Céluta, les destinées du frère d'Amélie, les destinées des Français sont fixées !

Ondouré pousse un profond soupir, et souriant comme Satan à ses perversités : « Je te remercie, dit-il, ô Athaënsic ! Tu m'as bien inspiré ! Génie de cette cabane, je te remercie ! tu m'as conduit ici pour me découvrir les moyens d'accomplir mes vengeances, d'atteindre à la fois le but de mes desseins divers. Oui, vous périrez, ennemis d'Ondouré ! et toi, Céluta !... » Il ne se révèle à lui-même toute l'horreur et toute l'étendue de son projet, que par un cri qu'il pousse en sortant de la cabane : ce cri fut entendu des Français et des Natchez ; les premiers en frissonnèrent ; les seconds prévirent la ruine de leur patrie.

Lorsque René revint de ses courses, il fut frappé du désordre de sa cabane, sans en pouvoir pénétrer la cause : nourrie dans la religion des Indiens, Céluta tira de ce désordre un présage funeste. Elle n'avait point rapporté le bonheur de son pèlerinage au désert : René était pour elle inexplicable ; elle avait cependant aperçu quelque chose de mystérieux au fond du cœur de l'homme auquel elle était unie, mais cet homme ne lui avait point révélé ses secrets ; il ne les avait racontés à personne[257]. Après son retour à sa cabane, René sembla devenir plus sombre et moins affectueux : la timide Céluta n'osait l'interroger ; elle ne tarda pas à prendre pour de la lassitude ou de l'inconstance, ce qui n'était que l'effet du malheur et d'un caractère impénétrable. Le hasard vint donner quelque apparence de réalité aux premiers soupçons de la sœur d'Outougamiz.

René traversait un jour une cyprière, lorsqu'il entendit des cris dans un endroit écarté : il court à ces cris. Il aperçoit entre les arbres une Indienne se débattant contre un Européen. A l'apparition d'un témoin, le ravisseur s'enfuit. Le frère d'Amélie avait reconnu Fébriano et Mila. « Ah ! s'écria l'adolescente en se jetant dans ses bras, si tu avais voulu m'épouser, tu n'aurais pas été obligé de venir à mon secours. Que je te remercie, pourtant ! j'ai eu si grand-peur lorsque l'homme noir m'a surprise, que j'ai fermé les yeux de toutes mes forces, dans la crainte de le voir. » René sourit ; il rassura la jeune Sauvage, et lui promit de la reconduire chez son père. Il l'aida d'abord à laver son visage meurtri. Mila lui dit alors : « Que ta main est douce ! c'est tout comme celle de ma mère. Les méchants ! ils racontent tant de mal de toi, et tu es si bon ! » Quand il se fallut quitter, Mila trouva que le chemin était si court ! Elle fondit en larmes, et s'échappa en disant : « Je ne suis qu'une linotte bleue, je ne sais point chanter pour le chasseur blanc. » Le frère d'Amélie reprit le chemin de sa cabane, et ne songea plus à cette aventure.

Elle fut bientôt connue d'Ondouré ; elle lui fournit l'occasion d'ajouter une calomnie de plus à toutes celles qu'il inventait pour assouvir sa haine ; il se félicita de pouvoir faire partager à Céluta ces tourments de jalousie qu'il avait connus par elle. La rencontre de René et de Mila fut représentée à la chaste sœur d'Outougamiz, comme l'infidélité de l'homme qu'elle aimait. Céluta pleura et cacha ses larmes.

Cependant Céluta était mère ; l'épouse féconde n'assurait-elle pas les droits de l'amante ? Lorsque René eut la certitude que sa femme portait un enfant dans son sein, il s'approcha d'elle avec un saint respect ; il la pressa doucement de peur de la blesser : « Femme, lui dit-il, le ciel a béni tes entrailles ! »

Céluta répondit : « Je n'ai pas osé faire des vœux avant vous pour l'enfant que le Grand Esprit m'a donné. Je ne suis que votre servante : mon devoir est de nourrir votre fils ou votre fille, je tâcherai d'y être fidèle. »

Le front du frère d'Amélie s'obscurcit. « Nourrir mon fils ou ma fille ! dit-il avec un sourire amer : sera-t-il plus heureux que moi ? sera-t-elle plus heureuse que ma sœur ? Qui aurait dit que j'eusse donné la vie à un homme ? » Il sortit, laissant Céluta dans une inexprimable douleur.

Ondouré poursuivait ses projets : malgré l'autorité d'Adario et de Chactas, il avait rétabli dans toute leur puissance les Allouez, gardes dévoués au despotisme des anciens Soleils ; il avait dépêché des messagers avec des ordres secrets, pour toutes les nations indiennes. Plus que jamais il trompait le commandant du fort Rosalie à l'aide de fausses confidences : il lui faisait dire par Fébriano que, sans l'opposition d'Adario, de Chactas et de René, il serait entièrement maître du conseil des Natchez ; que ces trois ennemis du nom français l'empêchaient de tenir sa promesse. Ondouré invitait Chépar à les enlever, quand il lui en donnerait le signal. Par cette politique, il avait le double dessein de livrer ses adversaires aux étrangers, et de soulever les Natchez contre ces mêmes étrangers, lorsque ceux-ci se seraient portés à quelque violence contre deux Sachems, idoles de la patrie.

Il fallait néanmoins ne rien précipiter ; il fallait que toutes les forces des Indiens fussent secrètement rassemblées, afin de frapper sûrement le dernier coup. Il était en même temps aussi difficile de modérer ces éléments de discorde que de les faire agir de concert. Les trêves, sans cesse renouvelées, suspendaient à peine des hostilités toujours prêtes à renaître : les Français et les Natchez s'exerçaient aux armes, en cultivant ensemble les champs où ils se devaient exterminer.

Plusieurs mois étaient nécessaires à Ondouré pour l'exécution de son vaste plan. Chépar de son côté, n'avait point encore reçu tous les secours qu'il attendait. Une paix forcée par la position des chefs régnait donc dans la colonie ; les Indiens, en attendant l'avenir, s'occupaient de leurs travaux et de leurs fêtes.

Mila ayant des liens de famille avec Céluta, vint remercier celui qu'elle appelait son libérateur. Elle lui apporta une gerbe de maïs qui ressemblait à une quenouille chargée d'une laine dorée : « Voilà, lui dit-elle, tout ce que je te puis donner, car je ne suis pas riche. » René accepta l'offrande.

Céluta sentit ses yeux se remplir de larmes, mais elle reçut sa jeune parente avec son inaltérable douceur ; elle caressa même avec bonté l'aimable enfant, qui lui demanda si elle assisterait à la moisson de la folle avoine[a]. Céluta lui dit qu'elle s'y trouverait. Mila sortit pleine de joie, en voyant René tenir encore dans sa main la gerbe de maïs.

Depuis le jour où le capitaine d'Artaguette avait ramené aux Natchez les infortunés amis, il était allé à la Nouvelle-Orléans voir son frère, le général Diron d'Artaguette, et le jeune conseiller Harlay[258], qui devait épouser Adélaïde, fille du gouverneur de la Louisiane. Il revint au fort Rosalie la veille de la moisson annoncée par Mila. Il avait appris le mariage du frère d'Amélie avec Céluta : la reconnaissance que le capitaine devait à cette belle Sauvage, le tendre penchant qui l'entraînait vers elle, l'estime qu'il sentait pour René, le conduisirent à la cabane des nouveaux époux. Il trouva la famille réunie prête à partir pour la moisson : Chactas, Adario, Céluta, René, Outougamiz rétabli dans toute sa force, Outougamiz qui avait oublié ce qu'il avait fait, et qui fuyait lorsque René racontait les prodiges de sa délivrance.

D'Artaguette fut reçu avec la plus touchante hospitalité par Céluta qui l'appelait son frère. Outougamiz lui dit : « Céluta t'a sauvé, tu as sauvé mon ami ; je t'aime, et si nos nations combattent encore, ma hache se détournera de toi. » René proposa au capitaine d'assister à la fête de la moisson : « Très volontiers », répondit d'Artaguette. Ses regards ne se pouvaient détacher de Céluta, dont une secrète langueur augmentait la beauté.

On s'embarque dans des canots, sur la rivière qui coulait au bas de la colline où la cabane de René était bâtie. On remonte le courant pour arriver au lieu de la moisson. Les chênes-saules dont la rivière était bordée y répandaient l'ombre ; les pirogues s'ouvraient un chemin à travers les plantes qui couvraient de feuilles et de fleurs la surface de l'eau. Par intervalles, l'œil pénétrait la profondeur des flots roulant sur des sables d'or, ou sur

a. Sorte de riz qui croît dans les rivières.

des lits veloutés d'une mousse verdoyante. Des martins-pêcheurs se reposaient sur des branches pendantes au-dessus de l'onde, ou fuyaient devant les canots, en rasant le bord de la rivière.

On arrive au lieu désigné : c'était une baie où la folle avoine croissait en abondance. Ce blé, que la Providence a semé en Amérique pour le besoin des Sauvages, prend racine dans les eaux ; son grain est de la nature du riz ; il donne une nourriture douce et bienfaisante[259].

A la vue du champ merveilleux, les Natchez poussèrent des cris, et les rameurs redoublant d'efforts, lancèrent leurs pirogues au milieu des moissons flottantes. Des milliers d'oiseaux s'enlevèrent, et, après avoir joui des bienfaits de la nature, cédèrent leur place aux hommes.

En un instant les nacelles furent cachées dans la hauteur et l'épaisseur des épis. Les voix qui sortaient du labyrinthe mobile ajoutaient à la magie de la scène. Des cordes de bouleau furent distribuées aux moissonneurs ; avec ces cordes ils saisissaient les tiges de la folle avoine qu'ils liaient en gerbe, puis, inclinant cette gerbe sur le bord de la pirogue, ils la frappaient avec un fléau léger ; le grain mûr tombait dans le fond du canot. Le bruit des fléaux qui battaient les gerbes, le murmure de l'eau, les rires et les joyeux propos des Sauvages, animaient cette scène, moitié marine, moitié rustique.

Le champ était moissonné : la lune se leva pour éclairer le retour de la flotte ; sa lumière descendait sur la rivière entre les saules à peine frémissants. De jeunes Indiens et de jeunes Indiennes suivaient les canots à la nage, comme des sirènes ou des tritons ; l'air s'embaumait de l'odeur de la moisson nouvelle mêlée aux émanations des arbres et des fleurs. La pirogue du Grand Chef était à la tête de la flotte, et un prêtre, debout à la poupe de cette pirogue, redisait le chant consacré à l'astre des voyageurs :

« Salut, épouse du Soleil ! tu n'as pas toujours été heureuse ! Lorsque contrainte par Athaënsic de quitter le lit nuptial, tu sors des portes du matin, tes bras arrondis, étendus vers l'orient, appellent inutilement ton époux.

« Ce sont encore ces beaux bras que tu entrouvres, lorsque tu te retournes vers l'occident, et que la cruelle Athaënsic force à son tour le Soleil à fuir devant toi[260].

« Depuis ton hymen infortuné, la mélancolie est devenue ta compagne ; elle ne te quitte jamais, soit que tu te plaises à errer à travers les nuages, soit qu'immobile dans le ciel, tu tiennes tes yeux fixés sur les bois, soit que penchée au bord des ondes du Meschacebé, tu t'abandonnes à la rêverie, soit que tes pas s'égarent avec les fantômes le long des pâles bruyères.

« Mais, ô Lune ! que tu es belle dans ta tristesse ! L'Ourse étoilée s'éclipse devant tes charmes ; tes regards veloutent l'azur du ciel ; ils rendent les nues diaphanes ; ils font briller les fleuves comme des serpents ; ils argentent la cime des arbres ; ils couvrent de blancheur le sommet des montagnes ; ils changent en une mer de lait les vapeurs de la vallée[261].

« C'est ta lumière, ô Lune ! qui donne de grandes pensées aux Sachems ; c'est ta lumière qui remplit le cœur d'un amant du souvenir de sa maîtresse ; à ta clarté, la mère veille au berceau de son fils ; à ta clarté, les guerriers marchent aux ennemis de la patrie ; à ta clarté, les chasseurs tendent des pièges aux hôtes des forêts ; et maintenant à ta clarté, chargés des dons du Grand Esprit, nous allons revoir nos heureuses cabanes. »

Ainsi chantait le prêtre : à chaque strophe, la conque mêlait ses sons au chœur général des Natchez ; un recueillement religieux avait saisi Céluta, René, d'Artaguette, Outougamiz, Adario et le vieux Chactas : le pressentiment d'un avenir malheureux s'était emparé de leur cœur. La tristesse est au fond des joies de l'homme : la nature attache une douleur à tous ses plaisirs, et quand elle ne nous peut refuser le bonheur, par un dernier artifice, elle y mêle la crainte de le perdre. Une voix vint arracher les amis à leurs graves réflexions ; cette voix semblait sortir de l'eau ; elle disait : « Mon libérateur, me voici. » René, d'Artaguette, Outougamiz, Chactas, Adario, Céluta, regardent dans le fleuve, et ils aperçoivent Mila qui nageait auprès du canot. Enveloppée d'un voile, elle ne montrait au-dessus de l'eau que ses épaules demi-nues et sa tête humide ; quelques épis de folle avoine, capricieusement tressés, ornaient son front. Sa figure riante brillait à la clarté de la lune, au milieu de l'ébène de ses cheveux ; des filets d'argent coulaient le long de ses joues : on eût pris la petite Indienne pour une naïade qui avait dérobé la couronne de Cérès.

« Outougamiz, disait-elle, viens donc te baigner avec moi ; pour le guerrier blanc, ton frère, j'en aurais peur. »

Outougamiz saute par-dessus le bord de la pirogue. Mila se mit à nager de concert avec lui[262]. Tantôt elle se balançait lentement le visage tourné vers le ciel ; vous eussiez cru qu'elle dormait sur les vagues ; tantôt, frappant de son pied l'onde élastique, elle glissait rapidement dans le fleuve. Quelquefois, s'élevant à demi, elle avait l'air de se tenir debout ; quelquefois ses bras écartaient l'onde avec grâce : dans cette position elle tournait un peu la tête, et l'extrémité de ses pieds se montrait à la surface des flots. Son sein, légèrement enflé à l'œil, sous le voile liquide paraissait enfermé dans un globe de cristal ; elle traçait, par ses mouvements, une multitude de cercles qui, se poussant les uns les autres, s'étendaient au loin : Mila s'ébattait au milieu de ces ondulations brillantes, comme un cygne qui baigne son cou et ses ailes.

La langueur des attitudes de Mila aurait pu faire croire qu'elle cherchait des voluptés cachées dans ces ondes mystérieuses, mais le calme de sa voix et la simplicité de ses paroles ne décelaient que la plus tranquille innocence. Il en était ainsi des caprices de l'élégante Indienne avec Outougamiz : elle passait à son cou un bras humide ; elle approchait son visage si près du sien, qu'elle lui faisait sentir à la fois la fraîcheur de ses joues et la chaleur de ses lèvres. Liant ses pieds aux pieds de son compagnon de bain, elle n'était séparée de lui que par l'onde, dont la molle résistance rendait encore ses entrelacements plus doux : « N'était-ce pas ainsi, disait-elle, que tu étais couché avec René sur le lit de roseaux, au fond du marais ? » Il ne fallait chercher dans ces jeux que ceux d'un enfant plein de charme, et si quelque chose d'inconnu se mêlait aux pensées de Mila, ce n'était point à Outougamiz que s'adressaient ces pensées.

Tant de grâces n'avaient point échappé à la fille de Tabamica ; moins René y avait paru sensible, plus elle craignit une délicatesse affectée. Rentrée dans sa demeure, elle se trouva mal : bien que son sein maternel n'eût encore compté que sept fois le retour de l'astre témoin des plaisirs de Mila, Céluta sentit que l'enfant de René se hâterait d'arriver à la triste lumière des cieux, afin de partager les destinées de son père.

Le frère d'Amélie avait passé la nuit dans les bois : au lever du soleil il ne retrouva Céluta, ni dans la cabane, ni à la fontaine, ni au champ des fleurs. Il apprit bientôt que pressée pendant la nuit par les douleurs, son épouse s'était retirée à la hutte que lui avaient bâtie les matrones, selon l'usage, et qu'elle resterait dans cette hutte un nombre de jours plus ou moins long, selon le sexe de l'enfant.

Céluta pensa perdre la vie, en la donnant à une fille que l'on porta à son père, et qu'en versant des pleurs, il nomma Amélie[263]. Cette seconde Amélie paraissait au moment d'expirer : René se vit obligé de verser l'eau du baptême sur la tête de l'enfant en péril ; l'enfant poussa un cri. Le baptême parmi les Sauvages était regardé comme un maléfice : Ondouré accusa le guerrier blanc d'avoir voulu faire mourir sa fille, par dégoût pour Céluta, et par amour pour une autre femme. Ainsi s'accomplissait le sort de René : tout lui devenait fatal, même le bonheur.

L'enfant vécut, et les jours de retraite expirèrent : Céluta revint à son toit où l'attendaient ses parents. Les vêtements de la jeune mère étaient nouveaux ; elle ne devait rien porter de ce qui lui avait servi autrefois : son enfant était suspendu à sa mamelle. Lorsqu'elle mit le pied sur le seuil de sa cabane, ses yeux, jusqu'alors baissés avec modestie, se levèrent sur René qui lui tendait les bras pour recevoir son enfant : tout ce que la passion d'une amante, tout ce que la dignité d'une épouse, tout ce que la tendresse d'une mère, tout ce que la soumission d'une esclave, tout ce que la douleur d'une femme peuvent jamais réunir de plus touchant, fut exprimé par le regard de Céluta. « Je ne vous ai donné qu'une fille, dit-elle ; pardonnez à la stérilité de mon sein : je ne suis pas heureuse. »

René prit son enfant, l'éleva vers le ciel, et le remit dans les bras de sa mère. Tous les parents bénirent la fille de Céluta : Outougamiz lui suspendit un moment au cou le Manitou d'or, et sembla la consacrer ainsi au malheur.

Chez les Sauvages ce sont les parents maternels qui imposent les noms aux nouveau-nés. Selon la religion de ces peuples, le père donne l'âme à l'enfant ; la mère ne lui donne que le corps : on suppose d'après cela que la famille de la femme connaît seule le nom que le corps doit porter. René s'obstinant à appeler sa fille Amélie, blessa de plus en plus les mœurs des Indiens.

Depuis qu'il était père, sa tristesse était singulièrement augmentée. Il passait des jours entiers au fond des forêts. Quand il revenait chez lui, il prenait sa fille sur ses genoux, la regardait avec un mélange de tendresse et de désespoir, et tout à coup la remettait dans son berceau comme si elle lui faisait horreur. Céluta détournait la tête, et cachait ses larmes, attribuant le mouvement de René à un sentiment de haine pour elle.

Si René rentrant au milieu de la nuit adressait des mots de bonté à Céluta, c'était avec peine qu'elle parvenait à dissimuler l'altération de sa voix ; si René s'approchait de son épouse pendant le jour, elle lui laissait adroitement sa fille dans les bras et s'éloignait de lui ; si René montrait quelque inquiétude de la santé chancelante de la sœur d'Outougamiz, celle-ci en attribuait le dérangement à la naissance d'Amélie. Elle disait alors des choses si touchantes en s'efforçant de prendre un air serein, que son trouble paraissait davantage à travers ce calme de la vertu résignée.

Mila se retrouvait partout sur les pas du frère d'Amélie ; elle venait souvent à la cabane où Céluta l'accueillait toujours avec douceur.

« Si tu étais ma mère, disait Mila à l'épouse affligée, je serais toujours avec toi ; j'entendrais le guerrier blanc te parler de l'amitié de ton frère et te raconter des histoires de son pays. Nous préparerions ensemble la couche du guerrier blanc ; et puis, quand il dormirait, je rafraîchirais son sommeil avec un éventail de plume. »

Mila terminait ordinairement ses discours en se jetant dans les bras de Céluta : c'était chercher la tranquillité au sein de l'orage, la fraîcheur au milieu des feux du Midi. Le jeune Indienne obtenait un regard de pitié des yeux dont elle faisait couler les larmes ; elle sollicitait l'amitié d'un cœur qu'elle venait de poignarder.

La mère de Mila, impatiente de ces courses, avait menacé sa fille de lui jeter de l'eau au visage châtiment qu'infligent à leurs enfants les matrones indiennes. Mila avait répondu qu'elle mettrait le feu à la cabane de sa mère ; les parents avaient ri, et Mila avait continué de chercher René.

Un soir celui-ci était assis au bord d'un de ces lacs, que l'on trouve partout dans les forêts du Nouveau Monde. Quelques baumiers isolés bordaient le rivage ; le pélican, le cou reployé, le bec reposant comme une faux sur sa poitrine, se tenait immobile à la pointe d'un rocher ; les dindes sauvages élevaient leur voix rauque du haut des magnolias ; les flots du lac, unis comme un miroir, répétaient les feux du soleil couchant.

Mila survint. « Me voici ! dit-elle ; je suis tout étonnée, je t'assure ; j'avais peur d'être grondée.

— Et pourquoi vous gronder ? dit René.

— Je ne sais, répondit Mila en s'asseyant et s'appuyant sur les genoux du guerrier blanc.

— N'auriez-vous point quelque secret ? répliqua René.

— Grand Esprit, s'écria Mila, est-ce que j'aurais un secret ? J'ai beau penser, je ne me souviens de rien. »

Mila posa ses deux petites mains sur le genou de René, inclina la tête sur ses mains, et se mit à rêver en regardant le lac. René souffrait de cette attitude, mais il n'avait pas le courage de repousser cette enfant. Il s'aperçut, au bout de quelque temps, que Mila s'était endormie.

Age de candeur, qui ne connais aucun péril ! âge de confiance, que tu passes vite ! « Quel bonheur pour toi, Mila ! murmura sourdement René, si tu dormais ici ton dernier sommeil !

— Que dis-tu ? s'écria Mila, tirée de son assoupissement. Pourquoi m'as-tu réveillée ? Je faisais un si beau rêve !

— Vous feriez mieux, dit René, de me chanter une chanson, plutôt que de dormir ainsi comme un enfant.

— C'est bien vrai, dit Mila ; attends, que je me réveille. » Et elle frotta ses yeux humides de sommeil et de larmes.

« Je me souviens, reprit-elle, d'une chanson de Céluta. Ô Céluta ! comme elle est heureuse ! comme elle mérite de l'être ! C'est ta femme, n'est-ce pas ? »

Mila se prit à chanter ; elle avait dans la voix une douceur mêlée d'innocence et de volupté. Elle ne put chanter longtemps ; elle brouilla tous ses souvenirs, et pleura de dépit de ne pouvoir redire la chanson de Céluta.

La mère de Mila, qui la suivait, la trouva assise aux genoux de René ; elle la frappa avec une touffe de lilas qu'elle tenait à la main, et Mila s'échappa en jetant des feuilles à sa mère. L'imprudente colère de la matrone révéla la course de sa fille ; le bruit s'en répandit de toutes parts. Mila elle-même s'empressa de dire à Céluta qu'elle avait dormi sur les genoux du guerrier blanc au bord du lac. Céluta n'avait pas besoin de ce qu'elle prenait pour une nouvelle preuve du malheur qui l'avait frappée.

Le frère d'Amélie connaissait trop les passions pour ne pas apercevoir ce qui naissait au fond du cœur de Mila. Il devint plus sévère avec elle : cette rigueur effraya la gentille Sauvage. Ses sentiments repoussés se replièrent sur tout ce qui aimait René, sur Céluta, sur Outougamiz qui avait délivré le guerrier blanc avec tant de courage, et qui avait si bien nagé dans le fleuve. Mila rencontrait souvent Outougamiz dans les cabanes : la naïveté héroïque du jeune homme plaisait à la naïveté malicieuse de la jeune fille.

« Tu as sauvé ton ami du cadre de feu, disait un jour Mila à Outougamiz. C'est bien beau ! j'aurais voulu être là. — Tu m'aurais beaucoup gêné, répondit le frère de Céluta, parce que tu aurais eu faim ; et que t'aurais-je donné à manger ?

— C'est vrai, répliqua l'Indienne ; mais si j'avais été avec toi, j'aurais pris la tête de ton ami dans mes deux mains, j'aurais réchauffé ses yeux avec mes lèvres ; et pour voir si son cœur battait encore, j'aurais mis ma main sur son cœur. » Et Mila portait la main au cœur d'Outougamiz.

« Ne fais pas cela, dit le Sauvage. Est-ce que tu serais devenue amoureuse ? — Non, certainement, s'écria l'Indienne étonnée ; mais je le demanderai à Céluta. »

L'âme de la jeunesse, en prenant son essor, essaie de tous les sentiments, goûte, comme l'enfant, à toutes les coupes douces ou amères, et n'apprend à s'y connaître que par l'expérience. Attirée d'abord par René, Mila trouva bientôt en lui quelque chose de trop loin d'elle. Le cœur d'Outougamiz était le cœur qui convenait à celui de Mila ; leur sympathie une fois déclarée promettait d'être durable, et cette sympathie allait naître.

Hélas ! ces simples et gracieuses amours qui auraient dû couler sous un ciel tranquille, se formaient au moment des orages ! Malheureux[264], ô vous qui commencez à vivre quand les révolutions éclatent ! Amour, amitié, repos, ces biens qui composent le bonheur des autres hommes, vous manqueront ; vous n'aurez le temps ni d'aimer ni d'être aimés. Dans l'âge où tout est illusion, l'affreuse vérité vous poursuivra ; dans l'âge où tout est espérance, vous n'en nourrirez aucune : il vous faudra briser d'avance les liens de la vie, de peur de multiplier des nœuds qui si tôt doivent se rompre !

René vivant en lui-même, et comme hors du monde qui l'environnait, voyait à peine ce qui se passait autour de lui ; il ne faisait rien pour détruire des calomnies qu'il ignorait, ou qu'il aurait méprisées s'il les eût connues ; calomnies qui n'en allaient pas moins accumuler sur sa tête des malheurs publics et des chagrins domestiques. Se renfermant au sein de ses douleurs et de ses rêveries, dans cette espèce de solitude morale, il devenait de plus en plus farouche et sauvage : impatient de tout joug, importuné de tout devoir, les soins qu'on lui rendait lui pesaient ; on le fatiguait en l'aimant. Il ne se plaisait qu'à errer à l'aventure ; il ne disait jamais ce qu'il devenait, où il allait ; lui-même ne le savait pas. Était-il agité de remords ou de passions ? cachait-il des vices ou des vertus ? c'est ce qu'on ne pouvait dire. Il était possible de tout croire de lui, hors la vérité.

Assise à la porte de sa cabane, Céluta attendait son mari des journées entières. Elle ne l'accusait point, elle n'accusait qu'elle-même : elle se reprochait de n'avoir ni assez de beauté ni assez de tendresse. Dans la générosité de son amour, elle allait jusqu'à croire qu'elle pourrait devenir l'amie de toute autre femme, maîtresse du cœur de René ; mais quand elle portait son enfant à son sein, elle ne pouvait s'empêcher de le baigner de larmes. Lorsque le frère d'Amélie revenait, Céluta apprêtait le repas ; elle ne prononçait que des paroles de douceur ; elle ne craignait que de se rendre importune ; elle ébauchait un sourire qui expirait à ses lèvres ; et, lorsque jetant des regards furtifs sur René, elle le voyait pâle et agité, elle aurait donné toute sa vie pour lui rendre un moment de repos.

Chactas essayait quelquefois d'apaiser par sa tranquille

raison les troubles de l'âme du frère d'Amélie ; mais il ne lui pouvait arracher son secret. « Qu'as-tu ? lui disait-il. Tu voulais la solitude ; ne te suffit-elle plus ? Avais-tu pensé que ton cœur était inépuisable ? les sources coulent-elles toujours ?

— Mais qui empêche, répondait René, quand on s'aperçoit de la fuite du bonheur, de clore la vie ? Pourquoi des amis inséparables n'arrivent-ils pas ensemble dans le monde où les félicités ne passent plus ?

— Je n'attache pas plus de prix que toi à la vie, répliquait le Sachem expérimenté : vous mourez, et vous êtes oublié ; vous vivez, et votre existence n'occupe pas plus de place que votre mémoire. Qu'importent nos joies ou nos douleurs dans la nature ? Mais pourquoi t'occuper toi-même de ce qui dure si peu ? Tu as déjà rempli parmi nous les devoirs d'un homme envers ta patrie adoptive : il t'en reste d'autres à accomplir. Peut-être n'attendras-tu pas longtemps ce que tu désires. »

Les paroles de la vieillesse sont des oracles : tout, en effet, commençait à précipiter la catastrophe aux Natchez. Les messagers d'Ondouré étaient revenus avec des paroles favorables de la part des nations indiennes. Le commandant français, qui avait reçu de nouveaux soldats, n'avait pas besoin d'être excité secrètement, comme il l'était par Fébriano, pour exercer des violences contre René, Chactas et Adario. Chépar pressait Ondouré de tenir ses promesses relativement au partage des terres ; Ondouré répondait qu'il les mettrait à exécution aussitôt qu'on l'aurait débarrassé de ses adversaires.

Les calomnies répandues par Ondouré, à l'aide du jongleur, avaient produit tout leur effet contre le frère d'Amélie : pour les Natchez, l'impie René était le complice secret des mauvais desseins des Français ; pour les Français, le traître René était l'ennemi de son ancienne patrie.

La famille de Chactas, au milieu de laquelle Mila passait maintenant ses jours, prenait un matin son repas accoutumé dans la cabane de Céluta, lorsqu'elle vit entrer le grenadier Jacques : il était chargé d'un billet du capitaine d'Artaguette, adressé au fils adoptif de Chactas, ou, dans son absence, au vénérable Sachem lui-même. Ce billet informait René de l'ordre qui venait d'être donné de l'arrêter avec Adario. « Vous n'avez pas un moment à perdre pour vous dérober à vos ennemis, mandait le capitaine au frère d'Amélie. Vous êtes dénoncé comme ayant porté les armes contre la France ; un conseil de guerre est déjà nommé afin de vous juger. Adario qu'on retiendra prisonnier tant que les terres ne seront pas concédées, répondra de la conduite des Natchez. On n'ose encore toucher à la tête de Chactas. »

A cette lecture Céluta fut saisie d'un tremblement ; pour la première fois elle bénit l'absence de René ; depuis deux jours il n'avait point paru. Céluta, Mila et Outougamiz convinrent de courir dans les bois, de chercher le frère d'Amélie, et de le tenir éloigné des cabanes ; Chactas avec le reste de la famille se hâta de se rendre chez Adario.

Instruit du sort qu'on lui prépare, Adario refuse de fuir : il déploie une natte, s'assied à terre. Fatigué des cris qu'il entend : « Indigne famille ! dit-il d'une voix terrible, que me conseillez-vous ? Moi ! me cacher devant des brigands ! donner un tel exemple à la jeunesse ! Chactas, j'attendais d'autres sentiments d'un des pères de la patrie.

— De quelle utilité peut être à la patrie votre captivité ou votre mort ? répondit Chactas ; en vous retirant, au contraire, dès demain peut-être, nous pourrons nous défendre contre les oppresseurs de notre liberté ; mais aujourd'hui le temps nous manque ; je ne sais quelle main perfide a écarté la plupart des jeunes guerriers.

— Non, dit Adario, je ne me retirerai point ; je vous laisse le soin de me venger. »

Adario se lève et prend ses armes : sa famille n'ose s'opposer à son dessein. Le Sachem se rassied : un profond silence règne autour de lui.

On entend au dehors les pas d'une troupe de concessionnaires conduits par Fébriano. A la gauche du Sachem était son fils, derrière lui sa vieille épouse, et sa jeune fille mère d'un enfant qu'elle tenait dans ses bras, devant lui Chactas appuyé sur un bâton blanc.

Fébriano entre, déploie un ordre, et commande à Adario de le suivre.

« Oui, je te vais suivre, répond le Sachem ; je vois que tu m'as reconnu ; je t'ai fait assez peur le jour de la bataille pour que tu te souviennes de moi. »

Adario s'élance de sa natte, et appuie le bout d'un javelot sur la poitrine de Fébriano. Chactas, dont les regards ne dirigent plus les mains tremblantes, cherche en vain, dans la nuit qui l'environne, à détourner les coups et à faire entendre des paroles pacifiques. Le renégat recule, et sa troupe avance. Des cris s'échappent de la multitude remplissant les lieux d'alentour. Les femmes éplorées se suspendent aux fusils des concessionnaires. Une voix s'élève, la bande armée tire : le fils d'Adario tombe mort à ses côtés. Le Sachem se défend quelque temps derrière le corps de son fils ; Chactas, renversé, est foulé aux pieds. Une épaisse fumée monte dans les airs ; la cabane est en flammes ; tout fuit. Lié des mains de Fébriano, Adario est conduit avec sa femme, sa fille et son petit-fils au fort Rosalie. D'autres sicaires du complice d'Ondouré, envoyés à la demeure de René, n'avaient trouvé que le silence et la solitude.

Les habitants de la colonie accoururent en foule sur le passage des prisonniers. Ceux-ci auraient inspiré une pitié profonde, s'il ne suffisait pas d'être malheureux parmi les hommes pour en être haï et persécuté. D'Artaguette, qui avait refusé de conduire des soldats aux Natchez, subissait lui-même une captivité militaire, et ne pouvait plus être d'aucun secours à la famille enchaînée.

Le conseil de Chépar s'étant assemblé, Fébriano déclara qu'Adario s'était armé, qu'il avait méprisé les ordres du roi, et qu'on avait été obligé de l'enlever de vive force. Deux avis furent ouverts : le premier, de transporter le rebelle aux îles ; le second, de le vendre, avec sa famille, au fort Rosalie : ce dernier avis l'emporta. Le commandant choisit le parti le plus violent comme le plus capable de frapper les Natchez d'une épouvante salutaire : l'imprudence et la dureté paraissent souvent aux esprits étroits de l'habileté et du courage. Il fut donc résolu qu'Adario, sa femme et ses enfants seraient, à l'instant même, publiquement vendus, et employés aux travaux de la colonie.

Ondouré passa secrètement quelques heures au fort Rosalie : Fébriano l'informa du jugement rendu par le conseil ; le Sauvage s'en réjouit ainsi que du meurtre du fils d'Adario et de l'incendie de la cabane. Il regrettait seulement de n'avoir pu abattre du premier coup sa principale victime, mais il s'en consolait dans la pensée, que René n'avait échappé à son sort, que pour peu de temps.

L'Indien espérait trouver la rage des Natchez à son comble, et les esprits disposés à tout entreprendre : il ne se trompait pas. Revenu du fort Rosalie, il se rendit au lieu où Chactas, après l'enlèvement d'Adario, avait rassemblé les tribus : c'était au bord du lac des bois, dans l'endroit où Mila s'était endormie sur les genoux de René.

Le chef parut avec un front triste au milieu de l'assemblée. Tous les yeux se tournèrent vers lui. Les jeunes guerriers, à peine de retour d'une longue chasse, s'écrièrent : « Tuteur du Soleil, que nous conseillez-vous ?

— Mon opinion, répondit modestement le rusé Sauvage, est celle des Sachems. »

Les Sachems louèrent cette modération, excepté Chactas qui découvrit l'hypocrite.

« Que la Femme-Chef s'explique, dit-on de toutes parts.

— Ô malheureux Natchez ! dit Akansie subjuguée et criminelle, on conspire ! » Et elle se tut.

« Il la faut forcer de parler ! » fut le cri de la foule. Alors Ondouré :

« Remarquez, ô guerriers ! que le fils adoptif de Chactas que l'on représentait comme une des victimes désignées par Chépar, a pourtant été soustrait à la trahison de nos ennemis, tandis qu'Adario est dans les fers. Sachems et guerriers, avez-vous quelque confiance en moi ?

— Oui, oui ! » répétèrent mille voix. Celle de Chactas, dans ce moment de passion, ne fut point écoutée.

« Voulez-vous faire, reprit Ondouré, ce que j'ordonnerai pour votre salut ?

— Parlez, nous vous obéirons, s'écria de nouveau l'assemblée.

— Eh bien ! dit Ondouré, rentrez dans vos cabanes ; ne montrez aucun ressentiment ; ayez l'air soumis ; supportez de nouvelles injustices, et je vous promets... Mais il n'est pas temps de parler. Je découvrirai au Grand Prêtre ce qu'Athaënsic m'a inspiré. Oui, Natchez, Athaënsic m'est apparue dans la vallée ! ses yeux étaient deux flammes ; ses cheveux flottaient dans les airs comme les rayons du soleil à travers les nuages de la tempête ; tout son corps était quelque chose d'immense et d'indéfinissable : on ne pouvait la voir sans ressentir les terreurs de la mort. "Délivre la patrie, m'a-t-elle dit ; concerte toute chose avec le serviteur de mes autels..."

« Alors l'Esprit m'a révélé ce que je devais d'abord apprendre au seul jongleur : ce sont des mystères redoutables. »

L'assemblée frémit. Le Grand Prêtre s'écria : « N'en doutons point, Athaënsic a remis sa puissance à Ondouré. Guerriers, le tuteur du Soleil vous commande, par ma voix, de vous séparer. Retirez-vous et reposez-vous sur le Ciel du soin de votre vengeance. »

A ces mots les Sauvages se dispersèrent pleins d'une horreur religieuse qu'augmentaient l'ombre et le calme des forêts.

Ondouré ne désirait point armer, dans ce moment, les Natchez contre les Français ; ils n'étaient pas assez forts pour triompher, et tout se serait réduit à une action aussi peu décisive que la première. Ce n'était pas d'ailleurs un combat ouvert et loyal que voulait le Sauvage ; il prétendait porter un coup plus sûr mais plus ténébreux. Or, tout n'était pas préparé, et le jour où le complot pouvait éclater avec succès, était encore loin.

L'amant dédaigné de Céluta avait fait de l'absence de son rival un nouveau moyen de calomnie : non content de perdre René dans l'opinion des Natchez, il le faisait chercher de toutes parts pour le livrer aux Français. Avec un dessein bien différent, Céluta s'était empressée de suivre les traces de son époux, mais elle avait en vain interrogé les rochers et les bruyères. Elle sortait de sa cabane, elle y revenait, dans la crainte que René n'y fût rentré par un autre chemin : quelquefois elle songeait à se rendre au fort Rosalie, se figurant que l'objet de sa tendresse y avait déjà été conduit ; quelquefois elle s'asseyait au carrefour d'un bois, et ses regards s'enfonçaient dans les divers sentiers qui se déroulaient sous l'ombrage ; elle n'osait appeler René de peur de le trahir par les sons mêmes de sa voix. Amélie ne quittait point les bras maternels, et Céluta retrouvait des forces en pleurant sur ce cher témoin de sa douleur.

Outougamiz, toujours inspiré quand il s'agissait des périls de son ami, avait été plus heureux que sa sœur ; depuis longtemps il s'était aperçu que le frère d'Amélie aimait à diriger ses pas vers une colline qui bordait le Meschacebé, et dans le flanc de laquelle s'ouvrait une grotte funèbre : il commença ses recherches de ce côté. Un autre instinct conduisit Mila au même lieu : la colombe au loin transportée trouve, à travers les champs de l'air, le chemin qui la ramène à sa compagne.

Les deux fidèles messagers se rencontrèrent à l'entrée de la grotte. « Qui t'amène ici ? dit Mila à Outougamiz.

— Mon Génie, répondit le Sauvage ; et il montrait la chaîne d'or. Et toi, Mila, qui t'a conduite de ce côté ?

— Je n'en sais rien, répliqua l'Indienne ; quelque chose qui est peut-être la femme de ton Génie. Tu verras que nous avons deviné, et que le guerrier blanc est ici. »

En effet, ils aperçurent René assis en face du fleuve,

sous la voûte de la caverne : on voyait auprès de lui un livre, des fruits, du maïs et des armes. Cette caverne était un lieu redouté des Natchez : ils y avaient déposé une partie des os de leurs pères. On racontait qu'un Esprit de la tombe veillait jour et nuit à cette demeure.

« Oh ! s'écria Mila, j'aurais bien peur, si le guerrier blanc n'était ici. »

Étonné de l'apparition de son frère et de la jeune Indienne, René crut qu'ils s'étaient donné rendez-vous dans ce sanctuaire propre à recevoir un serment, et comme il appelait leur union de tous ses vœux, il fut charmé de cette rencontre.

Outougamiz et Mila ne dirent rien au frère d'Amélie du véritable objet de leur descente à la grotte ; tant les cœurs naïfs deviennent intelligents quand il s'agit de ce qu'ils aiment ! Ils comprirent que s'ils révélaient à René les périls dont il était menacé, loin de pouvoir l'arrêter, il échapperait à leur tendresse. Le couple ingénu laissa donc l'homme blanc croire ce qu'il voudrait croire, et ne songea qu'à le retenir dans cette retraite par le charme d'un entretien amical.

Le frère de Céluta ignorait ce qui s'était passé aux Natchez : il supposait qu'Adario se serait éloigné avec Chactas, jusqu'au moment où les enfants du Soleil pourraient venger leur injure. Outougamiz eût désiré calmer les inquiétudes de sa sœur, mais il ne voulait pas quitter René ; il espérait que Mila trouverait quelque prétexte pour quitter la grotte, et pour aller rassurer la femme infortunée.

« Mon sublime frère, dit René au jeune Sauvage avec un sourire qui rarement déridait son front, accours-tu encore pour me délivrer ? Pourquoi ces armes ? Je n'ai aucun danger à craindre : je ne suis qu'avec les morts, et tu sais qu'ils sont mes amis. Et vous, petite Mila, que cherchez-vous ? la vie sans doute ? elle n'est pas ici, et vous ne pourriez la rendre à cette foule poudreuse qui peut-être ne consentirait pas à la reprendre. »

Le religieux Outougamiz gardait le silence ; Mila tremblait, et dans sa frayeur se serrait fortement contre Outougamiz. Un faible rayon du jour, en pénétrant dans la caverne, ne servait qu'à en redoubler l'horreur[265] : les ossements blanchis reflétaient une lumière fantastique ; on eût cru voir remuer et s'animer l'immobile et insensible dépouille des hommes. Le fleuve roulait ses ondes à l'entrée de la grotte, et des herbes flétries pendantes à la voûte frémissaient au souffle du vent.

Mila, en voulant s'avancer vers René, ébranla un tas d'ossements qui roulèrent sur elle. « J'en mourrai ! j'en mourrai ! s'écria Mila : c'était comme quelque chose de si singulier !

— Ma jeune amie, dit le frère d'Amélie, rassurez-vous.
— Je te jure, répliqua l'Indienne, que cela a parlé.
— Parlé ! » dit Outougamiz.

René sourit, fit asseoir Mila auprès de lui, et prenant la main de l'enfant :

« Oui, dit-il, cela a parlé : les tombeaux nous disent que dans leur sein finissent nos douleurs et nos joies ; qu'après nous être agités un moment sur la terre, nous passons au repos éternel. Mila est charmante, son cœur palpite de toutes les sortes d'amour ; mon admirable frère est tout âme : encore quelques soupirs sur la terre (et Dieu veuille qu'ils soient de bonheur), le cœur de Mila se glacera pour jamais, et les cendres de l'homme à qui l'amitié fit faire des prodiges, seront confondues avec la poussière de celui qui n'a jamais aimé. »

René s'interrompit, appuya son front sur sa main, et regarda couler le fleuve.

« Parle encore, dit Mila, c'est si triste et pourtant si doux, ce que tu dis. »

René ramenant ses regards dans l'intérieur de la caverne, et les fixant sur un squelette, dit tout à coup : « Mila, pourrais-tu m'apprendre son nom ?

— Son nom ! répéta l'Indienne épouvantée, je ne le sais pas : ces morts se ressemblent tous.

— Tu me fais voir ce que je n'aurais jamais vu seul, dit Outougamiz : est-ce que les morts sont si peu de chose ?

— La nature de l'homme est l'oubli et la petitesse, répondit le frère d'Amélie ; il vit et meurt ignoré. Dis-moi, Outougamiz, entends-tu l'herbe croître dans cette tête que j'approche de ton oreille ? Non sans doute. Eh bien ! les pensées qui y végétaient autrefois, ne faisaient pas plus de bruit à l'oreille de Dieu. L'existence coule à l'entrée du souterrain de la mort, comme le Meschacebé à l'entrée de cette caverne : les bords de l'étroite ouverture nous empêchent d'étendre nos regards au-dessus et au-dessous sur le fleuve de la vie ; nous voyons seulement passer devant nous une petite portion des hommes voyageant du berceau à la tombe dans leur succession rapide, sans que nous puissions découvrir où ils vont et d'où ils viennent[266].

— Je conçois bien ton idée, s'écria Mila. Si je disais à mon voisin, placé dans une autre caverne, au-dessus de celle où nous sommes : "Voisin, as-tu vu passer ce flot qui était si brillant (je suppose une jeune fille) ?" Il me répondrait peut-être : "j'ai vu passer un flot troublé, car il s'est élevé de l'orage entre ma caverne et la tienne."

— Admirablement, Mila ! dit René : oui ! tels nous paraissons en fuyant sur la terre ; notre éclat, notre bonheur, ne vont pas loin, et le flot de notre vie se ternit avant de disparaître.

— Voilà que tu m'enhardis, s'écria Mila. J'avais tant de peur en entrant dans la grotte ! Maintenant je pourrais toucher ce que je n'osais d'abord regarder. » La main de Mila prit la tête de mort que René n'avait pas replacée avec les autres. Elle en vit sortir des fourmis.

« La vie dans la mort[267], dit René : c'est par ce côté que le tombeau nous ouvre une vue immense. Dans ce cerveau qui contenait autrefois un monde intellectuel, habite un monde qui a aussi son mouvement et son intelligence ; ces fourmis périront à leur tour. Que renaîtra-t-il de leur grain de poussière ? »

René cessa de parler. Animée par le premier essai de son esprit, Mila dit à Outougamiz :

« Je songeais que si j'allais t'épouser et que tu vinsses à mourir comme ceux qui sont ici, je serais si triste que je mourrais aussi.

— Je t'assure que je ne mourrai pas, dit vivement Outougamiz : si tu veux m'épouser, je te promets de vivre.

— Oui, dit Mila, belle promesse ! Avec ton amitié pour le guerrier blanc, tu me garderais bien ta parole ! »

Mila, qui avait oublié de rejeter la relique qu'elle tenait de la main de René, échauffait contre son sein l'effigie pâle et glacée : les beaux cheveux de la jeune fille ombrageaient en tombant, le front chauve de la mort. Avec ses joues colorées, ses lèvres vermeilles, les grâces de son adolescence, Mila ressemblait à ces roses de l'églantier qui croissent dans les cimetières champêtres, et qui penchent leurs têtes sur la tombe.

Les grandes émotions nées du spectacle de la grotte funèbre, l'ardente amitié du frère de Céluta pour René, avaient pu seules éloigner un moment de la pensée d'Outougamiz le souvenir du péril qui environnait ses parents et sa patrie : l'Indien fit un léger signe à Mila, qui comprit ce signe, et s'écria : « Qu'il y a longtemps que je suis ici ! Comme je vais être grondée. » Et elle s'enfuit, non pour aller trouver sa mère, mais pour aller apprendre à Céluta que le guerrier blanc était en sûreté. Le frère de Céluta demeura auprès du frère d'Amélie ; feignant un peu de lassitude et de souffrance, il déclara qu'il se voulait reposer dans la grotte : c'était le moyen d'y retenir son ami.

Tandis qu'ils étaient renfermés dans ce tabernacle des morts, des scènes de deuil affligeaient le fort Rosalie.

Si Chactas, au lieu d'Adario, se fût trouvé prisonnier, il eût, par de sages discours, consolé ses amis : mais Adario, muet et sévère, ne savait point faire parler avec grâce son cœur sur ses lèvres ; il songeait peu à sa famille, encore moins à lui-même : toutes ses pensées, toutes ses douleurs étaient réservées à son pays.

Pour subir l'arrêt du conseil, et pour être vendu à l'enchère, il avait été conduit sur la place publique où la foule était assemblée. Sa femme, et sa fille qui portait son jeune fils dans ses bras, le suivaient en pleurant. Le Sachem se tourna brusquement vers elles, et leur montra de la main les cabanes de la patrie : les deux femmes étouffèrent leurs sanglots. Un large cercle se forma autour de la famille indienne : les principaux marchands qui faisaient la traite des nègres et des Indiens s'avancèrent. On commença par dépouiller les esclaves. L'épouse et la fille d'Adario, cachant leur nudité de leurs mains, se pressaient honteuses et tremblantes contre le vieillard, dont le corps était tout couvert d'anciennes cicatrices et tout meurtri de nouveaux coups.

Les traitants, écartant les bras chastes des Indiennes, livraient ces femmes à des regards encore plus odieux que ceux de l'avarice. Des femmes blanches, instruites dans l'abominable trafic, prononçaient sur la valeur des effets à vendre.

« Ce vieillard, disait un colon, en frappant le Sachem de son bambou, ne vaut pas une pièce d'or : il est mutilé de la main gauche ; il est criblé de blessures ; il est plus que sexagénaire ; il n'a pas trois années à servir.

— D'ailleurs, disait un autre colon, qui cherchait à ravaler l'objet de l'encan pour l'obtenir à bas prix, ces Sauvages sont des brutes qui ne valent pas le quart d'un nègre : ils aiment mieux se laisser mourir, que de travailler pour un maître. Quand on en sauve un sur dix, on est bien heureux. »

Discutant de la sorte, on tâtait les épaules, les flancs, les bras d'Adario. « Touche-moi, misérable, disait l'Indien, je suis d'une autre espèce que toi ! »

« Je n'ai point vu de plus insolent vieillard », s'écria un des courtiers de chair humaine ; et il rompit sa gaule de frêne sur la tête du Sachem.

On fit ensuite des remarques sur les femmes : la mère était vieille, affaiblie par le chagrin ; elle n'aurait plus d'enfants. La fille valait un peu mieux, mais elle était délicate, et les premiers six mois de travail la tueraient. L'enfant, qu'on arracha tout nu à la mère, fut à son tour examiné : il avait les membres gros ; il promettait de grandir : « Oui, dit un brocanteur, mais c'est un capital avancé, sans rentrée certaine : il faut nourrir cela en attendant. »

La mère suivait avec des yeux où se peignait la plus tendre sollicitude, les mouvements qu'on faisait faire à son fils ; elle craignait qu'on ne l'en séparât pour toujours. Une fois l'enfant, trop serré, poussa un cri ; l'Indienne s'élança pour reprendre le fruit de ses entrailles ; on la repoussa à coups de fouet : elle tomba, toute sanglante, la face contre terre, ce qui fit rire aux éclats l'assemblée. On lui rejeta pourtant son fils, dont les membres étaient à moitié disloqués. Elle le prit, l'essuya avec ses cheveux, et le cacha dans son sein. Le marché fut conclu : on rendit les vêtements à la famille.

Adario s'attendait à être brûlé ; quand il sut qu'il était esclave, sa constance pensa l'abandonner : ses yeux cherchaient un poignard, mais on lui avait enlevé tout moyen de s'affranchir. Un soupir, ou plutôt un sourd rugissement s'échappa du fond de la poitrine du Sachem, lorsqu'on le conduisit aux cases des nègres, en attendant le jour du travail. Là, avec sa famille, Adario vit danser et chanter autour de lui, ces Africains qui célébraient la bienvenue d'un Américain, enchaîné avec eux par des Européens, sur le sol où il était né. Dans ce troupeau d'hommes se trouvait le nègre Imley, accusé de vouloir soulever ses compagnons de servitude : on ne l'avait pu convaincre de ce crime ou de cette vertu ; il en avait été quitte pour cinquante coups de fouet. Il serra secrètement la main d'Adario.

Cette même nuit, qui plaçait ce Sachem au rang des esclaves, apportait de nouveaux chagrins à Outougamiz :

il ne pouvait plus prolonger l'erreur du frère d'Amélie, ni le retenir sous un vain prétexte dans la grotte funèbre ; il se détermina donc à rompre le silence.

« Tu m'as fait faire, dit-il à René, le premier mensonge de ma vie. Je ne suis point malade, et Mila ne m'avait pas donné de rendez-vous ici. Son bon Génie, qui ne ressemble cependant pas au mien, lui avait découvert ta retraite, et nous étions accourus pour t'obliger à te cacher.

— Me cacher ? dit René ; tu sais que ce n'est guère ma coutume.

— C'est bien pour cela, répondit Outougamiz, que j'ai menti. Je savais que je te fâcherais si je te proposais de rester dans la caverne ; pourtant Chactas t'ordonnait d'y rester. »

Outougamiz fit à sa manière le récit de ce qui s'était passé aux Natchez, ajoutant qu'Adario aurait certainement pris le parti de se retirer, afin de mieux se préparer à combattre.

« Je n'en crois rien, dit René se levant et saisissant ses armes ; mais allons défendre Céluta qui ignore où je suis, et qui doit être dans une vive inquiétude.

— Et pourquoi donc, reprit Outougamiz, Mila nous a-t-elle quittés ? Elle a plus d'esprit que toi et que moi, et elle vole comme un oiseau. »

René voulut sortir de la grotte ; Outougamiz se jette au-devant de lui. « Il n'y a pas encore assez longtemps que le soleil est couché, dit le jeune Sauvage ; attends quelques moments de plus. Tu sais que c'est la nuit que je te délivre. »

Ce mot arrêta le frère d'Amélie, qui pressa Outougamiz dans ses bras.

Ils ouïrent alors dans les eaux du fleuve le bruit d'une pirogue ; cette pirogue aborde presque aussitôt à la grotte : elle était conduite par le grenadier Jacques et par d'Artaguette lui-même. Le capitaine saute sur le rocher, et dit à René :

« Vous êtes découverts ; Ondouré vous a fait suivre ; il

vient d'indiquer au commandant le lieu de votre retraite. Instruit par le hasard, de cette nouvelle, j'ai forcé mes arrêts pendant la nuit ; je me suis jeté dans cette pirogue avec Jacques ; grâce au ciel nous arrivons les premiers ! Mais fuyez ; il y a des vivres dans l'embarcation ; traversez le fleuve, vous serez en sûreté sur l'autre bord. Ne balancez pas ! Adario n'a pas voulu se retirer, il a été pris avec sa famille : son fils a été tué à ses côtés ; le Sachem lui-même conduit au fort a été vendu comme esclave. Nous tâcherons de réparer le mal : vous ne feriez que l'aggraver en tombant entre les mains de nos ennemis. »

L'étonnement et l'indignation soulevaient la poitrine de René : « Capitaine, dit-il, tandis qu'on égorge mes amis, ce n'est pas sans doute sérieusement que vous me proposez la fuite. Adario esclave ! son fils massacré ! Et ma femme et ma fille, que sont-elles devenues ? Courons les défendre ; soulevons la nation ; délivrons la terre généreuse qui m'a donné l'hospitalité !...

— Nous prendrons soin de votre femme, de votre fille, de Chactas, de tous vos amis, dit d'Artaguette en interrompant René ; mais vous les perdrez dans ce moment, si vous vous obstinez à vous montrer. Partez encore une fois ; épargnez-moi le malheur de vous voir saisir sous mes yeux. Songez que vous exposez ce brave grenadier.

— Quelle vie que la mienne ! » s'écria René avec l'accent du désespoir ; puis tout à coup : « Eh bien ! généreux d'Artaguette, je ne vous exposerai point ; je n'exposerai point ce brave grenadier ; je ne compromettrai point, comme vous me le dites, ma femme, ma fille, Chactas et mes amis ; mais ne me comptez pas ébranler dans la résolution que je viens de prendre ; je ne suis point un scélérat, obligé de me cacher le jour dans les cavernes, la nuit dans les forêts. J'accepte votre pirogue, je pars, je descends à la Nouvelle-Orléans, je me présente au gouverneur, je demande quel est mon crime, je propose ma tête pour celle d'Adario : j'obtiendrai sa grâce ou je périrai. »

Le capitaine, en admirant la résolution de René, tâcha de le dissuader de la suivre : « Vos ennemis, lui dit-il, sont de petits hommes : ils ne sentiront ni votre mérite ni le prix de votre action. Étranger, inconnu, sans protecteurs, vous ne réussirez pas ; vous ne parviendrez même pas à vous faire entendre. Je ne le vous puis cacher : d'après les calomnies répandues contre vous, d'après la puissance de vos calomniateurs, la rigueur de l'autorité militaire dans une colonie nouvelle, peut vous être funeste.

— Tant mieux, répondit brusquement le frère d'Amélie ; le fardeau est trop pesant, et je suis las. Je vous recommande Céluta, sa fille, ma seconde Amélie !... Chactas, mon second père !... » Puis, se tournant vers Outougamiz, qui n'avait rien compris à leur langage français, il lui dit en natchez :

« Mon ami, je vais faire un voyage ; quand nous reverrons-nous ? qui le sait ? peut-être dans un lieu où nous aurons plus de bonheur : il n'y a rien sur la terre qui soit digne de ta vertu.

— Tu peux partir, si tu veux, répondit Outougamiz, mais tu sais bien que je sais te suivre et te retrouver. Je vais aller chercher Mila qui a plus d'esprit que moi ; j'apprendrai par elle ce que tu ne me dis pas. »

On entendit le bruit des armes. « Je ne cherche plus à vous retenir, dit le capitaine. J'écrirai pour vous à mon frère le général, et à mon ami le conseiller Harlay. » D'Artaguette ordonne au grenadier de sortir de la pirogue ; il y fait entrer René : celui-ci repoussant le rivage avec un aviron, est entraîné par le cours du fleuve.

Fébriano ne trouva plus le frère d'Amélie ; il rencontra seulement le capitaine d'Artaguette et le grenadier ; il ne douta point que René ne dût son salut à leur dévouement : il y a des hommes qu'on peut toujours accuser d'avoir fait le bien, comme il y en a d'autres qu'on peut toujours soupçonner d'avoir fait le mal. D'Artaguette jeta un regard de mépris à Fébriano qui n'y répondit que par un geste menaçant adressé à Jacques. Outougamiz, en voyant s'éloigner le frère d'Amélie, s'était dit : « Je le suivrais bien à la nage ; mais il faut que je consulte Mila. » Et il était allé consulter Mila.

On peut juger du soulagement de Céluta quand, après de longues heures d'attente, elle vit accourir sa jeune amie, dont le visage riant annonçait de loin que le guerrier blanc était en sûreté. « Céluta, s'écria Mila toute haletante, tu aurais été assise trois lunes de suite à pleurer, que tu n'aurais rien trouvé. Moi j'ai été tout droit, sans qu'on me le dît, à la grotte où était mon libérateur ; Outougamiz y arrivait en même temps que moi. Grand Esprit ! J'aurais eu tant de peur, si je n'avais eu tant de plaisir ! Imagine-toi que ton frère garde ton mari dans la grotte où ils parlent comme deux aigles. »

Céluta comprit sur-le-champ que René était dans la caverne funèbre avec Outougamiz. Elle embrassa la petite Indienne, lui disant : « Charmante enfant, tu me fais à présent autant de bien que tu m'as fait de mal.

— Je t'ai fait du mal ! repartit Mila. Comment ? Est-ce que tu ne veux pas que j'épouse ton frère Outougamiz le Simple ? Nous venons pourtant de nous promettre de nous marier dans la grande caverne. » Et Mila fuit de nouveau, disant : « Je reviens, je reviens ; mais il faut que je m'aille montrer à ma mère. »

Céluta remplit une corbeille de gâteaux et de fruits, suspendit sa fille à ses épaules, et appuyée sur un roseau, s'avança vers la grotte des Ancêtres. Il était plus de minuit lorsqu'elle y arriva : elle ne se put défendre d'une secrète terreur, à l'abord de ce lieu redoutable. Elle s'arrête, écoute : aucun bruit ne frappe son oreille ; elle nomme à voix basse Outougamiz, n'osant nommer René : aucune voix ne répond à sa voix.

« Ils dorment peut-être », se dit-elle ; et elle pénètre dans le souterrain ; elle marche sur des os roulants, répétant à chaque pas ces mots : « Êtes-vous là ? » Ses accents s'évanouissent dans le silence de la mort. L'Indienne se sent prête à défaillir ; elle promène ses regards dans les ombres de ce tombeau ; nul être vivant n'y respire.

Céluta sort épouvantée : elle gravit la rive escarpée, jette les yeux sur le fleuve et sur les campagnes à peine visibles à la lueur des étoiles ; elle appelle René et Outougamiz, se tait, recommence ses cris, les suspend encore, s'épuise en courses inutiles, et ne se résout à reprendre le chemin de sa cabane que quand elle aperçoit les premières teintes du jour.

La fille de Tabamica traversait le grand village, abandonné par la plupart des Indiens depuis l'enlèvement d'Adario ; elle entend marcher derrière elle ; elle tourne la tête, et aperçoit son frère. « Où est ton ami ? s'écrie-t-elle. — Il est parti, répond Outougamiz ; il ne reviendra peut-être jamais ; mais qu'est-ce que cela fait, puisque je le vais rejoindre ? Je ne sais pas où il est allé ; mais Mila me le dira. » Mila, échappée à sa mère, arrive dans ce moment. Elle voit Céluta en pleurs, et Outougamiz avec cet air inspiré qu'il avait, lorsque l'amitié faisait palpiter son cœur. Elle apprend le sujet de leurs nouvelles alarmes : « Vous voilà bien embarrassés pour rien, leur dit-elle : allons au fort Rosalie ; l'autre bon guerrier blanc nous apprendra où est mon libérateur. » Elle ouvrit la corbeille que portait Céluta, distribua les fruits et les gâteaux, en prit sa part, et se mit à descendre vers la colonie, se faisant suivre du frère et de la sœur.

Le soleil éclairait alors une scène affreuse. Adario avait été reçu avec des chants et des danses par les hommes noirs, compagnons de sa servitude : la nuit s'écoula dans cette joie des chaînes. Au lever du jour, le chef de l'atelier conduisit le Sachem au champ du travail avec un troupeau de bœufs et de nègres. Des soldats campaient sur les défrichements.

La captivité d'Adario et de sa famille était un exemple dont le commandant prétendait effrayer ce qu'il appelait les mutins. On avait appris que la nuit s'était passée tranquillement aux Natchez, et l'on ignorait que cette tranquillité était l'effet des complots même d'Ondouré. Chépar crut les Indiens abattus, et pour achever de dompter leur esprit d'indépendance, il leur voulut montrer le plus fameux de leurs vieillards, après Chactas, réduit à la condition d'esclave. L'ordre fut donné de laisser approcher les Sauvages, mais sans armes, s'ils se présentaient au champ du travail.

Le commandeur des Nègres, un fouet à la main, fit un signe à Adario, et lui prescrivit de sarcler les herbes dans une plantation de maïs : le Sachem ne daigna pas même jeter un regard sur le pâtre d'hommes. Mais déjà la femme du Sachem, et sa fille qui portait son enfant sur ses épaules, étaient courbées sur un sillon : « Que faites-vous ? » leur cria Adario d'une voix terrible. Elles se relevèrent ; le fouet les contraignit de se courber de nouveau. Adario recevait les coups qui s'adressaient à lui, et qui lui enlevaient des lambeaux de chair, comme si son corps eût été le tronc d'un chêne.

Dans ce moment on vit venir un vieillard aveugle conduit par un enfant ; c'était Chactas : malgré la délibération du conseil et l'opposition d'Ondouré, Chactas s'était présenté seul avec le calumet de paix à la porte du fort Rosalie. Chépar avait refusé de recevoir le Sachem, qui s'était fait mener alors au champ du travail.

Chactas était si respecté, même des Européens, que le commandeur ne crut pas devoir l'empêcher d'approcher de son ami. Les deux vieillards demeurèrent quelque temps serrés dans les bras l'un de l'autre : « Adario, dit Chactas, j'ai aussi porté des fers.

— Tu ne voyais pas les arbres de la patrie, reprit Adario.

— Tu reprendras bientôt ta liberté, dit Chactas : nous périrons tous, ou tu seras délivré.

— Peu importe, répliqua Adario : mes mains sont désormais déshonorées. Après tout, je n'ai qu'un jour à vivre, mais cet enfant que tu vois, le fils du fils que les brigands ont tué hier à mes côtés ! Cet enfant ! toute une vie esclave !

— Vieillards, c'est assez, s'écria le commandeur, séparez-vous.

— Attends du moins, répondit Adario, que Chactas ait embrassé mon dernier enfant. Ma fille, apporte-moi mon petit-fils : que je le dépose dans les bras de mon vieil ami ; que cet ami libre lui donne une bénédiction qui n'appartient plus à ces mains enchaînées. »

La fille d'Adario remet en tremblant l'enfant à son aïeul : Adario le prend, le baise tendrement, l'élève vers le ciel, le reporte de nouveau à sa bouche paternelle, penche sa tête sur le visage de l'enfant qui sourit : le Sachem presse le nourrisson sur son sein, fait un pas à l'écart comme pour verser des larmes sur le dernier-né de sa race, et reste quelques moments immobile.

Adario se retourne : il tient par un pied l'enfant étranglé ! Il le lance au milieu des Français. « Le premier est mort libre, s'écrie-t-il, j'ai délivré le second : le voilà ! »

Des clameurs confuses s'élèvent : Ô crime ! disaient les uns ; ô vertu ! disaient les autres. Les Sauvages présents à ce spectacle, bien qu'ils eussent déposé leurs armes, selon les ordres, se précipitent sur les soldats ; une rude mêlée s'engage, les Indiens sont repoussés. Adario est plongé dans les cachots du fort ; sa fille seule est avec lui, sa fille qui ne nourrit plus l'enfant ravi à son sein par la main paternelle ! La vieille épouse d'Adario, frappée d'un glaive inconnu au milieu de l'émeute, était allée rejoindre dans la tombe son fils et son petit-fils.

Tout était possible désormais à l'ambition et aux crimes d'Ondouré, l'indignation des Natchez ne connaissait plus de bornes ; il les pouvait faire entrer dans tous les desseins par lesquels il avait promis de les venger. Il ne s'agissait plus que de calmer une tempête trop violemment excitée, et dont Ondouré n'était pas encore prêt à recueillir les ravages. Il fallait atteindre René, échappé aux premiers complots ; il fallait parvenir, au milieu du massacre des

Français, à immoler le frère d'Amélie, à ravir Céluta, et à monter enfin au rang suprême, en rétablissant l'ancien pouvoir des Soleils : telles étaient les noires pensées que le chef indien roulait dans son âme.

Le frère d'Amélie avait à peine perdu de vue le pays des Natchez, que se contentant de gouverner la pirogue avec un aviron placé en arrière, il s'était abandonné au cours des flots. La beauté des rivages, le premier éclat du printemps dans les forêts, ne faisait point diversion à sa tristesse.

Il traça quelques lignes au crayon sur des tablettes :

« Me voici seul. Nature qui m'environnez ! mon cœur vous idolâtrait autrefois ; serais-je devenu insensible à vos charmes ? Le malheur m'a touché ; sa main m'a flétri.

« Qu'ai-je gagné en venant sur ces bords ? Insensé ! ne te devais-tu pas apercevoir que ton cœur ferait ton tourment, quels que fussent les lieux habités par toi ?

« Rêveries de ma jeunesse, pourquoi renaissez-vous dans mon souvenir ? Toi seule, ô mon Amélie, tu as pris le parti que tu devais prendre ! Du moins, si tu pleures, c'est dans les abris du port : je gémis sur les vagues, au milieu de la tempête. »

En approchant de la Nouvelle-Orléans, René vit une croix plantée par des missionnaires, sur de hautes collines, dans l'endroit où l'on avait trouvé le corps d'un homme assassiné. Il aborde au rivage, attache sa pirogue sous un peuplier, et accomplit un pèlerinage à la croix : il ne devait point être exaucé, car il allait demander, non le pardon de ses fautes, mais la rémission de ces souffrances que Dieu impose à tous les hommes. Arrivé au pied du calvaire, il s'y prosterne :

« Ô toi qui as voulu laisser sur la terre l'instrument de ton supplice comme un monument de ta charité et de l'iniquité du méchant ! Divin Voyageur ici-bas, donne-moi la force nécessaire pour continuer ma route. J'ai à traverser encore des pays brûlés par le soleil ; j'ai faim de ta manne, ô Seigneur ! car les hommes ne m'ont vendu

277

qu'un pain amer. Rappelle-moi vite à la patrie céleste : je n'ai pas ta résignation pour boire la lie du calice ; mes os sont fatigués, mes pieds sont usés à force de marcher : aucun hôte n'a voulu recevoir l'étranger ; les portes ont été fermées contre moi. »

René dépose au pied de la croix une branche de chêne en *ex-voto*. Il descend les collines, rentre dans sa pirogue, et bientôt découvre la capitale de la Louisiane.

Il passe au milieu des vaisseaux à l'ancre ou amarrés le long des quais. Comme il traversait un labyrinthe de câbles, il fut hélé du bord d'une frégate à laquelle était dévolue la police du port. On lui cria en français avec un porte-voix : « De quelle nation indienne êtes-vous ? » Il répondit : « Natchez. » On ordonne au frère d'Amélie d'aborder la frégate.

Le capitaine étonné de rencontrer un Français sous l'habit d'un Indien, lui demanda ses passeports : René n'en avait point. Questionné sur l'objet de son voyage, il déclara ne pouvoir s'en ouvrir qu'au gouverneur. Sa pirogue étant visitée, on y découvrit les tablettes dont les pages crayonnées parurent inintelligibles et suspectes. René fut consigné à bord de la frégate et un officier expédié à terre : celui-ci était chargé d'apprendre au gouverneur qu'on avait arrêté un Français déguisé en Sauvage ; que les réponses de cet homme étaient embarrassées et ses manières extraordinaires. Le capitaine ajoutait, dans sa lettre, que l'étranger refusait de dire son nom et qu'il demandait à parler au gouverneur : l'officier portait aussi les tablettes trouvées dans la pirogue.

L'alarme était vive à la Nouvelle-Orléans : depuis le combat livré aux Natchez, et dans lequel ces Sauvages avaient montré tant d'habileté et de valeur, on n'avait cessé d'être inquiet. Le commandant du fort Rosalie faisait incessamment partir des courriers chargés de rapports formidables sur l'indocilité des Indiens. Les divers chefs se trouvaient nommés dans ses dépêches : c'étaient ceux que Fébriano, à l'instigation d'Ondouré, prenait soin de dénoncer au crédule Chépar. Adario, Chactas même, et René surtout, étaient représentés comme les auteurs d'une conspiration permanente, comme des hommes qui, voulant la rupture des traités et la continuation de la guerre, s'opposaient à l'établissement des concessionnaires. Un dernier messager annonçait la capture d'Adario, et faisait craindre un mouvement parmi les Sauvages.

Si Ondouré accablait René de ses calomnies, Fébriano lui prêtait ses crimes : le peuple racontait que le frère d'Amélie avait marché sur un crucifix, qu'il avait vendu son âme au Démon, qu'il passait sa vie dans les forêts avec une femme indienne abandonnée à la magie, qu'ayant été tué dans une bataille contre les Illinois, un Sauvage, nécromancien comme lui, lui avait rendu la vie : élévation du génie, dévouement de l'amour, prodiges de l'amitié et de la vertu, vous serez incompréhensibles aux hommes.

Le gouverneur, à la lecture de la lettre du capitaine, ne douta pas que l'étranger ne fût cet homme inconnu, naturalisé Natchez : il ordonna de le conduire devant lui. Le bruit se répandit aussitôt, dans la ville, que le fameux chef français des Natchez était fait prisonnier : les rues furent obstruées d'une foule superstitieuse, et les fenêtres bordées de spectateurs. Au milieu de ce tumulte, René, escorté d'un détachement de soldats de marine, débarque à la cale du port ; des cris de *Vive le Roi !* retentissent, comme si l'on eût remporté quelque victoire. Cependant l'étonnement fut extrême lorsque, au lieu du personnage attendu, on ne vit qu'un beau jeune homme dont la démarche était noble sans fierté, et qui n'avait sur le front ni insolence ni remords.

Le gouverneur reçut René dans une galerie où se trouvaient réunis les officiers, les magistrats et les principaux habitants de la ville. Adélaïde, fille du gouverneur, avait aussi voulu voir celui qu'elle connaissait par les récits du capitaine d'Artaguette, et dont elle venait de lire les tablettes avec un mélange d'intérêt et d'étonnement. Lorsque René parut, il se fit un profond silence. Il s'avança vers le gouverneur, et lui dit : « Je vous étais venu chercher. La fortune, pour la première fois de ma vie, m'a été favorable : elle m'amène devant vous plus tôt que je ne l'aurais espéré. »

La contenance, les regards, la voix de l'étranger surprirent l'assemblée ; on ne pouvait retrouver en lui le vagabond sans éducation et sans naissance que dénonçait la renommée. Le gouverneur, d'un caractère froid et réservé, fut lui-même frappé de l'air de noblesse du frère d'Amélie : il y avait dans René quelque chose de dominateur, qui s'emparait fortement de l'âme. Adélaïde paraissait toute agitée, mais son père, loin d'être mieux disposé en faveur de l'inconnu, le regarda dès lors comme infiniment plus dangereux que l'homme vulgaire dont parlaient les dépêches du fort Rosalie.

« Puisque vous m'étiez venu chercher, dit le gouverneur, vous aviez sans doute quelque chose à me dire : quel est votre nom ?

— René, répondit le frère d'Amélie.

— Tout le monde l'avait supposé, répliqua le gouverneur. Vous êtes Français et naturalisé Natchez ? Eh bien ! que me voulez-vous ?

— Puisque vous savez déjà qui je suis, répondit René, vous aurez sans doute aussi deviné le sujet qui m'amène. Adopté par Chactas, illustre et sage vieillard de la nation des Natchez, j'ai été témoin de toutes les injustices dont on s'est rendu coupable envers ce peuple. Un vil ramas d'hommes enlevés à la corruption de l'Europe, a dépouillé de ses terres une nation indépendante. On a troublé cette nation dans ses fêtes, on l'a blessée dans ses mœurs, contrariée dans ses habitudes. Tant de calamités l'ont enfin soulevée ; mais avant de prendre les armes, elle vous a demandé, et elle a espéré de vous justice : trompée dans son attente, de sanglants combats ont eu lieu. Quand on a vu qu'on ne pouvait dompter les Natchez à force ouverte, on a eu recours à des trêves mal observées par les chefs de la colonie. Il y a peu de jours que le commandant du fort Rosalie s'est porté aux derniers outrages ; j'ai été désigné avec Adario, frère du père de ma femme, comme une des premières victimes. On a saisi le Sachem, on l'a vendu publiquement : j'ignore les malheurs qui ont pu suivre cette monstrueuse violence. Je me suis venu remettre en vos mains, et me proposer en échange pour Adario.

« Je n'entrerai point dans des justifications que je dédaigne, ne sachant d'ailleurs de quoi on m'accuse : le soupçon des hommes est déjà une présomption d'innocence. Je viens seulement vous déclarer que s'il y a quelque conspirateur parmi les Natchez, c'est moi, car je me suis toujours opposé à vos oppressions. Comme Français je vous puis paraître coupable ; comme homme je suis innocent. Exercez donc sur moi votre rigueur ; mais souffrez que je vous le demande : pouvez-vous punir Adario d'avoir défendu son pays ? Revenez à des sentiments plus équitables ; brisez les fers d'un généreux Sauvage, dont tout le crime est d'avoir aimé sa patrie. Si vous m'ôtez la liberté et si vous la rendez au Sachem, vous satisferez à la fois la justice et la prudence. Qu'on ne dise pas qu'on nous peut retenir tous deux : en brisant les fers d'Adario, vous disposerez en votre faveur les Indiens qui révèrent ce vieillard, et qui ne vous pardonneraient jamais son esclavage ; en portant sur moi vos vengeances, vous n'armerez pas un bras contre vous ; personne, pas même moi, ne réclamera contre la balle qui me percera la poitrine. »

On ne saurait décrire l'effet que ce discours produisit sur l'assemblée. Adélaïde versait des larmes : appuyée sur le dos du fauteuil de son père, elle avait écouté avidement les paroles du frère d'Amélie ; on voyait se répéter sur le visage de cette jeune femme tous les mouvements de crainte ou d'espérance que le prisonnier faisait éprouver à son cœur.

« Avez-vous porté les armes contre les Français ? dit le gouverneur.

— Je ne me suis point trouvé au combat des Natchez, répondit René ; j'étais alors dans les rangs des guerriers qui marchaient contre les Illinois ; mais si j'avais été au grand village, je n'aurais pas hésité à combattre pour ma nouvelle patrie[268]. » Le gouverneur se leva et dit : « C'est au conseil de guerre à prononcer. » Il ordonna de déposer l'étranger à la prison militaire.

René fut conduit à la prison, et le lendemain, transféré de la prison au conseil. On lui avait nommé un défenseur, mais il refusa de s'entretenir avec lui, et ne le voulut pas même voir. Ce défenseur, Pierre de Harlay, ami du capitaine d'Artaguette, était au moment d'épouser Adélaïde ; il partageait avec la fille du gouverneur l'attrait qu'elle se sentait pour René : le refus même que celui-ci avait fait de l'entendre, ne le rendit que plus ardent dans la cause d'un homme ressemblant si peu aux autres hommes.

La salle du conseil était remplie de tout ce qu'il y avait de plus puissant dans la colonie. Les militaires chargés de l'instruction du procès firent à René les questions d'usage ; quelques lettres du commandant du fort Rosalie furent produites contre lui. On lui demanda ce que signifiaient les phrases écrites sur ses tablettes, si ce nom d'Amélie n'était point un nom emprunté et cachant quelque mystère ; l'infortuné jeune homme pâlit. Une joie cruelle s'était glissée au fond de son cœur : se sentir innocent et être condamné par la loi, était, dans la nature des idées de René, une espèce de triomphe sur l'ordre social[269]. Il ne répondit que par un sourire de mépris aux accusations de trahison ; il fit l'éloge le plus touchant de Céluta, dont on avait prononcé le nom. Il répéta qu'il était venu uniquement pour solliciter la délivrance d'Adario, oncle de sa femme, et qu'on pouvait au reste faire de lui tout ce qu'il plairait à Dieu.

Harlay se leva :

« Mon client, dit-il, n'a pas plus voulu s'expliquer avec moi qu'avec ses juges ; il a refusé de se défendre ; mais n'est-il pas aisé de trouver dans ses courtes réponses quelques mots qui jettent de la lumière sur un complot infâme ? Avec quelle vivacité il a parlé de l'Indienne unie à son sort ! Et quelle est cette femme ? c'est cette Céluta connue de toute la colonie, pour avoir arraché aux flammes un de nos plus braves officiers. Ne serait-il pas possible que la beauté de cette généreuse Sauvage eût allumé des passions qui poursuivent aujourd'hui leur vengeance sur la tête d'un innocent ? Je n'avance point ceci sur de simples conjectures. Cette nuit même j'ai examiné tous les papiers ; j'ai fait des recherches, et je me suis procuré la lettre que je vais lire au conseil. »

Ici Pierre de Harlay lut une lettre datée du fort Rosalie : cette lettre était écrite par le grenadier Jacques à sa mère, qui demeurait à la Nouvelle-Orléans. Le soldat exprimait, dans toute la franchise militaire, son admiration pour son capitaine, d'Artaguette, son estime pour René, sa compassion pour Céluta, son mépris pour Fébriano et pour Ondouré.

« Cette lettre, s'écria le défenseur de René, porte un caractère d'honnêteté et de vérité auquel on ne se peut méprendre. La justice doit-elle aller si vite ? N'est-il pas de son devoir d'entendre les témoins en faveur de l'accusé ? Je sais qu'une commission militaire juge sans appel et sommairement ; mais cette procédure rapide n'exclut pas l'équité. Je ne veux pour preuve de l'innocence de l'accusé que la démarche qui le livre aujourd'hui au glaive des lois. Quoi ! vous accepteriez cette tête qu'il est venu vous offrir pour la tête d'un vieillard ? Il est aisé de persécuter un homme sans amis et sans protecteurs ; il est aisé de lui prodiguer les épithètes de vagabond et de traître : la seule présence de mon client a déjà donné un démenti à ces basses calomnies. Enfin, quand on s'obstinerait dans une accusation qui ne porte que sur des faits dénués de preuves, je soutiens que René n'est plus Français, et qu'il ne vous appartient pas de le juger.

« J'ignore quels motifs ont pu porter l'homme qui

comparaît aujourd'hui devant vous à quitter la France ; mais que l'on ait le droit de changer de patrie, c'est ce que l'on ne saurait contester[270]. Des tyrans m'auront enchaîné, des ennemis m'auront persécuté, j'aurai été trompé dans mes affections, et il ne me serait pas permis d'aller chercher ailleurs la liberté, le repos et l'oubli de l'amitié trahie ! La nature serait donc plus généreuse que les hommes, elle qui ouvre ses déserts à l'infortuné, elle qui ne lui dit pas : "Tu habiteras telle forêt ou telle autre" ; mais qui lui dit : "Choisis les abris les plus convenables aux dispositions de ton âme." Soutiendriez-vous que les Sauvages de la Louisiane sont sujets du roi de France ? Abandonnez cette odieuse prétention. Assez longtemps ont été opprimés ces peuples qui jouissaient du bonheur et de l'indépendance, avant que nous eussions introduit la servitude et la corruption dans leur terre natale. Soldats-juges, vous portez aujourd'hui deux épées ; Dieu vous a remis le glaive de sa puissance et celui de sa justice ; prenez garde de les lui rendre ébréchés ou couverts de taches ; on émousse le premier en frappant la liberté, on souille le second en répandant le sang innocent. »

L'orateur cessa de parler. L'auditoire était visiblement ému. Adélaïde, cachée dans une tribune, ne se put empêcher d'applaudir ; ce fut la plus douce récompense de Harlay : ce couple que les liens d'un amour heureux allaient unir, prenait seul, par une sympathie touchante, la défense d'un étranger qui devait à une passion tous ses malheurs.

On fit retirer l'accusé ; les juges délibérèrent. Ils inclinaient à trouver René coupable ; mais ils se divisèrent sur la question de droit, relative au changement de patrie. Ils remirent au lendemain la prononciation de la sentence. René dit à Harlay : « Je ne vous connaissais pas quand j'ai refusé de vous entendre ; je ne vous remercie pas, car vous m'avez trop bien défendu. Dites à la fille du gouverneur que je lui souhaiterais le bonheur, si mes vœux n'étaient des malédictions. »

Le frère d'Amélie fut reconduit en prison, entre deux rangs de marchands d'esclaves, de mariniers étrangers, de trafiquants de tous les pays, de toutes les couleurs, qui l'accablaient d'outrages sans savoir pourquoi.

Rentré dans la tour de la geôle, René désira écrire quelques lettres. Le gardien lui apporta une mauvaise feuille de papier, un peu d'encre dans le fond d'un vase brisé, et une vieille plume ; laissant ensuite le prisonnier, il ferma la porte, qu'il assujettit avec les verrous. Demeuré seul, René se mit à genoux au bord du lit de camp dont la planche lui servit de table, et éclairé par le faible jour qui pénétrait à travers les barreaux d'une fenêtre grillée, il écrivit à Chactas ; il chargeait le Sachem de traduire les deux lettres qu'il adressait en même temps à Céluta et à Outougamiz.

La femme du geôlier entra ; un enfant de six à sept ans lui aidait à porter une partie du souper. René demanda à cette femme si elle n'aurait pas quelque livre à lui prêter : elle lui répondit qu'elle n'avait que la Bible. Le prisonnier pria la geôlière de lui confier le livre saint. Adélaïde n'avait point oublié René, et lorsqu'il demanda une lampe pour passer la nuit, le gardien, adouci par les présents de la fille du gouverneur, ne refusa point cette lampe.

Le lendemain on trouva aux marges de la Bible quelques mots à peine lisibles. Auprès du quatrième verset du septième chapitre de l'Ecclésiastique[271], on déchiffrait ces mots :

« Comme cela est vrai ! *la tristesse du cœur est une plaie universelle !* Dans le chagrin toutes les parties du corps deviennent douloureuses ; les os meurtris ne trouvent plus de couche assez molle. Tout est triste pour le malheureux, tout saigne comme son cœur : *c'est une plaie universelle !* »

D'autres passages étaient commentés dans le même esprit.

Ce premier verset du dixième chapitre de Job, *mon âme est fatiguée de ma vie*, était souligné[272].

Une des furieuses tempêtes de l'équinoxe du printemps, s'était élevée pendant la nuit : les vents mugissaient ; les vagues du fleuve s'enflaient comme celles de la mer ; la pluie tombait en torrents. René crut distinguer des plaintes à travers le fracas de l'orage : il ferma la Bible, s'approcha de la fenêtre, écouta, et n'entendit plus rien. Comme il regagnait le fond de sa prison, les plaintes recommencèrent ; il retourna à la fenêtre : les accents de la voix d'une femme parviennent alors distinctement à son oreille. Il dérange la planche qui recouvrait la grille de la croisée, regarde à travers les barreaux, et à la lueur d'un réverbère agité par le vent, il croit distinguer une femme assise sur une borne en face de la prison : « Malheureuse créature ! lui cria René, pourquoi restez-vous exposée à l'orage ? Avez-vous besoin de quelques secours ? »

A peine avait-il prononcé ces mots, qu'il voit l'espèce de fantôme se lever et accourir sous la tourelle. Le frère d'Amélie reconnaît le vêtement d'une femme indienne ; une lueur mobile du réverbère vient en même temps éclairer le visage pâle de Céluta ; c'était elle ! René tombe à genoux, et d'une voix entrecoupée de sanglots : « Dieu tout-puissant, dit-il, sauve cette femme ! » Céluta a entendu la voix de René ; les entrailles de l'épouse et de la mère tressaillent de douleur et de joie. La sœur d'Outougamiz fut quelques moments sans pouvoir prononcer une parole ; recouvrant enfin la voix, elle s'écrie : « Guerrier, où es-tu ? je ne te vois pas dans l'ombre et à travers la pluie. Excuse-moi ; je t'importune ; je suis venue pour te servir. Voici ta fille.

— Femme, répondit René, c'est trop de vertu ! retire-toi ; cherche un abri ; n'expose pas ta vie et celle de ta fille. Oh ! qui t'a conduite ici ? »

Céluta répondit : « Ne crains rien, je suis forte : ne suis-je pas Indienne ? Si j'ai fait quelque chose qui te déplaise, punis-moi, mais ne me renvoie pas. »

Cette réponse brisa le cœur de René : « Ma bien-aimée, lui dit-il, ange de lumière, fuis cette terre de ténèbres ; tu es ici dans un antre où les hommes te dévoreront. Du moins pour le moment, tâche de trouver quelque retraite. Tu reviendras, si tu le veux, quand l'orage sera dissipé. »

Cette permission vainquit en apparence la résistance de Céluta. « Bénis ta fille, dit-elle à René, avant que je ne m'éloigne ; elle est faible : la pâture a manqué au petit oiseau, parce que son père n'a pu lui aller chercher des graines dans la savane. »

En disant cela, la mère ouvrit le méchant manteau chargé de pluie, sous lequel elle tenait sa fille abritée ; elle éleva l'innocente créature vers la tourelle, pour recevoir la bénédiction de René. René passa ses mains à travers les barreaux, les étendit sur la petite Amélie, et s'écria : « Enfant ! ta mère te reste. »

Céluta cacha de nouveau son trésor dans son sein, et feignit de se retirer ; mais elle n'essaya point de retourner aux pirogues qui l'avaient amenée, et elle s'arrêta à quelque distance de la prison.

Céluta, Mila et Outougamiz étaient arrivés au fort Rosalie au moment où Adario, après avoir étouffé son fils, venait d'être plongé dans les cachots : ils furent arrêtés, comme parents et complices du Sachem et de René. La colonie se croyait au moment d'être attaquée par les Natchez : on ne voyait que des hommes et des femmes occupés à mettre à l'abri les meubles et les troupeaux de leurs habitations, à élever des redoutes, à creuser des fossés, tandis que les soldats, sous les armes, occupaient toutes les avenues du fort. Le mouvement de la foule avait séparé Céluta de Mila et d'Outougamiz : celui-ci, en voulant défendre l'Indienne dont l'extrême gentillesse provoquait la grossièreté d'une troupe d'habitants débauchés, fut traité de la manière la plus barbare.

Chactas n'était plus au fort Rosalie quand la fille de Tabamica y vint chercher des renseignements sur le voyage de René. Les jeunes Sauvages avaient enlevé le

Sachem au milieu du tumulte, et l'avaient reporté aux Natchez ; mais Céluta retrouva son protecteur accoutumé. Le péril, qui paraissait imminent, avait forcé Chépar de lever les arrêts de d'Artaguette : le capitaine rencontra Céluta comme Fébriano la faisait traîner en prison, avec une espérance impure qu'il ne dissimulait point. « Je réclame ma sœur, dit d'Artaguette en poussant rudement Fébriano, j'en répondrai au commandant. Quant à vous, Monsieur, ajouta-t-il, en regardant le misérable soldat jusqu'au fond de l'âme, vous savez où me trouver. »

Après avoir conduit Céluta dans une maison au bord du fleuve, le capitaine envoya le grenadier Jacques chercher la négresse Glazirne, qui parlait la langue des Natchez. Cette pauvre femme accourut avec son enfant, et servit de truchement à une autre femme infortunée comme elle. D'Artaguette apprit alors à Céluta que René était descendu à la Nouvelle-Orléans, dans le dessein de solliciter la délivrance d'Adario. « Je ne l'ai pu retenir, dit-il, et peut-être n'ai-je qu'un moment pour vous sauver vous-même. Où voulez-vous aller ?

— Retrouver mon mari », répondit Céluta.

La négresse traduisit aisément ces simples paroles : la langue et le cœur des épouses sont les mêmes sous les palmiers de l'Afrique et sous les magnolias des Florides.

Des Yazous, qui se trouvaient au fort Rosalie, étaient prêts à se rendre à la Nouvelle-Orléans : d'Artaguette proposa à sa sœur adoptive de la confier à ces Sauvages ; elle accepta avec joie la proposition. Le capitaine lui donna un billet pour le général d'Artaguette, et un autre pour Harlay : il recommandait le couple infortuné à son frère et à son ami. Céluta s'embarqua sur les pirogues qui déployèrent au souffle du nord leurs voiles de jonc et de plumes.

La flottille des Yazous toucha à la Nouvelle-Orléans le jour même où le frère d'Amélie avait comparu devant le conseil. Céluta ne put descendre à terre que le soir : pour comble de malheur, elle avait perdu les billets du capitaine. La nièce d'Adario savait à peine quelques mots de français ; elle pria le chef indien, qui venait souvent à la Nouvelle-Orléans échanger des pelleteries contre des armes, de s'informer du sort de René. Le Sauvage n'alla pas loin sans apprendre ce que Céluta désirait connaître : il sut que le fils adoptif de Chactas était enfermé dans la hutte du sang[a], et qu'on lui devait casser la tête ; tel était le bruit populaire.

La fille de Tabamica, au lieu d'être abattue par ce récit, sentit son âme s'élever : celle qui, timide et réservée, rougissait à la seule vue d'un étranger, se trouva tout à coup le courage d'affronter une ville remplie d'hommes blancs ; elle demanda au chef sauvage s'il savait où était la hutte du sang, et s'il l'y pourrait conduire : sur la réponse affirmative du chef, Céluta, portant Amélie à son sein, suivit son guide. La nuit était déjà avancée et la pluie commençait à tomber lorsqu'ils arrivèrent au noir édifice. Le Yazou le montrant de la main à la femme Natchez lui dit : « Voilà ce que tu cherches », et la quittant, il retourna à ses pirogues.

Restée seule dans la rue, Céluta contemplait les hauts murs de la prison, ses tourelles, ses doubles portes, ses guichets surbaissés, ses fenêtres étroites défendues par des grilles ; demeure formidable qui avait déjà l'air antique de la douleur, sur cette terre nouvelle, dans une colonie d'un jour. Les Européens n'avaient point encore de tombeaux en Amérique, qu'ils y avaient déjà des cachots : c'étaient les seuls monuments du passé pour cette société sans aïeux et sans souvenirs.

Consternée à la vue de cette bastille[273], Céluta demeura d'abord immobile, puis frappa doucement à une porte ; le soldat de garde contraignit l'Indienne à se retirer. Elle fit le tour de la prison par des rues de plus en plus désertes : le ciel continuant à se charger de nuages, et les roulements de la foudre se multipliant, l'infortunée s'assit

a. La prison.

sur la borne où René l'aperçut du haut de la tour. Elle mit sa fille sur ses genoux, se pencha sur elle pour la garantir de la pluie et la réchauffer contre son cœur. Un violent coup de tonnerre ayant fait lever les yeux à Céluta, elle fut frappée d'un rayon de lumière qui s'échappait à travers une fenêtre grillée : par un instinct secret, elle ne cessa plus de regarder cette lumière qui éclairait l'objet d'un si tendre et si fidèle amour[274]. Plusieurs fois Céluta appela René ; les vents emportèrent ses cris. Ce fut alors qu'elle commença à chanter de longues chansons, dont l'air triste et les paroles plaintives lui servirent à la fois à se faire entendre de son mari et à endormir son enfant.

Cette pauvre jeune mère, après avoir été reconnue du frère d'Amélie, s'était retirée pour lui obéir. Elle languissait à quelque distance : ses membres étaient engourdis ; le froid et la pluie avaient pénétré jusqu'à sa fille qui se glaçait au sein maternel.

Céluta promenait des regards tristes sur ces déserts habités où pas une cabane ne s'ouvrait à ses misères, quand elle découvrit auprès d'elle une petite lueur qui semblait sortir de terre. Une trappe se leva ; une femme âgée mit la tête au soupirail pour voir si l'orage commençait à s'éloigner. Cette vieille aperçut Céluta. « Oh ! pauvre Indienne, s'écria-t-elle, descends vite ici. » Elle acheva d'ouvrir la trappe, et avançant une main ridée, elle aida l'épouse de René à descendre dans le caveau dont elle referma l'entrée.

Il n'y avait dans cette espèce de souterrain qu'un lit recouvert d'un lambeau de laine : une serge grossière, clouée à une poutre, servait de rideau à cette couche. Deux morceaux de bois vert, dans le milieu d'un large foyer, jetaient sans se consumer, de grosses fumées ; une lampe de fer suspendue à un crochet, brûlait dans le coin noirci de ce foyer. Une escabelle était placée devant un rouet dont la fusée de coton, annonçait le travail de la maîtresse de ce réduit[275].

La vieille femme jeta dans le feu quelques copeaux, et

prenant son escabelle, elle en voulut faire les honneurs à Céluta.

« Femme-Chef de la cabane profonde, dit l'Indienne, tu es une matrone ; tu dois être la lumière du conseil des guerriers blancs, si j'en juge par ton hospitalité. A toi appartient la natte ; moi je ne suis encore qu'une jeune mère. »

En disant cela, Céluta s'assit sur la pierre du foyer, débarrassa sa fille de ses langes trempés d'eau, et la présenta à la flamme.

« Bon ! voici un enfant à présent ! s'écrie la vieille dans la langue de la sœur d'Outougamiz. Tu es Natchez ? J'ai été longtemps aux Natchez ; mais, pauvre chétive créature, comme tu es mouillée ! que tu as l'air malade ! Et puis voilà un enfant ! »

Céluta fondit en larmes, en entendant des paroles si affectueuses prononcées dans la langue de son pays ; elle se jeta au cou de la matrone. « Attends, attends », dit celle-ci. Elle courut en trébuchant à son lit, en arracha la couverture qu'elle vint chauffer au feu, dépouilla malgré elle Céluta d'une partie de ses vêtements, et l'enveloppa avec le nourrisson dans la couverture brûlante.

« Vénérable femme blanche, aussi bonne que la femme noire du fort, disait Céluta, je suis bien malheureuse de ne t'avoir pas reçue dans ma cabane aux Natchez. »

La femme blanche n'écoutait pas ; elle préparait du lait dans une calebasse. Elle l'offrit à l'Indienne qui fut obligée d'y porter ses lèvres, afin de ne pas déplaire à son hôtesse.

La vieille prit alors la petite Amélie, et la déposa dans son tablier ; chantant d'une voix cassée, elle faisait danser devant la flamme l'enfant qui souriait. Céluta regardait ces jeux avec des yeux de mère, tandis que toutes ses pensées se reportaient vers son mari.

« Jacques était tout comme cela quand il était petit, dit la vieille, bon enfant ! ne pleurant jamais ! Il avait seulement les cheveux plus noirs que ceux de cette mignonne.

— Quel était ce Jacques, ma mère ? dit Céluta.

— Comment! reprit la vieille femme avec vivacité, Jacques, mon fils! tout le monde le connaît : un des plus beaux grenadiers qui soient dans les troupes du roi, et un des plus vaillants aussi. Le brave garçon! c'est lui qui me nourrit ; sans lui je ne pourrais pas vivre, car je suis trop vieille pour travailler. Je suis bien fâchée de n'avoir pas la dernière lettre que mon fils m'écrivait, je te la lirais : si le capitaine d'Artaguette savait ce que Jacques dit de lui, il serait bien fier. Ils ont été ensemble, Jacques et le capitaine, chercher un gentilhomme appelé René dans une grande caverne... »

Céluta interrompit cette effusion de la tendresse et de l'orgueil maternels, en jetant de nouveau ses beaux bras autour de son hôtesse. « Grand Esprit! s'écria-t-elle, en sanglotant, tu es la mère de ce pauvre guerrier, compagnon de mon frère d'Artaguette! C'est la mère de ce guerrier qui me reçoit dans sa cabane!

— Qu'as-tu? demanda la vieille. — Ce que j'ai, dit Céluta ; ne suis-je pas la femme de René ?

— Comment? s'écria à son tour la mère de Jacques, tu serais cette Céluta qui a sauvé le capitaine, et à cause de cela ils veulent tuer ton mari! » Le coup frappa Céluta au cœur : elle s'évanouit.

Ayant bientôt repris ses sens par les soins de sa charitable hôtesse, elle lui dit : « Femme blanche, voilà le jour ; laisse-moi retourner à la hutte du sang, je veux rejoindre mon mari. » La vieille trouva que c'était juste ; elle couvrit sa tête d'une petite cornette blanche, et ses épaules d'un petit mantelet rouge ; elle prit sa béquille dans sa main, et se prépara à conduire l'Indienne à la prison.

« Je ne te puis blâmer, disait-elle à Céluta : si Jacques fait quelque chose de bien, et qu'il soit envoyé aux galères, j'irai aussi avec lui. »

Céluta vêtue de nouveau de sa tunique indienne, et ayant enveloppé sa fille dans les peaux séchées, monta les degrés perpendiculaires qui conduisaient à la trappe ; la vieille la suivit avec peine : quand elles se trouvèrent dans la rue, l'orage était dissipé. Le soleil émergeant d'une nuit sombre, éclairait le fleuve, les campagnes et la ville, de même que sortirent de leur demeure ténébreuse, les deux merveilles de l'amour conjugal et de l'amour maternel.

« Nous touchons à la prison, dit la mère de Jacques, on ne t'en ouvrira pas la porte, et tu ne pourras pas parler à René : si tu m'en crois, nous irons plutôt chez le gouverneur. » Céluta se laissa conduire par sa vénérable hôtesse.

Elles se mirent en route. Chemin faisant elles entendirent un bruit confus de cloches et de musique : la vieille se signa pour l'agonie que sonnait la cloche, et s'avança vers le palais du gouvernement, où la musique annonçait une fête.

En réjouissance du mariage prochain d'Adélaïde avec le défenseur de René, un bal avait été donné malgré le procès du frère d'Amélie et l'orage de la nuit : il était dans le caractère du gouverneur de ne rien changer aux choses préparées, quels que fussent les événements. Le bal durait encore, lorsque le jour parut. La mère de Jacques et Céluta entrèrent dans les premières cours du palais ; les esclaves blancs et noirs qui attendaient leurs maîtres, s'attroupèrent autour des étrangères : les éclats de rire et les insultes furent prodigués à l'infortune et à la jeunesse qui se présentaient sous la protection de la vieillesse et de l'indigence. « Si Jacques était ici, disait la vieille, comme il vous obligerait à me faire place ! »

Les deux femmes pénétrèrent avec peine jusqu'aux soldats de garde aux portes : ils reconnurent la mère de leur camarade et la laissèrent passer. Plus loin elle fut arrêtée de nouveau par le concierge. La fête finissait ; on commençait à sortir du palais : Adélaïde se montra à une fenêtre avec Harlay ; le couple généreux parlait avec vivacité et semblait oublier la fête ; en jetant les yeux dans la cour, il aperçut les étrangères repoussées par le concierge. Le vêtement indien frappa Adélaïde, qui fit signe à la vieille de s'approcher sous le balcon : « Ma jeune dame, dit la mère de Jacques, c'est la femme de

René qui veut parler à votre père, et l'on ne nous veut pas laisser entrer.

— La femme du prisonnier! s'écria Adélaïde, cette jeune Sauvage qui a sauvé le capitaine d'Artaguette! » Adélaïde, obéissant aux mouvements de son bon cœur, ouvre les portes, et, dans toute la parure du bal d'un brillant hyménée, se précipite au-devant de la malheureuse Céluta[276]. L'Indienne lui présentait sa fille et lui disait : « Jeune femme blanche, le Grand Esprit vous bénira : vous aurez un petit guerrier qui sera plus heureux que ma fille.

— Que je suis fâchée de ne pas la comprendre! disait Adélaïde : je n'ai jamais entendu une plus douce voix. »

Dans la pompe de ses adversités, Céluta paraissait d'une beauté divine : son front pâli était ombragé de ses cheveux noirs ; ses grands yeux exprimaient l'amour et la mélancolie ; son enfant, qu'elle portait avec grâce sur son sein, montrait son visage riant auprès du visage attristé de sa mère : le malheur, l'innocence et la vertu ne se sont jamais prêté tant de charmes.

Tandis qu'on se pressait autour de Céluta, on entendit au dehors prononcer ces mots dans la foule : « Vous ne passerez pas! » Une voix d'homme répondait à des menaces, mais dans une langue inconnue. Le mouvement s'accroît ; un Sauvage, défendant une femme, se débat au milieu des soldats, et poussé et repoussé arrive jusqu'à la porte du palais. Il disait, les yeux étincelants :

« Je suis venu chercher mon ami par l'ordre de ce Manitou (et il montrait une chaîne d'or) ; je ne veux faire de mal à personne. Mais est-il ici un guerrier qui m'ose empêcher de passer ?

— Mon frère! s'écria Céluta.

— Oh! bien! dit Mila : Outougamiz, voici ta sœur! »

La mère de Jacques expliquait ce colloque à Adélaïde qui fit entrer tous ces Sauvages dans le palais.

« Bon Manitou! disait Mila en embrassant son amie, que je hais ces chairs blanches! Nous avons frappé à leurs cabanes pour demander l'hospitalité, et on nous a presque battus. Et puis de grandes huttes si larges ! si vilaines ! des guerriers si sauvages !

— Tu parles trop, dit Outougamiz. Cherchons Ononthio[a] ; il faut qu'il me rende mon ami à l'instant. »

Outougamiz quitte Céluta, et, suivi de Mila, fend la presse à travers les salles. Les spectateurs regardaient avec surprise ce couple singulier qui, occupé d'un sentiment unique, n'avait pas l'air d'être plus étonné au milieu de ce monde nouveau, que s'il eût été dans ses bois.

« Ne me déclarez pas la guerre, disait Outougamiz en avançant toujours, vous vous en repentiriez. » Faisant tourner son casse-tête, il ouvrait à Mila un large chemin. La confusion devient générale : la musique se tait, le bal cesse, les femmes fuient. Le roulement des carrosses qui veulent s'éloigner, le bruit du tambour qui rappelle les soldats, la voix des officiers qui font prendre les armes, ajoutent au sentiment de terreur et augmentent le désordre. Adélaïde, la mère de Jacques, Céluta, Mila, Outougamiz, sont emportés et séparés par la foule : le gouverneur montra un grand ressentiment de cette scène.

Le conseil de guerre s'était assemblé afin de prononcer l'arrêt qui devait être lu à René dans la prison. Les charges examinées de nouveau ne parurent pas suffisantes pour motiver la peine de mort, mais le frère d'Amélie fut condamné à être transporté en France, comme perturbateur du repos de la colonie. Un vaisseau du roi devait mettre à la voile dans quelques heures ; le gouverneur irrité du bruit dont René avait été l'objet, ordonna d'exécuter sur-le-champ la sentence et de transporter le prisonnier à bord de la frégate.

René connut presque à la fois le jugement qui le condamnait à sortir de la Louisiane, et l'ordre de l'exécution immédiate de ce jugement : il se serait réjoui de mourir, il fut consterné d'être banni. Renvoyer en France

a. Le gouverneur.

le frère d'Amélie, c'était le reporter à la source de ses maux. Cet homme, étranger sur ce globe, cherchait en vain un coin de terre où il pût reposer sa tête : partout où il s'était montré, il avait créé des misères. Que retrouverait-il en Europe ? une femme malheureuse. Que laisserait-il en Amérique ? une femme malheureuse. Dans le monde et dans le désert son passage avait été marqué par des souffrances. La fatalité qui s'attachait à ses pas le repoussait des deux hémisphères ; il ne pouvait aborder à un rivage qu'il n'y soulevât des tempêtes : sans patrie entre deux patries, à cette âme isolée, immense, orageuse, il ne restait d'abri que l'Océan[277].

En vain René demanda à ne pas subir le supplice de l'existence ; en vain il sollicita la commutation de la peine de vivre en un miséricordieux arrêt de mort : on ne l'écouta point. Il désira parler à Céluta ; on n'admit pas que cette Indienne fût sa femme légitime ; on lui refusa toute communication avec elle pour abréger des scènes qui troublaient, disait-on, la tranquillité publique.

L'arrivée d'une troupe d'Yazous, suivie de celle d'Outougamiz, avait donné lieu à mille bruits : on prétendait que des Sauvages s'étaient introduits en grand nombre dans la ville avec le dessein de délivrer leur chef, le guerrier blanc. Ces bruits parurent assez inquiétants au gouverneur, pour qu'il fît border d'infanterie et de cavalerie la route que René devait suivre en se rendant de la prison au fleuve.

Le palais du gouvernement n'était pas loin de la prison : Céluta suivant le cours de la foule, se retrouva bientôt devant le sombre édifice dont le souvenir était trop bien gravé dans sa mémoire. Là, le torrent populaire s'était élargi et arrêté ; Céluta ignorait ce qui se passait ; mais en voyant cette multitude autour de la hutte du sang, elle comprit qu'un nouveau désastre menaçait la tête de René. Repoussée d'un peuple ennemi des Sauvages, elle ne trouva de pitié que chez les soldats ; ils la laissèrent entrer dans leurs rangs : les mains armées sont presque toujours généreuses ; rien n'est plus ami de l'infortune que la gloire.

Deux heures s'étaient écoulées de cette sorte, lorsqu'un mouvement général annonça la translation du prisonnier. Un piquet de dragons, le sabre nu, sort de la cour intérieure de la prison ; il est suivi d'un détachement d'infanterie, et derrière ce détachement, entre d'autres soldats, marche le frère d'Amélie.

Céluta s'élance et tombe aux pieds de son mari avec son enfant ; René se penche sur elles, les bénit de nouveau ; mais la voix lui manque pour dire un dernier adieu à la fille et à la mère. Le cortège s'arrête, les larmes coulent des yeux des soldats. Céluta se relève, entoure René de ses bras, et s'écrie : « Où menez-vous ce guerrier ? pourquoi m'empêcheriez-vous de le suivre ? son pays n'est-il pas le mien ?

— Ma Céluta, disait René, retourne dans tes forêts, va embellir de ta vertu quelque solitude que les Européens n'aient point souillée ; laisse-moi supporter mon sort, je ne te l'ai déjà que trop fait partager.

— Voilà mes mains, répondit Céluta : qu'on les charge de fers ; que l'on me force, comme Adario, à labourer le sillon : je serai heureuse si René est à mes côtés. Prends pitié de ta fille ; je l'ai portée dans mon sein. Permets que je te suive comme ton esclave, comme la femme noire des blancs. Me refuseras-tu cette grâce ? »

Cette scène commençait à attendrir la foule impitoyable qui, un moment auparavant, trouvait la sentence trop douce, et qui aurait salué avec des hurlements de joie le supplice de René. Le commissaire chargé de faire exécuter l'arrêt du conseil, ordonne de séparer les deux époux et de continuer la marche ; mais un Sauvage se courbant et passant sous le ventre des chevaux se réunit au couple infortuné et s'écrie : « Me voici encore ! Je l'ai sauvé des Illinois, je le sauverai bien de vos mains, guerriers de la chair blanche !

— C'est vrai, dit Mila sortant à son tour de la foule.

— Et si Jacques était ici, dit une vieille femme, tout cela ne serait pas arrivé[278]. »

Forcés, à regret, d'obéir, les militaires écartèrent Céluta, Mila, Outougamiz et la mère de Jacques : René est conduit au rivage du Meschacebé. La chaloupe de la frégate que montaient douze forts matelots, et que gardaient des soldats de marine, attendait le prisonnier : on l'y fait entrer. Au coup de sifflet du pilote, les douze matelots enfoncent à la fois leurs rames dans le fleuve : la chaloupe glisse sur les vagues, comme la pierre aplatie, qui, lancée par la main d'un enfant, frappe le flot, se relève, bondit et rebondit en effleurant la surface de l'onde.

Céluta s'était traînée sur le quai. Une frégate était mouillée au milieu du Meschacebé ; virée à pic sur une ancre, elle plongeait un peu la proue dans le fleuve : son pavillon flottait au grand mât ; ses voiles étaient à demi déferlées : on apercevait des matelots sur toutes les vergues et de grands mouvements sur le pont. La chaloupe accoste le vaisseau : tous ceux qui étaient dans cette chaloupe montent à bord ; la chaloupe elle-même est enlevée et suspendue à la poupe du bâtiment. Une lumière et une fumée sortent soudain de la frégate, et le coup de canon du départ retentit : de longues acclamations y répondent du rivage. Céluta avait aperçu René : elle tombe évanouie sur des balles de marchandises qui couvraient le quai.

Ce fut alors qu'un Sauvage s'élança dans le Meschacebé, s'efforçant de suivre à la nage le vaisseau qui fuyait devant une forte brise, tandis qu'une Indienne se débattait entre les bras de ceux qui la retenaient, pour l'empêcher de se précipiter dans les flots.

Un murmure lointain se fait entendre ; il approche : la foule qui commençait à se disperser se rassemble de nouveau. Voici venir un officier qui disait à des soldats : « Où est-elle ? où est-elle ? » et ils répondaient : « Ici, mon capitaine », lui montrant Céluta sur les ballots. D'Arta-guette se précipite aux genoux de Céluta. « Femme, s'écria-t-il, que ton âme, au séjour de paix qu'elle habite, reçoive les vœux de celui qui te doit la vie et que tu honorais du nom de frère ! »

A ces paroles, les soldats mettent un genou en terre comme leur capitaine ; la multitude, emportée par ce sentiment du beau qui touche quelquefois les âmes les plus communes, se prosterne à son tour et prie pour l'Indienne : le bruit du fleuve qui battait ses rives accompagnait cette prière, et la main de Dieu pesait sur la tête de tant d'hommes involontairement humiliés aux pieds de la vertu.

Céluta ne donnait aucun signe de vie ; la profonde léthargie dans laquelle elle était plongée, ressemblait absolument à la mort ; mais sa fille vivait sur son sein et semblait communiquer quelque chaleur au cœur de sa mère. L'épouse de René avait la tête penchée sur le front d'Amélie, comme si, en voulant donner un dernier baiser à son enfant, elle eût expiré dans cet acte maternel.

En ce moment on vint dire à d'Artaguette qu'il y avait là tout auprès, une autre Indienne qui ne cessait de pleurer. « C'est Mila ! s'écria le capitaine ; qu'on lui dise mon nom, et elle va venir. » Les soldats apportent dans leurs bras Mila échevelée, le visage meurtri, les habits déchirés. Elle n'eut pas plus tôt reconnu d'Artaguette qu'elle se jeta dans son sein s'écriant : « C'est lui qui est une bonne chair blanche ! Il ne m'empêchera pas de mourir », et suspendant ses bras au cou du capitaine, elle se serrait fortement contre lui.

Mais tout à coup elle aperçoit Céluta, elle quitte d'Artaguette, se précipite sur son amie, en disant : « Céluta ! ma mère ! meilleure que ma mère ! sœur d'Outougamiz ! femme de René ! voici Mila ! elle est seule ! Comment vais-je faire pour enterrer tes os, car tu n'es pas aux Natchez ? Il n'y a ici que des méchants qui n'entendent rien aux tombeaux. »

Les soldats firent alors un mouvement : ils répétaient tous ces mots : « Entrez, entrez, notre mère. » Et la mère de Jacques avec sa cornette blanche, son manteau d'écarlate et sa béquille, s'avança dans le cercle des grenadiers.

« Mon capitaine, dit-elle à d'Artaguette, voici la mère de Jacques, qui vient aussi voir ce que c'est que tout ceci. Je suis bien vieille pourtant, comme dit le conseiller Harlay qui est un honnête homme, et Dieu soit loué ! car il n'y en a guère. »

La vieille avisant Céluta : « Bon Dieu ! n'est-ce pas là la jeune femme à qui j'ai donné à manger cette nuit ? Comme elle parlait de vous, mon capitaine ! — Pauvre vieille créature ! dit d'Artaguette, seule dans toute une ville, recevoir, réchauffer, nourrir Céluta ! et toi-même nourrie de la paye de ce digne soldat ! »

La mère de Jacques examinait attentivement Céluta ; elle prit une de ses mains. « Retire-toi, matrone blanche, lui dit Mila : tu ne sais pas pleurer.

— Je le sais aussi bien que toi, repartit en natchez la vénérable Française.

— Magicienne, s'écria Mila effrayée, qui t'a appris la langue des chairs rouges ?

— Capitaine, dit la mère de Jacques sans écouter Mila, cette jeune femme n'est pas morte : vite du secours ! » Mille voix répètent : « Elle n'est pas morte ! »

Céluta donnait en effet quelques signes de vie. « Allons, grenadiers, dit la vieille à qui on laissait tout faire, il faut sauver cette femme qui a sauvé votre capitaine ; portons la mère et l'enfant chez le général d'Artaguette. »

Un dragon prêta son manteau ; on y coucha Céluta ; Mila prit dans ses bras la petite Amélie, et ne pleurait plus qu'Outougamiz et René. Des soldats soulevant le manteau par les quatre coins enlevèrent doucement la fille de Tabamica ; le cortège se mit en marche.

Le soleil, qui se couchait, couvrait d'un réseau d'or les savanes et la cime aplatie des cyprières sur la rive occidentale du fleuve ; sur la rive orientale, la métropole de la Louisiane opposait ses vitrages étincelants aux derniers feux du jour : les clochers s'élevaient au-dessus des ondes, comme des flèches de feu. Le Meschacebé roulait entre ces deux tableaux ses vagues de rose, tandis que les pirogues des Sauvages et les vaisseaux des Européens présentaient aux regards leurs mâts ou leurs voiles teints de la pourpre du soir[279].

Déposée sur une couche, dans un salon de l'habitation du frère du capitaine d'Artaguette, Céluta ne parlait point encore ; ses yeux entrouverts étaient enveloppés d'une ombre qui leur dérobait la lumière. Des cris prolongés de *Vive le Roi !* se font entendre au-dehors ; la porte de la salle s'ouvre avec fracas : le grenadier Jacques, tête nue, sans habit, les reins serrés d'une forte ceinture, paraît. « Les voici », dit-il. René entre avec Outougamiz : personne ne pouvait parler dans le saisissement de l'étonnement et de la joie.

« Mon capitaine, reprit le grenadier, adressant la parole à d'Artaguette, j'ai exécuté vos ordres ; mais on m'a remis les paquets trop tard ; la frégate était partie. J'ai couru le plus vite que j'ai pu à travers le marais, afin de la rejoindre au Grand Détour : heureusement elle avait été obligée de laisser tomber l'ancre, le vent étant devenu contraire. Je me suis jeté à la nage pour aller à bord, et j'ai rencontré au milieu du fleuve ce terrible Sauvage que j'avais vu au combat du fort Rosalie ; il était prêt à se noyer quand je suis arrivé à lui. »

Mila a volé dans les bras d'Outougamiz ; René est auprès de Céluta ; Jacques soutient sa vieille mère, qui lui essuie le front et les cheveux ; Adélaïde et Harlay se viennent joindre à leurs amis.

Céluta commençait à faire entendre quelques paroles inarticulées d'une douceur extrême. « Elle vient de la patrie des Anges, dit le capitaine ; elle en a rapporté le langage. » Mila, qui regardait Adélaïde, disait : « C'est Céluta ressuscitée en femme blanche. » Tous les cœurs étaient pleins des plus beaux sentiments[280] : la religion, l'amour, l'amitié, la reconnaissance se mêlaient à ce soulagement, qui suit une grande douleur passée. Ce n'était pas, il est vrai, un retour complet au bonheur, mais c'était un coup de soleil à travers les nuages de la tempête. L'âme de l'homme, si sujette à l'espérance, saisissait avec avidité ce rayon de lumière, hélas trop rapide ! « Tout le monde pleure encore ! disait Mila ; mais c'est comme si l'on riait. »

Ces rencontres en apparence si mystérieuses s'expliquaient avec une grande simplicité. Le capitaine d'Artaguette avait tour à tour sauvé et délivré au fort Rosalie René, Céluta, Mila et Outougamiz ; Céluta, Mila et Outougamiz avaient suivi René à la Nouvelle-Orléans, tous trois entraînés par le dévouement au malheur, tous trois arrivés à quelques heures de distance les uns des autres, pour se mêler à des scènes de deuil et d'oppression.

D'une autre part, Ondouré s'était vu au moment d'être pris dans ses propres pièges : s'il avait désiré une attaque de Chépar contre Adario et Chactas, pour se délivrer du joug de ces deux vieillards, il ne s'attendait pas à la scène que produisit l'esclavage du premier Sachem. Il craignit que ces violences en amenant une rupture trop prompte entre les Français et les Sauvages, ne fissent avorter tout son plan. Dans cette extrémité, l'édile, fécond en ressources, se hâta d'offrir l'abandon des terres pour le rachat de la liberté d'Adario ; Chépar accepta l'échange, et d'Artaguette fut chargé de porter la convention à la Nouvelle-Orléans.

Le capitaine arriva à l'instant même où le conseil venait de prononcer la sentence contre René. D'Artaguette, après avoir annoncé au gouverneur la pacification des troubles, réclama le prisonnier comme son ami et comme son frère. Il montra des lettres d'Europe qui prouvaient que René tenait à une famille puissante[281]. Cette découverte agit plus que toute autre considération sur un homme à la fois prudent et ambitieux.

« Si vous croyez, dit le gouverneur au capitaine, qu'on a trop précipité cette affaire, il est encore temps d'envoyer un contrordre ; mais qu'on ne me parle plus de ce René, en faveur duquel Harlay et Adélaïde n'ont cessé de m'importuner depuis trois jours. »

La cédule pour l'élargissement du prisonnier fut signée ; mais délivrée trop tard, elle serait devenue inutile sans le dévouement du grenadier Jacques : le capitaine avait amené avec lui ce fidèle militaire. Tandis que celui-ci suivait la frégate, d'Artaguette, instruit de toutes les circonstances de l'apparition de Céluta, de Mila et d'Outougamiz, s'empressa de chercher ces infortunés : il fut ainsi conduit par les soldats au lieu où il trouva Céluta expirante.

Le bonheur, ou ce qui semblait être le bonheur comparé aux maux de la veille, rendit à l'épouse de René, sinon toutes ses forces, du moins tout son amour. Le capitaine d'Artaguette et le général son frère se proposèrent de donner à leurs amis une petite fête, bien différente de celle qu'avait entrevue Céluta au palais du gouverneur. Adélaïde et Harlay y furent invités les premiers ; Jacques et sa mère étaient du nombre des convives. La riante *villa* du général avait été livrée à ses hôtes, et Mila et Outougamiz s'en étaient emparés comme de leur cabane.

Le simple couple n'avait pas plus tôt vu tout le monde heureux, qu'il ne s'était plus souvenu de personne : après avoir parcouru les appartements et s'être miré dans les glaces, il s'était retiré dans un cabinet rempli de toutes les parures d'une femme.

« Eh bien ! dit Mila, que penses-tu de cette grande hutte ?

— Moi, dit Outougamiz, je n'en pense rien.

— Comment ! tu n'en penses rien ? répliqua Mila en colère.

— Écoute, dit Outougamiz, tu parles maintenant comme une chair blanche, et je ne t'entends plus. Tu sais que je n'ai point d'esprit : quand René est fait prisonnier par les Illinois ou par les Français, je m'en vais le chercher. Je n'ai pas besoin de penser pour cela ; je ne veux point penser du tout, car je crois que c'est là le mauvais Manitou de René.

— Outougamiz, dit Mila en croisant les bras et s'asseyant sur le tapis, tu me fais mourir de honte parmi toutes ces chairs blanches ; il faut que je te remmène bien vite. J'ai fait là une belle chose de te suivre ! Que dira ma mère ? Mais tu m'épouseras, n'est-ce pas ?

— Sans doute, dit Outougamiz, mais dans ma cabane et non pas dans cette grande vilaine hutte. As-tu vu ce Sachem à la robe noire, qui était pendu au mur, qui ne remuait point, et qui me suivait toujours des yeux[a] ?

— C'est un Esprit, répondit Mila. La grande salle où je me voyais quatre fois[b], me plaît assez : elle n'est cependant bonne que pour les Blancs, chez lesquels il y a plus de corps que d'âmes.

— N'est-ce pas de la salle des ombres dont tu veux parler ? dit Outougamiz. Elle ne me plaît point du tout à moi : je voyais plusieurs Mila, et je ne savais laquelle aimer. Retournons à nos bois, nous ne sommes pas bien ici.

— Tu as raison, dit Mila, et j'ai peur d'être jugée comme René.

— Comment jugée ? s'écria Outougamiz. — Bon, repartit Mila, est-ce que je ne t'aime pas ? est-ce que je n'ai pas pitié de ceux qui souffrent ? est-ce que je ne suis pas juste, belle, noble, désintéressée ? N'en voilà-t-il pas assez pour me faire juger et mourir, puisque c'est pour cela qu'ils voulaient casser la tête à René ?

— Partons, Mila ! dit Outougamiz. Léger nuage de la lune des fleurs ! le matin ne te colorerait point ici dans un ciel bleu ; tu ne répandrais point la rosée sur l'herbe du vallon ; tu ne te balancerais point sur les brises parfumées. Sous le ciel nébuleux des chairs blanches, tu

_____

a. Un portrait.
b. Des glaces.

304

demeurerais sombre ; la pluie de l'orage tomberait de ton sein, et tu serais déchirée par le vent des tempêtes. »

Mila se souvint que l'heure du festin approchait. On lui avait dit que tout ce qui était dans le cabinet était pour elle : elle se plaça devant une glace, essayant les robes qu'elle ne savait comment arranger ; elle finit cependant par se composer, avec des voiles, des plumes, des rubans et des fleurs, un habillement que n'aurait pas repoussé la Grèce. Suivie d'Outougamiz avec un mélange d'orgueil et de timidité, elle se rendit à la salle du festin.

Céluta était aussi parée, mais parée à la manière des Indiennes : elle avait refusé un vêtement européen malgré les prières d'Adélaïde. Sur un lit de repos, elle recevait les marques de bienveillance qu'on lui prodiguait, avec une confusion charmante, mais sans cet air d'infériorité que donne chez les peuples civilisés une éducation servile : elle n'avait au visage que cette rougeur que les bienfaits font monter d'un cœur reconnaissant sur un front ouvert.

Mila fit la joie du festin. Tous les yeux étaient fixés avec admiration sur Outougamiz, dont René avait raconté les miracles.

« Comme il ressemble à sa sœur ! disait Adélaïde qui ne se lassait point de le regarder. Quel frère et quelle sœur ! » répétait-elle. A ces noms de frère et de sœur, René avait baissé la tête.

« Mila la blanche, dit la future épouse d'Outougamiz à Adélaïde, tu ris, mais j'ai cependant noué ma ceinture aussi bien que toi. » René servait d'interprète. Adélaïde fit demander à Mila pourquoi elle l'appelait Mila la blanche. Mila posa la main sur le cœur de Harlay son voisin, ensuite sur celui d'Adélaïde qui rougissait, et elle se prit à rire : « Bon, s'écria-t-elle, demande-moi encore pourquoi je t'appelle Mila la blanche ! Voilà comme je rougis quand je regarde Outougamiz. »

On ne brise point la chaîne de sa destinée : pendant le repas, d'Artaguette reçut une lettre du fort Rosalie. Cette lettre écrite par le père Souël, momentanément revenu aux Natchez, avertissait le capitaine qu'une nouvelle dénonciation contre René venait d'être envoyée au gouverneur général ; que malgré la délivrance d'Adario, on conservait de grandes inquiétudes ; que divers messagers étaient partis des Natchez dans un dessein inconnu ; qu'Ondouré accusait Chactas et Adario de l'envoi des messagers, tandis qu'il était probable que ces négociations secrètes avec les nations indiennes, étaient l'œuvre même d'Ondouré et de la Femme-Chef. Le père Souël ajoutait que si René avait été rendu à la liberté, il lui conseillait de ne pas rester un seul moment à la Nouvelle-Orléans, où ses jours ne lui paraissaient pas en sûreté.

D'Artaguette, après le repas, communiqua cette lettre à René, et l'invita à retourner sur-le-champ aux Natchez. « Moi-même, dit-il, je partirai incessamment pour le fort Rosalie ; ainsi nous allons bientôt nous retrouver. Quant à Céluta, vous n'avez plus rien à craindre, il lui serait impossible dans ce moment de vous suivre, mais mon frère, Adélaïde et Harlay lui serviront de famille ; lorsqu'elle sera guérie, elle reprendra le chemin de son pays : vous la pourrez venir chercher vous-même à quelque distance de la Nouvelle-Orléans. »

René voulait apprendre son départ à Céluta : le médecin s'y opposa, disant qu'elle était hors d'état de soutenir une émotion violente et prolongée. Le capitaine se chargea d'annoncer à sa sœur indienne la triste nouvelle, quand René serait déjà loin : il se flattait de rendre le coup moins rude par toutes les précautions de l'amitié.

Avant de quitter la Nouvelle-Orléans, le frère d'Amélie remercia ses hôtes, Jacques et sa mère, le général d'Artaguette, Adélaïde et Harlay. « Je suis sans doute, leur dit-il, un homme étrange à vos yeux ; mais peut-être que mon souvenir vous sera moins pénible que ma présence. »

René se rendit ensuite auprès de sa femme ; il la trouva presque heureuse ; elle tenait son enfant endormi sur son sein. Il serra la mère et la fille contre son cœur avec un attendrissement qui ne lui était pas ordinaire : reverrait-il jamais Céluta ? quand et dans quelles circonstances la reverrait-il ? Rien n'était plus déchirant à contempler que ce bonheur de Céluta : elle en avait si peu joui ! et elle semblait le goûter au moment d'une séparation qui pouvait être éternelle ! L'Indienne, elle-même, effrayée des étreintes affectueuses de son mari, lui dit : « Me faites-vous des adieux ? » Le frère d'Amélie ne lui répondit rien : malheur à qui était pressé dans les bras de cet homme ! il étouffait la félicité.

Dès la nuit même René quitta la Nouvelle-Orléans avec Outougamiz et Mila. Ils remontèrent le fleuve dans un canot indien : en arrivant aux Natchez, un spectacle inattendu se présenta à leurs regards.

Des colons poussaient tranquillement leurs défrichements jusqu'au centre du grand village, et autour du temple du soleil ; des Sauvages les regardaient travailler avec indifférence, et semblaient avoir abandonné à l'étranger la terre où reposaient les os de leurs aïeux.

Les trois voyageurs virent Adario qui passait à quelque distance ; ils coururent à lui : au bruit de leurs pas, le Sachem tourna la tête, et fit un mouvement d'horreur en apercevant le frère d'Amélie. Le vieillard frappa dans la main de son neveu, mais refusa de prendre la main du mari de sa nièce : René venait d'offrir sa vie pour racheter celle d'Adario !

« Mon oncle, dit Outougamiz, veux-tu que je casse la tête à ces étrangers qui sèment dans le champ de la patrie ? — Tout est arrangé », répondit Adario d'une voix sombre, et il s'enfonça dans un bois.

Outougamiz dit à Mila : « Les Sachems ont tout arrangé, il ne reste plus à faire que notre mariage. » Mila retourna chez ses parents dont elle eut à soutenir la colère ; elle les apaisa, en leur apprenant qu'elle allait épouser Outougamiz. René se rendit à la cabane de Chactas : le Sachem était au moment de partir pour une mission près des Anglais de la Géorgie.

Devenu le maître de la nation, Ondouré avait dérobé à Chactas la connaissance d'un projet que la vertu de ce Sachem eût repoussé ; il éloignait l'homme vénérable, afin qu'il ne se trouvât pas au conseil général des Indiens, où le plan du conspirateur devait être développé.

Le noble et incompréhensible René garda avec Chactas et le reste des Natchez, un profond silence sur ce qu'il avait fait pour Adario ; il ne lui resta de sa bonne action que les dangers auxquels il s'était exposé. Le frère d'Amélie se contenta de parler à son père adoptif de la surprise qu'il avait éprouvée, en voyant les Français promener leur charrue aux environs des Bocages de la Mort : le vieillard apprit à René que cet abandon des terres était le prix de la délivrance d'Adario. Chactas ne connaissait pas la profondeur des desseins d'Ondouré ; il ignorait que la concession des champs des Natchez avait pour but de séparer les colons les uns des autres, de les attirer au milieu du pays ennemi, et de rendre ainsi leur extermination plus facile. Par cette combinaison infernale, Ondouré, en délivrant Adario, gagnait l'affection des Natchez, de même qu'il obtenait la confiance des Français, en leur payant la rançon d'Adario ; rançon qui leur devait être si funeste.

« Au reste, dit Chactas à René, les Sachems m'ont commandé une longue absence : ils prétendent que mon expérience peut être utile dans une négociation avec des Européens. Mon grand âge et ma cécité ne peuvent servir de prétexte pour refuser cette mission : plus on me suppose d'autorité, plus je dois l'exemple de la soumission, à une époque où personne n'obéit. Que ferais-je ici ? Le Grand Chef a disparu, le malheur a rendu Adario intraitable, ma voix n'est plus écoutée, une génération indocile s'est élevée, et méprise les conseils des vieillards. On se cache de moi, on me dérobe des secrets : puissent-ils ne pas causer la ruine de ma patrie !

« Toi, René, conserve ta vie pour la nation qui t'a adopté ; écarte de ton cœur les passions que tu te plais à y nourrir ; tu peux voir encore d'heureux jours. Moi je touche au terme de la course. En achevant mon pèlerinage ici-bas, je vais traverser les déserts où je l'ai commencé, ces déserts que j'ai parcourus, il y a soixante ans, avec Atala[282]. Séparé de mes passions et de mes premiers malheurs par un si long intervalle, mes yeux fermés ne pourront pas même voir les forêts nouvelles qui recouvrent mes anciennes traces et celles de la fille de Lopez. Rien de ce qui existait au moment de ma captivité chez les Muscogulges, n'existe aujourd'hui ; le monde que j'ai connu est passé : je ne suis plus que le dernier arbre d'une vieille futaie tombée ; arbre que le temps a oublié d'abattre[283]. »

René sortit de chez son père le cœur serré, et présageant de nouveaux malheurs. Arrivé à sa cabane, il la trouva dévastée ; il s'assit sur une gerbe de roseaux séchés, dans un coin du foyer dont le vent avait dispersé les cendres. Pensif, il rappelait tristement ses chagrins dans sa mémoire, lorsqu'un nègre lui apporta une lettre de la part du père Souël : ce missionnaire était encore retenu pour quelques jours au fort Rosalie. La lettre venait de France ; elle était de la Supérieure du couvent de... ; elle apprenait à René la mort de la sœur Amélie de la Miséricorde[284].

Cette nouvelle, reçue dans une solitude profonde, au milieu des débris de la cabane abandonnée de Céluta, réveilla au fond du cœur du malheureux jeune homme des souvenirs si poignants, qu'il éprouva, pendant quelques instants, un véritable délire. Il se mit à courir à travers les bois comme un insensé. Le père Souël, qui le rencontra, s'empressa d'aller chercher Chactas ; le sage vieillard et le grave religieux parvinrent un peu à calmer la douleur du frère d'Amélie. A force de prières, le Sachem obtint de la bouche de l'infortuné, un récit longtemps demandé en vain. René prit jour avec Chactas et le père Souël, pour leur raconter les sentiments secrets de son âme. Il

309

donna le bras au Sachem qu'il conduisit, au lever de l'aurore, sous un sassafras, au bord du Meschacebé ; le missionnaire ne tarda pas à arriver au rendez-vous. Assis entre ses deux vieux amis, le frère d'Amélie leur révéla la mystérieuse douleur qui avait empoisonné son existence[a].

a. Ici se trouvait le récit de René. Voyez l'épisode de *René.*

RENÉ

En arrivant chez les Natchez, René[285] avait été obligé de prendre une épouse, pour se conformer aux mœurs des Indiens, mais il ne vivait point avec elle[286]. Un penchant mélancolique l'entraînait au fond des bois ; il y passait seul des journées entières[287], et semblait sauvage parmi les Sauvages. Hors Chactas, son père adoptif, et le père Souël[288], missionnaire au fort Rosalie[a], il avait renoncé au commerce des hommes. Ces deux vieillards avaient pris beaucoup d'empire sur son cœur : le premier, par une indulgence aimable ; l'autre, au contraire, par une extrême sévérité. Depuis la chasse du castor[289], où le Sachem aveugle raconta ses aventures à René, celui-ci n'avait jamais voulu parler des siennes. Cependant Chactas et le missionnaire désiraient vivement connaître par quel malheur un Européen bien né avait été conduit à l'étrange résolution de s'ensevelir dans les déserts de la Louisiane[290]. René avait toujours donné pour motifs de ses refus, le peu d'intérêt de son histoire qui se bornait, disait-il, à celle de ses pensées et de ses sentiments. « Quant à l'événement qui m'a déterminé à passer en Amérique, ajoutait-il, je le dois ensevelir dans un éternel oubli. »

Quelques années s'écoulèrent de la sorte, sans que les deux vieillards lui pussent arracher son secret. Une lettre qu'il reçut d'Europe, par le bureau des Missions étran-

a. Colonie française aux Natchez.

gères, redoubla tellement sa tristesse, qu'il fuyait jusqu'à ses vieux amis. Ils n'en furent que plus ardents à le presser de leur ouvrir son cœur ; ils y mirent tant de discrétion, de douceur et d'autorité, qu'il fut enfin obligé de les satisfaire. Il prit donc jour avec eux, pour leur raconter, non les aventures de sa vie, puisqu'il n'en avait point éprouvé, mais les sentiments secrets de son âme.

Le 21 de ce mois que les Sauvages appellent *la lune des fleurs*[291], René se rendit à la cabane de Chactas. Il donna le bras au Sachem, et le conduisit sous un sassafras, au bord du Meschacebé. Le père Souël ne tarda pas à arriver au rendez-vous. L'aurore se levait : à quelque distance dans la plaine, on apercevait le village des Natchez, avec son bocage de mûriers, et ses cabanes qui ressemblent à des ruches d'abeilles. La colonie française et le fort Rosalie se montraient sur la droite, au bord du fleuve. Des tentes, des maisons à moitié bâties, des forteresses commencées, des défrichements couverts de Nègres, des groupes de blancs et d'Indiens, présentaient dans ce petit espace, le contraste des mœurs sociales et des mœurs sauvages. Vers l'Orient, au fond de la perspective, le soleil commençait à paraître entre les sommets brisés des Apalaches[292], qui se dessinaient comme des caractères d'azur, dans les hauteurs dorées du ciel ; à l'occident, le Meschacebé roulait ses ondes dans un silence magnifique, et formait la bordure du tableau avec une inconcevable grandeur.

Le jeune homme et le missionnaire admirèrent quelque temps cette belle scène, en plaignant le Sachem qui ne pouvait plus en jouir ; ensuite le père Souël et Chactas s'assirent sur le gazon, au pied de l'arbre ; René prit sa place au milieu d'eux, et après un moment de silence, il parla de la sorte à ses vieux amis :

« Je ne puis, en commençant mon récit, me défendre d'un mouvement de honte. La paix de vos cœurs, respectables vieillards, et le calme de la nature autour de moi, me font rougir du trouble et de l'agitation de mon âme.

« Combien vous aurez pitié de moi ! Que mes éternelles inquiétudes vous paraîtront misérables ! Vous qui avez épuisé tous les chagrins de la vie, que penserez-vous d'un jeune homme sans force et sans vertu, qui trouve en lui-même son tourment, et ne peut guère se plaindre que des maux qu'il se fait à lui-même ? Hélas, ne le condamnez pas ; il a été trop puni !

« J'ai coûté la vie à ma mère en venant au monde[293], j'ai été tiré de son sein avec le fer. J'avais un frère que mon père bénit, parce qu'il voyait en lui son fils aîné[294]. Pour moi, livré de bonne heure à des mains étrangères, je fus élevé loin du toit paternel[295].

« Mon humeur était impétueuse, mon caractère inégal. Tour à tour bruyant et joyeux, silencieux et triste, je rassemblais autour de moi mes jeunes compagnons ; puis, les abandonnant tout à coup, j'allais m'asseoir à l'écart, pour contempler la nue fugitive, ou entendre la pluie tomber sur le feuillage[296].

« Chaque automne, je revenais au château paternel, situé au milieu des forêts, près d'un lac, dans une province reculée[297].

« Timide et contraint devant mon père, je ne trouvais l'aise et le contentement qu'auprès de ma sœur Amélie. Une douce conformité d'humeur et de goûts m'unissait étroitement à cette sœur, elle était un peu plus âgée que moi[298]. Nous aimions à gravir les coteaux ensemble, à voguer sur le lac, à parcourir les bois à la chute des feuilles : promenades dont le souvenir remplit encore mon âme de délices. Ô illusions de l'enfance et de la patrie, ne perdez-vous jamais vos douceurs !

« Tantôt nous marchions en silence, prêtant l'oreille au sourd mugissement de l'automne, ou au bruit des feuilles séchées que nous traînions tristement sous nos pas[299] ; tantôt, dans nos jeux innocents, nous poursuivions l'hirondelle dans la prairie, l'arc-en-ciel sur les collines pluvieuses ; quelquefois aussi nous murmurions des vers que nous inspirait le spectacle de la nature[300]. Jeune, je cultivais les Muses ; il n'y a rien de plus poétique, dans la fraîcheur de ses passions, qu'un cœur de seize années. Le matin de la vie est comme le matin du jour, plein de pureté, d'images et d'harmonies.

« Les dimanches et les jours de fête, j'ai souvent entendu, dans le grand bois, à travers les arbres, les sons de la cloche lointaine qui appelait au temple l'homme des champs[301]. Appuyé contre le tronc d'un ormeau, j'écoutais en silence le pieux murmure. Chaque frémissement de l'airain portait à mon âme naïve l'innocence des mœurs champêtres, le calme de la solitude, le charme de la religion, et la délectable mélancolie des souvenirs de ma première enfance. Oh ! quel cœur si mal fait n'a tressailli au bruit des cloches de son lieu natal, de ces cloches qui frémirent de joie sur son berceau, qui annoncèrent son avènement à la vie, qui marquèrent le premier battement de son cœur, qui publièrent dans tous les lieux d'alentour la sainte allégresse de son père, les douleurs et les joies encore plus ineffables de sa mère ! Tout se trouve dans les rêveries enchantées où nous plonge le bruit de la cloche natale : religion, famille, patrie[302], et le berceau et la tombe, et le passé et l'avenir.

« Il est vrai qu'Amélie et moi nous jouissions plus que personne de ces idées graves et tendres, car nous avions tous les deux un peu de tristesse au fond du cœur : nous tenions cela de Dieu ou de notre mère.

« Cependant mon père fut atteint d'une maladie qui le conduisit en peu de jours au tombeau. Il expira dans mes bras[303]. J'appris à connaître la mort sur les lèvres de celui qui m'avait donné la vie. Cette impression fut grande ; elle dure encore. C'est la première fois que l'immortalité de l'âme s'est présentée clairement à mes yeux. Je ne pus croire que ce corps inanimé était en moi l'auteur de la pensée : je sentis qu'elle me devait venir d'une autre source ; et dans une sainte douleur qui approchait de la joie, j'espérai me rejoindre un jour à l'esprit de mon père.

« Un autre phénomène me confirma dans cette haute idée. Les traits paternels avaient pris au cercueil quelque chose de sublime[304]. Pourquoi cet étonnant mystère ne serait-il pas l'indice de notre immortalité ? Pourquoi la mort, qui sait tout, n'aurait-elle pas gravé sur le front de sa victime les secrets d'un autre univers ? Pourquoi n'y aurait-il pas dans la tombe quelque grande vision de l'éternité ?

« Amélie, accablée de douleur, était retirée au fond d'une tour, d'où elle entendit retentir, sous les voûtes du château gothique, le chant des prêtres du convoi, et les sons de la cloche funèbre.

« J'accompagnai mon père à son dernier asile ; la terre se referma sur sa dépouille ; l'éternité et l'oubli le pressèrent de tout leur poids : le soir même l'indifférent passait sur sa tombe ; hors pour sa fille et pour son fils, c'était déjà comme s'il n'avait jamais été.

« Il fallut quitter le toit paternel, devenu l'héritage de mon frère : je me retirai avec Amélie chez de vieux parents.

« Arrêté à l'entrée des voies trompeuses de la vie, je les considérais l'une après l'autre sans m'y oser engager[305]. Amélie m'entretenait souvent du bonheur de la vie religieuse ; elle me disait que j'étais le seul lien qui la retînt dans le monde, et ses yeux s'attachaient sur moi avec tristesse.

« Le cœur ému par ces conversations pieuses, je portais souvent mes pas vers un monastère voisin de mon nouveau séjour ; un moment même j'eus la tentation d'y cacher ma vie. Heureux ceux qui ont fini leur voyage sans avoir quitté le port[306], et qui n'ont point, comme moi, traîné d'inutiles jours sur la terre !

« Les Européens, incessamment agités, sont obligés de se bâtir des solitudes[307]. Plus notre cœur est tumultueux et bruyant, plus le calme et le silence nous attirent. Ces hospices de mon pays, ouverts aux malheureux et aux faibles, sont souvent cachés dans des vallons qui portent au cœur le vague sentiment de l'infortune et l'espérance d'un abri ; quelquefois aussi on les découvre sur de hauts sites où l'âme religieuse, comme une plante des montagnes, semble s'élever vers le ciel pour lui offrir ses parfums[308].

« Je vois encore le mélange majestueux des eaux et des bois de cette antique abbaye où je pensai dérober ma vie aux caprices du sort ; j'erre encore au déclin du jour dans ces cloîtres retentissants et solitaires. Lorsque la lune éclairait à demi les piliers des arcades, et dessinait leur ombre sur le mur opposé, je m'arrêtais à contempler la croix qui marquait le champ de la mort, et les longues herbes qui croissaient entre les pierres des tombes. Ô hommes, qui ayant vécu loin du monde avez passé du silence de la vie au silence de la mort, de quel dégoût de la terre[309] vos tombeaux ne remplissaient-ils point mon cœur !

« Soit inconstance naturelle, soit préjugé contre la vie monastique, je changeai mes desseins ; je me résolus à voyager[310]. Je dis adieu à ma sœur ; elle me serra dans ses bras avec un mouvement qui ressemblait à de la joie, comme si elle eût été heureuse de me quitter ; je ne pus me défendre d'une réflexion amère sur l'inconséquence des amitiés humaines.

« Cependant, plein d'ardeur, je m'élançai seul sur cet orageux océan du monde, dont je ne connaissais ni les ports, ni les écueils. Je visitai d'abord les peuples qui ne sont plus : je m'en allai m'asseyant sur les débris de Rome et de la Grèce, pays de forte et d'ingénieuse mémoire, où les palais sont ensevelis dans la poudre, et les mausolées des rois cachés sous les ronces. Force de la nature, et faiblesse de l'homme ! un brin d'herbe perce souvent le marbre le plus dur de ces tombeaux, que tous ces morts, si puissants, ne soulèveront jamais !

« Quelquefois une haute colonne se montrait seule

debout dans un désert, comme une grande pensée s'élève, par intervalles, dans une âme que le temps et le malheur ont dévastée.

« Je méditai sur ces monuments dans tous les accidents et à toutes les heures de la journée. Tantôt ce même soleil qui avait vu jeter les fondements de ces cités, se couchait majestueusement, à mes yeux, sur leurs ruines ; tantôt la lune se levant dans un ciel pur, entre deux urnes cinéraires à moitié brisées, me montrait les pâles tombeaux. Souvent aux rayons de cet astre qui alimente les rêveries, j'ai cru voir le Génie des souvenirs[311], assis tout pensif à mes côtés.

« Mais je me lassai de fouiller dans des cercueils, où je ne remuais trop souvent qu'une poussière criminelle.

« Je voulus voir si les races vivantes m'offriraient plus de vertus, ou moins de malheurs que les races évanouies. Comme je me promenais un jour dans une grande cité, en passant derrière un palais, dans une cour retirée et déserte, j'aperçus une statue qui indiquait du doigt un lieu fameux par un sacrifice[a]. Je fus frappé du silence de ces lieux ; le vent seul gémissait autour du marbre tragique. Des manœuvres étaient couchés avec indifférence au pied de la statue, ou taillaient des pierres en sifflant. Je leur demandai ce que signifiait ce monument : les uns purent à peine me le dire, les autres ignoraient la catastrophe qu'il retraçait[312]. Rien ne m'a plus donné la juste mesure des événements de la vie, et du peu que nous sommes. Que sont devenus ces personnages qui firent tant de bruit ? Le temps a fait un pas, et la face de la terre a été renouvelée.

« Je recherchai surtout dans mes voyages les artistes et ces hommes divins qui chantent les dieux sur la lyre[313], et la félicité des peuples qui honorent les lois, la religion et les tombeaux.

« Ces chantres sont de race divine, ils possèdent le seul

a. A Londres, derrière White-Hall, la statue de Jacques II.

talent incontestable dont le ciel ait fait présent à la terre. Leur vie est à la fois naïve et sublime ; ils célèbrent les dieux avec une bouche d'or, et sont les plus simples des hommes ; ils causent comme des immortels ou comme de petits enfants ; ils expliquent les lois de l'univers, et ne peuvent comprendre les affaires les plus innocentes de la vie ; ils ont des idées merveilleuses de la mort, et meurent sans s'en apercevoir, comme des nouveau-nés[314].

« Sur les monts de la Calédonie[315], le dernier barde qu'on ait ouï dans ces déserts me chanta les poèmes dont un héros consolait jadis sa vieillesse. Nous étions assis sur quatre pierres rongées de mousse ; un torrent coulait à nos pieds ; le chevreuil paissait à quelque distance parmi les débris d'une tour, et le vent des mers sifflait sur la bruyère de Cona. Maintenant la religion chrétienne, fille aussi des hautes montagnes, a placé des croix sur les monuments des héros de Morven, et touché la harpe de David[316], au bord du même torrent où Ossian fit gémir la sienne. Aussi pacifique que les divinités de Selma étaient guerrières, elle garde des troupeaux où Fingal livrait des combats, et elle a répandu des anges de paix dans les nuages qu'habitaient des fantômes homicides.

« L'ancienne et riante Italie m'offrit la foule de ses chefs-d'œuvre. Avec quelle sainte et poétique horreur j'errais dans ces vastes édifices consacrés par les arts à la religion ! Quel labyrinthe de colonnes ! Quelle succession d'arches et de voûtes[317] ! Qu'ils sont beaux ces bruits qu'on entend autour des dômes, semblables aux rumeurs des flots dans l'Océan, aux murmures des vents dans les forêts, ou à la voix de Dieu dans son temple ! L'architecte bâtit, pour ainsi dire, les idées du poète, et les fait toucher aux sens.

« Cependant qu'avais-je appris jusqu'alors avec tant de fatigue ? Rien de certain parmi les anciens, rien de beau parmi les modernes[318]. Le passé et le présent sont deux statues incomplètes : l'une a été retirée toute mutilée du débris des âges ; l'autre n'a pas encore reçu sa perfection de l'avenir.

« Mais peut-être, mes vieux amis, vous surtout, habitants du déserts[319], êtes-vous étonnés que, dans ce récit de mes voyages, je ne vous aie pas une seule fois entretenus des monuments de la nature ?

« Un jour, j'étais monté au sommet de l'Etna, volcan qui brûle au milieu d'une île[320]. Je vis le soleil se lever dans l'immensité de l'horizon au-dessous de moi, la Sicile resserrée comme un point à mes pieds, et la mer déroulée au loin dans les espaces. Dans cette vue perpendiculaire du tableau, les fleuves ne me semblaient plus que des lignes géographiques tracées sur une carte ; mais tandis que d'un côté mon œil apercevait ces objets, de l'autre il plongeait dans le cratère de l'Etna, dont je découvrais les entrailles brûlantes, entre les bouffées d'une noire vapeur.

« Un jeune homme plein de passions, assis sur la bouche d'un volcan, et pleurant sur les mortels dont à peine il voyait à ses pieds les demeures, n'est sans doute, ô vieillards, qu'un objet digne de votre pitié ; mais quoi que vous puissiez penser de René, ce tableau vous offre l'image de son caractère et de son existence : c'est ainsi que toute ma vie j'ai eu devant les yeux une création à la fois immense et imperceptible, et un abîme ouvert à mes côtés[321]. »

En prononçant ces derniers mots, René se tut et tomba subitement dans la rêverie. Le père Souël le regardait avec étonnement, et le vieux Sachem aveugle, qui n'entendait plus parler le jeune homme, ne savait que penser de ce silence.

René avait les yeux attachés sur un groupe d'Indiens qui passaient gaiement dans la plaine. Tout à coup sa physionomie s'attendrit, des larmes coulent de ses yeux, il s'écrie :

« Heureux Sauvages ! Oh ! que ne puis-je jouir de la paix qui vous accompagne toujours ! Tandis qu'avec si peu de fruit je parcourais tant de contrées, vous, assis tranquillement sous vos chênes, vous laissiez couler les jours sans les compter. Votre raison n'était que vos besoins, et vous arriviez, mieux que moi, au résultat de la sagesse, comme l'enfant, entre les jeux et le sommeil. Si cette mélancolie qui s'engendre de l'excès du bonheur atteignait quelquefois votre âme, bientôt vous sortiez de cette tristesse passagère, et votre regard levé vers le ciel cherchait avec attendrissement ce je ne sais quoi inconnu, qui prend pitié du pauvre Sauvage[322]. »

Ici la voix de René expira de nouveau, et le jeune homme pencha la tête sur sa poitrine. Chactas, étendant le bras dans l'ombre, et prenant le bras de son fils, lui cria d'un ton ému : « Mon fils ! mon cher fils ! » A ces accents, le frère d'Amélie revenant à lui, et rougissant de son trouble, pria son père de lui pardonner.

Alors le vieux Sauvage : « Mon jeune ami, les mouvements d'un cœur comme le tien ne sauraient être égaux ; modère seulement ce caractère qui t'a déjà fait tant de mal. Si tu souffres plus qu'un autre des choses de la vie, il ne faut pas t'en étonner ; une grande âme doit contenir plus de douleurs qu'une petite. Continue ton récit. Tu nous as fait parcourir une partie de l'Europe, fais-nous connaître ta patrie. Tu sais que j'ai vu la France, et quels liens m'y ont attaché ; j'aimerai à entendre parler de ce grand Chef[a], qui n'est plus, et dont j'ai visité la superbe cabane. Mon enfant, je ne vis plus que par la mémoire. Un vieillard avec ses souvenirs ressemble au chêne décrépit de nos bois : ce chêne ne se décore plus de son propre feuillage, mais il couvre quelquefois sa nudité des plantes étrangères qui ont végété sur ses antiques rameaux[323]. »

Le frère d'Amélie, calmé par ces paroles, reprit ainsi l'histoire de son cœur :

a. Louis XIV.

322

« Hélas ! mon père, je ne pourrai t'entretenir de ce grand siècle dont je n'ai vu que la fin dans mon enfance, et qui n'était plus lorsque je rentrai dans ma patrie[324]. Jamais un changement plus étonnant et plus soudain ne s'est opéré chez un peuple. De la hauteur du génie, du respect pour la religion, de la gravité des mœurs, tout était subitement descendu à la souplesse de l'esprit, à l'impiété, à la corruption[325].

« C'était donc bien vainement que j'avais espéré retrouver dans mon pays de quoi calmer cette inquiétude, cette ardeur de désir qui me suit partout. L'étude du monde ne m'avait rien appris, et pourtant je n'avais plus la douceur de l'ignorance.

« Ma sœur, par une conduite inexplicable, semblait se plaire à augmenter mon ennui ; elle avait quitté Paris[326] quelques jours avant mon arrivée. Je lui écrivis que je comptais l'aller rejoindre ; elle se hâta de me répondre pour me détourner de ce projet, sous prétexte qu'elle était incertaine du lieu où l'appelleraient ses affaires. Quelles tristes réflexions ne fis-je point alors sur l'amitié, que la présence attiédit, que l'absence efface, qui ne résiste point au malheur, et encore moins à la prospérité[327] !

« Je me trouvai bientôt plus isolé dans ma patrie que je ne l'avais été sur une terre étrangère. Je voulus me jeter pendant quelque temps dans un monde qui ne me disait rien et qui ne m'entendait pas. Mon âme, qu'aucune passion n'avait encore usée, cherchait un objet qui pût l'attacher ; mais je m'aperçus que je donnais plus que je ne recevais. Ce n'était ni un langage élevé, ni un sentiment profond qu'on demandait de moi. Je n'étais occupé qu'à rapetisser ma vie, pour la mettre au niveau de la société. Traité partout d'esprit romanesque, honteux du rôle que je jouais, dégoûté de plus en plus des choses et des hommes, je pris le parti de me retirer dans un faubourg pour y vivre totalement ignoré[328].

« Je trouvai d'abord assez de plaisir dans cette vie

obscure et indépendante. Inconnu, je me mêlais à la foule : vaste désert d'hommes[329] !

« Souvent assis dans une église peu fréquentée, je passais des heures entières en méditation. Je voyais de pauvres femmes venir se prosterner devant le Très-Haut, ou des pécheurs s'agenouiller au tribunal de la pénitence. Nul ne sortait de ces lieux sans un visage plus serein, et les sourdes clameurs qu'on entendait au-dehors semblaient être les flots des passions et les orages du monde, qui venaient expirer au pied du temple du Seigneur. Grand Dieu, qui vis en secret couler mes larmes dans ces retraites sacrées, tu sais combien de fois je me jetai à tes pieds, pour te supplier de me décharger du poids de l'existence, ou de changer en moi le vieil homme[330] ! Ah ! qui n'a senti quelquefois le besoin de se régénérer, de se rajeunir aux eaux du torrent, de retremper son âme à la fontaine de vie ? Qui ne se trouve quelquefois accablé du fardeau de sa propre corruption[331], et incapable de rien faire de grand, de noble, de juste ?

« Quand le soir était venu, reprenant le chemin de ma retraite, je m'arrêtais sur les ponts pour voir se coucher le soleil. L'astre, enflammant les vapeurs de la cité, semblait osciller lentement dans un fluide d'or, comme le pendule de l'horloge des siècles[332]. Je me retirais ensuite avec la nuit, à travers un labyrinthe de rues solitaires. En regardant les lumières qui brillaient dans la demeure des hommes, je me transportais par la pensée au milieu des scènes de douleur et de joie qu'elles éclairaient[333] ; et je songeais que sous tant de toits habités je n'avais pas un ami. Au milieu de mes réflexions, l'heure venait frapper à coups mesurés dans la tour de la cathédrale gothique ; elle allait se répétant sur tous les tons et à toutes les distances d'église en église. Hélas ! chaque heure dans la société ouvre un tombeau, et fait couler des larmes.

« Cette vie, qui m'avait d'abord enchanté, ne tarda pas à me devenir insupportable. Je me fatiguai de la répétition des mêmes scènes et des mêmes idées. Je me mis à sonder mon cœur, à me demander ce que je désirais. Je ne le savais pas ; mais je crus tout à coup que les bois me seraient délicieux. Me voilà soudain résolu d'achever, dans un exil champêtre, une carrière à peine commencée, et dans laquelle j'avais déjà dévoré des siècles.

« J'embrassai ce projet avec l'ardeur que je mets à tous mes desseins ; je partis précipitamment pour m'ensevelir dans une chaumière[334], comme j'étais parti autrefois pour faire le tour du monde.

« On m'accuse d'avoir des goûts inconstants, de ne pouvoir jouir longtemps de la même chimère, d'être la proie d'une imagination qui se hâte d'arriver au fond de mes plaisirs, comme si elle était accablée de leur durée ; on m'accuse de passer toujours le but que je puis atteindre : hélas ! je cherche seulement un bien inconnu, dont l'instinct me poursuit[335]. Est-ce ma faute, si je trouve partout les bornes, si ce qui est fini n'a pour moi aucune valeur ? Cependant je sens que j'aime la monotonie des sentiments de la vie, et si j'avais encore la folie de croire au bonheur, je le chercherais dans l'habitude.

« La solitude absolue, le spectacle de la nature, me plongèrent bientôt dans un état presque impossible à décrire. Sans parents, sans amis, pour ainsi dire seul sur la terre[336], n'ayant point encore aimé, j'étais accablé d'une surabondance de vie. Quelquefois je rougissais subitement, et je sentais couler dans mon cœur comme des ruisseaux d'une lave ardente ; quelquefois je poussais des cris involontaires, et la nuit était également troublée de mes songes et de mes veilles. Il me manquait quelque chose pour remplir l'abîme de mon existence : je descendais dans la vallée, je m'élevais sur la montagne, appelant de toute la force de mes désirs l'idéal objet d'une flamme future ; je l'embrassais dans les vents ; je croyais l'entendre dans les gémissements du fleuve : tout était ce fantôme imaginaire, et les astres dans les cieux, et le principe même de vie dans l'univers[337].

« Toutefois cet état de calme et de trouble, d'indigence et de richesse, n'était pas sans quelques charmes[338]. Un jour je m'étais amusé à effeuiller une branche de saule sur un ruisseau, et à attacher une idée à chaque feuille que le courant entraînait. Un roi qui craint de perdre sa couronne par une révolution subite, ne ressent pas des angoisses plus vives que les miennes, à chaque accident qui menaçait les débris de mon rameau. Ô faiblesse des mortels ! Ô enfance du cœur humain qui ne vieillit jamais ! Voilà donc à quel degré de puérilité notre superbe raison peut descendre ! Et encore est-il vrai que bien des hommes attachent leur destinée à des choses d'aussi peu de valeur que mes feuilles de saule.

« Mais comment exprimer cette foule de sensations fugitives que j'éprouvais dans mes promenades ? Les sons que rendent les passions dans le vide d'un cœur solitaire, ressemblent au murmure que les vents et les eaux font entendre dans le silence d'un désert : on en jouit, mais on ne peut les peindre.

« L'automne[339] me surprit au milieu de ces incertitudes : j'entrai avec ravissement dans les mois des tempêtes. Tantôt j'aurais voulu être un de ces guerriers errant au milieu des vents, des nuages et des fantômes ; tantôt j'enviais jusqu'au sort du pâtre que je voyais réchauffer ses mains à l'humble feu de broussailles qu'il avait allumé au coin d'un bois. J'écoutais ses chants mélancoliques, qui me rappelaient que dans tout pays, le chant naturel de l'homme est triste, lors même qu'il exprime le bonheur. Notre cœur est un instrument incomplet, une lyre où il manque des cordes[340], et où nous sommes forcés de rendre les accents de la joie sur le ton consacré aux soupirs.

« Le jour, je m'égarais sur de grandes bruyères terminées par des forêts. Qu'il fallait peu de choses à ma rêverie ! une feuille séchée que le vent chassait devant moi, une cabane dont la fumée s'élevait dans la cime dépouillée des arbres, la mousse qui tremblait au souffle du nord sur le tronc d'un chêne, une roche écartée, un étang désert où le jonc flétri murmurait ! Le clocher solitaire, s'élevant au loin dans la vallée, a souvent attiré mes regards ; souvent j'ai suivi des yeux les oiseaux de passage qui volaient au-dessus de ma tête. Je me figurais les bords ignorés, les climats lointains où ils se rendent ; j'aurais voulu être sur leurs ailes. Un secret instinct me tourmentait ; je sentais que je n'étais moi-même qu'un voyageur ; mais une voix du ciel semblait me dire : "Homme, la saison de ta migration n'est pas encore venue ; attends que le vent de la mort se lève, alors tu déploieras ton vol vers ces régions inconnues que ton cœur demande[341]."

« "Levez-vous vite, orages désirés, qui devez emporter René dans les espaces d'une autre vie[342] !" Ainsi disant, je marchais à grands pas, le visage enflammé, le vent sifflant dans ma chevelure, ne sentant ni pluie ni frimas, enchanté, tourmenté, et comme possédé par le démon de mon cœur.

« La nuit, lorsque l'aquilon ébranlait ma chaumière, que les pluies tombaient en torrent sur mon toit, qu'à travers ma fenêtre je voyais la lune sillonner les nuages amoncelés, comme un pâle vaisseau qui laboure les vagues, il me semblait que la vie redoublait au fond de mon cœur, que j'aurais eu la puissance de créer des mondes. Ah ! si j'avais pu faire partager à une autre les transports que j'éprouvais ! Ô Dieu ! si tu m'avais donné une femme selon mes désirs ; si, comme à notre premier père, tu m'eusses amené par la main une Ève tirée de moi-même... Beauté céleste ! je me serais prosterné devant toi ; puis, te prenant dans mes bras, j'aurais prié l'Éternel de te donner le reste de ma vie.

« Hélas ! j'étais seul, seul sur la terre ! Une langueur secrète s'emparait de mon corps. Ce dégoût de la vie que j'avais ressenti dès mon enfance revenait avec une force nouvelle. Bientôt mon cœur ne fournit plus d'aliment à ma pensée, et je ne m'apercevais de mon existence que par un profond sentiment d'ennui.

« Je luttai quelque temps contre mon mal, mais avec indifférence et sans avoir la ferme résolution de le vaincre. Enfin, ne pouvant trouver de remède à cette étrange blessure de mon cœur, qui n'était nulle part et qui était partout, je résolus de quitter la vie[343].

« Prêtre du Très-Haut, qui m'entendez, pardonnez à un malheureux que le ciel avait presque privé de la raison. J'étais plein de religion, et je raisonnais en impie ; mon cœur aimait Dieu, et mon esprit le méconnaissait ; ma conduite, mes discours, mes sentiments, mes pensées, n'étaient que contradiction, ténèbres, mensonges. Mais l'homme sait-il bien toujours ce qu'il veut, est-il toujours sûr de ce qu'il pense ?

« Tout m'échappait à la fois, l'amitié, le monde, la retraite. J'avais essayé de tout, et tout m'avait été fatal. Repoussé par la société, abandonné d'Amélie, quand la solitude vint à me manquer, que me restait-il ? C'était la dernière planche sur laquelle j'avais espéré me sauver, et je la sentais encore s'enfoncer dans l'abîme !

« Décidé que j'étais à me débarrasser du poids de la vie, je résolus de mettre toute ma raison dans cet acte insensé. Rien ne me pressait : je ne fixai point le moment du départ, afin de savourer à longs traits les derniers moments de l'existence, et de recueillir toutes mes forces, à l'exemple d'un ancien, pour sentir mon âme s'échapper[344].

« Cependant je crus nécessaire de prendre des arrangements concernant ma fortune, et je fus obligé d'écrire à Amélie. Il m'échappa quelques plaintes sur son oubli, et je laissai sans doute percer l'attendrissement qui surmontait peu à peu mon cœur. Je m'imaginais pourtant avoir bien dissimulé mon secret ; mais ma sœur, accoutumée à lire dans les replis de mon âme, le devina sans peine. Elle fut alarmée du ton de contrainte qui régnait dans ma lettre, et de mes questions sur des affaires dont je ne m'étais jamais occupé. Au lieu de me répondre, elle me vint tout à coup surprendre.

« Pour bien sentir quelle dut être dans la suite l'amertume de ma douleur, et quels furent mes premiers transports en revoyant Amélie, il faut vous figurer que c'était la seule personne au monde que j'eusse aimée, que tous mes sentiments se venaient confondre en elle, avec la douceur des souvenirs de mon enfance. Je reçus donc Amélie dans une sorte d'extase de cœur. Il y avait si longtemps que je n'avais trouvé quelqu'un qui m'entendît, et devant qui je pusse ouvrir mon âme !

« Amélie se jetant dans mes bras, me dit : "Ingrat, tu veux mourir, et ta sœur existe ! Tu soupçonnes son cœur ! Ne t'explique point, ne t'excuse point, je sais tout ; j'ai tout compris, comme si j'avais été avec toi. Est-ce moi que l'on trompe, moi, qui ai vu naître tes premiers sentiments ? Voilà ton malheureux caractère, tes dégoûts, tes injustices. Jure, tandis que je te presse sur mon cœur, jure que c'est la dernière fois que tu te livreras à tes folies ; fais le serment de ne jamais attenter à tes jours."

« En prononçant ces mots, Amélie me regardait avec compassion et tendresse, et couvrait mon front de ses baisers ; c'était presque une mère, c'était quelque chose de plus tendre[345]. Hélas ! mon cœur se rouvrit à toutes les joies ; comme un enfant, je ne demandais qu'à être consolé ; je cédai à l'empire d'Amélie ; elle exigea un serment solennel ; je le fis sans hésiter, ne soupçonnant même pas que désormais je pusse être malheureux.

« Nous fûmes plus d'un mois à nous accoutumer à l'enchantement d'être ensemble. Quand le matin, au lieu de me trouver seul, j'entendais la voix de ma sœur, j'éprouvais un tressaillement de joie et de bonheur. Amélie avait reçu de la nature quelque chose de divin ; son âme avait les mêmes grâces innocentes que son corps ; la douceur de ses sentiments était infinie ; il n'y avait rien que de suave et d'un peu rêveur dans son esprit ; on eût dit que son cœur, sa pensée et sa voix soupiraient comme de concert ; elle tenait de la femme la timidité et l'amour, et de l'ange la pureté et la mélodie[346].

« Le moment était venu où j'allais expier toutes mes inconséquences. Dans mon délire j'avais été jusqu'à désirer d'éprouver un malheur, pour avoir du moins un objet réel de souffrance : épouvantable souhait que Dieu, dans sa colère, a trop exaucé !

« Que vais-je vous révéler, ô mes amis ! Voyez les pleurs qui coulent de mes yeux. Puis-je même... Il y a quelques jours, rien n'aurait pu m'arracher ce secret... A présent tout est fini !

« Toutefois, ô vieillards, que cette histoire soit à jamais ensevelie dans le silence : souvenez-vous qu'elle n'a été racontée que sous l'arbre du désert.

« L'hiver finissait, lorsque je m'aperçus qu'Amélie perdait le repos et la santé qu'elle commençait à me rendre. Elle maigrissait ; ses yeux se creusaient ; sa démarche était languissante, et sa voix troublée[347]. Un jour, je la surpris tout en larmes au pied d'un crucifix. Le monde, la solitude, mon absence, ma présence, la nuit, le jour, tout l'alarmait. D'involontaires soupirs venaient expirer sur ses lèvres ; tantôt elle soutenait, sans se fatiguer, une longue course ; tantôt elle se traînait à peine ; elle prenait et laissait son ouvrage, ouvrait un livre sans pouvoir lire, commençait une phrase qu'elle n'achevait pas, fondait tout à coup en pleurs, et se retirait pour prier.

« En vain je cherchais à découvrir son secret. Quand je l'interrogeais, en la pressant dans mes bras, elle me répondait, avec un sourire, qu'elle était comme moi, qu'elle ne savait pas ce qu'elle avait.

« Trois mois se passèrent de la sorte, et son état devenait pire chaque jour. Une correspondance mystérieuse me semblait être la cause de ses larmes, car elle paraissait ou plus tranquille ou plus émue, selon les lettres qu'elle recevait. Enfin, un matin, l'heure à laquelle nous déjeunions ensemble étant passée, je monte[348] à son appartement ; je frappe ; on ne me répond point ; j'entrouvre la porte, il n'y avait personne dans la chambre. J'aperçois sur la cheminée un paquet à mon adresse. Je le saisis en tremblant, je l'ouvre, et je lis cette lettre, que je conserve pour m'ôter à l'avenir tout mouvement de joie.

A RENÉ

« "Le Ciel m'est témoin, mon frère, que je donnerais mille fois ma vie pour vous épargner un moment de peine ; mais, infortunée que je suis, je ne puis rien pour votre bonheur. Vous me pardonnerez donc de m'être dérobée de chez vous comme une coupable ; je n'aurais pu résister à vos prières, et cependant il fallait partir... Mon Dieu, ayez pitié de moi !

« Vous savez, René, que j'ai toujours eu du penchant pour la vie religieuse ; il est temps que je mette à profit les avertissements du Ciel. Pourquoi ai-je attendu si tard ! Dieu m'en punit. J'étais restée pour vous dans le monde... Pardonnez, je suis toute troublée par le chagrin que j'ai de vous quitter.

« C'est à présent, mon cher frère, que je sens bien la nécessité de ces asiles, contre lesquels je vous ai vu souvent vous élever[349]. Il est des malheurs qui nous séparent pour toujours des hommes ; que deviendraient alors de pauvres infortunées !... Je suis persuadée que vous-même, mon frère, vous trouveriez le repos dans ces retraites de la religion : la terre n'offre rien qui soit digne de vous.

« Je ne vous rappellerai point votre serment : je connais la fidélité de votre parole. Vous l'avez juré, vous vivrez pour moi. Y a-t-il rien de plus misérable que de songer sans cesse à quitter la vie ? Pour un homme de votre caractère, il est si aisé de mourir ! Croyez-en votre sœur, il est plus difficile de vivre.

« Mais, mon frère, sortez au plus vite de la solitude, qui

ne vous est pas bonne ; cherchez quelque occupation. Je sais que vous riez amèrement de cette nécessité où l'on est en France de *prendre un état*[350]. Ne méprisez pas tant l'expérience et la sagesse de nos pères. Il vaut mieux, mon cher René, ressembler un peu plus au commun des hommes, et avoir un peu moins de malheur.

« Peut-être trouveriez-vous dans le mariage un soulagement à vos ennuis. Une femme, des enfants occuperaient vos jours. Et quelle est la femme qui ne chercherait pas à vous rendre heureux ! L'ardeur de votre âme, la beauté de votre génie, votre air noble et passionné, ce regard fier et tendre, tout vous assurerait de son amour et de sa fidélité. Ah ! avec quelles délices ne te presserait-elle pas dans ses bras et sur son cœur ! Comme tous ses regards, toutes ses pensées seraient attachés sur toi pour prévenir tes moindres peines ! Elle serait tout amour, toute innocence devant toi ; tu croirais retrouver une sœur.

« Je pars pour le couvent de... Ce monastère, bâti au bord de la mer, convient à la situation de mon âme. La nuit, du fond de ma cellule, j'entendrai le murmure des flots qui baignent les murs du couvent ; je songerai à ces promenades que je faisais avec vous, au milieu des bois, alors que nous croyions retrouver le bruit des mers dans la cime agitée des pins. Aimable compagnon de mon enfance, est-ce que je ne vous verrai plus ? A peine plus âgée que vous, je vous balançais dans votre berceau ; souvent nous avons dormi ensemble. Ah ! si un même tombeau nous réunissait un jour ! Mais non : je dois dormir seule sous les marbres glacés de ce sanctuaire où reposent pour jamais ces filles qui n'ont point aimé.

« Je ne sais si vous pourrez lire ces lignes à demi effacées par mes larmes. Après tout, mon ami, un peu plus tôt, un peu plus tard, n'aurait-il pas fallu nous quitter ? Qu'ai-je besoin de vous entretenir de l'incertitude et du peu de valeur de la vie ? Vous vous rappelez le jeune M[351]... qui fit naufrage à l'Isle-de-France. Quand vous reçûtes sa dernière lettre, quelques mois après sa mort, sa dépouille terrestre n'existait même plus, et l'instant où vous commenciez son deuil en Europe était celui où on le finissait aux Indes. Qu'est-ce donc que l'homme, dont la mémoire périt si vite ? Une partie de ses amis ne peut apprendre sa mort, que l'autre n'en soit déjà consolée ! Quoi, cher et trop cher René, mon souvenir s'effacera-t-il si promptement de ton cœur ? Ô mon frère, si je m'arrache à vous dans le temps, c'est pour n'être pas séparée de vous dans l'éternité.

Amélie.

« P.-S. Je joins ici l'acte de la donation de mes biens ; j'espère que vous ne refuserez pas cette marque de mon amitié."

« La foudre qui fût tombée à mes pieds ne m'eût pas causé plus d'effroi que cette lettre. Quel secret Amélie me cachait-elle ? Qui la forçait si subitement à embrasser la vie religieuse ? Ne m'avait-elle rattaché à l'existence par le charme de l'amitié, que pour me délaisser tout à coup ? Oh ! pourquoi était-elle venue me détourner de mon dessein ! Un mouvement de pitié l'avait rappelée auprès de moi, mais bientôt fatiguée d'un pénible devoir, elle se hâte de quitter un malheureux qui n'avait qu'elle sur la terre. On croit avoir tout fait quand on a empêché un homme de mourir ! Telles étaient mes plaintes. Puis faisant un retour sur moi-même : "Ingrate Amélie, disais-je, si tu avais été à ma place, si, comme moi, tu avais été perdue dans le vide de tes jours, ah ! tu n'aurais pas été abandonnée de ton frère."

« Cependant, quand je relisais la lettre, j'y trouvais je ne sais quoi de si triste et de si tendre, que tout mon cœur se fondait. Tout à coup il me vint une idée qui me donna quelque espérance : je m'imaginai qu'Amélie avait peut-être conçu une passion pour un homme qu'elle n'osait avouer[352]. Ce soupçon sembla m'expliquer sa mélancolie, sa correspondance mystérieuse, et le ton passionné qui respirait dans sa lettre. Je lui écrivis aussitôt pour la supplier de m'ouvrir son cœur[353].

« Elle ne tarda pas à me répondre, mais sans me découvrir son secret : elle me mandait seulement qu'elle avait obtenu les dispenses du noviciat, et qu'elle allait prononcer ses vœux[354].

« Je fus révolté de l'obstination d'Amélie, du mystère de ses paroles, et de son peu de confiance en mon amitié.

« Après avoir hésité un moment sur le parti que j'avais à prendre, je résolus d'aller à B... pour faire un dernier effort auprès de ma sœur. La terre où j'avais été élevé se trouvait sur la route. Quand j'aperçus les bois où j'avais passé les seuls moments heureux de ma vie, je ne pus retenir mes larmes, et il me fut impossible de résister à la tentation de leur dire un dernier adieu[355].

« Mon frère aîné avait vendu l'héritage paternel, et le nouveau propriétaire ne l'habitait pas. J'arrivai au château par la longue avenue de sapins ; je traversai à pied les cours désertes ; je m'arrêtai à regarder les fenêtres fermées ou demi-brisées, le chardon qui croissait au pied des murs, les feuilles qui jonchaient le seuil des portes, et ce perron solitaire où j'avais vu si souvent mon père et ses fidèles serviteurs. Les marches étaient déjà couvertes de mousse ; le violier[356] jaune croissait entre leurs pierres déjointes et tremblantes. Un gardien inconnu m'ouvrit brusquement les portes. J'hésitais à franchir le seuil ; cet homme s'écria : "Eh bien ! allez-vous faire comme cette étrangère qui vint ici il y a quelques jours ? Quand ce fut pour entrer, elle s'évanouit, et je fus obligé de la reporter à sa voiture." Il me fut aisé de reconnaître l'*étrangère* qui, comme moi, était venue chercher dans ces lieux des pleurs et des souvenirs !

« Couvrant un moment mes yeux de mon mouchoir, j'entrai sous le toit de mes ancêtres. Je parcourus les appartements sonores où l'on n'entendait que le bruit de mes pas. Les chambres étaient à peine éclairées par la faible lumière qui pénétrait entre les volets fermés : je visitai celle où ma mère avait perdu la vie en me mettant au monde, celle où se retirait mon père, celle où j'avais dormi dans mon berceau, celle enfin où l'amitié avait reçu mes premiers vœux dans le sein d'une sœur. Partout les salles étaient détendues[357], et l'araignée filait sa toile dans les couches abandonnées. Je sortis précipitamment de ces lieux, je m'en éloignai à grands pas, sans oser tourner la tête. Qu'ils sont doux, mais qu'ils sont rapides, les moments que les frères et les sœurs passent dans leurs jeunes années, réunis sous l'aile de leurs vieux parents ! La famille de l'homme n'est que d'un jour ; le souffle de Dieu la disperse comme une fumée. A peine le fils connaît-il le père, le père le fils, le frère la sœur, la sœur le frère ! Le chêne voit germer ses glands autour de lui ; il n'en est pas ainsi des enfants des hommes !

« En arrivant à B..., je me fis conduire au couvent ; je demandai à parler à ma sœur. On me dit qu'elle ne recevait personne. Je lui écrivis : elle me répondit que, sur le point de se consacrer à Dieu, il ne lui était pas permis de donner une pensée au monde ; que si je l'aimais, j'éviterais de l'accabler de ma douleur. Elle ajoutait : "Cependant si votre projet est de paraître à l'autel le jour de ma profession, daignez m'y servir de père ; ce rôle est le seul digne de votre courage, le seul qui convienne à notre amitié et à mon repos."

« Cette froide fermeté qu'on opposait à l'ardeur de mon amitié me jeta dans de violents transports. Tantôt j'étais près de retourner sur mes pas ; tantôt je voulais rester, uniquement pour troubler le sacrifice. L'enfer me suscitait jusqu'à la pensée de me poignarder dans l'église, et de mêler mes derniers soupirs aux vœux qui m'arrachaient ma sœur. La supérieure du couvent me fit prévenir qu'on avait préparé un banc dans le sanctuaire, et elle m'invitait à me rendre à la cérémonie qui devait avoir lieu dès le lendemain.

« Au lever de l'aube, j'entendis le premier son des

335

cloches... Vers dix heures, dans une sorte d'agonie, je me traînai au monastère. Rien ne peut plus être tragique quand on a assisté à un pareil spectacle ; rien ne peut plus être douloureux quand on y a survécu[358].

« Un peuple immense remplissait l'église. On me conduit au banc du sanctuaire ; je me précipite à genoux sans presque savoir où j'étais, ni à quoi j'étais résolu. Déjà le prêtre attendait à l'autel ; tout à coup la grille mystérieuse s'ouvre, et Amélie s'avance, parée de toutes les pompes du monde. Elle était si belle, il y avait sur son visage quelque chose de si divin, qu'elle excita un mouvement de surprise et d'admiration. Vaincu par la glorieuse douleur de la sainte, abattu par les grandeurs de la religion, tous mes projets de violence s'évanouirent ; ma force m'abandonna ; je me sentis lié par une main toute-puissante, et au lieu de blasphèmes et de menaces, je ne trouvai dans mon cœur que de profondes adorations et les gémissements de l'humilité.

« Amélie se place sous un dais. Le sacrifice commence à la lueur des flambeaux, au milieu des fleurs et des parfums, qui devaient rendre l'holocauste[359] agréable. A l'offertoire, le prêtre se dépouilla de ses ornements, ne conserva qu'une tunique de lin, monta en chaire, et dans un discours simple et pathétique, peignit le bonheur de la vierge qui se consacre au Seigneur. Quand il prononça ces mots : "Elle a paru comme l'encens qui se consume dans le feu[360]", un grand calme et des odeurs célestes semblèrent se répandre dans l'auditoire ; on se sentit comme à l'abri sous les ailes de la colombe mystique[361], et l'on eût cru voir les anges descendre sur l'autel et remonter vers les cieux avec des parfums et des couronnes.

« Le prêtre achève son discours, reprend ses vêtements, continue le sacrifice[362]. Amélie, soutenue de deux jeunes religieuses, se met à genoux sur la dernière marche de l'autel. On vient alors me chercher, pour remplir les fonctions paternelles. Au bruit de mes pas chancelants dans le sanctuaire, Amélie est prête à défaillir. On me place à côté du prêtre, pour lui présenter les ciseaux. En ce moment je sens renaître mes transports ; ma fureur va éclater, quand Amélie, rappelant son courage, me lance un regard où il y a tant de reproche et de douleur, que j'en suis atterré. La religion triomphe. Ma sœur profite de mon trouble ; elle avance hardiment la tête. Sa superbe chevelure tombe de toutes parts sous le fer sacré ; une longue robe d'étamine remplace pour elle les ornements du siècle, sans la rendre moins touchante ; les ennuis de son front se cachent sous un bandeau de lin ; et le voile mystérieux, double symbole de la virginité et de la religion, accompagne sa tête dépouillée. Jamais elle n'avait paru si belle. L'œil de la pénitente était attaché sur la poussière du monde, et son âme était dans le ciel.

« Cependant Amélie n'avait point encore prononcé ses vœux ; et pour mourir au monde[363], il fallait qu'elle passât à travers le tombeau. Ma sœur se couche sur le marbre ; on étend sur elle un drap mortuaire ; quatre flambeaux en marquent les quatre coins. Le prêtre, l'étole au cou, le livre à la main, commence l'Office des morts ; de jeunes vierges le continuent. Ô joies de la religion, que vous êtes grandes, mais que vous êtes terribles ! On m'avait contraint de me placer à genoux, près de ce lugubre appareil[364]. Tout à coup un murmure confus sort de dessous le voile sépulcral ; je m'incline, et ces paroles épouvantables (que je fus seul à entendre) viennent frapper mon oreille : "Dieu de miséricorde, fais que je ne me relève jamais de cette couche funèbre, et comble de tes biens un frère qui n'a point partagé ma criminelle passion !"

« A ces mots échappés du cercueil, l'affreuse vérité m'éclaire ; ma raison s'égare, je me laisse tomber sur le linceul de la mort, je presse ma sœur dans mes bras, je m'écrie : "Chaste épouse de Jésus-Christ, reçois mes derniers embrassements à travers les glaces du trépas et les profondeurs de l'éternité, qui te séparent déjà de ton frère !"

« Ce mouvement, ce cri, ces larmes, troublent la cérémonie : le prêtre s'interrompt, les religieuses ferment la
grille, la foule s'agite et se presse vers l'autel ; on m'emporte sans connaissance. Que je sus peu de gré à ceux
qui me rappelèrent au jour ! J'appris, en rouvrant les
yeux, que le sacrifice était consommé, et que ma sœur
avait été saisie d'une fièvre ardente. Elle me faisait prier
de ne plus chercher à la voir. Ô misère de ma vie ! une
sœur craindre de parler à un frère, et un frère craindre
de faire entendre sa voix à une sœur ! Je sortis du
monastère comme de ce lieu d'expiation où des flammes
nous préparent pour la vie céleste, où l'on a tout perdu
comme aux enfers, hors l'espérance[365].

« On peut trouver des forces dans son âme contre un
malheur personnel ; mais devenir la cause involontaire
du malheur d'un autre, cela est tout à fait insupportable.
Éclairé sur les maux de ma sœur, je me figurais ce qu'elle
avait dû souffrir. Alors s'expliquèrent pour moi plusieurs
choses que je n'avais pu comprendre : ce mélange de joie
et de tristesse, qu'Amélie avait fait paraître au moment de
mon départ pour mes voyages, le soin qu'elle prit de
m'éviter à mon retour, et cependant cette faiblesse qui
l'empêcha si longtemps d'entrer dans un monastère ; sans
doute la fille malheureuse s'était flattée de guérir ! Ses
projets de retraite, la dispense du noviciat, la disposition
de ses biens en ma faveur, avaient apparemment produit
cette correspondance secrète qui servit à me tromper[366].

« Ô mes amis, je sus donc ce que c'était que de verser
des larmes pour un mal qui n'était point imaginaire ! Mes
passions, si longtemps indéterminées, se précipitèrent sur
cette première proie avec fureur. Je trouvai même une
sorte de satisfaction inattendue dans la plénitude de mon
chagrin, et je m'aperçus, avec un secret mouvement de
joie, que la douleur n'est pas une affection qu'on épuise
comme le plaisir.

« J'avais voulu quitter la terre avant l'ordre du Tout-
Puissant ; c'était un grand crime : Dieu m'avait envoyé

Amélie à la fois pour me sauver et pour me punir. Ainsi, toute pensée coupable, toute action criminelle entraîne après elle des désordres et des malheurs. Amélie me priait de vivre, et je lui devais bien de ne pas aggraver ses maux. D'ailleurs (chose étrange !) je n'avais plus envie de mourir depuis que j'étais réellement malheureux. Mon chagrin était devenu une occupation qui remplissait tous mes moments : tant mon cœur est naturellement pétri d'ennui et de misère !

« Je pris donc subitement une autre résolution ; je me déterminai à quitter l'Europe, et à passer en Amérique.

« On équipait, dans ce moment même, au port de B... une flotte pour la Louisiane ; je m'arrangeai avec un des capitaines de vaisseau ; je fis savoir mon projet à Amélie, et je m'occupai de mon départ.

« Ma sœur avait touché aux portes de la mort ; mais Dieu, qui lui destinait la première palme des vierges, ne voulut pas la rappeler si vite à lui ; son épreuve ici-bas fut prolongée. Descendue une seconde fois dans la pénible carrière de la vie, l'héroïne, courbée sous la croix, s'avança courageusement à l'encontre des douleurs, ne voyant plus que le triomphe dans le combat, et dans l'excès des souffrances, l'excès de la gloire.

« La vente du peu de bien qui me restait, et que je cédai à mon frère, les longs préparatifs d'un convoi, les vents contraires, me retinrent longtemps dans le port. J'allais chaque matin m'informer des nouvelles d'Amélie, et je revenais toujours avec de nouveaux motifs d'admiration et de larmes.

« J'errais sans cesse autour du monastère, bâti au bord de la mer[367]. J'apercevais souvent à une petite fenêtre grillée qui donnait sur une plage déserte, une religieuse assise dans une attitude pensive ; elle rêvait à l'aspect de l'océan où apparaissait quelque vaisseau, cinglant aux extrémités de la terre. Plusieurs fois, à la clarté de la lune, j'ai revu la même religieuse aux barreaux de la même fenêtre : elle contemplait la mer, éclairée par l'astre de la nuit, et semblait prêter l'oreille au bruit des vagues qui se brisaient tristement sur des grèves solitaires.

« Je crois encore entendre la cloche qui, pendant la nuit, appelait les religieuses aux veilles et aux prières. Tandis qu'elle tintait avec lenteur, et que les vierges s'avançaient en silence à l'autel du Tout-Puissant, je courais au monastère : là, seul au pied des murs, j'écoutais dans une sainte extase les derniers sons des cantiques, qui se mêlaient sous les voûtes du temple au faible bruissement des flots[368].

« Je ne sais comment toutes ces choses qui auraient dû nourrir mes peines, en émoussaient au contraire l'aiguillon. Mes larmes avaient moins d'amertume lorsque je les répandais sur les rochers et parmi les vents. Mon chagrin même, par sa nature extraordinaire, portait avec lui quelque remède : on jouit de ce qui n'est pas commun, même quand cette chose est un malheur. J'en conçus presque l'espérance que ma sœur deviendrait à son tour moins misérable.

« Une lettre que je reçus d'elle avant mon départ, sembla me confirmer dans ces idées. Amélie se plaignait tendrement de ma douleur, et m'assurait que le temps diminuait la sienne. "Je ne désespère pas de mon bonheur, me disait-elle. L'excès même du sacrifice, à présent que le sacrifice est consommé, sert à me rendre quelque paix. La simplicité de mes compagnes, la pureté de leurs vœux, la régularité de leur vie, tout répand du baume sur mes jours. Quand j'entends gronder les orages, et que l'oiseau de mer vient battre des ailes à ma fenêtre, moi, pauvre colombe du ciel, je songe au bonheur que j'ai eu de trouver un abri contre la tempête[369]. C'est ici la sainte montagne, le sommet élevé d'où l'on entend les derniers bruits de la terre et les premiers concerts du ciel ; c'est ici que la religion trompe doucement une âme sensible : aux plus violentes amours elle substitue une sorte de chasteté brûlante où l'amante et la vierge sont unies ; elle épure les soupirs ; elle change en une flamme incorruptible une flamme périssable[370] ; elle mêle divinement son calme et son innocence à ce reste de trouble et de volupté d'un cœur qui cherche à se reposer, et d'une vie qui se retire."

« Je ne sais ce que le ciel me réserve, et s'il a voulu m'avertir que les orages accompagneraient partout mes pas. L'ordre était donné pour le départ de la flotte ; déjà plusieurs vaisseaux avaient appareillé au baisser du soleil ; je m'étais arrangé pour passer la dernière nuit à terre, afin d'écrire ma lettre d'adieux à Amélie. Vers minuit, tandis que je m'occupe de ce soin, et que je mouille mon papier de mes larmes, le bruit des vents vient frapper mon oreille. J'écoute ; et au milieu de la tempête, je distingue les coups de canon d'alarme, mêlés au glas de la cloche monastique. Je vole sur le rivage où tout était désert, et où l'on n'entendait que le rugissement des flots. Je m'assieds sur un rocher. D'un côté s'étendent les vagues étincelantes, de l'autre les murs sombres du monastère se perdent confusément dans les cieux. Une petite lumière paraissait à la fenêtre grillée. Était-ce toi, ô mon Amélie, qui, prosternée au pied du crucifix, priais le Dieu des orages d'épargner ton malheureux frère ! La tempête sur les flots, le calme dans ta retraite ; des hommes brisés sur des écueils, au pied de l'asile que rien ne peut troubler ; l'infini de l'autre côté du mur d'une cellule ; les fanaux agités des vaisseaux, le phare immobile du couvent ; l'incertitude des destinées du navigateur, la vestale connaissant dans un seul jour tous les jours futurs de sa vie ; d'une autre part, une âme telle que la tienne, ô Amélie, orageuse comme l'océan ; un naufrage plus affreux que celui du marinier : tout ce tableau est encore profondément gravé dans ma mémoire. Soleil de ce ciel nouveau, maintenant témoin de mes larmes, écho du rivage américain qui répétez les accents de René, ce fut le lendemain de cette nuit terrible qu'appuyé sur le gaillard de mon vaisseau, je vis s'éloigner pour jamais ma terre natale ! Je contemplai longtemps sur la côte les derniers balancements des arbres de la patrie, et les faîtes du monastère qui s'abaissaient à l'horizon. »

Comme René achevait de raconter son histoire, il tira un papier de son sein, et le donna au père Souël ; puis, se jetant dans les bras de Chactas, et étouffant ses sanglots, il laissa le temps au missionnaire de parcourir la lettre qu'il venait de lui remettre.

Elle était de la Supérieure de... Elle contenait le récit des derniers moments de la sœur Amélie de la Miséricorde, morte victime de son zèle et de sa charité, en soignant ses compagnes attaquées d'une maladie contagieuse. Toute la communauté était inconsolable, et l'on y regardait Amélie comme une sainte. La Supérieure ajoutait que depuis trente ans qu'elle était à la tête de la maison, elle n'avait jamais vu de religieuse d'une humeur aussi douce et aussi égale, ni qui fût plus contente d'avoir quitté les tribulations du monde.

Chactas pressait René dans ses bras ; le vieillard pleurait. « Mon enfant, dit-il à son fils, je voudrais que le père Aubry fût ici ; il tirait du fond de son cœur je ne sais quelle paix qui, en les calmant, ne semblait cependant point étrangère aux tempêtes ; c'était la lune dans une nuit orageuse ; les nuages errants ne peuvent l'emporter dans leur course ; pure et inaltérable, elle s'avance tranquille au-dessus d'eux. Hélas, pour moi, tout me trouble et m'entraîne[371] ! »

Jusqu'alors le père Souël, sans proférer une parole, avait écouté d'un air austère l'histoire de René. Il portait en secret un cœur compatissant, mais il montrait au-dehors un caractère inflexible ; la sensibilité du Sachem le fit sortir du silence :

« Rien, dit-il au frère d'Amélie, rien ne mérite, dans cette histoire, la pitié qu'on vous montre ici. Je vois un jeune homme entêté de chimères, à qui tout déplaît, et qui s'est soustrait aux charges de la société pour se livrer à d'inutiles rêveries. On n'est point, monsieur, un homme supérieur parce qu'on aperçoit le monde sous un jour odieux. On ne hait les hommes et la vie, que faute de voir assez loin. Étendez un peu plus votre regard, et vous serez bientôt convaincu que tous ces maux dont vous vous plaignez sont de purs néants. Mais quelle honte de ne pouvoir songer au seul malheur réel de votre vie, sans être forcé de rougir ! Toute la pureté, toute la vertu, toute la religion, toutes les couronnes d'une sainte rendent à peine tolérable la seule idée de vos chagrins. Votre sœur a expié sa faute ; mais, s'il faut ici dire ma pensée, je crains que, par une épouvantable justice, un aveu sorti du sein de la tombe n'ait troublé votre âme à son tour. Que faites-vous seul au fond des forêts où vous consumez vos jours, négligeant tous vos devoirs ? Des saints, me direz-vous, se sont ensevelis dans les déserts ? Ils y étaient avec leurs larmes, et employaient à éteindre leurs passions le temps que vous perdez peut-être à allumer les vôtres. Jeune présomptueux qui avez cru que l'homme se peut suffire à lui-même ! La solitude est mauvaise à celui qui n'y vit pas avec Dieu[372] ; elle redouble les puissances de l'âme, en même temps qu'elle leur ôte tout sujet pour s'exercer. Quiconque a reçu des forces doit les consacrer au service de ses semblables ; s'il les laisse inutiles, il en est d'abord puni par une secrète misère, et tôt ou tard le ciel lui envoie un châtiment effroyable. »

Troublé par ces paroles, René releva du sein de Chactas sa tête humiliée. Le Sachem aveugle se prit à sourire ; et ce sourire de la bouche, qui ne se mariait plus à celui des yeux, avait quelque chose de mystérieux et de céleste. « Mon fils, dit le vieil amant d'Atala, il nous parle sévèrement ; il corrige et le vieillard et le jeune homme, et il a raison. Oui, il faut que tu renonces à cette vie extraordinaire qui n'est pleine que de soucis ; il n'y a de bonheur que dans les voies communes.

« Un jour le Meschacebé, encore assez près de sa source, se lassa de n'être qu'un limpide ruisseau. Il demande des neiges aux montagnes, des eaux aux torrents, des pluies aux tempêtes, il franchit ses rives, et désole ses bords charmants. L'orgueilleux ruisseau s'applaudit d'abord de sa puissance ; mais voyant que tout devenait désert sur son passage ; qu'il coulait, abandonné dans la solitude ; que ses eaux étaient toujours troublées, il regretta l'humble lit que lui avait creusé la nature, les oiseaux, les fleurs, les arbres et les ruisseaux, jadis modestes compagnons de son paisible cours[373]. »

Chactas cessa de parler, et l'on entendit la voix du *flamant* qui, retiré dans les roseaux du Meschacebé, annonçait un orage pour le milieu du jour[374]. Les trois amis reprirent la route de leurs cabanes : René marchait en silence entre le missionnaire qui priait Dieu, et le Sachem aveugle qui cherchait sa route. On dit que, pressé par les deux vieillards, il retourna chez son épouse, mais sans y trouver le bonheur. Il périt peu de temps après avec Chactas et le père Souël, dans le massacre des Français et des Natchez à la Louisiane. On montre encore un rocher où il allait s'asseoir au soleil couchant[375].

LES NATCHEZ
(suite)

Quelques jours après cette confession déplorable, René fut mandé au conseil des Natchez : Chactas était parti pour la Géorgie ; le père Souël avait repris le chemin de sa mission.

René trouva quelques Sachems, presque tous parents d'Akansie, assemblés dans la cabane du jeune Soleil : Ondouré était à leur tête ; il rayonnait de la joie du crime. Les vieillards, fumant leurs calumets dans un profond silence, reçurent le mari de Céluta avec un visage menaçant.

« Prends ces colliers, lui dit Ondouré d'un air moqueur ; va traiter avec les Illinois : tu fus la cause de la guerre, beau prisonnier ; sois l'instrument de la paix. »

Qu'importaient au frère d'Amélie ces insultes ! Qu'était-ce que ces peines communes, auprès des chagrins qui rongeaient son cœur ? Il prit les colliers, et sortit en déclarant qu'il obéirait aux ordres des Sachems.

Dans la disposition où se trouvait alors René, ce n'était pas sans un amer plaisir, qu'il se voyait obligé à s'éloigner de Céluta : il la supposait au moment de revenir aux Natchez. Une course solitaire parmi les déserts, convenait encore en ce moment au frère d'Amélie[376] : il se pourrait du moins livrer à sa douleur sans être entendu des hommes ! Il ne chercha point son frère, alors occupé de son mariage avec Mila : il était trop juste que, pour tant de courage et de sacrifices, Outougamiz jouît d'une lueur de félicité.

Il entrait dans les précautions d'Ondouré d'éloigner le guerrier blanc : il craignait que celui-ci, demeuré aux Natchez, ne démêlât quelque chose des trames ourdies. Le tuteur du Soleil désirait encore que Céluta, à son retour de la Nouvelle-Orléans, se trouvât seule, afin qu'elle pût être livrée sans défense aux persécutions d'un détestable amour. Ce chef avait calculé le temps que devait durer le voyage du frère d'Amélie : selon ce calcul de la jalousie et de la vengeance, René ne pouvait revenir aux Natchez que quelques jours avant la catastrophe, assez tôt pour y être enveloppé, trop tard pour la prévenir.

Furieux d'avoir vu sa proie échapper à ses premiers pièges, Ondouré s'était abandonné à de nouvelles calomnies contre le fils adoptif de Chactas. Dans un conseil assemblé la nuit sur les décombres de la cabane d'Adario, le tuteur du Soleil avait dépeint René comme l'auteur de tous les maux de la nation. Remontant jusqu'au jour de l'arrivée de l'étranger aux Natchez, il avait rappelé les présages sinistres qui signalèrent cette arrivée, la disparition du Serpent sacré, le meurtre des femelles de castor, la guerre contre les Illinois, suite de ce meurtre, et la mort du vieux Soleil, résultat de cette guerre : Ondouré chargeait ainsi l'innocence de ses propres iniquités.

Entrant dans la vie privée de son rival, le chef parla de la prétendue infidélité de René envers Céluta, du maléfice du baptême employé pour faire périr un enfant devenu odieux à un père criminel ; il parla du Manitou funeste donné à Outougamiz pour altérer la raison du naïf Sauvage. Ondouré représenta les liaisons du frère d'Amélie et du capitaine d'Artaguette comme la première cause de toutes les trahisons et de toutes les violences des Français.

« Quant aux persécutions que cet homme semble essuyer de ses compatriotes, ajouta-t-il, ce n'est évidemment qu'un jeu entre des conspirateurs. Remarquez que René échappe toujours à ces persécutions apparentes : il n'a point été pris aux Natchez avec Adario. Sous le prétexte de délivrer ce Sachem, il est allé rendre compte à la Nouvelle-

Orléans de ce qui se passait au fort Rosalie. On a feint de juger le mari de Céluta ; mais la preuve que ce n'était qu'un vain appareil, déployé pour nous donner plus de confiance dans un traître, c'est que ce traître n'a point subi sa sentence, et qu'à la grande surprise des Français eux-mêmes, il est revenu sain et sauf aux Natchez. Vous ne douterez pas un moment des pernicieuses intrigues de ce misérable, si vous observez son inclination à errer seul dans les bois ; il craint que sa conscience ne se montre sur son visage, et il se dérobe aux regards des hommes. »

Ondouré obtint un succès complet ; le Conseil fut convaincu : comment ne l'aurait-il pas été ? Quelle liaison dans les faits ! quelle vraisemblance dans les accusations ! Tout se transforme en crime : pas un sourire qui ne soit interprété, pas une démarche qui n'ait un but ! Les sentiments que René inspire deviennent des sujets de calomnie : s'il a sauvé Mila, c'est qu'il l'a séduite ; s'il a fait d'Outougamiz le modèle d'une amitié sublime, c'est qu'il a jeté un sort à ce simple jeune homme. Des rapports d'estime avec d'Artaguette sont une trahison ; un acte religieux est un infanticide ; un noble dévouement pour un Sachem, est une basse délation ; les persécutions, les souffrances même ne sont que des moyens de tromper, et si René cherche la solitude, c'est qu'il y va cacher des remords ou méditer des forfaits. Dieu tout-puissant ! quelle est la destinée de la créature, lorsque le malheur s'attache à ses pas ! quelle lumière as-tu donnée aux mortels pour connaître la vérité ? quelle est la pierre de touche où l'innocence peut laisser sa marque d'or ?

Les Sachems déclarèrent que René méritait la mort, et qu'il se fallait saisir du perfide. Ondouré loua le vertueux courroux des Sachems, mais il soutint qu'il était prudent de ne sacrifier le principal coupable qu'avec les autres coupables, une mort prématurée et isolée pouvant faire avorter le plan général. Il proposa donc d'éloigner seulement René jusqu'au jour où le grand coup serait frappé.

Le jongleur déclara que telle était la volonté des Génies : le Conseil adopta l'opinion d'Ondouré.

L'intégrité d'Adario avait elle-même été surprise : l'erreur dans laquelle il était, fut la cause des regards farouches qu'il lança au frère d'Amélie, lorsque celui-ci revint de la Nouvelle-Orléans. Si les Indiens rencontraient l'homme blanc dans les bois, ils se détournaient de lui comme d'un sacrilège. René, qui ne voyait rien, qui n'entendait rien, qui ne se souciait de rien, partit pour le pays des Illinois, ignorant que la sentence de mort dont les juges civilisés l'avaient menacé à la Nouvelle-Orléans, avait été prononcée contre lui aux Natchez par des juges sauvages.

On voit quelquefois à la fin de l'automne une fleur tardive ; elle sourit seule dans les campagnes et s'épanouit au milieu des feuilles séchées qui tombent de la cime des bois : ainsi les amours de Mila et d'Outougamiz répandaient un dernier charme sur des jours de désolation. Avant de demander la jeune fille en mariage, le frère de Céluta se conforma à la coutume indienne, appelée *l'Épreuve du flambeau* : éteindre le flambeau qu'on lui présente, c'est pour une vierge donner son consentement à un hymen projeté[377].

Outougamiz tenant une torche odorante à la main sortit au milieu de la nuit ; les brises agitaient les rayons d'or de l'étoile amoureuse, comme on raconte que les zéphyrs se jouaient à Paphos, dans la chevelure embaumée de la mère des Grâces. Le jeune homme entrevoit le toit de sa maîtresse : des craintes et des espérances soulèvent son sein. Il s'approche, il relève l'écorce suspendue devant la porte de la cabane de Mila, et se trouve dans la partie même de cette cabane, où l'Indienne dormait seule.

La jeune fille était couchée sur un lit de mousse. Un voile d'écorce de mûrier se roulait en écharpe autour d'elle ; ses bras nus reposaient croisés sur sa tête, et ses mains avaient laissé tomber des fleurs.

Un pied tendu en arrière, le corps penché en avant,

Outougamiz contemplait à la lueur de son flambeau, la scène charmante[378]. Agitée par les illusions d'un songe, Mila murmure quelques mots ; un sourire se répand sur ses lèvres. Outougamiz croit distinguer son nom dans des paroles à demi formées ; il s'incline au bord de la couche, prend une branche de jasmin des Florides échappée à la main de Mila, et réveille la fille des bois, en passant légèrement sur sa bouche virginale la fleur parfumée.

Mila s'éveille, fixe des regards effrayés sur son amant, sourit, reprend son air d'épouvante, sourit encore. « C'est moi ! s'écrie Outougamiz, moi, le frère de Céluta, le guerrier qui veut être ton époux. » Mila hésite, avance ses lèvres pour éteindre la torche de l'hymen, retire la tête avec précipitation, rapproche encore sa bouche du flambeau..., la nuit s'étend dans la cabane.

Quelques instants de silence suivirent l'invasion des ombres, Outougamiz dit ensuite à Mila : « Je t'aime comme la lumière du soleil ; je veux être ton frère.

— Et moi ta sœur, répondit Mila.

— Tu deviendras mon épouse, continua l'ami de René ; un petit guerrier te sourira ; tu baiseras ses yeux, tu lui chanteras les exploits de ses pères ; tu lui apprendras à prononcer le nom d'Outougamiz.

— Tu me fais pleurer, répondit Mila : moi, je t'accompagnerai dans les forêts, je porterai tes flèches, et j'allumerai le bûcher de la nuit. »

La lune descendait alors à l'occident : un de ses rayons pénétrant par la porte de la hutte, vint tomber sur le visage et sur le sein de Mila. La reine des nuits se montrait au milieu d'un cortège d'étoiles : quelques nuages étaient déployés autour d'elle, comme les rideaux de sa couche. Dans les bois régnait une sorte de douteuse obscurité, semblable à celle d'une âme qui s'entrouvre pour la première fois aux tendres passions de la vie. Le couple heureux tomba dans un recueillement d'esprit involontaire : on n'entendait plus que le bruit de la respiration tremblante de la jeune Sauvage. Mais bientôt Mila :

« Il faut nous quitter : l'oiseau de l'aube a commencé son premier chant ; retourne sans être aperçu à ta demeure. Si les guerriers te voyaient, ils diraient : "Outougamiz est faible ; les Illinois le prendront dans la bataille, car il fréquente la cabane des Indiennes." »

Outougamiz répondit : « Je serai la liane noire qui se détourne dans la forêt de tous les autres arbres, et qui va chercher le sassafras auquel elle veut uniquement s'attacher. »

Mila se couvrit la tête d'un manteau, et dit : « Guerrier, je ne te vois plus. »

Outougamiz enterra le flambeau nuptial à la porte de la cabane, et s'enfonça dans les bois.

Le mariage fut célébré avec la pompe ordinaire chez les Sauvages. Les deux époux souffraient de cet appareil et se disaient : « Nous ne nous marions pas pour être heureux, puisque nos amis ne le sont pas. » Laissés seuls dans leur cabane nouvelle, ils y goûtèrent une joie digne de leur innocence. Ils pleurèrent aussi, comme ils en avaient fait le projet. Les larmes qui coulaient de leurs yeux descendaient jusqu'à leurs lèvres, et Mila disait en recevant les embrassements d'Outougamiz : « Ta bouche touche la mienne à travers les malheurs de René. »

Hélas ! le fidèle Indien allait verser bien d'autres pleurs ! Ce n'était pas assez pour le tuteur du Soleil d'avoir perdu le frère d'Amélie auprès de la foule, de l'avoir fait condamner au Conseil des vieillards, il le voulait frapper jusque dans le cœur d'un ami.

Le succès des complots d'Ondouré exigeait qu'Outougamiz assistât à la grande assemblée des Sauvages, où le plan général devait être développé :

Si Outougamiz était absent de cette assemblée, il ne porterait point le joug du serment que l'on y devait prononcer, et il pourrait dans ce cas s'opposer au complot à l'instant de l'exécution ;

Si Outougamiz ne croyait pas René coupable de trahison envers les Natchez, rien n'empêcherait le frère de Céluta, aussitôt qu'il connaîtrait le secret, de le confier au frère d'Amélie :

Il fallait donc, combinaison digne de l'enfer ! qu'Outougamiz fût enchaîné par un serment, et que, persuadé en même temps du crime de René, il se trouvât placé entre la nécessité de perdre son ami pour sauver sa patrie, ou de perdre sa patrie pour sauver son ami.

Le lendemain du mariage de l'héroïque ami et de la courageuse amie de René, le jour même où Mila, toute brillante de ses félicités, conversait avec Outougamiz sur une natte semée de fleurs, Ondouré entra dans la cabane.

« Mauvais esprit ! s'écria Mila, que viens-tu faire ici, viens-tu nous porter malheur ? »

Ondouré affectant un sourire ironique s'assit à terre et dit :

« Outougamiz ! je viens t'offrir les vœux que je fais pour toi ; tu méritais d'être heureux.

— Heureux ! repartit Outougamiz, et quel homme l'est plus que moi ? Où pourrais-tu rien trouver de comparable à ma femme et à mon ami ?

— Je ne veux point détruire tes illusions, dit Ondouré d'un air attristé, mais si tu savais ce que toute la nation sait ! quel méchant Manitou t'a lié avec cette chair blanche !

— Tuteur du Soleil ! répliqua Outougamiz rougissant, je te respecte ; mais ne calomnie pas mon ami. Il vaudrait mieux pour toi que tu n'eusses jamais existé. »

Ondouré repartit : « Admirable jeune homme ! que n'as-tu trouvé une amitié digne de la tienne ?

— Chef ! s'écria Outougamiz avec l'accent de l'impatience, tu me tourmentes comme le vent qui agite la flamme du bûcher ; qu'y a-t-il ? que veux-tu ? que cherches-tu ?

— Ô Patrie ! Patrie ! » dit avec un soupir Ondouré.

Au mot de patrie, les yeux d'Outougamiz se troublent ; il se lève précipitamment de sa natte et s'approche d'Ondouré qui s'était levé à son tour. La crainte de quelque affreux secret avait passé à travers le cœur du frère de Céluta.

« Qu'y a-t-il donc dans la patrie ? dit le noble Sauvage. Faut-il prendre les armes ? marchons : où sont les ennemis ?

— Les ennemis ! dit Ondouré, ils sont dans nos entrailles ! Nous étions vendus, livrés comme des esclaves ; un traître...

— Un traître ! nomme-le, s'écria Outougamiz d'une voix où mille sentiments contraires avaient mêlé leurs accents ; nomme-le ; mais prends garde à ce que tu vas dire. »

Ondouré observe Outougamiz dont les mains tremblaient de colère ; il saisit le bras du jeune homme pour prévenir le premier coup, il s'écrie : « René !

— Tu mens ! réplique Outougamiz cherchant à dégager son bras ; je t'arracherai ta langue infernale ; je ferai de toi un mémorable exemple. »

Mila se jette entre les deux guerriers. « Laisse vivre ce misérable, dit-elle à Outougamiz ; chasse-le seulement de ta cabane. »

A la voix de Mila les transports d'Outougamiz s'apaisent.

« Tuteur du Soleil ! dit-il, je le vois à présent, tu te voulais amuser de ma simplicité ; mais ne renouvelle pas ces jeux, cela me fait trop de mal.

— Je te quitte, dit Ondouré ; bientôt tu me rendras plus de justice ; interroge le prêtre du soleil et ton oncle Adario. » Ondouré sort de la cabane.

Outougamiz veut paraître tranquille, il ne l'est plus ; il se veut reposer, et il ne sait comment les joncs de sa natte sont plus piquants que les épines de l'acacia. Il se relève, marche, s'assied de nouveau. Mila lui parle et il ne l'entend pas. « Pourquoi, murmurait-il à voix basse, pourquoi ce Chef a-t-il parlé ! J'étais si heureux !

— N'y pense plus, lui dit Mila ; les paroles du méchant sont comme le sable qu'un vent brûlant chasse au visage : il aveugle et fait pleurer le voyageur.

— Tu as raison, Mila, s'écrie Outougamiz; me voilà bien tranquille à présent. »

Infortuné! le coup mortel est frappé : tu ne trouveras plus le repos; ton sommeil, naguère léger comme ton innocence, se va charger de songes funestes! Tel est le bonheur des hommes, un mot suffit pour le détruire. Douce confiance de l'âme, union intime et sacrée, adieu pour toujours! Sainte amitié, elles sont passées tes délices, tes tourments commencent! finiront-ils jamais?

« Mila, dit Outougamiz, je me sens malade, je veux aller voir le jongleur.

— Le jongleur! repartit Mila. Ne va pas voir cet homme-là. René t'aime, tu l'aimes; il doit te suffire comme tu me suffis. Si la colombe prête l'oreille à la voix de la corneille, celle-ci lui dira des choses qui la troubleront, parce qu'elle ne parle pas son langage.

— Ce n'est pas pour parler de René que je veux voir le jongleur, dit Outougamiz; je suis malade, il me guérira. »

Mila posa la main sur le cœur d'Outougamiz, et dit à son époux, en le regardant avec un demi-sourire : « Malade! oui, bien malade, puisqu'un mensonge vient de sortir de tes lèvres. »

Outougamiz s'obstina à vouloir consulter le jongleur, qu'Ondouré lui avait exprès nommé dans ses révélations mystérieuses. « Va donc, dit Mila, pauvre abeille de la savane; mais évite de te reposer sur la fleur empoisonnée de l'acota[379]. »

L'homme ne peut être parfait; aux qualités les plus héroïques, Outougamiz mêlait une faiblesse : de la crainte de Dieu, crainte salutaire sans laquelle il n'y a point de vertu, Outougamiz était descendu jusqu'à la plus aveugle crédulité[380]. La simplicité de son caractère le rendait facile à tromper; un prêtre était pour le frère de Céluta un oracle; et si ce ministre du Grand Esprit parlait au nom de la patrie, de la patrie si chère aux Sauvages, quel moyen pour Outougamiz d'échapper à ce double pouvoir de la terre et du ciel?

L'ami de René arrive à la porte du jongleur : dans ce moment même, Ondouré sortait de la demeure du prêtre, et avec un regard qui disait tout, il laissa le passage libre à l'ami de René. Le jongleur apercevant Outougamiz se mit à tracer des cercles magiques : Outougamiz élève vers lui une voix suppliante.

« Qui parle ? s'écrie le prêtre d'un air égaré. Quel audacieux mortel trouble l'interprète des Génies ? Fuyez, profane ! la patrie demande seule mes prières. Ô Patrie ! tu nourrissais un monstre dans ton sein ! L'infâme étranger méditait ta ruine : par lui les femelles des castors ont été massacrées ; il trahissait Céluta ; il versait sur la tête de son enfant l'eau mortelle du maléfice ! Comme il trompait ce jeune et innocent Outougamiz ! Malheur à toi, époux de Mila ! si désormais tu ne te séparais de ce traître, si tu refusais de croire à ses crimes ! Les fantômes s'attacheraient à tes pas, et les os de tes aïeux s'agiteraient dans leur tombe. »

Le jongleur bondit hors de sa cabane et se jeta dans une forêt où on l'entendit pousser des hurlements.

Le frère de Céluta demeure anéanti : une sueur froide qu'il croit sentir découler de son cœur et pénétrer à travers ses membres, l'inonde. Il faudrait avoir fait les prodiges d'amitié d'Outougamiz, pour pouvoir peindre sa douleur : René un traître ! lui ? Qui l'ose ainsi calomnier ? Où est-il le calomniateur qu'Outougamiz le puisse dévorer ? Mais, n'est-ce pas le prêtre du soleil ? celui qui commerce avec les Esprits ! celui qui parle au nom de la patrie ! Malheureux ! Tu ne crois pas quand le Ciel même t'ordonne de croire ?... Non, cet ami n'est point coupable ; des monstres seuls ont élevé la voix contre lui. Le frère de Céluta vengera René aux yeux de la nation ; l'éloquence descendra sur les lèvres d'Outougamiz, il s'exprimera mieux que Chactas ; il proposera de combattre les accusateurs... Je pars, je vole où m'appelle le Manitou d'or... Insensé ! n'entends-tu pas le cri des fantômes ? ne vois-tu pas se lever les os de tes pères qui viennent témoigner des crimes de ton ami ?

Telle est la faible peinture des combats qui se passaient dans l'âme du frère de Céluta. Il quitte la cabane du jongleur ; lent et pâle, il se traîne sur la terre ; il croit ouïr des bruits dans l'air et l'herbe murmurer sous ses pas. Où va-t-il ?... il l'ignore. Quelque chose de fatal le pousse involontairement vers Adario. Adario est son oncle ; Adario lui tient lieu de père ; Adario, dans l'absence de Chactas, est le premier Sachem de la nation ; enfin, Adario est le plus affligé des hommes. Le malheur est aussi une religion : il doit être consulté ; il rend des oracles : la voix de l'infortune est celle de la vérité. Voilà ce que se disait Outougamiz, en allant chercher le rigide vieillard.

Le Sachem avait vu tuer son fils à ses côtés et les flammes dévorer sa cabane ; le Sachem avait étouffé son petit-fils de ses propres mains ; la femme du Sachem était tombée dans l'émeute qui suivit l'affreux sacrifice : il ne restait de toute sa famille, à Adario, que la fille même dont il avait étranglé l'enfant. Renfermé, avec cette fille, dans les cachots du fort Rosalie, il avait dû terminer ses jours à un gibet : « Élève-moi bien haut, disait-il au bourreau qui le conduisait au supplice, afin que je puisse découvrir, en expirant, les arbres de ma patrie. » On sait pourquoi, comment, à quel prix et dans quel dessein Ondouré racheta la vie d'Adario.

Ce fut un grand spectacle que le retour de l'ami de Chactas aux Natchez. Le Sachem ressemblait à un squelette échappé de la tombe : quelques cheveux gris, souillés de poussière, tombaient des deux côtés de sa tête chauve ; ses vêtements pendaient en lambeaux. Il cheminait en silence, les yeux baissés ; sa fille venait derrière lui, dans le même silence, comme la victime marche après le sacrificateur : elle portait, attachés à ses épaules, un berceau vide et les langes désormais inutiles d'un nouveau-né.

Adario ne voulut point relever sa cabane : il établit sa

357

demeure au milieu des bois. Sa fille suivait de loin son terrible père, n'osant lui parler, veillant sur ses jours, s'asseyant quand il s'asseyait, avançant quand il poursuivait sa route. Quelquefois le Sachem contemplait les Français qui labouraient les champs de sa patrie : l'ange exterminateur n'aurait pas lancé des regards plus dévorants sur un monde dont le Dieu vivant aurait retiré sa main.

Après la délivrance d'Adario, Ondouré déroula, aux yeux du vieillard, le plan d'une grande vengeance. Il lui présenta pour but la liberté des Natchez, et l'expulsion de la race des blancs de tous les rivages de l'Amérique ; il lui cacha les ressorts secrets, les sentiments honteux, les mystérieuses lâchetés qui faisaient mouvoir cette conspiration : Adario n'eût jamais emprunté le voile du crime, pour couvrir un seul moment la vertu.

Le Sachem assista au Conseil secret convoqué la nuit par Ondouré ; il approuva ce que le tuteur du Soleil exposa de ses desseins ; savoir : la convocation des nations indiennes dans une assemblée générale afin de prendre contre les étrangers une mesure commune ; il ratifia la condamnation de René, de René qu'il croyait coupable d'impiété et de trahison. Ces résolutions adoptées, les vieillards voulurent déterminer Adario à se livrer à ses occupations ordinaires.

« Tant que je respirerai, dit le Sachem, je n'aurai d'abri que la voûte du ciel. Comme défenseur de la patrie, je suis innocent ; comme père, je suis criminel. Je consens à vivre encore quelques jours pour mon pays ; mais Adario s'est réservé le droit de se punir, lorsque les Natchez auront cessé d'avoir besoin de lui. »

C'était à ce cœur inflexible, c'était à l'homme le moins compatissant aux sentiments de la nature[381], à l'homme le plus aigri par le chagrin, que l'ami de René allait demander des conseils, en sortant de l'audience du prêtre.

Outougamiz trouva le Sachem à moitié nu, assis au bord d'un torrent sur la pointe d'un roc : il lui raconte les inspirations du jongleur. Adario fait à son neveu le tableau des prétendus crimes de René. « Tu me tues comme ton fils ! » s'écrie le frère de Céluta, avec un accent dont le Sachem même fut touché.

Jamais le malheur ne se grava si subitement et d'une manière plus énergique sur le front d'un homme, que sur celui d'Outougamiz : plus le marbre est pur, plus l'inscription est profonde. L'infortuné s'éloigne d'Adario : il saisit la chaîne d'or, la regarde avec passion, la veut jeter dans le torrent, puis la presse contre son cœur et la suspend de nouveau sur sa poitrine. Cependant Outougamiz ignorait le sort réservé à René : Adario avait peint l'homme blanc coupable, mais il n'avait pas voulu accabler entièrement son neveu ; il s'était abstenu de l'instruire de la sentence des Sachems ; sentence prononcée d'ailleurs sous le sceau du secret. Le souvenir de Mila vint comme une brise rafraîchissante, soulager un peu le brûlant chagrin d'Outougamiz : le jeune époux songe que l'épouse nouvelle qui porte encore sur sa tête la couronne du premier matin, est déjà demeurée veuve sous son toit ; il se détermine à chercher des consolations auprès de sa compagne.

Mila vole à lui : elle s'aperçoit qu'il chancelle ; elle le soutient en disant : « C'est la liane qui appuie maintenant le tulipier ! Eh bien ! je te l'avais prédit ! assieds-toi et repose ta tête sur mon sein. Que t'ont dit les méchants ?

— Ils m'ont répété ce que m'avait dit Ondouré, répondit Outougamiz : Adario parle aussi comme le jongleur.

— Quand ce serait Kitchimanitou lui-même, s'écria Mila, je soutiendrais qu'il fait un mensonge : moi ! je croirais aux calomnies répandues contre mon ami ! Celui qui t'a donné le Manitou d'or croirait-il le mal qu'on lui dirait de toi ? »

Cette question fit monter les larmes dans les yeux d'Outougamiz ; Mila pleurant à son tour : « Ah ! c'est un bon guerrier que le guerrier blanc ! ils le tueront, j'en suis sûre.

— Ils le tueront, reprit Outougamiz, qui t'a dit cela ?

— Je le devine, répondit l'Indienne : si tu ne sauves René une troisième fois, ils le mettront dans le Bocage de la Mort.

— Non, non, s'écria Outougamiz, ou j'y dormirai près de lui. Que ne suis-je déjà au lieu de mon repos ! Tout est si agité à la surface de la terre ! tout est si calme, une longueur de flèche au-dessous ! Mais Mila, la patrie !

— La patrie ! repartit Mila, et que me fait à moi la patrie si elle est injuste[382] ? J'aime mieux un seul cheveu d'Outougamiz innocent que toutes les têtes grises des Sachems pervertis. Qu'ai-je besoin d'une cabane aux Natchez ? j'en puis bâtir une dans un lieu où il n'y aura personne : j'emmènerai mon mari et son ami avec moi, malgré vous tous, méchants. Voilà comme j'aurais parlé au jongleur. Il aurait fait des tours, tracé des cercles, bondit trois fois comme un orignal ; j'aurais ri à sa face, joué, tourné, sauté comme lui et mieux que lui. Il y a là un Génie (et elle appuyait la main sur son cœur) qui n'obéit point aux noirs enchantements.

— Comme tu me consoles ! comme tu parles bien ! s'écrie l'excellent Sauvage ; tu me voudrais donc suivre dans le désert ? »

Mila le regarda et lui dit : « C'est comme si le ruisseau disait à la fleur qu'il a détachée de son rivage et qu'il entraîne dans son cours : "Fleur, veux-tu suivre mon onde ?" La fleur répondrait : "Non, je ne le veux pas" ; et cependant les flots la pousseraient doucement devant eux. »

L'aimable Indienne avait préparé le repas du soir ; après avoir mouillé ses lèvres dans la coupe, elle retourna à ce lit nuptial non chanté, qui ne tirait sa pompe que de sa simplicité et de la grâce des deux époux. Les jeunes bras de Mila bercèrent et calmèrent les chagrins d'Outougamiz, comme ces légères bandes de soie, qui pressent et soulagent à la fois la blessure d'un guerrier.

Heures fugitives, dérobées par l'amour à la douleur,

que vous deviez promptement disparaître ! Déjà le conseil des Sachems avait reçu les premiers colliers de ses messagers secrets : toutes les nuits Ondouré rassemblait quelques-uns des chefs dans les cavernes. Le gouverneur de la Louisiane, moins facile à tromper que le commandant du fort Rosalie, ne s'endormait point au milieu des périls : il regrettait d'avoir rendu la liberté au frère d'Amélie, et s'il ne fit pas arrêter Céluta, c'est qu'il se laissa fléchir aux larmes d'Adélaïde.

Lorsque Céluta apprit le départ de René, on essaya inutilement de la retenir à la Nouvelle-Orléans. En vain Adélaïde, Harlay, le général d'Artaguette (le capitaine avec le grenadier étaient retournés aux Natchez) lui représentèrent que ses forces ne suffiraient pas aux fatigues d'un si long voyage ; elle conjura sa sœur et ses frères de la chair blanche, comme elle les appelait, de la laisser reprendre le chemin de son pays : il fallut céder à ses ardentes prières que traduisait la vieille mère de Jacques ; Céluta embrassa avec émotion cette pauvre et vénérable matrone son hôtesse dans la nuit funeste. « Mon frère et ma sœur, dit-elle à Harlay et à Adélaïde, souvenez-vous de Céluta quand vous serez au pays des blancs. J'espère vous retrouver quelque jour dans la contrée des âmes, si l'on permet l'entrée de la belle forêt que vous habiterez, à de misérables Indiennes comme moi. »

La fille du gouverneur conduisit son amie jusqu'aux pirogues d'un grand parti de Pannis[383] qui se préparaient à remonter le fleuve : là se renouvelèrent de tendres adieux. Céluta s'embarqua sur la flotte pannisienne. « Adieu, disait-elle à Adélaïde qui pleurait assise au rivage ; que les bons Génies vous rendent vos bienfaits ! je ne vous reverrai plus sur la terre où vous resterez longtemps après moi, mais je tâcherai de faire le moins de mal que je pourrai dans mon rapide passage, afin de me rendre digne de votre souvenir. » Les pirogues s'éloignèrent.

Lorsque Céluta sortit de la ville des Français, son front était couvert de la pâleur des chagrins et d'une maladie cessant à peine. Sa fille, qui montrait déjà dans son regard quelque chose de la beauté et de la tristesse d'Amélie, sa fille, dont le jour natal n'avait point encore été éclairé deux fois par le soleil, semblait elle-même au moment d'expirer. Céluta la tenait suspendue à ses épaules, dans des peaux blanches d'hermine : tel un cygne qui transporte ses petits, les place entre son cou flexible et ses ailes un peu soulevées ; les charmants passagers se jouent à demi cachés dans le duvet de leur mère.

L'âme entière de Céluta était partagée entre son enfant et son époux : que de maux déjà passés ! quels étaient ceux qui devaient naître encore ? Les pirogues avaient à peine remonté le Meschacebé pendant quelques heures, que les Pannis, par un de ces caprices si fréquents chez les Sauvages, s'arrêtèrent sur la rive orientale du fleuve. Céluta descendit à terre avec ses conducteurs ; mais ceux-ci, par un autre caprice, se dispersèrent bientôt, les uns commençant une chasse, les autres se rembarquant sans bruit. Céluta s'était assoupie à l'écart, derrière un rocher qui lui cachait le fleuve : la nuit était venue. Quand l'épouse de René se réveilla, elle était abandonnée.

L'insouciance indienne l'avait délaissée, le courage indien la soutint : elle était accoutumée à la solitude. Les ténèbres empêchaient les Pannis de voir la sœur d'Outougamiz, et le vent ne leur permettait pas d'entendre ses cris ; résignée, elle attendit le jour.

Lorsque l'aurore parut, Céluta sortit de l'abri du rocher ; regardant les différents points du ciel, elle se dit : « Mon mari est de ce côté-là. » Et ses pas se dirigèrent vers le septentrion. Elle n'eut pas même la pensée de retourner à la Nouvelle-Orléans ; elle se trouvait plus en sûreté dans les bois que parmi les hommes. Pour sa nourriture elle comptait sur les fruits sauvages, et son sein suffirait au besoin de sa fille.

Tout le jour elle marcha, cueillant çà et là quelques baies dans les buissons.

À l'heure où la hulotte bleue[384] commence à voltiger

dans les forêts américaines, Céluta atteignit le sommet d'une colline ; elle se détermina à passer la nuit au pied d'un tamarin, dans le tronc caverneux duquel les Indiens allumaient quelquefois le feu du voyageur. Au midi on découvrait la ville des blancs, au couchant le Meschacebé, au nord de hautes falaises où s'élevait une croix.

Prenant dans ses bras la fille de l'homme des passions, Céluta lui présenta son sein que l'enfant débile serrait à peine dans ses lèvres : un jardinier arrose une plante qui languit ; mais elle continue de dépérir, car la terre ne l'a point reçue favorablement à sa naissance. Dans son effroi maternel, Céluta n'osait regarder le tendre nourrisson, de peur d'apercevoir les progrès du mal ; ses yeux, chargés de pleurs, erraient vaguement sur les objets d'alentour. Telles furent vos douleurs dans la solitude de Bersabée, malheureuse Agar[385], lorsque, détournant la vue d'Ismaël, vous dîtes : « Je ne verrai point mourir mon enfant. » La nuit fut triste et froide.

Au lever du jour, après avoir fait un repas de pommes de mai et de racines de canneberge[386], la voyageuse, chargée de son trésor, reprit sa route. La monotonie du désert n'était interrompue que par la vue encore plus monotone de la croix. Cette croix était celle où René avait accompli un pèlerinage en descendant à la Nouvelle-Orléans[387] : Dieu seul savait ce qu'avait demandé en secret le fervent pèlerin. Une pierre encore tachée du sang de l'homme assassiné gisait près de l'arbre expiatoire : un torrent s'écoulait à quelque distance.

La sœur d'Outougamiz s'assit sur la pierre du meurtre : elle prit involontairement dans sa main la branche de chêne que René avait déposée en *ex-voto* au pied du calvaire ; les regards de l'Indienne se fixaient sur le rameau desséché qu'elle balançait lentement, comme si elle eût trouvé une ressemblance de destinée entre elle et la branche flétrie. Céluta rêvait au bruit aride du vent dans le bois de la croix et dans la cime de quelques chardons qui perçaient les roches. Plusieurs fois, elle crut entendre des voix, comme si les anges de la Croix et de la Mort eussent conversé invisiblement dans ce lieu.

L'épouse de René se hâta de quitter un monument de douleur, qu'elle supposait gardé par les Esprits redoutables des Européens. Le large vallon qui terminait le plateau des bruyères, la conduisit au bord d'un courant d'eau. Dans le fond de ce vallon s'élevaient de petits tertres couverts de tulipiers, de liquidambars, de cyprès, de magnolias, et autour desquels se repliait l'onde qui portait son tribut au Meschacebé. Du sein de la terre échauffée sortait le parfum de l'angélique et de différentes herbes odorantes.

Attirée et presque rassurée par le charme de cette solitude, Céluta s'assied sur la mousse et prépare le banquet maternel. Elle couche Amélie sur ses genoux, et déroule l'une après l'autre les peaux d'hermine dont l'enfant était enveloppée. Quelques larmes, tombées des yeux de la mère, ranimèrent la fille souffrante, comme si cette enfant ne devait tenir la vie que de la douleur.

Quand Céluta eut prodigué à sa fille ses caresses et ses soins, elle chercha pour elle-même un peu de nourriture. Les lieux où elle se trouvait avaient naguère été habités par une tribu indienne. On voyait encore dans un champ anciennement moissonné quelques rejets de maïs, et l'épi de ce blé-sauvageon était rempli d'une crème onctueuse : il servit au repas de Céluta.

Vers le baisser du soleil, la sœur d'Outougamiz se retira à l'entrée d'une grotte tapissée de jasmin des Florides, et environnée de buissons d'azaléas. Dans cette grotte se vinrent réfugier une foule de nonpareilles, de cardinaux, d'oiseau moqueurs, de perruches, de colibris qui brillaient comme des pierreries au feu du couchant.

La nuit se leva revêtue de cette beauté qu'elle n'a que dans les solitudes américaines. Le ciel étoilé était parsemé de nuages blancs semblables à de légers flocons d'écume, ou à des troupeaux errants dans une plaine azurée. Toutes les bêtes de la création, les biches, les caribous, les bisons, les chevreuils, les orignaux, sortaient de leur retraite pour paître les savanes. Dans le lointain on entendait les chants extraordinaires des raines, dont les unes imitant le mugissement du bœuf laboureur, les autres le tintement d'une cloche champêtre, rappelaient les scènes rustiques de l'Europe civilisée, au milieu des tableaux agrestes de l'Amérique sauvage[388].

Les zéphyrs embaumés par les magnolias, les oiseaux cachés sous le feuillage, murmuraient d'harmonieuses plaintes que Céluta prenait pour la voix des enfants à naître ; elle croyait voir les petits Génies des ombres et ceux qui président au silence des bois, descendre du firmament sur les rayons de la lune ; légers fantômes qui s'égaraient à travers les arbres et le long des ruisseaux. Alors elle adressait la parole à sa fille couchée sur ses genoux ; elle lui disait : « Si j'avais le malheur de te perdre à présent, que deviendrais-je ? Ah ! si ton père m'aimait encore, je t'aurais bientôt retrouvée ! Je découvrirais mon sein ; j'épierais ton âme errante avec les brises de l'aube, sur la tige humectée des fleurs, et mes lèvres te recueilleraient dans la rosée. Mais ton père s'éloigne de moi, et les âmes des enfants ne rentrent jamais dans le sein des mères qui ne sont point aimées. »

L'Indienne versait, en prononçant ces mots, des larmes religieuses, semblable à un délicieux ananas qui a perdu sa couronne, et dont le cœur exposé aux pluies, se fond et s'écoule en eau.

Des pélicans, qui volaient au haut des airs, et dont le plumage couleur de rose réfléchissait les premiers feux de l'aurore, avertirent Céluta qu'il était temps de reprendre sa course. Elle dépouilla d'abord son enfant pour le baigner dans une fontaine où se désaltéraient, en allongeant la tête, des écureuils noirs accrochés à l'extrémité d'une liane flottante. La blanche et souffreteuse Amélie, couchée sur l'herbe, ressemblait à un narcisse abattu par l'orage, ou à un oiseau tombé de son nid avant d'avoir des ailes. Céluta enveloppa dans des mousses de cyprès plus fines que la soie sa fille purifiée ; elle n'oublia point de la parer avec des graines de différentes couleurs et des fleurs de divers parfums ; enfin elle la renferma dans les peaux d'hermine, et la suspendit de nouveau à ses épaules, par une tresse de chèvrefeuille : la pèlerine qui s'avance pieds nus dans les montagnes de Jérusalem, porte ainsi les présents sacrés qu'elle doit offrir au saint Tombeau.

La fille de Tabamica traversa, sur un pont de liane, la rivière qui lui fermait le chemin. Elle avait à peine marché une heure, qu'elle se trouva engagée au milieu d'un terrain coupé de flaques d'eau remplies de crocodiles. Tandis qu'elle hésite sur le parti qu'elle doit prendre, elle entend haleter derrière elle ; elle tourne la tête et voit briller les yeux vitrés et sanglants d'un énorme reptile. Elle fuit ; mais elle heurte du pied un autre monstre, et tombe sur les écailles sonores. Le dragon rugit ; Céluta se relève, et ne sent plus le poids léger que portaient ses épaules. Elle jette un cri ; prête à être dévorée, elle n'est attentive qu'à ce qu'elle a perdu. Tout à coup les deux monstres, dont elle sentait déjà la brûlante haleine sur ses pieds, se détournent ; ils se hâtent vers une autre proie. Que les regards d'une mère sont perçants ! ils découvrent parmi de hautes herbes l'objet qui attire les affreux animaux ! Céluta s'élance, saisit son enfant, et ses pas, que n'aurait point alors devancés le vol de l'hirondelle, la portent au sommet d'un promontoire d'où l'œil suit au loin les détours du Meschacebé.

Victoire d'une femme ! qui dira ton orgueil et tes joies ? L'astre des nuits, qui vient de dissiper dans le ciel les nuages d'une tempête, paraît moins beau que la pâle Céluta, triomphante au désert. Amélie avait ignoré le péril ; elle ne s'était pas même réveillée dans son lit de mousse ; sa parure conservait la fraîcheur et la symétrie. Chargée du berceau où l'innocence dormait sous des fleurs, Céluta avait accompli sa fuite, comme l'élégante Canéphore[389] achevait sa course, sans déranger dans sa corbeille les guirlandes et les couronnes. Mais la frayeur, qui n'avait pu troubler l'enfant, avait exercé son pouvoir sur la mère ; le sein de Céluta s'était tari : ainsi, quand la terre est ébranlée par les secousses de l'Etna, disparaît une fontaine dans les champs de la Sicile, et l'agneau demande en vain l'eau salutaire à la source épuisée.

Que Céluta manquât de nourriture pour son enfant ; que son sein fût stérile quand son cœur surabondait de tendresse ; voilà ce que l'Indienne ne pouvait comprendre. Elle accusait sa faiblesse, elle se reprochait jusqu'à ses douleurs, jusqu'à l'excès de sa frayeur maternelle. Elle cherchait une cause à ce châtiment du Grand Esprit : elle se demandait si elle avait cessé d'être fidèle à son époux, si elle avait aimé assez sa fille, si elle avait été injuste envers ses amis, si elle avait souhaité du mal à ses ennemis, si sa cabane, sa famille, sa tribu, son pays, les Manitous, les Génies n'avaient point eu à se plaindre d'elle ? Les yeux levés vers le séjour du père nourricier des hommes, elle montrait au ciel son sein desséché, réclamant sa fécondité première, se plaignant d'une rigueur non méritée.

Tout à coup Amélie déposée sur l'herbe pousse un gémissement ; elle sollicite le festin accoutumé ; ses mains suppliantes se tournent vers sa mère. Le désespoir s'empare de la sœur d'Outougamiz ; elle prend son enfant dans ses bras, le presse sur son sein avec des sanglots : que ne pouvait-elle l'abreuver de ses larmes ! du moins cette source était inépuisable.

Une inspiration funeste fait battre le cœur de la femme délaissée : Céluta se dit que le lait maternel n'était que le sang de son époux, que c'était René qui retirait à lui cette source de vie ; mais ne pouvait-elle pas elle-même s'ouvrir une veine, et remplacer par son propre sang le sang qui se refusait aux lèvres de sa fille ?

Peut-être aurait-elle pris quelque résolution extrême, si ses regards n'avaient aperçu des fumées qui montaient des deux côtés du Meschacebé, et qui annonçaient l'habitation de l'homme. Cette vue rendit des forces à Céluta ;

l'Indienne n'était pas d'ailleurs tout à fait déterminée à mourir, car son époux vivait et vivait infortuné. Elle descendit donc du promontoire portant le cher et funeste gage de son amour ; mais le fleuve était plus éloigné qu'il ne le lui avait paru, et lorsqu'elle arriva sur ses bords la nuit enveloppait le ciel.

La fumée des cabanes s'était perdue dans les ombres ; la lune en se levant versa sur les flots du Meschacebé moins de lumière que de mélancolie et de silence[390]. Céluta cherchait des yeux quelque nacelle. Ses regards suivaient, dans leur succession rapide, les lames passagères qui tour à tour élevaient leur sommet brillant vers l'astre de la nuit. Elle aperçut un objet flottant.

Bientôt elle vit sortir du fleuve, à quelques pas d'elle, un jeune nègre presque entièrement nu : une pagne[391] lui ceignait les reins, à la mode de son pays, et sa tête était ornée d'une couronne de plumes rouges. Il chantait à demi-voix quelque chose de doux dans sa langue ; il étendait les bras vers les eaux, et semblait adresser à un objet invisible des paroles passionnées. Céluta reconnut Imley, qui la reconnut à son tour ; il s'approcha d'elle en s'écriant : « Céluta ! ô redoutable Niang[a] ! Céluta ici ! »

Céluta répondit : « Je viens de la ville des Pleurs ; la biche des Natchez va perdre son faon que voilà, car son sein est tari. »

Alors Imley : « La biche des Natchez ne perdra point son faon ; nous trouverons une mère pour le nourrir. Céluta est belle comme une Fétiche bienfaisante.

— Comment Imley est-il dans ce lieu ? dit Céluta.

— Mon ancien maître, répondit Imley, après m'avoir battu, parce que j'aimais ma liberté, m'a vendu à l'habitant des cases voisines. Venez avec moi, je vous donnerai du maïs et une femme noire de mes bois, pour allaiter l'enfant rouge de vos forêts ; les Blancs ne sauront rien de tout cela. »

a. Dieu du mal : l'Arimane des nègres.

Céluta se mit à suivre son guide.

« Et tu es toujours infortunée, pauvre Céluta ! disait en marchant l'Africain. Et moi aussi je suis bien malheureux le jour, mais la nuit !... » Imley posa un doigt sur sa bouche en signe de mystère.

« Et la nuit tu es moins à plaindre, dit Céluta ; moi je pleure toujours.

— Céluta, reprit Imley, si tu savais ! elle est belle comme le palmier des sables ! Quand elle dit au sourire de venir visiter ses lèvres, ses dents ressemblent aux perles de la rosée dans les feuilles rouges du Béthel. »

L'enfant de Cham[392] arrêtant tout à coup Céluta, et lui montrant le fleuve : « Vois-tu la cime argentée de ces copalmes, là-bas, sur les eaux ? Vois-tu tout auprès les ombres de ces hêtres pourpres, presque aussi belles que celles du front de ma maîtresse ? Vois-tu les deux colonnes de ces papayas entre lesquelles apparaît la face de la Lune, comme la tête de mon Izéphar entre ses deux bras levés pour me caresser ? Eh bien ! ce sont les arbres d'une île. Ile de l'Amour, île d'Izéphar, les ondes ne cesseront de baigner tes rivages, les oiseaux d'enchanter tes bois, et les brises d'y soupirer la volupté ! C'est là, Céluta !... Elle habite sur l'autre bord du Meschacebé ; moi j'ai ma case sur cette rive ; chaque nuit elle traverse à la nage les bras du fleuve pour se rendre dans l'île : son Imley s'y trouve toujours le premier. Je reçois Izéphar au moment où elle sort de l'onde ; je la cache dans mon sein ; je lui sers d'abri et de vêtement ; nos baisers sont plus lents que ceux des brises qui caressent les fleurs de l'aloès au déclin du jour ; deux beaux serpents noirs s'entrelacent moins étroitement : nous sommeillons au bord du fleuve, en disputant de paresse avec ses ondes.

« Souvent aussi nous parlons de la patrie : nous chantons Niang, Zanhar[a], et les amours des lions. Je reprends toutes les nuits la parure que tu me vois, et que je portais

a. Dieu du bien.

quand j'étais libre sous les bananiers de Madinga. J'agite la force de ma main dans les airs ; il me semble que je lance encore la zagaie contre le tigre, ou que j'enfonce dans la gueule de la panthère mon bras entouré d'une écorce. Ces souvenirs remplissent mes yeux de larmes plus douces que celles du benjoin, ou que la fumée de la pipe chargée d'encens. Alors je crois boire avec Izéphar le lait du coco sous l'arcade de figuiers ; je m'imagine errer avec ma gazelle à travers les forêts de girofliers, d'acajous et de sandals. Que tu es belle, ô mon Izéphar ! tu rends délicieux tout ce qui touche à tes charmes. Je voudrais dévorer les feuilles de ton lit, car ta couche est divine, ô fille de la Nuit ! divine comme le nid des hirondelles africaines, comme ce nid qu'on sert à la table de nos rois et que composent avec des débris de fleurs, les aromates les plus précieux[393]. »

Ainsi disait Imley : il baisait l'air en feu autour de lui, et chargeait l'éther brûlant d'aller trouver les lèvres de la femme aimée, par la route impatiente des désirs.

La petite Amélie vint alors à jeter un cri. Imley imposa ses deux mains sur la tête de la mère et dit : « Vous êtes la femme des tribulations. »

A quoi Céluta répondit : « Je prie le Grand Esprit qu'Izéphar ait des entrailles plus heureuses que les miennes. »

Enfant des peuples de Caïn, vous répliquâtes avec une grande vivacité : « J'aime Izéphar comme une perle, mais son sein ne portera jamais un esclave : l'éléphant m'a enseigné sa sagesse[394]. »

En conversant de la sorte, l'épouse de René et son guide étaient arrivés aux cases des nègres de l'habitation[395]. Les toits écrasés de ces cases se montraient entre de hauts tournesols. Imley et Céluta traversèrent des carrés d'ignames et de patates, que l'esclave africain cultive dans ses courts moments de loisirs, pour sa subsistance et pour celle de sa famille. Un calme profond régnait dans ces lieux : sur cette terre étrangère, dans la couche de la servitude, le sommeil berçait ces exilés des illusions de la liberté et de la patrie. Imley dit à voix basse à Céluta : « Ils dorment mes frères noirs ! les insensés ! ils prennent des forces, afin de travailler pour un maître. Moi... »

L'Américaine et l'Africain entrèrent dans une case dont Imley poussa doucement la porte. Il se dépouilla de sa pagne qu'il cacha sous des chaumes : « Car, disait-il, nos maîtres prétendent que l'habit de mon pays est une Fétiche qui leur portera malheur. » Il reprit l'habit de l'esclave et réveilla une femme. Cette femme descend de son hamac de coton bleu, souffle des charbons assoupis, en jetant dans le foyer des cannes de sucre desséchées ; une grande flamme éclaire subitement l'intérieur de la case. Céluta reconnaît la négresse Glazirne ! Glazirne demeure immobile d'étonnement. Les deux femmes se prennent à pleurer.

« Bonne mère des pays lointains, dit Céluta, votre petite fille indienne est prête à mourir ; mon sein s'est fermé : j'espère que le vôtre est resté ouvert à votre fils. »

Glazirne répondit : « Je croyais ne plus vous revoir. Mon maître, aux Natchez, m'a vendue avec Imley, parce que j'avais eu trop de pitié de vous chez le bon blanc Artaguette. Mon maître n'aimait point la pitié : voilà ma joie dans son berceau. »

Glazirne découvrit un berceau caché sous une natte, prit son nourrisson, le mit à l'une de ses mamelles, suspendit à l'autre l'enfant de Céluta et s'assit à terre.

Quand l'épouse de René vit cette pauvre esclave presser sur son sein les deux petites créatures si étrangères par leur pays, si différentes par leur race, si ressemblantes par leur misère ; quand elle la vit les nourrir en leur prodiguant ces petits chants, ce langage maternel, le même en tous climats, elle adressa au Ciel la prière de la reconnaissance. Elle regardait les deux enfants ; comparant la faiblesse de sa fille à la force du fils de Glazirne, elle dit avec un mélange de joie, de douleur et d'une tendre jalousie : « Femme noire, que ton fils est grand et fort ! Il est pourtant de l'âge de ma fille !

— Femme rouge, dit Glazirne en se levant, j'ai commencé par ta fille, prends maintenant pour toi ces ignames, et bois ce suc d'une plante de mon pays, qui te rendra la fécondité. Mais, hâte-toi de t'éloigner, le jour va naître ; mon nouveau maître hait les femmes indiennes ; ne reviens plus aux cases. Cache-toi dans la forêt ; Imley te conduira à un lieu secret connu de nous autres esclaves. Au milieu du jour je t'irai porter la pâture[396], et au milieu de la nuit pleurer avec toi. Mon cœur n'est point fait de l'acier des blancs ; je ne suis point née sans père ni sans mère, quoique ma mère m'ait vendue pour un collier. »

Glazirne remplit une coupe de bois de citronnier d'une liqueur particulière, et la présenta à la voyageuse, comme la Madianite offrait un vase d'eau à l'étranger, au bord du puits du Chameau[397]. Céluta vida la coupe, et sortit avec Imley, qui la conduisit au lieu désigné.

A l'heure où les cigales, vaincues par l'ardeur du soleil, cessent leurs chants, Céluta entendit un cri : c'était celui que les nègres poussent dans le désert, pour écarter les serpents et les tigres. Elle découvrit Glazirne qui regardait s'il n'y avait point de blancs à l'entour.

La négresse, se glissant dans le bois, déposa quelque chose au pied d'un arbre, et se retira. Céluta, s'avançant à son tour, enleva la calebasse déposée. Il y avait du lait pour la fille, des fruits et des gâteaux pour la mère : ce commerce clandestin de l'infortune et de la misère se faisait à la porte du riche et de l'heureux.

Les ombres revinrent sur la terre. Céluta ouït vers le milieu de la nuit un bruissement léger ; elle étendit la main dans les ténèbres et rencontra bientôt celle de Glazirne : le bonheur repousse le bonheur, mais les larmes appellent les larmes ; elles viennent se mêler dans les cœurs des infortunés comme ces eaux sympathiques qui se cherchent à travers les feuilles d'un livre mystérieux, et qui y font paraître, en se confondant, des caractères disposés d'avance par l'amour.

La négresse apportait avec elle son fils : elle mit l'hostie pacifique entre les bras de l'Indienne, qui sentit ce compliment à la façon de la nature. Les deux femmes s'assirent ensuite sous un térébinthe dans une clairière ; elles parlèrent de leur frère d'Artaguette, que l'une avait sauvé, que l'autre avait ramené blessé au camp des Français[398]. Glazirne prononça des paroles magiques de son pays sur la fille de Céluta, sur ce vaisseau à peine ébauché que la flamme avait à demi dévoré dans le chantier de la vie. Puis la négresse ouvrit le haut de sa tunique d'esclave dans laquelle elle tenait cachée une colombe ; elle rendit la liberté à l'oiseau blanc qui, plein de frayeur, allongeait le cou hors du sein de l'Africaine. Cet emblème d'une âme pure qui s'envole vers les cieux, échappée des prisons de la vie, rappelait en même temps l'idée de la liberté que Glazirne avait perdue.

« Est-ce que tu crois que ma fille va mourir, dit Céluta, puisque la colombe s'est envolée ?

— Non, dit Glazirne ; la colombe a porté au redoutable Niang les paroles que j'ai murmurées tout bas, pour guérir ta fille.

— Fais à la mode de ton pays, repartit l'Indienne : je m'y accoutumerai mieux qu'à la mode du pays des blancs. »

Glazirne déroula une feuille de roseau dans laquelle elle avait enveloppé un coquillage de l'océan africain ; elle adressa à cette Fétiche des reproches et des prières. Céluta porte à ses lèvres ce Manitou du malheur. Religion des infortunés, vous êtes partout la même ! les chagrins ont une source commune : cette source est le cœur de l'homme.

Ces femmes sauvages, si remplies des merveilles de Dieu, voulurent endormir leurs enfants : elles les placèrent sur des peaux moelleuses, l'un auprès de l'autre, dans les festons d'une liane fleurie qui descendait des branches d'un vieux liquidambar : le fils de Glazirne tout nu et obscur comme l'ébène, la fille de Céluta parée d'un collier et éclatante comme l'ivoire ; ensuite elles agitèrent doucement le berceau suspendu. Céluta chantait, et la nature lui inspirait à la fois l'air et les paroles de son hymne au Sommeil.

« Enfants, plus heureux que vos mères, que votre sommeil soit également paisible et sans songes ! N'êtes-vous point sur cette branche de fleur les deux Génies de la nuit et de la lumière ? vous êtes blanc et noir comme ces jumeaux célestes.

« L'un porte la chevelure dorée du matin ; l'autre couvre son front du léger crêpe du soir. Charmantes nonpareilles, reposez ensemble dans ce nid : soyez plus heureux que vos mères. »

Les accents de la voix de Céluta étaient pleins de mélodie ; ils sortaient de son âme, et son âme était comme une lyre sous la main des Anges. Sollicité au repos par le ralentissement graduel du mouvement de la branche, le couple innocent s'endormit : les mères confièrent à la brise le soin de balancer encore leurs gracieux nourrissons.

Mais le maukawis[399] commençait à chanter le réveil de l'aurore ; les deux amies songèrent à se séparer ; avant de quitter ce lieu, elles amassèrent quelques pierres pour en faire une marque au siècle futur, et les appelèrent chacune dans sa langue l'autel des Femmes affligées.

L'Africaine promit de revenir. Cependant l'Indienne en vain espéra de revoir sa compagne ; sa compagne ne reparut plus. Une fois seulement Céluta crut avoir entendu dans le lointain la voix de Glazirne : il arrive que les vents de l'automne jettent, le soir, sur nos bords, un oiseau de l'autre hémisphère ; nous comptons retrouver au matin l'hôte de la tempête, mais il est déjà remonté sur le tourbillon, et son cri, du milieu des nuages, nous apporte son dernier adieu[400].

Après deux jours d'attente, Céluta se résolut à pour-

suivre sa route ; il lui tardait de revoir ses amis. Elle part ;
elle franchit des ruisseaux sur des branches entrelacées,
légers ponts que les Sauvages jettent en passant ; elle
traverse des marais, en sautant d'une racine à une autre
racine ; elle se cache quelquefois auprès d'une habitation
où des blancs prennent leur repas dans le champ par eux
labouré ; lorsqu'ils se sont retirés, elle accourt avec une
nuée de petits oiseaux qui guettaient comme elle les
miettes tombées de la table de l'homme. Après une
marche longue et pénible, elle entre dans ses forêts
natales, et arrive enfin aux Natchez.

Le premier Indien qu'elle aperçoit, c'est Ondouré. Le
bourreau a reconnu la victime ; il s'avance vers elle, et
d'une voix adoucie, il la félicite de son retour. « Où est
René ? dit Céluta ; chef cruel, te devais-je rencontrer le
premier !

— Ton mari, répondit Ondouré avec une modération
de langage que ses regards démentaient, ton mari est allé
par ordre des Sachems, chanter le calumet de paix aux
Illinois. »

Quand on s'est attendu à quelque malheur, tout ce qui
n'est pas ce malheur semble un bien. « Il vit ! » s'écrie
Céluta, et elle se sent soulagée.

Les Sauvages environnent bientôt la nièce d'Adario ;
Mila et Outougamiz fendent la foule et se précipitent dans
le sein de leur sœur.

« Je suis la femme de ton frère, s'écrie Mila sanglotant
de joie, mais je suis toujours ta petite fille.

— Tu es la femme de mon frère, dit Céluta avec un
mouvement de plaisir dont elle ne se rendit pas compte ;
aime-le et partage ses peines !

— Oh ! dit Mila, j'ai déjà plus pleuré pour lui dans
quelques jours, que je n'ai pleuré pour moi dans toute
ma vie. »

La voyageuse, conduite à sa cabane, la trouva dévastée,
telle que René l'avait trouvée lui-même à son retour.
Céluta jeta un regard triste sur la vallée, sur la rivière,

sur le sentier de la colline à demi caché dans l'herbe, sur tous ces objets où son œil découvrait des traces de la fuite du temps. La cabane fut promptement rétablie dans son premier ordre par Outougamiz et par Mila ; ils y vinrent demeurer avec leur sœur.

Cependant le couple ingénu n'osa raconter à Céluta, déjà trop éprouvée, ce qui s'était passé aux Natchez pendant son absence ; il n'osa lui dire les malheurs d'Adario, les calomnies dont René était la victime, les vertueuses inquiétudes d'Outougamiz. La fille de Tabamica voyait qu'on lui cachait quelque chose : tout lui paraissait extraordinaire, l'éloignement de Chactas et de René, l'établissement des Français sur le champ des Indiens, l'affectation des Indiens qui murmuraient des paroles de paix, du même air qu'ils auraient entonné l'hymne de guerre. Adario n'était point venu voir sa nièce, où était-il ? Céluta résolut d'aller trouver son oncle, de lui demander l'explication de ces mystères, et de s'éclaircir du sort de René.

Enveloppée d'un voile, elle sort de sa cabane, lorsque les étoiles, déjà chassées de l'orient par le crépuscule, semblaient s'être réfugiées dans la partie occidentale du ciel. Elle glisse le long des prairies comme ces vapeurs matinales qui suivent le cours des ruisseaux ; elle arrive au grand village, cherche la cabane d'Adario et ne trouve qu'un amas de cendres. Un chasseur vient à passer : « Chasseur, lui dit Céluta, où est maintenant la demeure d'Adario ? » Le chasseur lui montre un bois avec son arc, et continue sa route.

La sœur d'Outougamiz s'avance vers le bois ; elle aperçoit à l'entrée la fille d'Adario, sentinelle vigilante qui observait de loin les mouvements de son père. Le Sachem errait lentement entre les arbres, comme un de ces spectres de la nuit, qui se retirent au lever du jour. Sa tête chauve et ses membres dépouillés étaient humides de rosée ; sa hache, si terrible dans les combats, reposant sur une de ses épaules nues près de son oreille, semblait lui conseiller la vengeance.

Céluta ne se sentait pas la hardiesse d'aborder le Sachem ; elle l'entendit pousser de profonds soupirs. Le vieillard tourne tout à coup la tête, et s'écrie d'une voix menaçante : « Qui suit mes pas ?

— C'est moi, répond doucement Céluta.

— C'est toi, ma nièce ! Ne me présente pas ton enfant, mes mains sont dévorantes.

— Je n'ai point apporté ma fille », reprend l'épouse de René, qui déjà embrasse les genoux du Sachem : « Et ma cousine ? ajoute Céluta d'une voix suppliante.

— Ta cousine ! dit Adario ; où est-elle ? qu'elle vienne ! Elle n'a plus rien à craindre de mes embrassements. »

La fille d'Adario, assise à l'écart sur une pierre, regardait de loin cette scène avec un mélange de terreur et d'envie. Elle accourt au signe que lui fait Céluta : pour la première fois, depuis le retour du fort Rosalie, elle se sent pressée sur le cœur paternel par la main qui lui a ravi son fils. Adario, surmontant de la tête ces deux femmes, et les serrant contre sa poitrine avec son bras armé de la hache, ressemblait à un bûcheron qui va couper deux arbustes chargés de fleurs.

Le Sachem se dégageant des caresses de ces femmes : « Il n'est pas temps de pleurer comme un cerf ; c'est du sang qu'il nous faut. » Montrant d'une main la terre à Céluta, et de l'autre la voûte des arbres : « Voilà, lui dit-il, le lit et le toit que les étrangers m'ont laissés.

— Est-ce eux qui ont incendié ta cabane ? dit Céluta ; tes enfants t'en pourront bâtir une autre. »

Les lèvres d'Adario tremblèrent, son regard parut égaré ; il saisit sa nièce par la main : « Mes enfants, dis-tu ; mes enfants, ils sont libres ! Ils ne rebâtiront point ma hutte dans la terre de l'esclavage. »

Adario rejeta avec violence la main de Céluta. La fille du Sachem cachait dans ses cheveux son visage baigné de larmes. Céluta s'aperçut alors que sa cousine ne portait point son fils ; elle eut un affreux soupçon de la vérité.

L'épouse de René crut devoir calmer ces douleurs, dont elle ne connaissait pas encore la source, par quelques paroles d'amour. « Sachem, dit-elle, tu es un rempart pour les Natchez ; et j'espère que mon mari reviendra bientôt chargé de colliers pacifiques.

— N'appelle pas ton mari, dit le vieillard, l'infâme que la colère d'Athaënsic a vomi sur ces rivages. Si tu conserves encore quelque attachement pour lui, ôte-toi de devant mes yeux ; que le roc qui me sert de couche ne soit pas souillé de l'empreinte de tes pas.

— Ah ! s'écrie Céluta, voici le commencement des mystères dont j'étais venue demander l'explication ! Eh bien ! Adario, qu'a donc fait René ? Parle, je t'écoute. »

Adario s'appuie contre un chêne, et répète à Céluta la longue série des calomnies inventées par Ondouré. A ce discours, qui aurait dû foudroyer l'Indienne, vous l'eussiez vue prendre un air serein, une contenance hardie : « Je respire ! dit-elle ; cher et malheureux époux ! si je t'avais jamais soupçonné, maintenant tu serais pur à mes yeux comme la rosée du ciel. Que le monde entier te déclare coupable, je te proclame innocent ; que l'univers te déteste, j'aurai le bonheur de t'aimer sans rivale. Moi, t'abandonner, lorsque tu es calomnié, persécuté ! »

Les grandes âmes s'entendent : Adario admira sa nièce. « Tu es de mon sang, dit-il, et c'est pour cela que l'amour de la patrie triomphera dans ton cœur de l'amour d'un homme. Que peux-tu opposer à ce que je t'ai raconté ?

— Ce que j'y oppose ? répliqua vivement Céluta : le malheur de René. Mon mari coupable ! Il ne l'est point : tu en as trop dit, Adario, pour me convaincre. N'as-tu pas été jusqu'à me parler de Mila ? C'est à moi d'avoir affaire avec mon cœur, de dévorer mes peines, si j'en ai ; mais chercher à me faire croire à des trahisons envers les Natchez, par le ressentiment d'une infidélité qui ne regarderait que moi ! Sachem, je rougis pour ta vertu ! j'ignorais que ton grand cœur fût si sensible à un chagrin de femme ! »

La fureur d'Adario s'allume ; il ne voit dans ce dévouement de l'amour conjugal que la faiblesse d'un esprit fasciné par la passion. Blessé des paroles de Céluta, il s'écrie : « Tremble, misérable servante d'un blanc ; tremble qu'un indigne amour te fasse hésiter sur tes devoirs ; apprends que si ton sang était demandé par la patrie, cette main qui a étouffé mon fils te saurait bien retrouver ! » Adario, s'arrachant du chêne contre lequel il est appuyé, va chercher la caverne des ours pour y fuir la vue des hommes ; aussi insensible au mal qu'il a fait que le poignard qui ne sent pas les palpitations du cœur qu'il a percé.

Le coup a pénétré jusqu'aux sources de la vie : la victime s'est débattue contre le trait au moment où ce trait l'a frappée, mais à la blessure refroidie s'attache une douleur cuisante. Céluta ne croit point au crime de René, mais il suffit qu'on accuse celui qu'elle aime, pour qu'elle soit navrée de douleur ; elle ne croit pas à l'inconstance de son époux ; elle ne supposera jamais René capable d'avoir donné pour femme sa maîtresse à son ami ; mais que font la raison, l'élévation des sentiments, la générosité de caractère contre ces vagues soupçons qui traversent le cœur ? on s'en défend, on les repousse ; vaine tentative ! Ils renaissent comme ces songes qui se reproduisent dans le cours d'un pénible sommeil.

Céluta regagne à pas tremblants sa cabane, elle y trouve ses aimables hôtes. « Mon frère, dit-elle en entrant, je sais tout : on trame quelque complot. Sauvons ton ami !

— C'est parler cela, dit Mila en avançant d'un air courageux son joli visage. Ce n'est pas comme toi, Outougamiz, qui es triste comme un chevreuil blessé : sauvons René ! c'est ce que je disais tantôt. »

Les deux sœurs et le frère s'assirent ensemble sur la même natte, approchèrent leurs trois têtes, et se mirent à examiner comment ils pourraient sauver René. Les conspirations des bons ne sont pas comme celles des méchants : on nuit facilement, on répare avec peine. Le fond du secret était ignoré de la femme, de l'ami, et de l'amie de René : ils ne pouvaient donc apporter de remède à un mal dont la nature leur était inconnue. Mila ne savait autre chose que de tuer Ondouré : elle soutenait par son caractère résolu le frère et la sœur, dont les âmes, disait-elle, étaient aussi pesantes que le vol d'un aigle blanc. « Les Sachems, ajoutait Mila, ont plus de sagesse que nous, mais ils n'aiment point. Opposons nos cœurs à leurs têtes, et nous saurons bien comment agir quand le moment sera venu. »

Prêt à consommer ses forfaits, Ondouré sentait ses passions s'exalter. Céluta, de retour de son pèlerinage, parut toute divine aux yeux du scélérat. Une femme en pleurs, une femme qui vient de faire des choses extraordinaires, a des attraits irrésistibles : plus l'âme s'élève vers le ciel, plus le corps se couvre de grâce, et le criminel, pour son supplice comme pour celui de sa victime, aime particulièrement la beauté qui tient à la vertu. « Quoi ! cette femme, disait Ondouré, si dévouée à mon rival, ne m'accorderait pas même un sourire ! Céluta, tu seras à moi ! j'assouvirai sur toi mes désirs, fusses-tu dans les bras de la mort. »

Au milieu de son triomphe, Ondouré éprouvait pourtant une vive inquiétude : la jalousie de la Femme-Chef, endormie pendant les troubles aux Natchez et pendant l'absence de Céluta, jetait maintenant de nouvelles flammes ; elle menaçait le tuteur du Soleil d'un éclat qui l'eût perdu. Une scène inattendue fut au moment de produire la catastrophe qu'il redoutait.

La fête de la pêche avait été proclamée, fête sacrée à laquelle personne ne se pouvait dispenser d'assister. Céluta s'y rendit avec Mila et son frère : le Grand Prêtre ordonna la danse générale des femmes. La sœur d'Outougamiz fut obligée de figurer dans ce chœur religieux : émue par ses souvenirs, se laissant aller à une imagination attendrie, elle commence à faire parler ses pas, car la danse a aussi son langage ; tantôt elle lève les bras vers le ciel, comme le rameau d'un suppliant ; tantôt elle incline sa tête comme une rose affaissée sur sa tige. L'air de langueur et de tristesse de Céluta ajoutait un charme à ses grâces.

Ondouré dévorait des yeux la touchante Sauvage ; Akansie, qui ne le perdait pas de vue, se sentait prête à rugir comme une lionne. Dans l'illusion de sa passion, elle crut pouvoir lutter avec sa rivale, et descendit dans l'arène. Les mouvements de la femme jalouse étaient durs ; ses mains s'agitaient par convulsions ; ses pas se marquaient par intervalles courts et précipités ; le crime avait l'air de peser sur le ressort qui la faisait tressaillir. Honteux pour elle, le tuteur du Soleil détourna la vue : la Femme-Chef s'en aperçut, et n'ayant le courage ni de cesser, ni de continuer la danse, elle se mit à tourner sur elle-même avec des espèces de hurlements.

Alors Mila, qui voulut tenir compagnie à sa sœur et se rire d'Akansie, vint voltiger sur le gazon. Ses pieds et ses bras se déploient par des mouvements brillants et onduleux ; elle se balance comme un jeune peuplier caressé des brises : le sourire de l'amour est sur ses lèvres, l'ivresse du plaisir dans ses yeux ; c'est un faon qui bondit, un oiseau qui vole ; elle se joue, flotte, nage dans l'air comme un papillon[401].

Le contraste qu'offraient les trois femmes étonnait les Natchez et les Français présents à la fête : c'étaient la douleur, la jalousie et le plaisir qui mêlaient leurs pas. Un hymne ordinairement chanté à cette cérémonie était répété en dialogue par les danseuses ; Céluta disait :

« Retire-toi, vagabonde du désert : le bruit de tes pleurs est pour moi plus détestable que celui de l'ondée qui perd la moisson : je hais les infortunés. Ma cabane se plaît dans la solitude : jamais un tombeau ne m'a détournée de mon chemin ; je le foule aux pieds, et je passe sur son gazon. »

La Femme-Chef répondait :

« Je suis étrangère, je suis le serpent noir qui ne fait point de mal. Mon époux est loin, mon enfant va mourir : matrone de la cabane solitaire, sois bonne, donne à manger à ma faim ; les Génies t'en récompenseront : celui que tu aimes ne sera jamais loin, ni ton enfant prêt à mourir. »

Mila répliquait :

« Viens dans ma cabane, viens, pauvre étrangère : malheur à qui repousse l'infortuné ! Viens, n'implore plus cette matrone. C'est une femme de sang : ses mains sont homicides, les lèvres de son enfant ne caressaient point son sein ; elles la faisaient souffrir. Lorsque son enfant disait : "Ma mère !" elle n'avait jamais besoin de sourire. Viens dans ma cabane, pauvre étrangère : malheur à qui poursuit l'innocent ! »

Il était temps que cette danse cessât : Céluta et Akansie étaient prêtes à s'évanouir. Le hasard, en mettant dans leur bouche le chant opposé à leur position et à leur caractère, les accablait. Quelle leçon pour la Femme-Chef ! le persécuteur avait pris un moment la place du persécuté, afin que le premier eût une idée de sa propre injustice. Lorsqu'à la fin du chant, les trois femmes vinrent à mêler leurs voix, il sortit de ces voix confondues des sons qui arrachèrent un cri d'étonnement à la foule. La mère du Soleil quitta brusquement les jeux, faisant signe à Ondouré de la suivre : il ne lui osa désobéir.

Le couple impur arrive à la cabane du Soleil. Akansie éclate en reproches : « Voilà donc, s'écrie-t-elle, celui à qui j'ai tout sacrifié ! Honneur, repos, vertu, tout a péri dans la fatale passion qui me dévore ! Pour toi j'ai livré mon âme aux mauvais Génies ; pour toi j'ai consenti à laisser tuer le Grand Chef. J'ai approuvé tous tes complots ; esclave de ton ambition comme de ton amour, je me suis étudiée à satisfaire les moindres caprices de tes crimes. Heureuse, autant qu'on peut l'être sous le poids d'une conscience bourrelée, je me disais : il m'aime ! Esprits des ombres, enseignez-moi ce qu'il faut faire pour conserver son cœur ! De quel nouveau forfait dois-je souiller mes mains, pour donner plus de charmes à mes caresses ? Parle, je suis prête : renversons les lois, usurpons le pouvoir, immolons la patrie, et, s'il le faut, l'enfant royal que j'ai porté dans mes flancs ! »

Ces paroles sortant à flots pressés d'un sein qui les avait longtemps retenues, suffoquent la misérable Akansie : elle tombe, dans les convulsions du désespoir, aux pieds d'Ondouré. Effrayé des révélations qu'elle pouvait faire, le monstre eut un moment la pensée d'étouffer sa complice au milieu de cette crise de remords, avant que le repentir la rendît à l'innocence ; mais il avait encore besoin du pouvoir de la Femme-Chef ; il la rappelle donc à la vie, il essaye de la calmer par des paroles d'amour. « Tu ne me tromperas plus, dit-elle, je n'ai déjà été que trop crédule ; j'ai vu tes regards idolâtrer ma rivale ; je les ai vus se détourner de moi avec dégoût. Je repousse tes caresses ; tu te les reprocherais, ou peut-être, en me les prodiguant, les offrirais-tu, dans le secret de ton cœur, à cette Céluta qui te méprise. »

Akansie s'arrête comme épouvantée de ce qu'elle va dire : ses yeux sont tachés de sang, son sein se gonfle et rompt les liens de fleurs dont il était entouré. Elle s'approche du chef inquiet, appuie ses mains aux épaules du guerrier, et parlant d'une voix étouffée, presque sur les lèvres du traître : « Écoute, lui dit-elle, plus d'amour ; il ne me faut à présent que des vengeances ! J'ai favorisé tes projets ; sers les miens ! Que Céluta soit enveloppée, avec son mari, dans le massacre que tu médites. Je veux tenir dans ma main cette tête charmante, la présenter par ses cheveux sanglants à tes baisers. Si tu hésites à m'offrir ce présent, dès demain j'assemble la nation, je rends l'éclat à la vertu que tu as ternie, je dévoile tes crimes et les miens, et nous recevrons ensemble le châtiment dû à notre perversité. »

Akansie, les yeux attachés sur ceux d'Ondouré, cherche

à surprendre sa pensée : « N'est-ce que cela que tu demandes pour t'assurer de mon amour, répondit l'homme infernal d'un ton glacé, tu seras satisfaite : tu m'as livré René, je te livrerai Céluta.

— Mais avant qu'elle soit à toi ! » s'écrie Akansie.

Ce mot fit hocher la tête à Ondouré : le scélérat vit qu'il était deviné. Il recula quelques pas. « Il faut donc tout te promettre ! » s'écria-t-il à son tour.

Il sort, méditant un crime qui le délivrerait de la crainte de voir publier ceux qu'il avait déjà commis. Les affreux amants se quittèrent, pénétrés de l'horreur qu'ils s'inspiraient mutuellement : au seul souvenir de ce qu'ils avaient découvert dans l'âme l'un de l'autre, leurs cheveux se hérissaient.

Céluta, dont la tête venait d'être demandée et promise, était rentrée dans sa cabane, plus languissante que jamais : elle avait trouvé Amélie accablée d'une fièvre violente. Mila prenait l'enfant dans ses bras, et lui disait : « Fille de René, en cas que tu viennes à mourir, j'irai le matin respirer ton âme dans les parfums de l'aurore. Je te rendrai ensuite à Céluta, car que serait-ce si une autre femme allait te ravir à nous, si tu descendais, par exemple, dans le sein d'Akansie ? »

Outougamiz, qui écoutait ce monologue, s'écria : « Mila, tu es toute notre joie et toute notre tristesse. Est-ce que tu vas bientôt cueillir une âme ? Tu me donnerais envie de mourir pour renaître dans ton sein. »

L'idée de la mort, tout adoucie qu'elle était par cette gracieuse croyance, ne pouvait cependant entrer dans le cœur d'une mère sans l'épouvanter. Cette mère demandait inutilement des nouvelles de son époux. On n'avait point entendu parler de René depuis son départ. Chactas était absent ; le capitaine d'Artaguette et le grenadier Jacques, après avoir passé un moment au fort Rosalie, avaient été envoyés à un poste avancé sur la frontière des tribus sauvages ; tous les appuis manquaient à la fois à Céluta, et elle allait encore être privée de la protection d'Outougamiz.

Un soir, assise avec sa sœur à quelque distance de sa cabane, elle entendit du bruit dans l'ombre. Mila prétendit qu'elle voyait un fantôme. « Ce n'est point un fantôme, dit Imley, c'est moi qui viens visiter Céluta.

— Guerrier noir, s'écria Céluta, qui te ramène ici ? Glazirne est-elle avec toi, cette colombe étrangère qui a réchauffé ma petite colombe sous ses ailes ?

— Glazirne est toujours esclave, répondit Imley, mais j'ai rompu mes chaînes et celles d'Izéphar. Ondouré, le fameux chef, me nourrit dans la forêt, en attendant l'assemblée au grand lac.

— De quelle assemblée parles-tu ? demande Céluta étonnée.

— Tais-toi, reprit Imley, c'est un secret que je ne sais pas entièrement, mais Outougamiz sera du voyage. Céluta, nous serons tous libres ! Izéphar est avec moi ; depuis qu'elle est fugitive, jamais elle n'a été si belle. Si tu la voyais dans les grandes herbes où je la cache le jour, tu la prendrais pour une jeune lionne. Quand la nuit vient, nous nous promenons, en parlant de notre pays où nous allons bientôt retourner. J'entends déjà le chant du coq de ma case ; je vois déjà à travers les arbres la fumée des pipes des Zangars ! » Imley, dansant et chantant, se replongea dans le bois, laissant Mila riante et charmée du caribou noir.

L'indiscrète légèreté de l'Africain jeta Céluta dans de nouvelles inquiétudes : quel était le voyage que devait bientôt entreprendre Outougamiz et dont l'Indien n'avait jamais parlé ?

Outougamiz n'avait pu parler de ce voyage, car il ignorait encore ce qu'il était au moment d'apprendre. Imley, chef des noirs qu'Ondouré avait débauchés à leurs maîtres, pour les armer un jour contre les blancs, ne savait pas lui-même le fond du complot : il connaissait seulement quelques détails qu'on s'était cru obligé de lui apprendre, afin de soutenir son courage et celui de ses compagnons.

L'apparition d'Imley ne fut précédée de celle d'Adario que de quelques heures. Le Sachem vint à la cabane de Céluta chercher son neveu ; il l'emmène dans un champ stérile et dépouillé où toute surprise était impossible : il parle ainsi au jeune homme :

« L'assemblée générale des Indiens pour la délivrance des chairs rouges, a été convoquée au nom du Grand Esprit par les Natchez. Quatre messagers ont été envoyés avec le calumet d'alliance aux quatre points de l'horizon : les guerres particulières sont pour un moment suspendues. Le calumet a été remis à la première nation que les messagers ont rencontrée ; cette nation l'a porté à une autre, et ainsi de suite jusqu'à la limite où la terre a été bornée par le ciel et l'eau : nulle tribu n'a désobéi à l'ordre de Kitchimanitou[a]. Des députés de tous les peuples sont en marche pour le rendez-vous, fixé au rocher du grand lac. Le conseil des Sachems t'a nommé avec le jongleur et le tuteur du Soleil, pour assister à l'assemblée générale.

« Outougamiz, il faut partir : la patrie te réclame ; montre-toi digne du choix des vieillards. Cependant si tu te sentais faible, dis-le-moi : nous chercherons un autre guerrier jaloux de faire vivre son nom dans la bouche des hommes. Toi, tu prendras la tunique de la vieille matrone ; le jour tu iras dans les bois abattre de petits oiseaux avec des flèches d'enfant ; la nuit tu reviendras secrètement dans les bras de ta femme qui te protégera ; elle te donnera pour postérité des filles que personne ne voudra épouser. »

Outougamiz regarda le Sachem avec des larmes d'indignation. « Qu'ai-je fait ? lui dit-il. Ai-je mérité que mon oncle me parle ainsi ? Depuis quand ai-je refusé de donner

a. Le Grand Esprit.

mon sang à mon pays ? Si j'ai jamais eu quelque amour de la vie, ce n'est pas en ce moment.

— Nourris cette noble ardeur, s'écrie Adario. Oui ! je le vois ; tu es prêt à sacrifier...

— Qui ? dit Outougamiz en l'interrompant.

— Toi-même, repartit le Sachem qui sentit l'imprudence de la parole à demi échappée à ses lèvres ; va, mon neveu, va t'occuper de ton départ ; tu apprendras le reste sur le rocher du grand lac. » Adario quitta Outougamiz, et celui-ci rentra dans la cabane de René plein d'une nouvelle tristesse dont il ne pouvait trouver la cause. On sait par quelle profondeur de haine et de crime Ondouré avait voulu qu'Outougamiz se trouvât à l'assemblée générale, afin de le lier par un serment qu'il ne pourrait rompre.

Mila et Céluta observaient Outougamiz ; elles le virent préparer ses armes dans un endroit obscur de la cabane ; il tira de son sein la chaîne d'or et lui dit : « Manitou, te porterai-je avec moi ? Oui : les guerriers disent que tu me feras mourir, je te veux donc garder. » Les deux sœurs étaient hors d'elles-mêmes en entendant Outougamiz parler ainsi.

« Mon frère, dit Céluta, tu vas donc faire un voyage ?

— Oui, ma sœur, répondit le jeune guerrier.

— Seras-tu longtemps ? dit Mila. Je sais que tu vas au rocher du grand lac.

— Cela est vrai, repartit Outougamiz ; mais comment le sais-tu ? Il s'agit de la patrie, il faut partir. »

Mila ne trouvait plus de paroles : assise sur sa natte, elle pleurait ; un Allouez de la garde du Soleil se présente. « Guerrier, dit-il à Outougamiz, les Sachems assemblés t'attendent.

— Je te suis », répond Outougamiz. Mila et Céluta volent à leur mari et à leur frère. « Quand te reverrons-nous ? dirent-elles, en l'entourant de leurs bras.

— Les lierres, répondit Outougamiz, ne pressent que

les vieux chênes : je suis trop jeune encore pour que vous vous attachiez à moi ; je ne vous pourrais soutenir.

— Si je portais ton fils dans mon sein, dit Mila, me quitterais-tu ? Comment ferons-nous sans René et sans Outougamiz ?

— Tu es sage comme une vieille matrone, Mila, repartit le Sauvage.

— Ne te fie pas à mes cheveux blancs, dit Mila avec un sourire : c'est de la neige d'été sur la montagne ; elle fond au premier rayon du soleil. »

L'Allouez pressant Outougamiz de partir, Céluta s'écria : « Grand Esprit ! fais qu'il nous rapporte le bonheur ! » prière qui n'arriva pas jusqu'au Ciel. Les deux femmes restèrent sur le seuil de la cabane à écouter les pas d'Outougamiz, qui retentissaient dans la nuit. Quand elles n'entendirent plus rien, elles rentrèrent et pleurèrent jusqu'au lever du jour.

Arrivé à la grotte des Sachems, Outougamiz apprit que le jongleur et Ondouré, avec leur suite et les présents, étaient déjà partis, et qu'il les devait rejoindre. Les vieillards exhortèrent le frère de Céluta à soutenir l'honneur et la liberté de sa patrie. Le même garde qui l'avait amené au Conseil, le conduisit dans la forêt où se croisaient divers chemins. Outougamiz marcha vers le nord ; il trouva le jongleur et Ondouré au lieu désigné : ce lieu était la fontaine même où Céluta avait rencontré son mari et son frère lors de leur retour du pays des Illinois.

Sur la côte septentrionale du lac Supérieur, s'élève une roche d'une hauteur prodigieuse ; sa cime porte une forêt de pins ; de cette forêt sort un torrent qui, se précipitant dans le lac, ressemble à une zone blanche suspendue dans l'azur du ciel. Le lac s'étend comme une mer sans bornes ; l'île des Ames apparaît à peine à l'horizon. Sur les côtes du lac, la nature se montre dans toute sa magnificence sauvage. Les Indiens racontent que ce fut du sommet de la *Roche-Isolée* que le Grand Esprit examina la terre après l'avoir faite, et qu'en mémoire de cette merveille, il voulut qu'une partie de cette terre restât visible du lieu d'où il avait contemplé la création, au sortir de ses mains[402].

C'était à ce rocher, témoin des œuvres du Grand Esprit, que toutes les nations indiennes se devaient réunir. Une flotte aussi nombreuse que singulière commençait à s'assembler au pied du rocher ; le canot pesant de l'Iroquois voguait auprès du canot léger du Huron ; la pirogue de l'Illinois, d'un seul tronc de chêne, flottait avec le radeau du Pannis ; la barque ronde du Poutoüais était soulevée par la vague qui ballottait l'outre de l'Esquimau.

Les députés des Natchez gravirent la roche sauvage ; de jeunes Indiens de toutes les tribus les accompagnèrent. Sur les deux rives du torrent, dans l'épaisseur du bois, ils construisirent, en abattant des pins, une salle dont les troncs des arbres renversés formaient les sièges. Au milieu de cet amphithéâtre, ils allumèrent un immense bûcher.

Toutes les nations étant arrivées, elles montèrent au rocher du Grand Esprit, et vinrent occuper tour à tour l'enceinte préparée.

Les Iroquois parurent les premiers[403] : nulle autre nation n'aurait osé passer avant eux. Ces guerriers avaient la tête rasée, à l'exception d'une touffe de cheveux qui composait, avec des plumes de corbeau, une espèce de diadème ; leur front était peint en rouge ; leurs sourcils étaient épilés : leurs longues oreilles découpées se rattachaient sur leur poitrine. Chargés d'armes européennes et sauvages, ils portaient une carabine en bandoulière, un poignard à la ceinture, un casse-tête à la main. Leur démarche était fière, leur regard intrépide : c'étaient les républicains de l'état de nature. Seuls de tous les Sauvages ils avaient résisté aux Européens et dompté les Indiens de l'Amérique septentrionale. Le Canada était leur pays. Ils entrèrent dans la salle du conseil en exécutant le pas d'une danse guerrière ; ils prirent, à la droite du torrent, la place la plus honorable.

Après eux parurent les Algonquins, reste d'une nation, autrefois si puissante, et qu'après trois siècles de guerre les Iroquois avaient presque exterminés. Leur langue, devenue la langue polie du désert, comme celle des Grecs et des Romains dans l'ancien monde, attestait leur grandeur passée. Ils n'avaient que deux jeunes hommes pour députés : ceux-ci, d'une taille élevée, d'une contenance guerrière, ne portant ni ornements, ni peintures, entrèrent simplement et sans danser dans l'enceinte. Ils passèrent devant les Iroquois la tête haute, et se placèrent en silence sur la gauche du torrent, en face de leurs ennemis.

Les Hurons venaient les troisièmes : vifs, légers, braves, d'une figure sensible et animée, c'étaient les Français du Nouveau Monde. De tout temps alliés d'Ononthio[a] et ennemis des Iroquois, ils occupaient quelques bourgades autour de Québec. Ils se précipitèrent dans la salle du conseil, jetèrent en passant un regard moqueur aux Iroquois, et s'assirent auprès de leurs amis les Algonquins.

Un prêtre, suivi d'un vieillard, et ce vieillard suivi lui-même d'un guerrier sur l'âge, arrivèrent après les Hurons. Le prêtre n'avait pour tout vêtement qu'une étoffe rouge roulée en écharpe autour de lui : il tenait à la main deux tisons enflammés, et murmurait à voix basse des paroles magiques. Le vieillard qui le suivait était un Sagamo ou un Roi : ses cheveux longs flottaient sur ses épaules ; son corps nu était chargé d'hiéroglyphes. Le guerrier qui marchait après le vieillard portait sur la tête un berceau, par honneur pour les enfants qu'on adorait dans son pays. Ces trois Sauvages représentaient les nations Abénaquises, habitantes de l'Acadie et des côtes du Canada. Ils prirent la gauche des Iroquois.

Un homme dont le visage annonçait la majesté tombée, se présenta le cinquième sur le rocher. Un manteau de plumes de perruches et de geais bleus, suspendu à son cou par un cordon, flottait derrière lui comme des ailes.

a. Le gouverneur du Canada.

C'était un empereur de ces anciens peuples qui habitaient jadis la Virginie, et qui depuis se sont retirés dans les montagnes aux confins des Carolines.

Un autre débris des grandeurs sauvages venait après l'empereur virginien : il était chef des Paraoustis, races indigènes des Carolines, presque totalement extirpées par les Européens. Le prince était jeune, d'une mine fière, mais aimable ; tout son corps frotté d'huile avait une couleur cuivrée ; un androgyne, être douteux très commun chez les Paraoustis, portait les armes de ce chef. Un Ionas, prêtre, ou un jongleur le précédait en jouant d'un instrument bizarre.

Parurent alors les députés des nations confédérées de la Floride, les fameux Criques, Muscogulges, Siminoles et Chéroquois. Un nez aquilin, un front élevé, des yeux longs, distinguaient ces Indiens des autres Sauvages : leur tête était ceinte d'un bandeau, ombragée d'un panache ; en guise de tunique, ils portaient une chemise européenne bouffante, rattachée par une ceinture ; le Mico ou le roi marchait à leur tête ; des esclaves Yamasées et des femmes gracieuses les suivaient. Tout ce cortège entra avec de grandes cérémonies : les nations déjà assises, excepté les Iroquois, se levèrent et chantèrent sur son passage. Les Criques s'assirent au fond de la salle sur les troncs des pins qui faisaient face au lac et qui n'étaient point encore occupés.

Les Chicassaws et les Illinois, voisins des Natchez, leur ressemblaient par l'habillement et par les armes. Après eux défilèrent les députés des peuples Transmeschacebéens : les Clamoëts, qui soufflaient en passant dans l'oreille des autres Sauvages pour les saluer ; les Cénis, qui portaient au bras gauche un petit plastron de cuir pour parer les flèches ; les Macoulas, qui habitent des espèces de ruches comme des abeilles ; les Cachenouks, qui ont appris à faire la guerre à cheval, qui lancent une fronde avec le pied, et cassent en galopant la tête à leurs ennemis ; les Ouras au crâne aplati, qui marchent en imitant la danse de l'ours, et dont les joues sont traversées par des os de poissons.

Des Sauvages petits, d'un air doux et timide, vêtus d'un habit qui leur descendait jusqu'à la moitié des cuisses, s'avancèrent : ils avaient sur la tête des touffes de plumes, à la main des Quipos[404], aux bras et au cou des colliers de cet or qui leur fut si funeste. Un Cacique portait devant lui le premier calumet envoyé de l'île S. Salvador, pour annoncer aux nations américaines l'arrivée de Colomb. On reconnut les tristes débris des Mexicains. Il se fit un profond silence dans l'assemblée, à mesure que ces Indiens passaient.

Les Sioux, peuple pasteur, anciens hôtes de Chactas, auraient fermé la marche, si derrière eux on n'eût aperçu les Esquimaux. Une triple paire de chaussons et de bottes fourrées abritaient les cuisses, les jambes et les pieds de ces Sauvages ; deux casaques, l'une de peau de cygne, l'autre de peau de veau marin, enveloppaient leur corps ; un capuchon ramené sur leur tête laissait à peine voir leurs petits yeux couverts de lunettes ; un toupet de cheveux noirs qui leur pendait sur le front, venait rejoindre leur barbe rousse. Ils menaient en laisse des chiens semblables à des loups ; de la main droite ils tenaient un harpon, de la main gauche une outre remplie d'huile de baleine.

Ces pauvres Barbares, en horreur aux autres Sauvages, furent repoussés de tous les rangs où ils se voulurent asseoir : le Cacique Mexicain les appela, et leur fit une place auprès de lui ; Outougamiz le remercia de son hospitalité. L'assemblée ainsi complète, un grand festin fut servi. Les guerriers des diverses nations s'étonnaient de ne point voir Chactas ; tous croyaient avoir été convoqués par son ordre, et les vieillards avaient amené leurs fils, pour être témoins de sa sagesse. Ondouré balbutia quelques excuses où, mieux instruit, on eût découvert ses crimes.

C'était au coucher du soleil que devait commencer la délibération ; Outougamiz ne savait ce qu'il allait apprendre, mais il pressentait quelque chose de sinistre. L'ouverture de la salle était tournée vers le couchant, de sorte que les députés assis dans le bois sur le tronc des pins, découvraient la vaste perspective du lac et le soleil incliné sur l'horizon ; le bûcher brûlait au milieu du conseil. La roche élevée portait dans les airs, comme sur un piédestal, et ce bois né avec la terre, et cette assemblée de Sauvages, prête à délibérer sur la liberté de tout un monde.

Aussitôt que le disque du soleil toucha les flots du lac, par-delà l'île des Ames, le jongleur des Natchez, les bras tendus vers l'astre du jour, s'écria : « Peuples, levez-vous ! » Quatre interprètes des quatre langues mères de l'Amérique répétèrent le commandement du jongleur, et les députés se levèrent.

Le silence règne : on n'entend que le bruit du torrent qui coule au milieu du conseil, et qui cesse de gronder, en se précipitant dans le lac où il n'arrive qu'en vapeur.

Tous les yeux sont fixés sur le jongleur : il déploie lentement un rouleau de peaux de castor ; la dernière enveloppe s'entrouvre : on aperçoit des ossements humains !

« Les voilà, s'écrie le prêtre, ces témoins redoutables ! Ossements sacrés, vous reposerez encore dans une terre libre ! Oui ! pour vous, nous allons entreprendre des choses qui ne se sont point encore vues ! sur vous, nous allons prêter le serment d'un secret plus profond que les abîmes de la tombe, dont nous vous avons retirés. »

Le jongleur s'arrête, puis s'écrie de nouveau : « Peuples, jurez ! » Il prononce ainsi la formule du plus terrible des serments.

« Par le Grand Esprit, par Athaënsic, par les cendres de nos pères, par la patrie, par la liberté, je jure d'adhérer fidèlement à la résolution qui sera prise, soit en général par tous les peuples, soit en particulier par ma nation. Je jure que quelles que soient les mesures que les peuples en général ou ma nation en particulier, adoptent dans cette assemblée, je garderai un inviolable secret. Je ne révélerai ce secret ni à mes frères, ni à mes sœurs, ni à mon père, ni à ma mère, ni à ma femme, ni à mes amis, encore moins à ceux contre qui ces mesures pourraient être adoptées. Si je révèle ce secret, que ma langue soit coupée en morceaux, que l'on m'enferme vivant dans un tombeau, qu'Athaënsic me poursuive, que mon corps après ma mort soit livré aux mouches, et que mon âme n'arrive jamais au pays des âmes ! »

Agité du Génie de la mort, le jongleur se tait ; il promène des yeux hagards sur l'assemblée que glace une religieuse terreur. Tout à coup, les Sauvages déployant un bras armé s'écrient : « Nous le jurons ! »

Le soleil tombe sous l'horizon, le lac bat ses rivages, le bois murmure, le bûcher du conseil pousse une noire fumée, les ossements semblent tressaillir : Outougamiz a juré !

Il a juré ! et comment eût-il pu ne pas prononcer le serment ? La religion, la mort, la patrie avaient parlé ! Cent vieillards avaient promis de se taire sur la délivrance de toutes les nations américaines !

Ondouré avait prévu pour Outougamiz cet entraînement inévitable ; il jeta un regard plein d'une joie affreuse sur l'infortuné : Outougamiz sentit passer sur lui ce fatal regard. Il leva les yeux et lut son malheur au visage du monstre. Un cri aigu sort de la poitrine du frère de Céluta : « René est mort ! j'ai tué mon ami ! »

Ce cri, ce désespoir trouble l'assemblée. Ondouré explique tout bas aux Sachems que ce neveu du grand Adario a quelquefois des accès de frénésie, effet d'un sort à lui jeté par un magicien de la chair blanche. Les prêtres entourent le jeune Sauvage, et prononcent sur lui des paroles mystérieuses. Outougamiz revient du premier égarement de sa douleur : il n'ose plus se plaindre devant les ministres du Grand Esprit ; il écoute la délibération qui commence. Un vague espoir lui reste de trouver le moyen d'échapper à ces maux qu'il prévoit, mais que cependant il ne connaît pas, puisqu'il ignore ce qu'on va proposer.

Ondouré porte la parole au nom des Natchez. Six

Sachems, chargés de garder dans leur mémoire le discours du chef, se distribuèrent les bûchettes qui devaient servir à noter la partie du discours que chacun d'eux était obligé de retenir[405].

« L'arbre de la paix[406], dit Ondouré, étendait ses rameaux sur toute la terre des chairs rouges qui croyaient être seules dans le monde. Nos pères vivaient rassemblés à l'ombre de l'arbre : les forêts ne savaient que faire de leurs chevreuils et les lacs de leurs poissons.

« Donnez douze colliers de porcelaine bleue. »

Le jongleur des Natchez jette douze colliers au milieu du conseil.

« Un jour, reprit Ondouré, jour fatal ! un bruit vint du Levant ; ce bruit disait : des guerriers vomissant le feu et montés sur des monstres marins sont arrivés à travers le lac sans rivages. Nos aïeux rirent : guerriers mexicains, que je vois ici, vous savez si le bruit disait vrai.

« Nos pères, enfin convaincus de l'apparition des étrangers, délibérèrent. Ils dirent : "Bien que les étrangers soient blancs, ils n'en sont pas moins des hommes ; on leur doit l'hospitalité."

« Alléchés par nos richesses, les blancs descendirent de toutes parts sur nos rives. Mexicains, ils vous ensevelirent dans la terre ; Chicassaws, ils vous obligèrent de vous enfoncer dans la solitude ; Paraoustis, ils vous exterminèrent ; Abénaquis, ils vous empoisonnèrent avec une poudre[407] ; Iroquois, Algonquins, Hurons, ils vous détruisirent les uns par les autres ; Esquimaux, ils s'emparèrent de vos filets ; et nous, infortunés Natchez, nous succombons aujourd'hui sous leurs perfidies. Nos Sachems ont été enchaînés ; le champ qui couvrait les cendres de nos ancêtres, est labouré par les étrangers que nous avions reçus avec le calumet de paix.

« Donnez douze peaux d'élan pour la cendre des morts. »

Le jongleur donne douze peaux d'élan.

« Mais pourquoi, continua Ondouré, m'étendrais-je sur les maux que les étrangers ont fait souffrir à notre patrie ?

Voyez ces hommes injustes se multiplier à l'infini, tandis que nos nations diminuent sans cesse. Ils nous détruisent encore plus par leurs vices que par leurs armes ; ils nous dévorent en s'approchant de nous : nous ne pouvons respirer l'air qu'ils respirent ; nous ne pouvons vivre sur le même sol. Les Blancs en avançant, et en abattant nos bois, nous chassent devant eux comme un troupeau de chevreuils sans asile. La terre manquera bientôt à notre fuite, et le dernier des Indiens sera massacré dans la dernière de ses forêts[408].

« Donnez un grand soleil de pierre rouge, pour le malheur des Natchez. »

Le jongleur jette une pierre en forme de soleil au centre du conseil.

Ondouré se rassied ; les Sauvages frappent leurs casse-têtes en signe d'applaudissements.

Le chef Natchez, voyant les esprits préparés à tout entendre, crut qu'il était temps de dévoiler le secret. Il se lève de nouveau, et reprenant la parole, il fait observer d'abord qu'un coup soudainement frappé est le seul moyen de délivrer les Indiens ; qu'attaquer les blancs à force ouverte, c'était s'exposer à une destruction certaine, puisque ceux-ci étaient sûrs de triompher par la supério-rité de leurs armes ; que le crime étant prouvé, peu importait la manière de le punir ; que se laisser arrêter par une pitié pusillanime, c'était sacrifier la liberté des générations à venir aux petites considérations d'un moment. « Voici donc, dit-il, ce que les Natchez vous proposent. »

Le silence redouble dans l'assemblée ; Outougamiz sent sa peau se coller à ses os.

« Dans tous les lieux où il se trouve des Blancs, il faut que les Indiens paraissent leurs amis et même leurs esclaves. Une nuit, les chairs rouges se lèveront à la fois, et extermineront leurs ennemis. Les esclaves noirs nous aideront dans notre vengeance qui sera la leur ; deux races seront délivrées du même coup : les Indiens chez lesquels il n'y a point d'étrangers, se réuniront à leurs frères opprimés pour accomplir la justice.

« Le moment de cette justice sera fixé à l'époque des grands jeux chez les nations. Ces jeux offriront le prétexte naturel des rassemblements ; mais, comme il est essentiel que le coup soit frappé partout la même nuit, on formera des gerbes de roseaux contenant autant de roseaux qu'il y aura de jours à compter, du jour de l'ouverture des jeux au jour de l'exécution ; les jongleurs seront chargés de la garde de ces gerbes ; chaque nuit ils retireront un roseau et le brûleront, de sorte que le dernier roseau brûlé sera la dernière heure des Blancs[409]. Jetez un poignard. »

Le jongleur jette un poignard aux pieds des guerriers.

Ici se brisent les paroles d'Ondouré, de même que se rompent quelquefois ces chaînes de fer qui attachent les prisonniers dans les cachots : libre d'une attention pénible, le conseil commence à s'agiter[410]. Un murmure d'horreur, d'étonnement, de blâme, d'approbation, circule dans les rangs de l'assemblée, grossit et bientôt éclate en mille clameurs. Les Sauvages montés sur les pins abattus n'étaient éclairés, dans la profondeur de la nuit, qu'à la lueur des flammes du bûcher ; on les eût pris, à travers les branches et les troncs des arbres, pour un peuple répandu parmi les ruines et les colonnes d'une ville embrasée. Tous voulaient parler à la fois : on se menaçait ; on levait les massues ; le cri de guerre, poussé de la cime du roc, se perdait sur les flots du lac où le bûcher du conseil se reflétait comme un phare sinistre.

Les jongleurs courant çà et là, agitant des baguettes, maniant des serpents, au lieu de rétablir la paix, ne faisaient qu'augmenter le désordre. On venait de mettre aux prises les principes les plus chers aux hommes : la liberté de tout temps, la morale de toute éternité. Ondouré avait conçu le crime et les détails du crime, le plan et les moyens d'exécution, avec la férocité d'un tigre et la ruse d'un serpent. Cependant le calme peu à peu se rétablit. Outougamiz, qui veut élever la voix, est sévèrement réprimandé par les Sachems ; c'était aux Iroquois à se faire entendre. Le Chef de cette nation s'étant levé, on prête une oreille attentive et inquiète à l'opinion d'un peuple si célèbre.

L'orateur répéta d'abord, selon l'usage, le discours entier d'Ondouré, dont chaque division lui était soufflée par un des six Sachems chargés des bûchettes de la mémoire. Ensuite, répondant à ce discours, il dit :

« Ce que le chef des Natchez a proposé est grand, mais est-il juste ? Chactas, mon vieil ami, n'est pas là-dedans ; j'y vois Adario : les yeux de Chactas sont tombés comme deux étoiles, sous un ciel qui annonce l'orage. J'ai dit.

« Nous ne sommes point les amis des blancs ; depuis deux cents neiges nous les combattons ; mais une injustice justifie-t-elle un meurtre ? Deviendrons-nous, en nous vengeant, semblables aux chairs blanches ? L'Iroquois est un chêne qui oppose la dureté de son bois à la hache qui le veut couper ; mais il ne laisse point tomber ses branches pour écraser celui qui le frappe. On n'est pas libre parce qu'on se dit libre : la première pierre de la cabane de la liberté est la vertu[411]. J'ai dit.

« L'Iroquois avait cru qu'il s'agissait de s'associer pour lever la hache[a] ; veut-on chanter la guerre à l'étranger ? L'Iroquois se met à votre tête. Marchons, volons. L'Iroquois rugit comme un ours, il fend les flots des chairs blanches, il brise les têtes avec sa massue, il crie : "Suivez-moi au fort des blancs." Il s'élance dans le fossé ; de son corps il vous fait un pont comme une liane, pour passer sur le fleuve de sang, pour rendre la liberté aux chairs rouges. Voilà l'Iroquois ; mais l'Iroquois n'est pas une fouine ; il ne suce pas le sang de l'oiseau qui dort. J'ai dit. »

L'orateur en prononçant la dernière partie de son discours imitait à chaque parole l'objet dont il empruntait l'image. Il disait : « Marchons », et il marchait ; « volons »,

a. Déclarer la guerre.

et il étendait les bras. Il rugissait comme un ours, il frappait les pins avec son casse-tête, il montait à l'escalade, il se jetait en arc comme un pont.

Des acclamations, les unes de joie, les autres de rage, ébranlent le bois sacré. Outougamiz s'écriait : « Voilà l'Iroquois, voilà Chactas, voilà moi, voilà René, voilà Céluta, voilà Mila ! »

Ondouré paraissait consterné : de ses desseins avortés, il ne lui restait que le crime. Un Chicassaws prenant impétueusement la parole, rompit l'ordre de la délibération, et rendit l'espérance au tuteur du Soleil.

« Quoi ! dit ce Chicassaws, est-ce bien un Iroquois que nous venons d'entendre ? Le peuple qui devrait nous soutenir dans une guerre sacrée, nous abandonne ! Si ces orgueilleux cyprès qui portaient jadis leur tête dans le ciel sont devenus des lierres rampants, qu'ils se laissent fouler aux pieds du chasseur étranger ! Quant au Chicassaws, déterminé à délivrer la patrie, il adopte le plan des Natchez. »

Ces paroles furent vivement ressenties par les Iroquois, qui donnèrent aux Chicassaws le nom de daims fugitifs et de furets cruels. Les Chicassaws répliquèrent en appelant les Iroquois oiseaux parleurs, et loups changés en dogues apprivoisés. Toutes ces nations se divisant, semblaient prêtes à se charger sur la pointe du roc, à se précipiter dans le lac avec l'eau du torrent et les débris du bûcher, lorsque les jongleurs parvinrent à obtenir un moment de silence. Le Grand Prêtre des Natchez, du milieu des branches d'un pin dont il tient le tronc embrassé, s'écrie :

« Par Michabou, génie des eaux, dont vous troublez ici l'empire, cessez vos discordes funestes ! Aucune nation présente à cette assemblée n'est obligée de suivre l'opinion d'une autre nation : tout ce qu'elle a promis, c'est le secret, et elle ne peut le dévoiler sans périr subitement. Trois opinions divisent le conseil : la première rejette le plan des Natchez, la seconde l'adopte, la troisième veut garder la neutralité. Eh bien ! que chaque peuple suive l'opinion à laquelle il se range, cela n'empêchera pas ceux qui veulent une vengeance éclatante de l'accomplir. Quand nos frères demeurés en paix sur leurs nattes verront nos succès, peut-être se détermineront-ils à nous imiter. »

La sagesse du jongleur fut louée et son avis adopté. Alors se fit la séparation dans l'assemblée : les Indiens du nord et de l'est, les Iroquois à leur tête, se déclarèrent opposants au projet des Natchez ; les peuples de l'ouest, les Mexicains, les Sioux, les Pannis, dirent qu'ils ne blâmaient ni ne désapprouvaient le projet, mais qu'ils voulaient vivre en paix ; les peuples du midi, et ceux qui, en remontant vers le septentrion, habitaient les rives du Meschacebé, les Chicassaws, les Yazous, les Miamis, entrèrent dans la conjuration[412]. Mais tous ces peuples, quelles que fussent leurs diverses opinions, avaient juré sur la cendre des morts qu'ils garderaient un secret inviolable, et tous déclarèrent de nouveau avec cette foi indienne rarement démentie, qu'ils seraient fidèles à leur serment.

« Le voilà donc décidé le sort des Blancs aux Natchez ! » s'écria Ondouré dans un transport de joie, en voyant le nombre considérable des nations du midi engagées dans le complot.

Jusqu'alors un rayon d'espérance avait soutenu le malheureux Outougamiz ; mais quand un tiers de l'assemblée se fut déclaré pour le projet du tuteur du Soleil, l'ami de René se sentit comme un homme dont le Créateur a détourné sa face. Il s'avance, ou plutôt il se traîne au milieu de l'assemblée : les uns, selon leur position, le voyaient comme une ombre noire sur la flamme du bûcher ; les autres l'apercevaient comme le Génie de la douleur, à travers le voile mobile de la flamme.

« Eh bien ! dit-il d'une voix concentrée, mais qu'on entendait dans l'immense silence de la terre et du ciel, il faut que je tue mon ami ! C'est moi, sans doute, Ondouré, que tu chargeras de porter le coup de poignard. Nations, vous avez surpris ma foi ; hélas ! elle n'était pas difficile à surprendre ! Je suis simple ; mais ce que vous ne surprendrez pas, c'est l'amitié d'Outougamiz. Il se taira, car il a prêté le serment du secret, mais quand vous serez prêts à frapper, Outougamiz, avec le Manitou d'or que voici, sera debout devant René. Forgez le fer bien long : pour atteindre le cœur de mon ami, il faut que ce fer passe par le mien. »

Le jeune homme se tut : ses yeux étaient levés vers le firmament ; c'était l'Ange de l'Amitié redemandant sa céleste patrie. Les Sachems écoutaient pleins de pensées ; ils entrevoyaient un secret qu'ils croyaient important de connaître ; ils commandaient le silence au conseil : les prodiges de l'amitié d'Outougamiz connus de toute la solitude, faisaient l'admiration des jeunes Sauvages.

Le frère de Céluta ramenant ses regards sur l'assemblée : « Guerriers, pourquoi êtes-vous muets ? Enseignez-moi donc ce qu'il faut que je dise à ma sœur et à ma femme lorsqu'elles viendront au-devant de moi. Que dirai-je à René lui-même ? Lui dirai-je : "Chevreuil, que j'avais trouvé dans le marais des Illinois, viens que je rouvre la blessure que ma main avait fermée ?" »

Outougamiz, portant tout à coup ses deux mains à sa poitrine : « Je t'arracherai bien de mon sein, affreux secret ! s'écria-t-il. Os de mes pères, vous avez beau vous soulever et marcher devant moi, je parlerai ; oui, je parlerai ; je ne serai point un assassin ! René, écoute, entends-tu ?... Voilà tout ce qui s'est passé au conseil ; ne va pas le répéter ! Mais, René, n'es-tu pas coupable ?... Ah ! Dieu ! j'ai parlé, j'ai violé mes serments, j'ai trahi la patrie ! » Outougamiz défaillit devant le bûcher ; si les guerriers voisins ne l'eussent retenu, il tombait dans la flamme. On le couche à l'écart sur des branches.

Cet évanouissement donna le temps au jongleur et à Ondouré de répéter ce qu'ils avaient déjà dit de la frénésie d'Outougamiz, causée par un maléfice. Impatientes de partir, les nations se levèrent, et l'on oublia le frère de Céluta.

Les tribus qui avaient adopté le plan des Natchez reçurent du jongleur les gerbes funéraires : dans chaque gerbe il y avait douze roseaux. L'époque des grands jeux, qui duraient douze jours, commençait le dix-huitième jour de la lune des chasses ; c'était ce jour-là même que les jongleurs, chez les différentes nations conjurées, devaient brûler le premier roseau : les autres roseaux, successivement retirés pendant onze nuits, annonceraient le massacre avec l'épuisement de la gerbe.

les Indiens commencèrent à descendre le sentier étroit et dangereux qui conduisait au bas du rocher. Lorsqu'ils arrivèrent au rivage, le jour éclairait l'horizon, mais il était sombre ; et le soleil, enveloppé dans les nuages d'une tempête, s'était levé sans aurore. Les Indiens se rembarquèrent dans leurs canots, se dirigeant vers tous les points de l'horizon : la flotte bientôt dispersée s'évanouit dans l'immensité du lac. Le jongleur et Ondouré abandonnèrent les derniers le rocher du conseil. Ils invitèrent Outougamiz, qui avait repris ses sens, à les suivre ; l'ami de René, les regardant avec horreur, leur répondit que jamais il ne se trouverait dans la société de deux pareils méchants ; ils le quittèrent sans insister davantage. Qu'importait à Ondouré qu'Outougamiz se précipitât ou non du haut du rocher ? Outougamiz était lié par un serment qu'il ne romprait sans doute jamais ; mais si, dans son désespoir, il attentait à sa vie, le secret de la tombe paraissait encore plus sûr à Ondouré que celui de la vertu.

Outougamiz demeura assis sur la pointe du rocher, en face du lac, à l'endroit où le torrent, quittant la terre, s'élançait dans l'abîme ; la grandeur des sentiments que ce spectacle inspirait s'alliait avec la grandeur d'une amitié sublime et malheureuse. Les flots du lac, poussés par le vent, mordaient leurs rivages dont ils emportaient les débris : partout des déserts autour de cette mer intérieure, elle-même solitude vaste et profonde ; partout l'absence des hommes et la présence de Dieu dans ses œuvres.

Le coude appuyé sur son genou, la tête posée dans sa main, les pieds pendants sur l'abîme, ayant derrière lui le bois du conseil, naguère si animé, maintenant rendu à la solitude, Outougamiz fut longtemps à fixer ses résolutions : il se détermina à vivre. Si les blancs allaient découvrir le complot, qui défendrait la patrie, qui défendrait Céluta, qui défendrait Mila, dont le sein porte peut-être le fils d'Outougamiz ? On ne peut pas révéler le secret à René, puisque René est peut-être coupable, comme l'affirment les Sachems ; mais n'y a-t-il pas quelque moyen de sauver l'homme blanc ? Chactas reviendra, Chactas sera initié au mystère : la sagesse de ce Sachem ne peut-elle prévenir tant de malheurs ? Si Outougamiz se précipite dans le lac, sa mort sera inutile à René : celui-ci n'en périra pas moins : Outougamiz, en prolongeant sa vie, peut trouver une occasion inespérée de mettre à l'abri les jours de son ami. Ah ! si l'on pouvait faire savoir le secret à Mila qui a tant d'esprit, elle aurait bientôt tout arrangé ! Qui sait aussi si l'innocence de René ne sera pas découverte ? Alors, quel bonheur ! comme les obstacles s'aplaniraient, comme on passerait du désespoir au comble de la joie !

Outougamiz, après avoir roulé toutes ces pensées dans son âme, se lève : « Vivons, dit-il, ne laissons pas à Céluta le poids de tous les maux ; ne nous reposons pas lâchement dans la tombe. Adieu, bois du sang ! adieu, rocher de malédiction : puisse Athaënsic te prendre pour son autel ! »

Outougamiz se précipite par l'étroit sentier, laissant au bûcher du Conseil quelques cendres qui fumaient encore ; image de ce qui reste des vains projets des hommes.

Le frère de Céluta marcha tout le jour et une partie de la nuit suivante : des Sioux, qu'il rencontra, le portèrent, dans leur canot, de fleuve en fleuve, jusqu'au pays des Illinois : ceux-ci craignant une nouvelle invasion des

Natchez, s'étaient retirés à deux cents lieues plus haut, vers l'Occident. Outougamiz, reprenant sa route par terre, traversa les champs témoins des prodiges de son amitié. Le poteau où René devait être brûlé était encore debout : Outougamiz embrassa ce monument sacré. Il descendit aux marais, et visita la racine sur laquelle il avait tenu son ami dans ses bras, il retrouva les roseaux séchés dont il couvrait, pendant la nuit, l'objet de sa tendresse ; il ramassa quelques plumes des oiseaux dont il avait nourri son frère. Il dit : « Belles plumes, si jamais je suis heureux, je vous attacherai avec des fils d'or, et je vous porterai autour de mon front les jours de fête. Auriez-vous jamais cru que je tuerais mon ami ? »

Cet homme excellent cherchait à puiser dans ses souvenirs de nouvelles forces, pour qu'elles devinssent égales aux périls de René ; il se retrempait, pour ainsi dire, dans ses malheurs passés, pour s'endurcir contre son malheur présent ; il s'excitait à l'amitié par son propre exemple, tandis qu'il s'accusait naïvement d'être changé, et d'avoir juré la mort de René.

Suivant ainsi son amitié à la trace, l'Indien arrive jusqu'aux Natchez : là commencèrent ces douleurs qui ne devaient plus finir. René était-il revenu ? Comment soutenir sa première entrevue ? Que dire aux deux femmes affligées ?

René n'était point encore aux Natchez. Ondouré seul et le jongleur avaient devancé de deux aurores le retour du malheureux Outougamiz. Les jours de Céluta et de Mila s'étaient écoulés dans la plus profonde retraite. Par l'habitude de souffrir et par la longueur du temps, l'épouse de René était tombée dans une tristesse profonde : la tristesse est le relâchement de la douleur ; sorte d'intermission de la fièvre de l'âme, qui conduit à la guérison ou à la mort. Il n'y avait plus que les yeux de Céluta à sourire ; sa bouche ne le pouvait plus.

« Tu me sembles un peu calme, disait Mila.

— Oui, lui répondait sa sœur, je suis faite à présent à

la mauvaise nourriture : mon cœur s'alimente du chagrin qu'il repoussait avant d'y être accoutumé. »

La nuit qui précéda l'arrivée d'Outougamiz, les deux Indiennes veillèrent plus tard que de coutume : elles s'occupaient de René, inépuisable sujet de leurs entretiens. Lorsqu'elles furent couchées sur la natte, elles continuèrent de parler, et, faisant au milieu de leur adversité des projets de bonheur, elles s'endormirent avec l'espérance : l'enfant malade s'assoupit avec le hochet qu'on lui a donné dans son berceau.

A leur réveil Mila et Céluta trouvèrent debout devant elles Outougamiz pâle, défait, les yeux fixes, la bouche entrouverte. Elles s'élancent de leur couche : « Mon frère ! — Mon mari ! » dirent-elles à la fois. « Qu'y a-t-il ? René est-il mort ? Allez-vous mourir ?

— C'en est fait, répond l'Indien sans changer d'attitude, plus d'épouse, plus de sœur !

— René est mort ! s'écrie Céluta.

— Que dis-tu ? repartit Outougamiz avec une joie sauvage, René est mort ? Kitchimanitou soit béni !

— Ciel ! dit Céluta, tu désires la mort de ton ami ! De quel malheur est-il donc menacé ?

— Nous sommes tous perdus ! » murmure Outougamiz d'une voix sombre. Se dégageant des bras de sa femme et de sa sœur, il se précipite hors de la cabane : Mila et Céluta le suivent.

Elles sont arrêtées tout à coup par Ondouré. « Avez-vous vu Outougamiz ? leur dit-il d'un air alarmé.

— Oui, répondent-elles ensemble ; il est hors de ses sens, nous volons après lui.

— Que vous a-t-il dit ? reprit le tuteur du Soleil.

— Il nous a dit que nous étions tous perdus, répliqua Céluta.

— Ne le croyez pas, dit le chef rassuré, tout va bien au contraire ; mais Outougamiz est malade : je vais chercher Adario. »

Comme Ondouré s'éloignait, Outougamiz, par un autre

sentier, se rapprochait de la cabane : il marchait lentement, les bras croisés. Les deux femmes qui s'avançaient vers lui l'entendaient parler seul, il disait : « Manitou d'or, tu m'as privé de la raison : dis-moi donc maintenant ce qu'il faut faire. »

Mila et Céluta saisissent l'infortuné par ses vêtements.

« Que voulez-vous de moi ? s'écrie-t-il. Oui, je le jure, j'aimerai René en dépit de vous ; je me ris des vers du sépulcre qui déjà dévorent mes chairs vivantes. Je frapperai mon ami sans doute, mais je baiserai sa blessure, je sucerai son sang, et quand il sera mort, je m'attacherai à son cadavre, jusqu'à ce que la corruption ait passé dans mes os. »

Les deux Indiennes éplorées embrassaient les genoux d'Outougamiz : il les reconnaît. « C'est nous, dit Mila, parle ! »

Outougamiz lui met la main sur la bouche : « Qu'as-tu dit ? on ne parle plus, à moins que ce ne soit comme une tombe : tout vient à présent des morts. Il y a un secret.

— Un secret ! repartit vivement Mila, un secret pour tes amis ! de quoi s'agit-il donc ? de notre vie ? de celle de René ? »

Alors Outougamiz : « Arrache-moi le cœur, dit-il à Mila, en lui présentant son sein où la jeune épouse applique ses lèvres de flamme.

— Ne déchirez pas ainsi mes entrailles, dit Céluta : parle, mon cher Outougamiz ; viens te reposer avec nous dans ta cabane. »

Une voix foudroyante interrompit cette scène. « As-tu parlé ? disait cette voix ; la terre a-t-elle tremblé sous tes pas ?

— Non, je n'ai pas parlé, répondit Outougamiz, en se tournant vers Adario que conduisait Ondouré ; mais ne croyez plus trouver en moi le docile Outougamiz : homme de fer, allez porter votre vertu parmi les ours du Labrador ; buvez avec délices le sang de vos enfants ; quant à moi, je ne boirai que celui que vous ferez entrer de force dans ma bouche ; je vous en rejetterai une partie au visage, et je vous couvrirai d'une tache que la mort n'effacera pas. »

Adario fut terrassé. « Que me reproches-tu ? dit-il à son neveu. Mes enfants ?... Barbare, cent fois plus barbare que moi ! »

Il n'en fallait pas tant pour abattre le ressentiment d'Outougamiz. « Pardonne, dit-il au vieillard ; oui, j'ai été cruel ; Outougamiz pourtant ne l'est pas ! Je suis indigne de ton amitié, mais laisse-moi la mienne ; laisse-moi mourir ; console, après moi, ces deux femmes. Je t'en avertis, je succomberai, je parlerai : je n'ai pas la force d'aller jusqu'au bout.

— Nous consoler ! dit Céluta ; est-ce là l'homme qui console ? Jusqu'ici je me suis tue, j'ai écouté, j'ai deviné, il s'agit de la mort de René. Allons, Outougamiz, couronne ton ouvrage, égorge celui que tu as délivré ! Sa voix mourante te remerciera encore de ce que tu as fait pour lui ; il cherchera ta main ensanglantée pour la porter à sa bouche ; ses yeux ne te voient déjà plus, mais ils te cherchent encore ; ils se tournent vers toi avec son cœur expirant.

— L'entends-tu, Adario ? dit Outougamiz. Résiste, si tu le peux ! »

Outougamiz saisit Céluta, et dans les étreintes les plus tendres, il se sent tenté de l'étouffer.

« Femmes, s'écrie Adario, retirez-vous avec vos larmes.

— Oui, oui ! dit Mila, prends ce ton menaçant, mais sache que nous sauverons René, malgré toi, malgré la patrie : il faut que cette dernière périsse de ma propre main ; j'incendierai les cabanes.

— Vile Ikouessen[a], s'écria le vieillard, si jamais tu oses te présenter devant moi avec ta langue maudite, tu n'échapperas pas à ma colère.

— Tu m'appelles Ikouessen, dit Mila, de qui ? de mon

a. Courtisane.

libérateur ? Tu as raison : je ne serais pas ce que je suis, si je n'avais dormi sur ses genoux !

— Quitte ces femmes, dit le vieillard à son neveu ; ce n'est pas le moment de pleurer et de gémir. Viens avec les Sachems qui nous attendent. » Outougamiz se laissa entraîner par Adario et par Ondouré.

Mila et Céluta, voyant leurs premiers efforts inutiles, cherchèrent d'autres moyens de découvrir le secret d'Outougamiz. Par les mots énigmatiques du jeune guerrier, elles savaient qu'il y avait un mystère, et par sa douleur, elles devinaient que ce mystère enveloppait le frère d'Amélie. Dans cette pensée, avec toute l'activité de l'amitié fraternelle et de l'amour conjugal, elles suspendirent leurs plaintes ; elles convinrent de se séparer, d'aller chacune de son côté errer à l'entrée des cavernes où s'assemblait le conseil. Elles espéraient surprendre quelques paroles intuitives de leur destinée.

Dès le soir même, Céluta se rendit à la Grotte des Rochers, et Mila à la Caverne des Reliques.

En approchant de celle-ci, le souvenir des instants passés dans ces mêmes lieux se présenta vivement au cœur de Mila. Les Sachems n'étaient pas dans la caverne ; Mila n'entendit rien : la Mort ne raconte point son secret. Céluta n'avait pas été plus heureuse ; les deux sœurs rentrèrent non instruites, mais non découragées, se promettant de recommencer leurs courses.

Outougamiz fut plusieurs jours sans paraître : Adario l'avait emmené dans le souterrain où s'assemblaient les chefs des conjurés, et où l'on s'efforçait, par les tableaux les plus pathétiques de la patrie opprimée, par les plus grossiers mensonges sur René, par toute l'autorité du Grand-Prêtre, de lutter contre la force de l'amitié. Lorsque le frère de Céluta voulut sortir, les gardes du Soleil eurent ordre de le suivre de loin ; des Sachems, et Adario lui-même, marchaient à quelque distance sur ses traces.

Il se rendit à la cabane de René ; Céluta était absente ; Mila, solitaire, attendait le retour de son amie. En voyant entrer Outougamiz, elle lui sourit d'un air de tendresse et de surprise. Mila avait quelque chose de charmant ; on aurait passé ses jours à la voir sourire : « Je croyais, dit-elle à son mari, que tu m'avais abandonnée. Où es-tu donc allé ? Je ne t'avais pas revu depuis le jour où tu es revenu du désert. » Elle fit signe à Outougamiz de s'asseoir sur la natte. Outougamiz répondit qu'il était resté avec les Sachems ; et, plein d'une joie triste en entendant Mila lui parler avec tant de douceur, il s'assit auprès d'elle.

Mila suspendit ses bras au cou du jeune Sauvage : « Tu es infortuné, lui dit-elle, et moi je suis malheureuse. Après une si longue absence, pourquoi n'es-tu pas venu plus tôt me consoler ? Tu n'as plus ta raison ; j'ai à peine la mienne. Retirons-nous dans les forêts ; je serai ton guide ; tu marcheras appuyé sur moi comme l'aveugle conduit par l'aveugle. Je porterai les fruits à ta bouche, j'essuierai tes larmes, je préparerai ta couche, tu reposeras ta tête sur mes genoux lorsque tu la sentiras pesante ; tu me diras alors le secret. René viendra nous trouver, et il pleurera avec nous.

— Qu'il ne pleure pas ! dit Outougamiz ; s'il pleure, je parlerai. Je veux qu'il me promette de ne pas m'aimer, afin que je tienne mon serment. S'il dit qu'il m'aime, je le tuerai, parce que je trahirais mon pays. »

Mila crut qu'elle allait découvrir quelque chose ; mais toutes ses grâces et toutes ses séductions furent inutiles. Ses caresses, dont une seule aurait suffi à tant d'autres hommes pour leur faire vendre la destinée du monde, échouèrent contre la gravité de la douleur et contre la foi du serment. Mila trouva dans son mari une résistance à laquelle elle ne s'était pas attendue ; elle ignorait à quel point Outougamiz était passionné pour la patrie ; quel empire la religion avait sur lui ; quelle force ajoutait à sa vertueuse résistance l'idée que René était coupable, et que ce Blanc pourrait apprendre le secret aux autres Blancs, si le secret lui était révélé. Céluta, qui ressemblait davantage à son frère et qui le connaissait mieux, avait désespéré dès le premier moment de lui faire dire ce qu'il croyait devoir taire ; elle l'admirait en versant des larmes.

La saison déclinait vers l'automne[413] ; saison mélancolique où l'oiseau de passage qui s'envole, la verdure qui se flétrit, la feuille qui tombe, la chaleur qui s'éteint, le jour qui s'abrège, la nuit qui s'étend, et la glace qui vient couronner cette longue nuit, rappellent la destinée de l'homme. Les grands jeux devaient être bientôt proclamés : le jour du massacre approchait. Aucune nouvelle de René ne parvenait à Céluta ; l'Indienne ne savait plus si elle devait craindre ou désirer le retour du voyageur. Un matin elle vit entrer dans sa cabane le religieux d'une mission lointaine. Ce n'était pas un prêtre d'autant de science que le père Souël, ni d'un zèle à provoquer le martyre, mais c'était un homme charitable et doux. Il ne se mêlait jamais de ce qui ne le regardait pas, et ne cherchait à convertir les âmes au Seigneur que par l'exemple d'une bonne vie. Il portait la robe et la barbe d'un capucin sans orgueil et sans humilité ; il trouvait tout simple que son Ordre eût conservé les usages et les habits d'autrefois, comme il lui semblait tout naturel que ces usages et ces habits eussent changé.

Céluta s'avança au-devant du missionnaire : « Chef de la prière, lui dit-elle, tu m'honores de venir à ma hutte ; mais le maître n'est pas ici, et je crains qu'une femme ne te reçoive pas aussi bien que tu le mérites. » Le père lui répondit en s'inclinant : « Je ne vous aurais pas importunée de ma visite, si le capitaine d'Artaguette ne m'eût ordonné de vous apporter une lettre de votre mari. »

Céluta rougit d'espérance et de crainte ; elle prit la lettre que le missionnaire lui présentait, et la pressa sur son cœur.

Mila, qui était avec sa sœur dans la cabane, et qui tenait la petite Amélie sur ses genoux, ne voulait pas qu'on se donnât le temps de servir la cassine[414] au religieux, impatiente qu'elle était d'entendre l'explication du collier. Céluta, plus hospitalière, prépara le léger repas.

410

Tandis qu'elle s'occupait de ce soin, le religieux voyant la fille de René dans les bras de Mila, la bénit, et demanda si cette petite était chrétienne. L'enfant ne paraissait point effrayé et souriait au vieux Solitaire. Celui-ci, interrogé par les deux sœurs, fit, les larmes aux yeux, l'éloge du capitaine d'Artaguette et du brave grenadier Jacques. Céluta apprit avec peine que son frère blanc, fixé à un poste éloigné, était souffrant depuis plusieurs mois.

Mila dit au missionnaire : « Chef de la barbe[415], n'as-tu jamais été repoussé des huttes ? — Mon bâton, répondit le père, est toujours derrière la porte. » Céluta servit la cassine. Quand cela fut fait, elle tira la lettre qu'elle avait mise dans son sein et pria le père de la traduire.

Inexplicable contradiction du cœur humain ! Cette femme qui, la veille, s'alarmait du silence de son mari, désirait presque maintenant la continuation de ce silence ! Que contenait la lettre ? annonçait-elle le retour prochain de René ? jetait-elle quelque lumière sur le secret d'Outougamiz ? dissiperait-elle ou confirmerait-elle les soupçons qui s'étaient élevés contre René ? Assises devant le missionnaire, les deux sœurs fixant les yeux sur ses lèvres, écoutaient des sons qui n'étaient pas encore produits. Le père ouvre la lettre, prend sa barbe dans sa main gauche, élève de sa main droite le papier à la hauteur de ses yeux, et parcourt en silence la première page. A mesure qu'il avançait dans la lecture, on voyait l'étonnement se peindre sur son visage. Céluta était comme le prisonnier de guerre assis sur le trépied avant d'être livré aux flammes ; Mila perdant toute patience s'écria : « Explique-nous donc le collier : est-ce que tu ne le comprends pas ? »

Le père traduisit en natchez ce qui suit :

LETTRE DE RENÉ A CÉLUTA

« *Au Désert, la trente-deuxième neige de ma naissance*[416].

« Je comptais vous attendre aux Natchez ; j'ai été obligé

de partir subitement sur un ordre des Sachems. J'ignore quelle sera l'issue de mon voyage : il se peut faire que je ne vous revoie plus. J'ai dû vous paraître si bizarre, que je serais fâché de quitter la vie, sans m'être justifié auprès de vous.

« J'ai reçu de l'Europe, à mon retour de la Nouvelle-Orléans, une lettre qui m'a appris l'accomplissement de mes destinées : j'ai raconté mon histoire à Chactas et au père Souël ; la sagesse et la religion doivent seules la connaître[417].

« Un grand malheur m'a frappé dans ma première jeunesse ; ce malheur m'a fait tel que vous m'avez vu. J'ai été aimé, trop aimé : l'ange qui m'environna de sa tendresse mystérieuse ferma pour jamais, sans les tarir, les sources de mon existence. Tout amour me fit horreur : un modèle de femme était devant moi, dont rien ne pouvait approcher ; intérieurement consumé de passions, par un contraste inexplicable je suis demeuré glacé sous la main du malheur.

« Céluta, il y a des existences si rudes qu'elles semblent accuser la Providence et qu'elles corrigeraient de la manie d'être. Depuis le commencement de ma vie, je n'ai cessé de nourrir des chagrins : j'en portais le germe en moi comme l'arbre porte le germe de son fruit. Un poison inconnu se mêlait à tous mes sentiments : je me reprochais jusqu'à ces joies nées de la jeunesse et fugitives comme elle.

« Que fais-je à présent dans le monde et qu'y faisais-je auparavant ? j'étais toujours seul, alors même que la victime palpitait encore au pied de l'autel. Elle n'est plus cette victime ; mais le tombeau ne m'a rien ôté ; il n'est pas plus inexorable pour moi que ne l'était le sanctuaire. Néanmoins je sens que quelque chose de nécessaire à mes jours a disparu. Quand je devrais me réjouir d'une perte qui délivre deux âmes, je pleure ; je demande, comme si on me l'avait ravi, ce que je ne devais jamais retrouver ; je désire mourir ; et dans une autre vie une séparation qui me tue, n'en continuera pas moins l'éternité durante[418].

« L'éternité ! peut-être, dans ma puissance d'aimer, ai-je compris ce mot incompréhensible. Le ciel a su et sait encore, au moment même où ma main agitée trace cette lettre, ce que je pouvais être : les hommes ne m'ont pas connu[419].

« J'écris assis sous l'arbre du désert, au bord d'un fleuve sans nom, dans la vallée où s'élèvent les mêmes forêts qui la couvrirent lorsque les temps commencèrent. Je suppose, Céluta, que le cœur de René s'ouvre maintenant devant toi : vois-tu le monde extraordinaire qu'il renferme ? il sort de ce cœur des flammes qui manquent d'aliment, qui dévoreraient la création sans être rassasiées, qui te dévoreraient toi-même. Prends garde, femme de vertu ! recule devant cet abîme : laisse-le dans mon sein ! Père tout-puissant, tu m'as appelé dans la solitude ; tu m'as dit "René ! René ! qu'as-tu fait de ta sœur ?" Suis-je donc Caïn[420] ? »

CONTINUÉE AU LEVER DE L'AURORE

« Quelle nuit j'ai passée ! Créateur, je te rends grâces ; j'ai encore des forces, puisque mes yeux revoient la lumière que tu as faite ! Sans flambeau pour éclairer ma course, j'errais dans les ténèbres : mes pas, comme intelligents d'eux-mêmes, se frayaient des sentiers à travers les lianes et les buissons. Je cherchais ce qui me fuit ; je pressais le tronc des chênes ; mes bras avaient besoin de serrer quelque chose. J'ai cru, dans mon délire, sentir une écorce aride palpiter contre mon cœur : un degré de chaleur de plus, et j'animais des êtres insensibles. Le sein nu et déchiré, les cheveux trempés de la vapeur de la nuit, je croyais voir une femme qui se jetait dans mes bras ; elle me disait : "viens échanger des feux avec moi, et perdre la vie ! mêlons des voluptés à la mort ! que la voûte du ciel nous cache en tombant sur nous[421]."

« Céluta, vous me prendrez pour un insensé : je n'ai eu qu'un tort envers vous, c'est de vous avoir liée à mon sort. Vous savez si René a résisté, et à quel prodige d'amitié il a cru devoir le sacrifice d'une indépendance, qui du moins n'était funeste qu'à lui. Une misère bien grande m'a ôté la joie de votre amour, et le bonheur d'être père : j'ai vu avec une sorte d'épouvante que ma vie s'allait prolonger au-delà de moi. Le sang qui fit battre mon cœur douloureux animera celui de ma fille : je t'aurai transmis, pauvre Amélie, ma tristesse et mes malheurs ! Déjà appelé par la terre, je ne protégerai point les jours de ton enfance ; plus tard je ne verrai point se développer en toi la douce image de ta mère, mêlée aux charmes de ma sœur et aux grâces de la jeunesse. Ne me regrette pas : dans l'âge des passions j'aurais été un mauvais guide.

« Céluta, je vous recommande particulièrement Amélie : son nom est un nom fatal. Qu'elle ne soit instruite dans aucun art de l'Europe ; que sa mère lui cache l'excès de sa tendresse : il n'est pas bon de s'accoutumer à être trop aimé. Qu'on ne parle jamais de moi à ma fille ; elle ne me doit rien : je ne souhaitais pas lui donner la vie.

« Que René reste pour elle un homme inconnu, dont l'étrange destin raconté la fasse rêver sans qu'elle en pénètre la cause : je ne veux être à ses yeux que ce que je suis, un pénible songe.

« Céluta, il y a dans ma cabane des papiers écrits de ma main : c'est l'histoire de mon cœur ; elle n'est bonne à personne, et personne ne la comprendrait : anéantissez ces chimères.

« Retournez sous le toit fraternel ; brûlez celui que j'ai élevé de mes mains ; semez des plantes parmi ses cendres ; rendez à la forêt l'héritage que j'avais envahi. Effacez le sentier qui monte de la rivière à la porte de ma demeure ; je ne veux pas qu'il reste sur la terre la moindre trace de mon passage. Cependant j'ai écrit un nom sur des arbres, dans la profondeur des bois : il serait impossible de le retrouver : qu'il croisse donc avec le chêne inconnu qui le porte ; le chasseur indien s'enfuira à la vue de ces caractères gravés par un mauvais Génie.

« Donnez mes armes à Outougamiz ; que cet homme sublime fasse en mémoire de moi un dernier effort : qu'il vive. Chactas me suivra, s'il ne m'a devancé.

« Si enfin, Céluta, je dois mourir, vous pourrez chercher après moi l'union d'une âme plus égale que la mienne. Toutefois ne croyez pas désormais recevoir impunément les caresses d'un autre homme ; ne croyez pas que de faibles embrassements puissent effacer de votre âme ceux de René. Je vous ai tenue sur ma poitrine au milieu du désert, dans les vents de l'orage, lorsque après vous avoir portée de l'autre côté d'un torrent, j'aurais voulu vous poignarder pour fixer le bonheur dans votre sein, et pour me punir de vous avoir donné ce bonheur. C'est toi, Être suprême, source d'amour et de beauté, c'est toi seul qui me créas tel que je suis, et toi seul me peux comprendre ! Oh ! que ne me suis-je précipité dans les cataractes au milieu des ondes écumantes ? je serais rentré dans le sein de la nature avec toute mon énergie.

« Oui, Céluta, si vous me perdez, vous resterez veuve : qui pourrait vous environner de cette flamme que je porte avec moi, même en n'aimant pas ? Ces solitudes que je rendais brûlantes vous paraîtraient glacées auprès d'un autre époux. Que chercheriez-vous dans les bois et sous les ombrages ? il n'est plus pour vous d'illusions, d'enivrement, de délire : je t'ai tout ravi en te donnant tout, ou plutôt en ne te donnant rien, car une plaie incurable était au fond de mon âme. Ne crois pas, Céluta, qu'une femme à laquelle on a fait des aveux aussi cruels, pour laquelle on a formé des souhaits aussi odieux que les miens, ne crois pas que cette femme oublie jamais l'homme qui l'aima de cet amour ou de cette haine extraordinaire[422].

« Je m'ennuie de la vie ; l'ennui m'a toujours dévoré : ce qui intéresse les autres hommes ne me touche point.

Pasteur ou roi, qu'aurais-je fait de ma houlette ou de ma couronne ? Je serais également fatigué de la gloire et du génie, du travail et du loisir, de la prospérité et de l'infortune. En Europe, en Amérique, la société et la nature m'ont lassé. Je suis vertueux sans plaisir ; si j'étais criminel, je le serais sans remords. Je voudrais n'être pas né, ou être à jamais oublié[423].

« Que ce soit ici un dernier adieu, ou que je doive vous revoir encore, Céluta, quelque chose me dit que ma destinée s'accomplit ; si ce n'est pas aujourd'hui même, elle n'en sera que plus funeste : René ne peut reculer que vers le malheur. Regardez donc cette lettre comme un testament. »

La lecture était achevée que Céluta ne relevait point sa tête qui s'était penchée sur son sein : toute la sagacité de Mila n'avait pas suffi pour expliquer le collier ; toute la religion du missionnaire n'avait pu pénétrer le sens de la lettre ; mais le cœur d'une épouse l'avait mieux compris : rien n'est intelligent comme l'amour malheureux. Céluta apprenait qu'elle n'était point aimée ; qu'un lien paternel ne lui avait pas même attaché René ; qu'il y avait, dans l'âme de cet homme du trouble, presque du remords, et qu'il se repentait d'un malheur comme on se repentirait d'un crime.

Céluta releva lentement son front abattu : « Allons, dit-elle, mon mari est encore plus infortuné que je ne le supposais, un méchant esprit l'a persécuté : je dois être son bon génie. »

Le religieux rendit la lettre à l'Indienne en lui disant : « Souffrir est notre partage ; la nouvelle alliance que Jésus-Christ a faite avec les hommes est une alliance de douleur : c'est de son sang qu'il l'a scellée, je vais prier pour vous. »

Le missionnaire tomba à genoux, et, les mains jointes, il répéta dans la langue des Natchez, l'Oraison dominicale : le calme de cette prière fut une espèce de baume répandu sur une plaie vive. Quand le père prononça ces mots : *délivrez-nous du mal*, les deux femmes sanglotèrent d'attendrissement. Alors le religieux se relevant avec peine, ramena son froc sur sa tête grise, traversa la cabane d'un pas grave, reprit son bâton à la porte et alla, aussi rapidement que le lui permettait sa vieillesse, consoler d'autres adversités.

Mila qui portait toujours Amélie, la rendit à Céluta : celle-ci la reçut en la couvrant de baisers et en fondant en larmes. Mila qui devinait sa sœur, lui dit : « Tu l'aimeras pour toi, toi qui es sa mère ; moi je l'aimerai pour son père. »

Mais Mila se sentait aussi un peu découragée. Qui avait donc pu trop aimer René ? Quand on arracherait le guerrier blanc à la mort, que gagnerait-on à cela, puisqu'il ne voulait pas vivre ? Mila ne s'arrêtant pas longtemps à ces réflexions, et revenant à son caractère :

« C'est assez pleurer pour un collier obscur, mal interprété, que nous ne comprenons ni toi, ni moi, ni le père de la barbe. Le danger est à la porte de notre cabane : pourquoi mêler à des peines véritables des peines chimériques ? Entre la réalité du mal et les songes de nos cœurs, nous ne saurions où nous tourner. Occupons-nous du présent, nous penserons une autre fois à l'avenir. Découvrons le secret, sauvons René, et quand nous l'aurons sauvé, il faudra bien qu'il s'explique.

— Tu as raison, dit Céluta, sauvons mon mari. » Mila prit Amélie dans ses bras, puis la rendant encore à sa mère : « Tiens, dit-elle, je désirais avoir un petit guerrier, je n'en veux plus, garde ta fille : elle te préfère à moi quand elle pleure ; elle me préfère à toi quand elle rit. Ne dirait-on pas que le collier lui fait aussi verser des larmes ? » Mila sortit pour aller à la découverte du secret.

René avait écrit une autre lettre aux Sachems, pour leur annoncer que les Illinois ne paraissaient pas encore disposés à recevoir le calumet de paix. Plus heureux dans sa mission, Chactas avait tout obtenu des Anglais de la Géorgie : il se disposait à revenir. Le tuteur du Soleil espérait que le vieillard serait mort avant de revoir sa cabane : on racontait qu'il touchait à sa fin.

La Femme-Chef, attendant la tête de sa rivale, laissait en apparence Ondouré plus tranquille, mais elle le surveillait avec toute l'activité de la jalousie. Le Sauvage, craignant toujours de se trahir, n'échappait au péril qu'à l'aide de précautions dont il lui tardait de se délivrer.

D'un autre côté, il était difficile que le secret d'une conjuration connue de tant de monde ne transpirât pas au-dehors. De temps en temps, il s'élevait des bruits dont tout Commandant moins prévenu que celui du fort Rosalie eût recherché la source. Le Gouverneur Général avait écrit à Chépar de ne pas se laisser trop rassurer par la concession des terres. Une lettre d'Adélaïde, adressée à René, s'étant trouvée dans les dépêches, Ondouré, que Fébriano instruisait de tout, s'empressa d'annoncer une nouvelle trahison du fils adoptif de Chactas ; mais, en même temps, pour achever de tromper le Commandant et pour avoir l'air de ne s'occuper que de plaisirs, il ordonna une chasse au buffle de l'autre côté du Meschacebé[424].

Mila n'eut pas plus tôt appris cette nouvelle qu'elle dit à Céluta : « Il nous faut aller à cette chasse, où se trouveront toutes les matrones : je veux que le jongleur m'apprenne aujourd'hui même le secret. » Céluta consentit tristement à suivre Mila ; elle doutait du succès de sa jeune amie qui refusait de dire le moyen dont elle se comptait servir, pour faire parler le jongleur.

Le jour de la chasse arrivé, les deux sœurs partirent ensemble : elles marchaient seules hors de la foule, car tout le monde les fuyait comme on fuit les malheureux. On s'embarque dans les canots ; on traverse le fleuve ; on descend sur l'autre rive ; on entre dans les savanes parsemées d'étangs d'une eau saumâtre, où les buffles viennent lécher le sel.

Divisés en trois bandes, les chasseurs commencent l'attaque : on voyait bondir les buffles au-dessus des grandes forêts de cannes de plus de quinze pieds de hauteur. Mila avait quitté Céluta. Elle s'était attachée aux pas du jongleur qui prononçait des paroles, afin d'amener les victimes sous la lance des guerriers. Un buffle blessé fond tout à coup sur le magicien qui prend la fuite : le buffle est arrêté par les chasseurs, mais le prêtre continue à s'enfoncer dans les cannes, et entendant courir derrière lui, il fuit encore plus vite : ce n'était pourtant que Mila qui volait sur ses traces comme les colibris volent sur la cime des roseaux. Elle appelle le jongleur ; celui-ci tourne enfin la tête, et reconnaissant une femme, il se précipite à terre tout haletant.

« Je t'assure, dit Mila, en arrivant à lui, que j'ai eu autant de peur que toi. Je te suivais, parce que tu m'aurais sauvée. D'une seule parole tu aurais fait tomber le buffle mort à tes pieds.

— C'est vrai, dit le jongleur, reprenant un air solennel ; mais que j'ai soif ! »

Mila portait à son bras une corbeille, dans cette corbeille un flacon et une coupe.

« Le Grand Esprit m'a bien inspirée, s'écria Mila, j'ai par hasard ici de l'essence de feu[a]. Ah ! bon Génie ! si un homme comme toi allait mourir, que deviendraient les Natchez ?

— Mila, dit le prêtre essuyant son front et se rapprochant de la malicieuse enchanteresse, tu m'as toujours semblé avoir de l'esprit comme une hermine.

— Et toi, dit Mila versant l'essence de feu dans la coupe, tu m'as toujours paru beau comme le Génie qui préside aux chasses, comme le Grand Lièvre honoré dans les forêts. » Le prêtre vida la coupe.

Les Sauvages, passionnés pour les liqueurs de l'Europe, recherchent les fumées de l'ivresse comme les peuples de l'Orient les vapeurs de l'opium. « Je ne t'avais jamais vu de si près, dit Mila, remplissant de nouveau la coupe

a. Eau-de-vie.

et la présentant à la main avide du jongleur ; que tu es beau ! que tu es beau ! on dit que tu parles tant de langues. Est-ce que tu entends tout ce que tu dis ? »

Triplement enivré de vin, d'amour et de louanges, le prêtre commençait à faire parler ses yeux. Mila remplit encore la coupe, la porte de sa main droite aux lèvres du jongleur, et, appuyant doucement sa main gauche sur son épaule, semble regarder avec admiration sa victime déjà séduite.

Le lieu était solitaire, les roseaux élevés. « Mila ? dit le jongleur.

— Que veux-tu ? dit l'Indienne, affectant un air troublé et un peu honteux.

— Approche-toi », repartit le prêtre. Mila parut se vouloir défendre.

« N'aie pas peur, dit le prêtre, je puis répandre la nuit autour de nous.

— C'est pour cela que j'ai tant de peur, répondit Mila, tu es un si grand magicien ! » Le prêtre prenant Mila dans ses bras, l'attira sur ses genoux. « Bois donc à ton tour, charmante colombe, dit-il.

— Moi ! » s'écria Mila : elle feignit de porter la liqueur à sa bouche, tandis que le prêtre, tournant la coupe, cherchait à boire sur le bord que les lèvres de Mila avaient touché.

Le jongleur commençait à sentir les effets du poison, les objets flottaient devant ses yeux.

« Ne vois-je pas, dit-il à Mila, une grande cabane ? » C'étaient des roseaux agités par le vent.

« Oui, dit Mila, c'est la cabane où les Sachems sont rassemblés pour délibérer sur la mort de René.

— C'est étonnant, repartit le prêtre balbutiant, car ce n'est pas encore sitôt. »

Le cœur de Mila tressaillit ; elle pressa involontairement le jongleur, qui la serra à son tour dans ses bras.

« Pas encore sitôt ? dit Mila, mais c'est...

— La douzième nuit pendant la lune des chasses, dit le prêtre.

— Je croyais, répondit Mila, que c'était la treizième ?

— Je sais mieux cela que toi, repartit le jongleur ; il y a douze roseaux dans la gerbe ; nous en retirerons un chaque nuit.

— C'est fort bien imaginé, dit Mila, et René sera tué quand tu retireras le dernier ? — Oui, dit le prêtre ; et il sera tué le premier de tous. »

Le prêtre voulut ravir un baiser à Mila, qui, au lieu de ses lèvres, lui présenta l'essence de feu. « J'aimerais mieux l'autre coupe, dit le jongleur.

— Mais, reprit Mila, tu dis que René sera tué le premier de tous ; on tuera donc d'autres chairs blanches ?

— Eh ! certainement, dit le jongleur riant de la simplicité de Mila ; cela sera d'autant plus admirable, qu'ils seront assemblés comme un troupeau de chevreuils pour regarder les grands jeux.

— Oh ! comme j'y danserai avec toi, s'écria Mila appliquant, avec le dégoût de la nature mais l'exaltation de l'amitié, un baiser sur le front du jongleur ; je n'avais pas entendu parler de ces grands jeux ! J'aime tant les jeux !

— Toutes les nations qui ont juré le secret, dit le jongleur, se rendront aux Natchez. Outougamiz le Simple a juré comme les autres ; nous le forcerons de tuer son René. »

Mila se lève, s'arrache au bras du prêtre qui tombe, et dont le front va frapper la terre. Cet homme eut une idée confuse de la faute qu'il venait de commettre ; mais l'ivresse l'emportant, il s'endormit[425].

Mila cherche Céluta ; elle l'aperçoit seule assise à l'écart ; elle lui dit : « Tout est découvert ; les blancs seront massacrés aux grands jeux : ton mari périra le premier. »

L'épouse de René est prête à s'évanouir ; son amie la soutient : « Du courage, dit-elle ; il faut sauver René. Je cours au fort avertir Chépar. Toi, va chercher Outougamiz.

« — Arrête, s'écrie Céluta ; qu'as-tu dit ? avertir Chépar !
Malheureuse ! ton pays ! »

Ces mots retentissent dans le cœur de Mila ; immobile,
elle fixe ses regards sur sa sœur, puis s'écrie : « Périsse la
patrie qui a pu tramer un complot si odieux ! Ce n'est
plus qu'un repaire d'assassins. Je cours les dénoncer. »

Céluta frémit : « Mila, dit-elle, songe à ta mère, à ton
père, à moi, à Outougamiz. Ne vois-tu pas qu'en prévenant
un massacre, tu ne le fais que changer en un meurtre
beaucoup plus terrible pour toi. »

Mila frémit ; elle n'avait pas aperçu cet autre péril ;
mais, tout à coup : « Je ne m'attendais pas, lorsqu'il
s'agissait de la vie de René, que tu serais si calme ; que
tu balancerais prudemment, comme un Sachem, le bien
et le mal.

— Femme, reprit Céluta avec émotion, quel que soit
ton cœur tu ne m'apprendras pas à aimer ; mais ne crois
pas non plus m'aveugler : je serai maintenant aussi malheureuse que mon frère et aussi discrète que lui. Je sais
mourir de douleur ; je ne sais pas perdre ma patrie. »

Mila embrasse Céluta. « Pardonne-moi, dit-elle ; je suis
trop au-dessous de toi pour te juger. »

Mila raconte à sa sœur comment elle a surpris la foi du
jongleur ; Céluta blâme doucement son amie : « On ne fait
pas impunément ce qui n'est pas bien, lui dit-elle ; quand
il n'y aurait que le tourment du secret que tu viens
d'apprendre, secret dont tu réponds à présent devant ton
pays, ne serais-tu pas déjà assez punie ? »

Mila et Céluta se déterminèrent à aller trouver Outougamiz : elles le rencontrèrent sur le bord du fleuve, loin
de la chasse, à laquelle il n'avait pris aucune part. En
voyant s'avancer les deux femmes, Outougamiz, pour la
première fois, fut tenté de s'éloigner. Que pouvait-il leur
dire ? N'était-il pas aussi malheureux qu'elles ? Céluta lui
dit en l'abordant : « Ne nous fuis pas ; nous ne te deman-
dons plus rien ; nous connaissons tes malheurs. Mon
frère, je ne t'accuse plus ; je t'admire : tu es le Génie de

la vertu comme celui de l'amitié. » Outougamiz ne comprit pas sa sœur.

« Pleurons tous trois, dit Mila, nous savons tous trois le secret.

— Vous savez le secret ! s'écrie d'une voix formidable le jeune Indien. Qui vous l'a dit ? Ce n'est pas moi ! je n'ai pas menti au Grand Esprit ! je n'ai pas violé le serment des morts ! je n'ai pas tué la patrie ! » Et, plein de l'effroi du parjure, il échappe aux bras dans lesquels il eût voulu mourir. Mila vole sur ses pas sans le pouvoir rejoindre. Céluta, abandonnée, se jette dans une pirogue avec des chasseurs qui repassaient le fleuve, et regagne sa cabane.

Un ami qui disparaît au moment d'un grand danger laisse un vide immense : Céluta appelle sa sœur, en approchant de sa demeure ; aucune voix ne lui répond : Mila n'était point rentrée sous le toit fraternel. Céluta pénètre dans la cabane ; elle en parcourt les différents réduits, revient à la porte, regarde dans la campagne et ne voit personne. Accablée de fatigue, elle s'assied près du foyer, tenant sa fille dans ses bras. Là, se livrant à ses pensées, elle est encore moins oppressée par le péril du moment que par le souvenir de la lettre de René. La sœur d'Outougamiz n'était point aimée, elle ne le serait jamais ! Et c'était celui qu'elle adorait, celui qu'elle cherchait à sauver aux dépens de ses jours, qui lui avait fait ce barbare aveu ! Céluta se trouvait tout à coup jetée hors de la vie : elle sentait qu'elle s'enfonçait dans une solitude, comme l'être mystérieux qui avait trop aimé René.

Le maukawis chanta le coucher du soleil, le pois parfumé de la Virginie éclata à la première veille de la nuit, la fin de la nuit fut annoncée par le cri de la cigogne, et l'amie de Céluta ne revint pas. L'aube ouvrit les barrières du ciel, sans ramener la nymphe, sa compagne fidèle : couronnée de fleurs, Mila paraissait chaque matin comme la plus jeune des Heures ; précédant les pas de l'aurore, elle semblait lui donner ou tenir d'elle ses charmes et sa fraîcheur.

Quand Céluta vit poindre le jour, ses alarmes augmentèrent : que pouvait être devenue sa sœur ? Une pensée se présente à l'esprit de la fille de Tabamica : en demeurant avec Céluta, Mila n'habitait point sa propre cabane ; la cabane de Mila était celle d'Outougamiz. N'était-il pas possible qu'Outougamiz eût voulu retourner à ses foyers, et que son épouse y fût rentrée avec lui ?

Céluta passe à son cou l'écharpe où était suspendu un léger berceau, elle place dans le berceau cet enfant voyageur qui souriait par-dessus l'épaule de sa mère. Elle sort ; elle arrive bientôt au toit qui lui rappelle de si doux et de si tristes souvenirs ; c'était là qu'elle habitait, avec Outougamiz, lorsque René la vint visiter ; c'était par la porte entrouverte de cette cabane qu'elle avait aperçu l'étranger dans le buisson d'azaléa. Comme le cœur lui battit lorsque le guerrier blanc s'assit auprès d'elle ! Avec quelles délices elle prépara le festin du serment de l'amitié ! Qu'ils sont déjà loin ces jours qui virent naître un amour si tendre ! Doux enchantements du cœur, projets d'un bonheur sans terme et sans mesure, qu'êtes-vous devenus ? Cabane, qui protégeâtes la jeunesse d'Outougamiz et de Céluta, serez-vous changée comme vos maîtres ? aurez-vous vieilli comme eux ?

Oui : cette cabane n'était plus la même ; depuis longtemps inhabitée, elle était vide et sans Génies tutélaires : quelques petits oiseaux y faisaient leurs nids, et l'herbe croissait à l'entour[426].

Environnée d'assassins, abandonnée de tous ses amis, livrée sans défense à l'amour impur du tuteur du Soleil, accablée du malheur et de l'indifférence de René, Céluta ne désirait plus qu'une tombe pour s'y reposer à jamais. Comme elle s'éloignait de la cabane, où elle n'avait trouvé personne, elle aperçut Adario qui cheminait lentement, traînant ses lambeaux et s'appuyant sur le bras d'Outougamiz ; elle fut frappée de terreur en remarquant que Mila n'était pas avec eux. Le vieillard penchait vers la terre ; le poids du chagrin paternel avait enfin courbé ce front inflexible : Adario n'était plus qu'un mort resté quelques jours parmi les vivants, pour se venger.

Céluta s'avança vers lui. « Te voilà, ma fille, lui dit-il d'une voix pleine d'une douceur inaccoutumée, j'allais chez toi ; mais puisque nous sommes auprès de la cabane de ton frère, arrêtons-nous là. Le vieux chasseur commence à trouver la course un peu longue ; il se repose partout où il rencontre un abri. »

Touchée du changement du vieillard, et attendrie par sa bonté, Céluta entra avec son frère et son oncle dans la cabane déserte. Ils furent obligés de s'asseoir sur le sol humide : « C'est ma couche de tous les jours, dit Adario, il faut que je m'habitue à la terre. »

Incertain, pour la première fois de sa vie, le Sachem avait l'air de rassembler ses pensées, de chercher ses paroles. Outougamiz se réveillant comme d'un songe, et reconnaissant le lieu où il était, dit en secouant la tête : « Adario, tu n'es pas prudent de m'avoir amené ici : tu veux que je tue René, et c'est ici même que je lui ai juré une amitié éternelle. J'ai juré depuis, il est vrai, que je le tuerais ; mais dis-moi auquel des deux serments dois-je être fidèle ? N'est-ce pas au premier ?

— C'est à ta patrie que tu as fait le dernier, répliqua Adario, et tu l'as prononcé sur les os de tes aïeux.

— Sur des ossements apportés par le jongleur, répondit Outougamiz, mais étaient-ce ceux de mes ancêtres ? J'ai voulu connaître la vérité. Je suis allé cette nuit sur la tombe de mon père ; je me suis couché sur le gazon ; j'ai prêté l'oreille : mon père était dans sa tombe, car je l'entendais creuser avec ses mains pour venir vers moi. La couche de poussière, entre nous deux, n'était pas plus épaisse qu'une feuille de platane. Je sentais mon cœur refroidir à mesure que le cœur du mort s'approchait de ma poitrine ; il me communiquait ses glaces. J'étais calme et heureux : c'était comme le sommeil.

— Insensé ! s'écria Adario, ton amitié t'égare.

— Pour ce mot-là, dit Outougamiz, ne le prononce

jamais, Adario, tu n'entends rien à l'amitié. Si tu voulais appeler encore mon père en témoignage contre moi, tu te tromperais, car il a reçu mon serment d'amitié dans cette cabane, ainsi que cette femme que tu ne daignes seulement pas regarder, et qui pleure... Je vois René ; il vient réclamer, en ce lieu même, le serment que je lui ai fait. Le Manitou d'or s'agite sur ma poitrine : non, mon ami ! non, mon frère ! je ne renie point mon serment ! Approche, que je le renouvelle entre tes mains, entre celles de ma sœur : je te jure...

— Impie ! s'écria Adario, lui portant une main ridée à la bouche ; crains que la terre ne te dévore, comme l'onde a englouti Mila.

— Mila ! dirent à la fois le frère et la sœur.

— Oui, Mila, répète Adario d'une voix inspirée : elle a su le secret, et elle a péri ! »

Outougamiz reste pétrifié ; Céluta inonde la terre de ses larmes. Adario, un bras levé entre son neveu et sa nièce, semble encore proférer le mot qui vient de les anéantir : elle a péri !

Outougamiz se lève, prend sa sœur par la main, la contraint de se lever, la regarde quelque temps en silence, et lui dit : « Il ne sera plus aimé. René ! le seul cœur qui t'aimât encore, le seul qui te voulût sauver, le seul qui protestât de ton innocence, a cessé de battre ; car ma sœur et moi nous doutons ; nous sommes sans force ; nous ne savons nous décider ni pour la patrie, ni pour l'amitié. Céluta, j'ai perdu ma femme, tu as perdu ta compagne, celle qui t'a suivie à la cité des Blancs, qui t'a soignée dans mon absence, qui t'a soutenue dans l'absence de cet autre que nous allons tuer. Mila morte ! René mort ! sa petite fille va bientôt mourir ! Chactas qui s'en va aussi ! Céluta, resterons-nous seuls ? »

Céluta ne pouvait répondre. Outougamiz se tourne vers Adario toujours assis à terre. Il lève son casse-tête et dit : « Qui a tué Mila ?

— Athaënsic, répond froidement Adario, l'Esprit de

malheur l'a saisie : elle s'est elle-même précipitée dans le fleuve.

— Si je savais, reprit le jeune Sauvage, les dents serrées, qu'un homme eût porté la main sur Mila, fût-il mon propre père... Et puis j'irais trouver Chépar et me mettre à la tête des chairs blanches. »

Adario se levant indigné et secouant ses lambeaux : « J'ai cru, infâme, que tu n'en voulais qu'à mes cheveux blancs ; je te les livrais avec joie, afin de t'engager à garder le secret, à sauver la patrie. Je me disais : il lui faut une libation de sang pour satisfaire au premier serment qu'il a fait : qu'il la puise à mes veines ! Mais que l'ombre même de la pensée de trahir ton pays ait pu passer dans ton lâche cœur !... Retire-toi, scélérat ! je te vais livrer aux Sachems qui te voulaient faire périr avec ta sœur, lorsqu'ils ont appris l'indiscrétion du prêtre. J'avais juré de votre vertu ; je m'étais engagé pour elle ; je venais demander à Céluta le serment du secret : vous êtes deux traîtres et je vous abandonne. »

Adario fait un mouvement pour se retirer ; Céluta l'arrête. « Désespérez de moi, lui dit-elle, mais non pas d'Outougamiz.

— Et pourquoi, dit celui-ci, veux-tu qu'il espère de moi ? Oui, je sauverai mon ami, si l'on ne me prévient par ma mort.

— Allons, dit Adario, épouse fidèle, ami généreux, révélez le secret à René ! livrez ensuite votre pays aux étrangers ; mais, dignes enfants, songez qu'avant cette victoire il faut avoir incendié nos cabanes, il faut avoir égorgé vos proches et vos amis, il faut avoir arraché un à un les cheveux de la tête d'Adario, il faut avoir fait de son crâne la coupe du festin de René. »

Pendant ce discours affreux, Céluta et Outougamiz ressemblaient à deux spectres. Adario s'approche de sa nièce. « Ma Céluta, lui dit-il, faut-il qu'Adario tombe à tes pieds ? parle, et tu le verras à tes genoux celui qui n'a jamais fléchi devant personne. Mon enfant ! René doit mourir quelque jour, puisqu'il est homme ; mais ta patrie, si tu le veux, ta patrie peut être immortelle. Ta cousine, ma pauvre fille, n'a-t-elle pas perdu son fils unique, et ne sais-tu pas par quelle main ! N'ai-je pas arraché ma postérité, pour qu'elle ne poussât pas des racines dans une terre esclave ! Regarde-moi et ose dire qu'il ne m'en a rien coûté ? ose dire que mes entrailles déchirées ne saignent plus, que la plaie que je leur ai faite est guérie ? S'il reste des enfants libres aux Natchez, Céluta, ils te devront leur liberté ; ils te souriront dans les bras de leur mère ; les bénédictions t'accompagneront, quand tu traverseras les villages de ta patrie ; les Sachems se rangeront avec respect sur ton passage ; ils s'écrieront : "faites place à Céluta !" Ces moissons florissantes, c'est toi qui les auras semées ; ces cris de joie et d'amour, c'est toi qui les exciteras. Qu'est-ce que le sacrifice d'une passion que le temps doit éteindre, auprès de ces plaisirs puisés dans la plus grande des vertus ? Peux-tu balancer ? peux-tu consentir à n'être qu'une femme vulgaire dans ta passion, qu'une femme criminelle dans ta conduite, quand tu peux te donner en exemple à l'univers ? »

Outougamiz avait écouté dans un sombre silence ; Céluta paraissait suspendue entre la mort et la vie. « Que veux-tu de moi ? dit-elle d'une voix tremblante. — Un serment pareil à celui de ton frère, répond Adario : jure entre mes mains que tu garderas le secret ; que tu ne le révéleras pas au coupable qui le divulguerait, à un homme dont tu ne possèdes pas même l'amour, et qui te trahissait comme la patrie. »

Ces mots entrèrent profondément dans le cœur de Céluta ; mais la noble créature s'élevant au-dessus de son malheur, répondit : « Pourquoi supposes-tu que je ne possède pas le cœur de mon époux ? crois-tu par là me déterminer à l'immoler à ma tendresse méconnue ? Si René ne m'aime pas, c'est que je ne suis pas digne de lui ; c'est une raison de plus de le sauver, et, par mon dévouement, de mériter son amour. »

Elle s'arrête, car ses larmes qu'elle avait retenues, et qui coulaient intérieurement, l'étouffaient : « Adario, reprit-elle, tu es ingrat : René à la cité des Blancs proposa sa tête pour la tienne...

— Ne crois pas ce mensonge, dit Adario en l'interrompant ; cette scène était arrangée entre nos ennemis, pour nous inspirer plus de confiance dans un traître.

— Malheureux René ! s'écria Céluta, quel fatal génie fait méconnaître jusqu'à ta vertu !

— Céluta, dit Adario, le temps s'écoule. Les jeux vont être proclamés ; es-tu amie ou ennemie ? Déclare-toi ; range-toi du côté des Blancs, ou jure le secret. »

La sœur d'Outougamiz regarde autour d'elle ; elle croit entendre des voix lamentables sortir des Bocages de la Mort ; la fille de René gémit dans son berceau. Après quelques moments de silence : « Voici l'arrêt », dit Céluta. Adario et Outougamiz écoutent.

« Mon frère a pu jurer parce qu'il ne savait pas à quoi l'engageait son serment ; moi qui connais d'avance les conséquences de ce serment, je serais une femme dénaturée si je le prononçais. Je ne jurerai donc point ; mais pour te consoler, Adario, sache que si ma vertu ne me fait garder le secret, tous les serments de la terre seraient inutiles. »

En prononçant ces mots, Céluta parut transfigurée et rayonnante : « C'est assez ! s'écrie Adario pressant sur son sein la main de cette femme ; je suis satisfait, les Sachems le seront. Tu viens de faire un serment plus redoutable que celui que je te demandais. »

Adario retourne au conseil des Sachems, et Outougamiz prête encore au vieillard l'appui de son bras. Céluta reprend le chemin de la cabane de René : son âme était comme un abîme où les chagrins divers roulaient confondus.

La plaie la plus récente devint peu à peu la plus vive : lorsque l'épouse de René, descendue au fond de son cœur, commença à débrouiller le chaos de ses souffrances, celle que lui causait la perte de Mila se fit cruellement sentir. Céluta se représentait tout ce que valait sa sœur : quelle inépuisable gaieté avec un cœur profondément sensible ! l'oiseau chantait moins bien que Mila, et elle aimait mieux. Les peines même qu'elle donnait étaient mêlées de plaisir, et elle donnait tant de plaisir sans mélange de peines ! Ces cheveux charmants sont maintenant souillés dans les limons du fleuve ! cette bouche que l'amour semblait entrouvrir, est remplie de sable ! Cette femme qui était tout âme il y a quelques heures, cette femme que la vie animait de toute sa mobilité, maintenant froide, fixée à jamais dans les bras de la mort ! Qu'elle a été vite oubliée la tendre amie qui n'existait que pour ses amis ! Sa famille n'y pense déjà plus ; Outougamiz même a été entraîné ailleurs : personne ne rendra les honneurs funèbres à la jeune, à l'innocente, à la courageuse Mila.

Ces réflexions auxquelles s'abandonnait Céluta en retournant à sa cabane, la firent changer de route ; elle chemina vers le fleuve pour y chercher le corps de son amie. Céluta avait injustement accusé son frère ; Outougamiz n'avait point oublié Mila. Après avoir reconduit Adario, il descendit au rivage du Meschacebé ; il regarda d'abord passer l'eau, et côtoya ensuite le fleuve, attentif à chaque objet que le courant entraînait ; il crut ouïr un murmure : « Est-ce toi qui parles, Mila ? dit-il ; es-tu maintenant une vague légère, une brise habitante des roseaux ? Te joues-tu, poisson d'or et d'azur, à travers les forêts de corail ? Mobile hirondelle, traces-tu des cercles à la surface du fleuve ? Sous ta robe de plume, d'écaille ou de cristal, ton cœur aime encore et plaint René. »

Un jeune magnolia que le Meschacebé avait environné dans sa dernière inondation, fixa longtemps les regards d'Outougamiz : il lui semblait voir Mila debout dans l'onde.

Outougamiz s'assit sur la rive : « Pourquoi, dit-il, Mila, ne me réponds-tu pas, toi qui parlais si bien ? Quand tu pleurais sur René, tes yeux étaient comme deux perles au fond d'une source ; ton sein, mouillé de larmes, était comme le duvet blanc du jonc sur lequel le vent a fait jaillir quelques gouttes d'eau. Tu étais tout mon esprit : à présent que je suis seul, je ne saurai comment enlever mon ami aux Sachems : puis tu étais si sûre de son innocence ! »

Mila, avant de disparaître, avait dit au frère et à la sœur qu'ils cherchaient des moyens extraordinaires de sauver René, tandis qu'il y en avait un tout naturel, auquel ils ne songeaient pas : c'était d'aller au-devant du guerrier blanc, de le retenir loin des Natchez, autant de jours qu'il serait nécessaire pour le soustraire au péril. Mila avait ajouté que si René résistait, ils l'attacheraient au pied d'un arbre, car elle mêlait toujours les raisons de l'enfance aux inspirations de l'amour et aux conseils d'une sagesse prématurée. Outougamiz, au bord du fleuve, se souvint du dernier conseil de Mila. « Tu as raison », s'écria-t-il. Il jette au loin tout ce qui peut retarder la rapidité de sa course, et, trompant la vigilance des Allouez attachés à ses pas, il vole comme une flèche lancée par la main du chasseur.

A peine avait-il quitté le fleuve, que Céluta parut sur le rivage. Elle s'arrêtait à chaque pas, regardait parmi les roseaux, s'avançait sur la dernière pointe des promontoires, cherchait, comme on cherche un trésor, la dépouille de sa jeune amie ; elle ne trouva rien. « Le Meschacebé est aussi contre nous », dit-elle ; et elle retourna à sa cabane épuisée de fatigue et de douleur.

Revenu de son ivresse, le jongleur avait conservé le sentiment confus de son indiscrétion : il courut en faire l'aveu au tuteur du Soleil. Ondouré, après s'être emporté contre le prêtre, se hâta de rassembler le conseil. Il déclara qu'il était très probable que Mila, instruite du secret, l'aurait révélé à Céluta ; il annonça en même temps aux Sachems qu'il n'y avait plus rien à craindre de Mila, car déjà elle n'existait plus. Adario s'opposa à tout arrêt de sang contre sa nièce, et s'engagea à obtenir d'elle un serment qu'elle tiendrait aussi religieusement qu'Outougamiz. Les vieillards cédèrent au désir d'Adario ; il fut pourtant résolu que si le frère et la sœur laissaient échapper la moindre parole, on les immolerait à la sûreté de tous.

On mit aussi en délibération la mort immédiate de René, en cas qu'il revînt avant le jour du massacre ; mais Adario fit remarquer que si l'on frappait ce traître isolément, on alarmerait les Blancs ses complices ; qu'on s'exposerait surtout aux effets du désespoir d'Outougamiz et de Céluta, lorsque ce désespoir pourrait encore nuire à l'exécution générale du complot. On trouva donc plus prudent de laisser les choses telles qu'elles étaient, et de ne faire aucun mouvement.

Il ne manquait au succès des plans d'Ondouré que la mort de Chactas ; et les divers messagers commençaient à apporter la nouvelle de cette perte irréparable. Quant à la profanation de Céluta dans les bras d'un monstre, Ondouré se croyait déjà sûr de sa proie. Ces ressorts si compliqués, ces plans si tortueux, cette double intrigue dans le conseil aux Natchez et dans le conseil au fort Rosalie, cette trame si laborieusement ourdie et néanmoins si fragile, tout avait été imaginé et conduit par Ondouré, afin de satisfaire une passion criminelle et d'atteindre, par le triomphe de l'amour, au plus haut degré de l'ambition. Mais l'excès de l'orgueil et de la joie fut encore au moment de perdre Ondouré : il ne put s'empêcher d'aller insulter sa victime. Délivré de la présence de Mila, il osa paraître dans la solitude sacrée de Céluta ; il osa prononcer des paroles de tendresse à la plus misérable des femmes, à celle dont presque tous les malheurs étaient son ouvrage. Ondouré oubliait que la jalousie comptait ses pas, et qu'il pouvait être puni par la passion même, cause première de tous ses crimes.

Or, des hérauts allaient publiant l'ouverture des grands jeux et la durée de ces jeux, qui devait être de douze jours. Tout était en mouvement parmi les Natchez et dans la colonie, car les Français, avides de plaisirs même dans les bois, se promettaient d'assister à une fête pour eux si funeste. Le Commandant, invité, regardant désormais les Natchez comme les sujets du roi de France, accordait toute sa protection à cette pompe nationale. Il avait reçu plusieurs fois des avis salutaires, mais Fébriano et les autres créatures d'Ondouré maintenaient Chépar dans son aveuglement ; la fête même contribuait à le rassurer : « Des gens qui conspirent, disait-il, ne jouent pas à la balle et aux osselets. » Il y a un bon sens vulgaire qui perd les hommes communs.

De toutes parts des groupes joyeusement assemblés riaient, chantaient et dansaient en attendant l'ouverture des jeux. Les Chicassaws, les Yazous, les Miamis, tous les peuples entrés dans la conjuration, arrivaient au grand village. Là était campée une famille dont les femmes, encore chargées de bagages, déposaient à terre leur fardeau ou suspendaient aux arbres le berceau de leurs enfants ; ici des Indiens allumaient le feu de leur camp et préparaient leur repas. Plus loin, des voyageurs lavaient leurs pieds dans un ruisseau, ou se délassaient étendus sur l'herbe. Au détour d'un bois paraissait une tribu qui s'avançait, couverte de poussière, dans l'ordre de marche : les oiseaux s'envolaient, les chevreuils s'enfuyaient, ou s'arrêtaient curieusement[427] sur les collines à regarder ce rassemblement d'hommes. Les colons quittant leurs habitations venaient jouir des préparatifs des jeux : ils ignoraient quelle couronne était promise aux vainqueurs[428].

La gerbe de roseaux avait été déposée dans le temple d'Athaënsic, sous l'autel de ce Génie des vengeances. Un jongleur veillait à sa garde. Le premier roseau devait être retiré par trois sorcières dans la nuit qui suivrait l'ouverture des jeux : partout où des colonies européennes étaient établies, même chose devait s'accomplir.

Un rayon d'espoir se glissait au fond du cœur de Céluta. René n'arrivait pas : encore quatorze jours d'absence et il

433

échappait à sa destinée. Quelque accident l'aurait-il retenu ? Outougamiz l'aurait-il rencontré ? car Céluta ne doutait point que son frère qu'on avait vu passer dans les bois, n'eût volé au-devant de son ami. Se laissant aller un moment à ces rêves de bonheur, qui nous poursuivent jusqu'au sein de l'infortune, l'Indienne oubliait et les périls de chaque heure, et les torts que pouvait avoir René : elle s'élevait en pensée au séjour des Anges, tandis qu'elle était attachée à la terre, semblable au palmier qui réjouit sa tête dans la rosée du ciel, mais dont le pied s'enfonce dans un sable aride.

Les espérances de Céluta auraient été des craintes pour Ondouré, s'il n'avait su que le frère d'Amélie revenait après avoir échoué dans ses négociations, ce qui rendait l'auteur de la guerre avec les Illinois, plus suspect que jamais aux Natchez. Ondouré savait encore qu'Outougamiz n'avait point rencontré René : les Allouez envoyés sur les traces du jeune Sauvage ne laissaient rien ignorer au tuteur du Soleil. Le bruit du prochain retour de René se répandit bientôt au grand village, et, en dissipant la dernière illusion de Céluta, acheva d'accabler cette femme déjà trop malheureuse.

Le jour de l'ouverture des jeux était enfin arrivé. A quelque distance du grand village s'étendait une vallée tout environnée de bois qui croissaient en amphithéâtre sur les collines, et qui formaient les entours de cette belle salle bâtie des mains de la nature : là devaient se célébrer les jeux ; le jeu de la balle et ensuite celui des osselets. La fête commença au lever du soleil.

Le Grand-Prêtre s'avançait à la tête des joueurs : il tenait en main une crosse peinte en bleu, ornée de banderoles de joncs et de queues d'oiseaux ; des jongleurs, couronnés de lierre, suivaient le Grand-Prêtre. Venait ensuite Ondouré conduisant son pupille, le jeune Soleil, âgé de huit ans : la Femme-Chef, le front pâle, accompagnait son fils. Derrière elle, rangés deux à deux, paraissaient les vieillards des Chicassaws, des Yazous, et des autres alliés. Une bande nombreuse de musiciens avec des conques, des fifres et des tambourins, escortaient les Sachems. Les jeunes guerriers demi-nus, et armés de raquettes, se pressaient pêle-mêle sur les pas de leurs pères. Une foule immense composée d'enfants, de femmes, de colons, de soldats, de nègres, remplissaient les bois de l'amphithéâtre. Chépar lui-même était là, entouré de ses officiers. Toutes les cabanes étaient désertes : la douleur seule était restée au foyer de René.

Les joueurs descendus dans l'arène, le Grand-Prêtre frappe des mains, et l'hymne des jeux est entonné en chœur. La première acclamation de cinq ou six peuples réunis fut étonnante : Céluta l'entendit sous son toit abandonné ; c'était la voix de la mort appelant le frère d'Amélie.

CHŒUR GÉNÉRAL

« Est-ce l'aile de l'oiseau qui fend l'air ? Est-ce la flèche qui siffle à mon oreille ? Non, c'est la balle qui fuit devant la raquette. Ô mon œil ! sois attentif à la balle, ou je t'arracherai. Que dirait la raquette si elle restait veuve de la balle qu'elle aime ? »

LES JEUNES GUERRIERS

« Empruntons les pieds du chevreuil pour marier la raquette à la balle. »

UN PRÊTRE

« Les femmes étaient nées d'abord sans la moitié de leurs grâces : un jour le Génie de l'Amour jouait à la balle dans les bois du ciel ; la balle va frapper à la poitrine la plus jeune des épouses du Génie ; brisé par le coup, le globe se transforme en un double sein dont la bouche d'un nouveau-né fit éclore le dernier charme. »

« La balle est un jeu noble et viril ; mais qui pourrait chanter les osselets ? C'est aux osselets que l'on gagne des richesses, c'est aux osselets que l'on obtient une tendre épouse ».

LES SACHEMS

« C'est aux osselets qu'on perd la raison ; c'est aux osselets qu'on vend sa liberté ».

LES JONGLEURS

« Deux parts ont été faites de nos destinées : l'une bonne, l'autre mauvaise. Le Grand Esprit mit la première dans un osselet blanc, la seconde dans un osselet noir. Chaque homme en naissant, avant qu'il ait les yeux ouverts, prend son osselet dans la main du Grand Esprit. »

LES SACHEMS

« Qu'importe que l'osselet de notre destinée soit noir ou blanc, nous jouons dans la vie assis sur une tombe : à peine avons-nous tiré notre osselet heureux ou fatal, la mort, qui marque la partie, nous le redemande. »

Les joueurs se séparent en deux bandes ; les Natchez d'un côté, les Chicassaws de l'autre. A un signal donné, le plus adroit des guerriers Natchez, placé à son poteau, frappe d'un coup de raquette la balle qui fuit, comme le plomb sort du tube enflammé des chasseurs ; un Chicassaws la reçoit et la renvoie avec la même rapidité. Elle est repoussée vers les Chicassaws qui la reprennent de nouveau. Un mouvement général commence ; la balle est chassée et rechassée : tantôt elle vole horizontalement, et vous verriez les joueurs se baisser tour à tour comme des épis sous le passage d'une brise ; tantôt elle est lancée au ciel à perte de vue : tous les yeux sont levés pour la découvrir dans les airs, toutes les mains tendues pour la recevoir dans sa chute. Soudain des guerriers se jettent à l'écart, se groupent, s'entremêlent, se déploient, se rassemblent encore ; la balle saute à petits bonds sur leurs raquettes, jusqu'au moment où un bras vigoureux la dégageant du conflit, la reporte au centre de l'arène. Les cris d'espérance ou de crainte, les applaudissements et les risées, le bruit de la course, le sifflement de la balle, les coups des raquettes, la voix des marqueurs, les ronflements de la conque, font retentir les bois[429].

Au milieu de ce bruit et de ce mouvement, les âmes étaient diversement occupées : les Français jouissaient en pleine confiance de ce spectacle, tandis que les conjurés comptaient leurs victimes. Il n'y avait rien de plus affreux que ces plaisirs qui couvraient le massacre de toute une colonie. Que d'hommes ont pris pour un jour de fête, celui qui devait leur apporter la mort !

Les jeux furent suspendus pour le festin servi à l'ombre d'une futaie d'érables, au bord d'un courant d'eau ; ils recommencèrent ensuite : on ne savait de quel côté se déciderait la victoire, dont le prix était réglé à mille peaux de bêtes sauvages. Tout à coup le spectacle est interrompu ; les Sachems se lèvent, la foule se porte vers la colline du nord, on entend répéter ces mots : « Voici notre père, voici Chactas ! Hélas ! il est mourant ! Outougamiz vient d'annoncer son arrivée. »

En effet Outougamiz, qui n'avait pas rejoint René, avait rencontré le Sachem que portait une troupe de jeunes Chéroquois. La réputation de Chactas était telle, que le commandant français lui-même suivit la multitude pour aller au-devant du vieillard. La foule poussait des cris d'amour sur le passage de l'homme vénérable ; mais les yeux étaient remplis de larmes, car on voyait que Chactas n'avait plus que quelques heures à vivre : son visage, toujours serein, annonçait l'extrême fatigue et la décrépitude ; sa voix était si faible qu'on avait de la peine à l'entendre. Cependant le Sachem répondait avec sa bonté et son calme ordinaires à ceux qui lui adressaient la parole. Un jeune guerrier remarquant que les cheveux argentés du vieillard avaient encore blanchi : « C'est vrai, mon enfant, dit Chactas ; j'ai pris ma parure d'hiver, et je vais m'enfermer dans la caverne. » Un Sachem du parti d'Ondouré lui parlait des jeux et de la paix de la patrie ; il répondit : « L'eau est paisible au-dessus de la cataracte ; elle n'est troublée qu'au-dessous. »

Outougamiz qui marchait auprès du lit de feuillage sur lequel les Chéroquois portaient Chactas, passait d'un profond abattement à une incompréhensible joie : « Ah ! disait-il tout haut, c'est ainsi que j'ai vu porter René quand je l'aimais, et que je ne le voulais pas tuer, avant que Mila m'eût quitté pour toujours. »

Ces deux noms frappèrent l'oreille de Chactas. « Mon excellent Outougamiz, lui dit-il, tu parles de René et de Mila ; et Céluta, où est-elle ? où sont mes chers enfants, pour que je les embrasse avant de mourir ?

— Chêne protecteur ! s'écria Outougamiz, nous allons tous nous mettre à l'abri sous ton ombre, excepté Mila, qui s'est fait une couche au fond des eaux.

— Héroïque et bon jeune homme, dit Chactas, je crains que le chêne ne soit tombé avant qu'il t'ait pu garantir de l'orage. » Chactas demanda où était Adario ; on lui dit qu'il habitait les forêts.

Ondouré, à ce triomphe de la vertu, éprouvait de mortelles inquiétudes. L'arrivée inattendue et la prolongation de la vie de Chactas semblaient déranger les projets du conspirateur. Il craignait que le Sachem ne découvrît ses trames, et qu'un entretien secret d'un moment avec Céluta et Outougamiz, ne détruisît l'œuvre de deux années. Désirant séparer le plus tôt possible Outougamiz de Chactas, Ondouré eut l'imprudence de s'avancer jusqu'à la couche du vieillard, pour le supplier de se livrer au repos. Chactas, le reconnaissant à la voix, lui dit :

« Ô le plus faux des hommes ! tu n'as donc pas encore appris à rougir ?

« — Courage, Chactas ! s'écria Outougamiz ; tu parles tout comme Mila ! » Ondouré, balbutiant, avait perdu son effronterie accoutumée.

« Mes enfants ! dit Chactas élevant la voix et s'adressant à la foule qu'il entendait autour de lui, mais qu'il ne voyait pas ; voilà un des plus dangereux scélérats que la terre ait produits. C'est notre faiblesse qui fait sa tyrannie ; il y a longtemps que j'ai deviné les secrets de ce traître. »

Ces paroles violentes dans la bouche d'un vieillard si modéré et si sage, produisirent un effet extraordinaire. Ondouré se crut perdu. Outougamiz encourageait le tumulte : « Allez chercher Céluta, s'écriait-il ; voici que tout est arrangé : René est sauvé ! Je ne le tuerai pas ! Quel dommage que Mila soit morte ! »

Quelques Sachems restés fidèles à Chactas racontaient qu'Ondouré était vraisemblablement le meurtrier du vieux Soleil ; qu'il avait séduit la Femme-Chef ; qu'il s'était emparé de l'autorité par violence ; qu'il méditait dans ce moment même d'autres forfaits. Les Sauvages étrangers paraissaient troublés. Le commandant français commençait à s'étonner de ce mot complot redit de toutes parts. La destinée d'Ondouré ne semblait plus tenir qu'à un fil, lorsque les prêtres et les Sachems du parti du traître répétèrent l'histoire du maléfice jeté par un magicien de la chair blanche sur Outougamiz et sur le vénérable Chactas. Les absurdités religieuses employées précédemment dans des occasions pareilles, eurent leur succès accoutumé ; la foule superstitieuse les crut de préférence à la vérité. Chactas fut porté à sa cabane. Chépar retourna au fort, toujours disposé par Fébriano à se confier à Ondouré, et à soupçonner le frère d'Amélie. Le soleil étant couché, les Sauvages remirent au lendemain la continuation des jeux.

Mais l'orage conjuré pour un moment menaçait d'éclater de nouveau. Chactas, à peine déposé dans sa cabane, avait demandé la convocation d'un conseil, désirant s'entretenir avec les Sachems avant d'expirer. Il était impossible aux conjurés de se refuser au dernier vœu de l'illustre vieillard, sans se rendre suspects et odieux à la nation. Ondouré s'empressa de chercher Adario, et de lui parler de Chactas, dont la tête, disait-il, était affaiblie par les approches de la mort. Adario, regardant de travers le Sauvage : « Il te convient bien, misérable guerrier, de t'exprimer de la sorte sur le plus grand des Sachems et sur l'ami d'Adario ! Ôte-toi de devant mes yeux si tu ne veux que je punisse tes paroles insensées. »

Ces deux vieillards étaient le désespoir d'Ondouré : Chactas ne connaissait point les desseins du scélérat, et les aurait renversés s'il les eût connus ; Adario méprisait le tuteur du Soleil, et l'aurait poignardé s'il avait pu croire que, par le massacre des Blancs, il aspirait à la tyrannie. Les Sachems s'empressèrent de tenir le conseil dans la cabane de Chactas ; Adario s'y rendit le premier.

Outougamiz était allé trouver sa sœur. Assise à ses foyers solitaires, et descendue dans son propre cœur, Céluta y avait remué, pour ainsi dire, tous ses chagrins ; elle les en avait tirés l'un après l'autre : sa fille, Mila, Outougamiz, René, s'étaient tour à tour présentés à ses craintes et à ses regrets ; elle n'avait oublié de pleurer que sur elle. Les grandes douleurs abrègent le temps comme les grandes joies ; et les larmes qui coulent avec abondance emportent rapidement les heures dans leur cours. Céluta ignorait l'interruption des jeux, le retour de son frère, et l'arrivée de Chactas. Outougamiz se précipite dans la cabane, et s'écrie :

« Me voici ! le voilà ! Chactas, Chactas lui-même ! Je l'ai trouvé au lieu de René ; il est arrivé ! Nous serons tous sauvés ! Ah ! si Mila n'était pas morte ! Elle s'est trop pressée ! Allons, prends ton manteau et ta fille, allons vite voir Chactas. Il est peut-être mort à présent, mais nous n'en sommes pas moins sauvés. »

A ces paroles inintelligibles pour tout autre que pour Céluta, l'Indienne éleva son cœur vers le Grand Esprit et se hâta de chercher son manteau. Outougamiz lui ordonnait d'aller vite, prétendait l'aider, et ne faisait que retarder ses apprêts. Quand le frère et la sœur sortirent de la cabane, la nuit atteignait le milieu de son cours. Dans ce moment même les trois vieilles femmes attachées au culte d'Athaënsic, entraient dans le temple, et, en présence du chef des prêtres, brûlaient un des roseaux de la gerbe : on aurait dit des Parques coupant le premier fil de la vie de René.

Outougamiz et Céluta arrivèrent à la cabane de Chactas : le conseil n'était pas fini, et les Allouez placés à l'entour les empêchèrent d'approcher. On n'a jamais su[430] ce qui se passa dans ce conseil assemblé au bord du lit funèbre de Chactas, et présidé par la vertu mourante. Les gardes, les plus voisins de la porte, saisirent seulement quelques mots lorsque les voix s'élevaient au milieu d'une discussion animée. Une fois Chactas répondit à Adario :

« Je crois aimer la patrie autant que toi ; mais je l'aime moins que la vertu. »

Quelque temps après il dit : « J'ignore ce que vous prétendez ; mais quiconque est obligé de cacher ses actions ne fait rien d'agréable au Grand Esprit. »

On entendit ensuite la Femme-Chef discourir d'un ton passionné sans pouvoir recueillir ses paroles. Chactas dit après elle :

« Vous le voyez, cette femme est en proie aux remords, elle ne dit pas tout ; mais sa conscience lui pèse : pourquoi son complice, l'infâme Ondouré, n'est-il pas ici ? »

Sur une observation qu'on lui faisait sans doute, Chactas repartit :

« Je le sais : les jeunes guerriers doivent préférer les conseils d'Adario aux miens ; la jeunesse aime les brasiers qui se font sentir à une grande distance, et qui la forcent à reculer. Elle dédaigne ces feux mourants dont il se faut approcher pour recueillir une chaleur prête à s'éteindre. »

Adario répliqua quelque chose.

« Mon vieil ami, répondit Chactas, nous avons parcouru ensemble un long chemin. Je vous aime et vais vous attendre. Ne calomniez pas René : pardonnez-lui l'excès dans le bien, et ni vous, ni moi, ne vaudrons mieux que lui. »

Ici le trouble parut régner dans le conseil : les Sachems parlaient ensemble ; la voix de Chactas ramena le silence, il disait :

« Qu'entends-je, il y a eu une assemblée générale des Natchez au Rocher du Lac ! Mila s'est précipitée dans le fleuve ! René est absent, et on l'accuse sans l'entendre ! Céluta est plongée dans la douleur ! Outougamiz paraît insensé ! Akansie se repent ! Les jeux proclamés semblent cacher quelque résolution funeste ! On m'a éloigné, et mon retour jette de la confusion parmi vous !... Grand Esprit ! tu me rappelles à toi avant que j'aie pu pénétrer ces mystères ! que ta volonté soit faite : prends dans ta main puissante ce qui échappe à ma faible main. Adieu, chère patrie, je dois à mon âme le dernier moment qui me reste. Ici finissent entre moi et les hommes les scènes de la vie. Sachems, vous me donnez mon congé en me cachant vos secrets : je vais apprendre ceux de l'éternité. »

Après ces paroles, on n'entendit plus rien. Les Sachems sortirent bientôt en silence, les yeux baissés et chargés de pleurs : ainsi de vieux chênes laissent tomber de leurs feuilles flétries, les gouttes de rosée qu'y déposa une belle nuit. L'aube blanchissait l'horizon, et la Femme-Chef envoya chercher le tuteur du Soleil.

Outougamiz et Céluta entrèrent alors dans la cabane de Chactas. Le vieillard éprouvait dans ce moment une défaillance. Il avait prié, avant son évanouissement, qu'on le portât au pied d'un arbre et qu'on lui tournât le visage vers l'orient, pour mourir. Quand il reprit ses sens, il reconnut à la voix Outougamiz et Céluta ; mais il ne leur put parler.

Adario n'était point sorti de la cabane avec les autres Sachems ; il y était resté afin de faire exécuter la dernière volonté de son ami. Chactas fut porté sous un tulipier planté au sommet d'un tertre d'où l'on découvrait le fleuve et tout le désert.

L'aurore entrouvrait le ciel; à mesure que la terre accomplissait sa révolution d'occident en orient, il sortait de dessous l'horizon des zones de pourpre et de rose, magnifiques rubans déroulés de leur cylindre. Du fond des bois s'élevaient les vapeurs matinales; elles se changeaient en fumée d'or, en atteignant les régions éclairées par la lumière du jour. Les oiseaux-moqueurs chantaient; les colibris voltigeaient sur la tige des anémones sauvages, tandis que les cigognes montaient au haut des airs pour découvrir le soleil. Les cabanes des Indiens dispersées sur les collines et dans les vallées, se peignaient des rayons du levant : jusqu'aux Bocages de la Mort, tout riait dans la solitude[431].

Outougamiz et Céluta se tenaient à genoux à quelque distance de l'arbre sous lequel le Sachem rendait le dernier soupir. Un peu plus loin, Adario debout, les bras croisés, le vêtement déchiré, le poil hérissé, regardait mourir son ami : Chactas était assis et appuyé contre le tronc du tulipier; la brise se jouait dans sa chevelure blanchie, et le reflet des roses de l'aurore colorait son front pâlissant.

Faisant un dernier effort, le Sachem tira de son sein un crucifix que lui avait donné Fénelon. « Atala, dit-il, d'une voix ranimée, que je meure dans ta religion ! que j'accomplisse ma promesse au père Aubry ! Je n'ai point été purifié par l'eau sainte ; mais je demande au Ciel le baptême de désir[432]. Vertueux chef de la prière, qui remis dans mes mains ce signe de mon salut, viens me chercher aux portes du ciel. Je donnerai peu de peine à la mort ; une partie de son ouvrage est déjà faite ; elle n'aura point à clore mes paupières, comme celles des autres hommes : je vais au contraire ouvrir à la clarté divine des yeux fermés depuis longtemps à la lumière terrestre. »

Chactas exhala la vertu avec son dernier soupir : l'arbre parfumé des forêts américaines embaume l'air quand le temps ou l'orage l'ont renversé sur son sol natal. Outou-gamiz et Céluta, ayant vu le Sachem s'affaisser, se levèrent, s'approchèrent du tulipier et embrassèrent les pieds déjà glacés du vieillard : ils perdaient en lui leur dernière espérance. Adario s'éloigna sans prononcer un mot, comme le voyageur qui va bientôt rejoindre son compagnon parti quelques heures avant lui.

Les Sauvages étaient déjà rassemblés dans la vallée des Bois, pour recommencer la partie de balle, lorsque la nouvelle du trépas de Chactas se répandit parmi la foule. On disait de toutes parts : « La gloire des Natchez est éteinte ! Chactas, le grand Sachem, n'est plus ! » Les jeux furent interrompus de nouveau ; la douleur était univer-selle. Quelques tribus indiennes, frappées de ce deuil qui venait se mêler à des fêtes, commencèrent à craindre la colère du Ciel ; elles plièrent leurs tentes de peaux, et reprirent le chemin de leur pays.

Tout menaçait de ruine, encore une fois, les desseins d'Ondouré : ses messagers secrets avaient perdu les traces du frère d'Amélie ; le conseil rassemblé autour de Chactas avait montré de l'hésitation ; la Femme-Chef, qui s'était presque dénoncée, ne voulait plus qu'une entrevue avec son complice pour céder ou pour résister aux remords. Au fort Rosalie, Chépar, malgré son aveuglement, ne se pouvait empêcher de réfléchir sur les avis que lui trans-mettaient chaque jour le père Souël, le gouverneur géné-ral de la Louisiane, et même le capitaine d'Artaguette ; avis que paraissait confirmer la désertion d'un grand nombre de nègres réfugiés dans les bois. Le ciel semblait enfin se déclarer pour l'innocence.

Les plus vieux parents de Chactas vinrent enlever son corps ; la cérémonie funèbre fut fixée au lendemain à la troisième heure du jour. Céluta, comme femme du fils adoptif de Chactas, Outougamiz comme frère de ce fils absent, furent prévenus qu'ils seraient chargés des fonc-tions d'usage ; ils reçurent l'ordre de s'y préparer.

Céluta passa sa solitaire journée à déplorer dans sa

cabane la nouvelle perte qu'elle venait de faire. Ce retour continuel à un foyer désert où elle ne trouvait personne pour la consoler, remplissait son imagination de terreur et son âme de tristesse. Où étaient René, Mila, Chactas, ces parents, ces amis, qui la soutenaient autrefois ? Adario n'habitait plus que les lieux sauvages ; Outougamiz, chargé de sa propre douleur, jouissait à peine de sa raison. Dans la foule, aucun signe de pitié et de bienveillance ; partout des visages ennemis ou des sentiments pires que la haine.

René cependant ne paraissait point, bien que son retour fût annoncé, et dans cette absence prolongée, Céluta entrevoyait une lueur d'espérance. Le malheur est religieux ; la solitude appelle la prière : Céluta pria donc. Tantôt elle demandait des conseils au Grand Esprit des Indiens, tantôt elle s'adressait au Grand Esprit des Blancs : elle présentait à celui-ci l'innocente Amélie, que l'eau du baptême avait rendue chrétienne, et qui pouvait invoquer mieux que sa mère le Dieu de René. Une idée frappe tout à coup Céluta, elle se lève, elle s'écrie : « Manitou protecteur de René, est-ce toi qui m'inspires ? »

Céluta s'efforce de calmer sa première émotion afin de mieux réfléchir à son dessein : plus elle l'examine, plus elle le trouve propice ; elle n'attend plus que la nuit pour l'exécuter.

Les ombres régnaient sur la terre ; la lune n'était point dans le ciel ; on distinguait seulement les grandes masses des bois et des rochers qui se dessinaient sur le fond bleu du firmament comme des découpures noires. Céluta sort de sa cabane avec une petite lumière enfoncée dans un nœud de roseau ; elle portait en outre des cordons de lin sauvage, et un rouleau d'étoffe de mûrier. Plus légère qu'une ombre, elle vole à la Caverne des Reliques ; elle y descend sans crainte ; elle se pare des débris de la mort qu'elle attache autour d'elle et sur son front, comme une jeune fille ornerait sa tête et son sein pour plaire dans l'éclat d'une fête. Elle s'enveloppe ensuite du long voile de mûrier blanc, et sous ce voile, elle cache sa lampe de roseau.

Quittant l'asile funèbre, elle traverse les campagnes que couvrait un brouillard, elle dirigeait ses pas vers le temple d'Athaënsic, pour dérober la gerbe fatale.

« Si j'enlève la gerbe, s'était-elle dit, les conjurés aux Natchez ne sauront plus à quoi se résoudre ; ils se croiront découverts ; ils se diviseront ; les uns voudront hâter l'exécution du complot, les autres l'abandonner ; il faudra envoyer des messagers aux nations qui doivent de leur côté exécuter le massacre, afin de les prévenir de l'accident arrivé aux Natchez. Quelques rumeurs confuses parviendront aux oreilles des Français. Il est impossible que le projet n'avorte pas au milieu de cette confusion. Céluta, tu épargneras ainsi un crime à ta patrie, ou si le meurtre général a lieu, René arrivera quand le coup sera porté : tu auras sauvé ton mari sans avoir révélé le secret, sans avoir menti à la promesse que tu as faite à Adario[433]. »

Le temple d'Athaënsic était bâti au milieu d'une cyprière qui lui servait de bois sacré. Les révélations de Mila avaient appris à Céluta que la gerbe de roseaux était déposée sous l'autel. Dans l'intérieur du temple, un jongleur, remplacé de deux heures en deux heures par un autre jongleur, veillait au trésor de la vengeance ; au-dehors une garde d'Allouez avait ordre de tuer quiconque s'approcherait du fatal édifice. Que ne peut l'amour dans le cœur d'une femme, même lorsqu'elle n'est pas aimée ! c'était cet amour qui avait inspiré à l'épouse de René l'idée d'emprunter la forme d'un fantôme. Intrépides sur le champ de bataille, les Sauvages prennent dans le silence ou le bruit de leurs forêts la croyance et la frayeur des apparitions. Leurs prêtres même, par une justice divine, éprouvent les terreurs superstitieuses qu'ils emploient pour tromper les hommes.

Arrivée à la cyprière, Céluta, se glissant d'arbre en arbre, se trouve bientôt à quelques pas du temple ; elle entrouvre son voile blanc, et laisse voir la figure de la mort à l'aide de la petite lampe. Le froissement du linceul qui traînait sur les feuilles parvient à l'oreille des Allouez : ils tournent les yeux du côté du bruit, et aperçoivent le spectre. Les armes échappent à leurs mains ; les uns fuient, les autres, sentant défaillir leurs genoux, ont à peine assez de force pour se traîner dans les buissons voisins.

Céluta marche au temple, ouvre une des portes, se place sur le seuil. Le prêtre gardien était assis à terre ; l'apparition le frappe tout à coup : ses prunelles se dilatent, sa bouche s'entrouvre, sa peau frémit. L'Indienne franchit le seuil ; elle s'avance à pas mesurés, s'arrête, s'avance encore, et étend la main d'un squelette sur la tête du jongleur. Celui-ci veut crier et ne peut trouver de voix : une sueur froide inonde son corps, ses dents claquent dans le frisson de la peur. Céluta achève sa victoire, touche d'une main glacée le front du prêtre : la victime tombe évanouie.

La fille de Tabamica est à l'autel, elle en cherche de toutes parts l'ouverture ; vingt fois elle fait le tour de la pierre sans rien découvrir ; elle essaie de soulever la table sacrée, se baisse, se relève, porte la lampe à tous les points du tabernacle, renverse l'idole : le dépôt mystérieux échappe à ses perquisitions !

Le temps presse, les gardes et le jongleur peuvent revenir de leur épouvante. La sœur d'Outougamiz croit entendre des pas et des voix au-dehors ; elle adresse des prières à l'Amour et à la patrie ; elle promet des dons, des offrandes : s'il faut du sang pour celui qu'elle veut épargner, elle offre le sien. Les yeux obscurcis par les larmes du désespoir, l'Indienne tantôt regarde vers la porte du temple, tantôt examine de nouveau l'autel. N'at-elle pas senti fléchir une des marches de cet autel ? Son cœur bat ; elle s'agenouille, presse le cèdre obéissant, l'ébranle : la planche fuit horizontalement sous sa main. Joie et terreur ! espérance et crainte ! Céluta plonge son bras nu dans l'ouverture et touche du bout des doigts la gerbe de roseaux.

Mais comment la retirer? l'ouverture n'est pas assez large, et la planche arrêtée refuse de s'écarter. Il ne reste qu'un seul moyen, c'est de saisir les roseaux un à un: trois fois Céluta plonge son bras dans l'ouverture, trois fois elle ramène quelques roseaux, comme si elle arrachait les jours de René à la destinée! Mais elle ne peut tout enlever; les roseaux du dessous de la gerbe sont hors de la portée de sa main. La pieuse sacrilège se détermine à fuir avec son larcin: elle avait retiré huit roseaux, il n'en restait plus que trois dans l'habitacle, le douzième ayant été déjà brûlé. Elle sort du temple au moment même où le prêtre revenait de son évanouissement. Bientôt enfoncée dans l'endroit le plus épais de la cyprière, elle détache son effroyable parure, roule son voile, rend les ossements à la terre, leur demandant pardon d'avoir troublé leur repos éternel. « Dépouille sacrée, leur dit-elle, vous apparteniez peut-être à un infortuné, et vous avez secouru l'infortune! »

Son succès n'était pas complet, mais du moins Céluta croyait avoir augmenté les chances de salut pour René. Si le massacre était avancé de huit jours, c'était huit jours à retrancher du nombre de ceux qui menaçaient la vie du frère d'Amélie. Il n'y avait plus que trois jours de péril: qui sait si l'absence de l'homme menacé ne se prolongerait pas au-delà d'un terme désormais si court? Céluta, rentrée dans sa cabane, jette aux flammes les roseaux, s'approche de sa fille endormie sur un lit de mousse, la regarde à la lumière de cette même lampe qui avait servi à éclairer les ossements des morts. L'enfant s'éveille et sourit à sa mère; la mère se penche sur l'enfant, le couvre de baisers: elle prenait le sourire de l'innocence pour une approbation de l'enlèvement des roseaux. Céluta n'avait d'autre conseil que cette petite Amélie qui, en venant au monde, n'avait pas réjoui le cœur paternel, que cette Amélie dont René voulait rester à jamais inconnu. C'était sur un berceau délaissé qu'une femme abandonnée consultait le Ciel pour un époux malheureux, et interrogeait l'avenir.

Outougamiz se fait entendre et paraît sur le seuil de la cabane. Il avait passé le jour précédent et une grande partie de la nuit à explorer les chemins par où son ami pouvait revenir. Rien ne s'était présenté à sa vue. Il remarqua quelque chose de plus animé dans les regards de sa sœur. « Tu prends courage, lui dit-il, pour assister aux funérailles de notre père. Dépêchons-nous, il est temps de partir. »

Céluta ne crut pas devoir révéler à Outougamiz le larcin qu'elle venait de commettre, ni embarrasser son frère d'un nouveau secret. Elle se hâta de prendre ses habits de deuil. En se rendant de bonne heure au lit funèbre de Chactas, elle espérait éloigner encore les soupçons qui pourraient planer sur elle, lorsque la disparition des roseaux serait connue.

Quand le frère et la sœur arrivèrent à la cabane de Chactas, le jour naissait. Les parents allument un grand feu[434] ; on purifie la hutte avec l'eau lustrale ; on revêt le corps du Sachem d'une superbe tunique et d'un manteau qui n'avait jamais été porté. Dans la chevelure blanche du vieillard on place une couronne de plumes cramoisies. Céluta et Outougamiz furent chargés de peindre les traits du décédé. Quel triste devoir ! Ils se mirent à genoux des deux côtés du corps étendu sur une natte. Lorsque les deux orphelins vinrent à se pencher sur le visage de leur père, leurs têtes charmantes se touchèrent et formèrent une voûte au-dessus du front de Chactas.

Un Sachem, maître de la cérémonie funèbre, donnait les couleurs et en expliquait les allégories : le rouge étendu sur les joues devait être de différentes nuances selon les morts : l'amour ne se colore pas du même vermillon que la pudeur, et le crime rougit autrement que la vertu. L'azur appliqué aux veines est la couleur du dernier sommeil ; c'est aussi celle de la sérénité. Les pleurs de Céluta effaçaient son ouvrage. Il fallut finir par le terrible baiser d'adieu : les lèvres de l'amitié et de l'amour vinrent toucher ensemble celles de la mort.

Cela étant fait, des matrones donnèrent au vieillard l'attitude que l'enfant a dans le sein de sa mère : ce qui voulait dire que la mort nous rend à la terre, notre première mère, et qu'elle nous enfante en même temps à une autre vie.

Déjà la foule s'assemblait : les congrégations des prêtres, des Sachems, des guerriers, des matrones, des jeunes filles, des enfants arrivaient tour à tour et prenaient leur rang. Les Sachems avaient tous un bâton blanc à la main ; leurs têtes étaient nues et leurs cheveux négligés ; Adario menait ces vieillards. Les Français et le commandant du fort se joignirent à la pompe funèbre, comme ils s'étaient mêlés aux jeux : le cortège, attendant la marche, formait un vaste demi-cercle à la porte de la cabane.

Alors on enleva les écorces de cette cabane du côté qui touchait au cortège, et l'on aperçut Chactas assis sur un lit de parade : derrière lui était couché, en travers, son cercueil fait de bois de cèdre et de petits ossements entrelacés. Debout, derrière cette redoutable barrière, se tenait un Sachem représentant Chactas lui-même, et qui devait répondre aux harangues qu'on lui allait adresser.

Les deux chiens favoris du mort étaient enchaînés à ses pieds ; on ne les avait point égorgés, selon l'usage, parce que le Sachem abhorrait le sang ; d'ailleurs, il n'aurait aucun besoin de ses dogues pour chasser dans le pays des âmes, car il y serait employé, disait la foule, à gouverner les ombres. Le calumet de paix du vieillard reposait pareillement à ses pieds ; à sa gauche on voyait ses armes, honneur de sa jeunesse ; à sa droite le bâton sur lequel il appuyait ses vieux ans. Comme on est plus touché des vertus du sage que de celles du héros, la vue de ce simple bâton portait l'attendrissement dans tous les cœurs.

Adario commença les discours au nom des Sachems ;

il s'avança à pas lents dans le cercle des spectateurs. Les bras croisés et le visage tourné vers son ami, il lui dit :

« Frère, vous aimâtes la patrie ; frère, vous combattîtes pour elle ; frère, vous l'enseignâtes de votre sagesse. Dire ce que vous avez fait est inutile : ennemi de l'oppresseur, vengeur de l'opprimé, tout en vous était indépendance. Votre pied était celui du chevreuil qui ne connaît point de barrière dont il ne puisse franchir la hauteur ; votre bras était un rameau de chêne qui se raidit aux coups de la tempête ; votre voix était la voix du torrent que rien ne peut forcer au silence. Ceux qui ont habité votre cœur savent qu'il était trop grand pour être resserré dans la petite main de la servitude. Quant à votre âme, c'était un souffle de liberté. »

Le Sachem, représentant Chactas, répondit de derrière le cercueil :

« Frère, je vous remercie : je fus libre et le suis encore ; si mon corps vous semble enchaîné, vos yeux vous trompent : il est sans mouvement, mais on ne le peut faire souffrir ; il est donc libre. Quant à mon âme, je garde le secret. Adieu, frère !

— Vous n'avez point parlé de votre amitié mutuelle ! » s'écria Outougamiz en se levant, à la grande surprise des spectateurs.

Adario et le Sachem, représentant Chactas, se regardèrent sans répliquer une parole.

Le tuteur du Soleil s'avança pour prononcer un discours au nom des jeunes guerriers, mais un des bras de Chactas plié de force s'échappa comme pour repousser Ondouré. Une voix s'élève : « Il est désagréable aux morts, qu'il s'éloigne ! »

Céluta, fille adoptive de Chactas, fut chargée de rattacher le bras du vieillard. Dans sa tunique noire et sa beauté religieuse on l'eût prise pour une de ces femmes qui se consacrent en Europe aux œuvres les plus pénibles de la charité.

Céluta, s'adressant au mort, lui dit : « Mon père, êtes-vous bien ?

— Oui, ma fille, répliqua le Sachem interprète ; si dans le tombeau je me retourne pour me délasser, ma main s'étendra sur toi. »

Le représentant de Chactas répondit aux discours des mères, des veuves, des jeunes filles et des enfants.

Ces harangues extraordinaires finies, les parents poussèrent trois cris ; trois sons des conques funèbres annoncèrent la levée du corps. Les huit Sachems les plus âgés, au nombre desquels était Adario, s'avancèrent en exécutant la marche de la mort, pour emporter Chactas : ils imitaient le bûcheron, le moissonneur, le chasseur, qui coupe l'arbre, rompt l'épi, perce l'oiseau. Adario dit à Chactas : « Frère, voulez-vous vous coucher ? »

Le truchement de la tombe répondit : « Frère, j'ai besoin de sommeil. »

Alors quatre des huit Sachems de la mort formèrent en s'agenouillant un carré étroit ; les autres Sachems prennent le lit où reposait le défunt, le posent sur les quatre épaules des Sachems à genoux, ceux-ci se relèvent, et montrent à la foule ce qui n'était plus qu'une idole pour la patrie. Les quatre vieillards libres appuyaient de leurs bâtons, comme avec des arcs-boutants, le lit de Chactas : le cercueil traîné sur des roues suivait son maître comme le char vide du triomphateur. On marche aux Bocages de la Mort.

La tombe avait été marquée près du ruisseau de la Paix ; la fosse était large et profonde, les parois en étaient tapissées des plus belles pelleteries. Les huit Sachems de la mort déposèrent leur frère dans le cercueil que l'on planta debout à la tête de la fosse ouverte. Le vieillard ainsi placé ressemblait à une statue dans un tabernacle. Les jeux funèbres commencèrent le long d'une vallée verte qui se prolonge à travers les bocages.

Ces jeux s'ouvrirent par la lutte des jeunes filles ; la

course des guerriers suivit la lutte, et le combat de l'arc, la course.

A un poteau peint de diverses couleurs était attaché par un pied, au bout d'une longue corde, un écureuil, symbole de la vie chez les Sauvages. L'animal agile tournait autour du poteau, descendait, remontait, descendait encore, sautait, courait sur le gazon, puis regagnait le haut du poteau, où il se tenait planté sur les pieds de derrière, en se couvrant de sa queue de soie : c'était le but que la flèche devait atteindre, et dont la mobilité fatiguait les regards. Un arc de bois de cyprès était le prix désigné au vainqueur.

Ce prix, ainsi que celui de la course, fut remporté par Outougamiz qui disait à Céluta : « A qui l'offrirai-je ? Mila est morte, René est absent, et je dois tuer mon ami, s'il revient. »

Tandis qu'on était occupé de ces jeux, on vit arriver le Grand-Prêtre l'air effaré, le vêtement en désordre, cherchant et demandant partout le tuteur du Soleil ; on le lui montra dans la foule. Il courut à lui, l'entraîna au fond d'un des bocages, d'où il sortit avec lui quelque temps après. Ondouré paraissait ému ; on le vit se pencher à l'oreille d'Adario et parler à plusieurs autres Sachems. Le jongleur déclara qu'il avait vu des signes dans le ciel, que les augures n'étaient pas favorables, qu'il fallait abréger la cérémonie.

On se hâta de faire au trépassé les présents d'usage. Chactas fut descendu dans son dernier asile, et tandis qu'on élevait le mont du tombeau, le jongleur entonnait l'hymne à la mort[435].

LE GRAND-PRÊTRE

« Est-ce un fantôme que j'aperçois, ou n'est-ce rien ? c'est un fantôme ! A moitié sorti d'une tombe fermée, il s'élève de la pierre sépulcrale comme une vapeur. Ses yeux sont le vide, sa bouche est sans langue et sans lèvres, il est muet et pourtant il parle ; il respire et il n'a point d'haleine : quand il aime, au lieu de donner l'être, il donne le néant. Son cœur ne bat point. Fantôme, laisse-moi vivre ! »

UNE JEUNE FILLE

« Ma sœur, vois-tu ce petit ruisseau qui se perd tout à coup dans le sable ? comme il est charmant le long de ses rivages semés de fleurs ; mais comme il disparaît vite ! Entre son berceau caché sous les aunes et son tombeau sous l'érable, on compte à peine seize pas. »

CHŒUR DES JEUNES FILLES

« Nous avons vu la jeune Ondoïa : ses lèvres étaient pâles, ses yeux ressemblaient à deux gouttes de rosée troublées par le vent sur une feuille d'azaléa. Nous la vîmes entrouvrir un peu la bouche et rester la tête penchée. Nos mères nous dirent que c'était là mourir, qu'une seule nuit avait ainsi fané la jeune fille. Mères, est-ce qu'il est doux de mourir ? »

LES JEUNES GUERRIERS

« Qu'il est insensé, celui qui s'écrie : Sauvez-moi de la mort ! Il devrait plutôt dire : Sauvez-moi de la vie ! Ô mort ! que tu es belle au milieu des combats ! que tu nous paraissais éloquente lorsque tu nous parlais de la patrie, en nous montrant la gloire ! »

LES ENFANTS

« Il nous faut un berceau de trois pieds ; notre tombeau n'est pas plus long. Notre mère nous suffit pour nous porter dans ses bras aux Bocages de la Mort. Nous tomberons de son sein sur le gazon de la tombe, comme une larme du matin tombe de la tige d'un lis parmi l'herbe où elle se perd. »

LES SACHEMS

« La mort est un bien pour les sages ; lui plaire est leur unique étude ; ils passent toute leur vie à en contempler les charmes. Cet infortuné se roule sur sa couche ; ses yeux sont ardents, jamais ses paupières ne les recouvrent ; son cœur est plein de soupirs : mais tout à coup les soupirs de son cœur s'exhalent ; ses yeux se ferment doucement ; il s'allonge sur sa couche. Qu'est-il arrivé ? la mort. Infortuné, où sont tes douleurs ? »

CHŒUR DES PRÊTRES

« La vie est un torrent : ce torrent laisse après lui, en s'écoulant, une ravine plus ou moins profonde, que le temps finit par effacer. »

L'hymne de la mort était à peine achevé que la foule se dispersa. Les paroles du Grand-Prêtre, au milieu de la pompe funèbre, faisaient le sujet de tous les entretiens et l'objet de toutes les inquiétudes. Mais déjà les Sachems et les chefs des jeunes gens qui connaissaient le secret étaient convoqués au Rocher du Conseil : le jongleur leur raconte l'apparition du fantôme, et la soustraction d'une partie des épis de la gerbe.

Les conjurés pâlissent. Outougamiz se lève, il s'écrie :

« Vous le voyez, Sachems, jamais complot plus impie ne fut formé par des hommes. Le Grand Esprit le désapprouve ; il rappelle de la mort un de nos ancêtres, pour enlever les roseaux sanglants. Le ciel a parlé, abandonnons un projet funeste. Quoi ! ce sont ces hommes que vous avez invités à vos fêtes, qui aujourd'hui même ont rendu les derniers honneurs à Chactas, ce sont ces hommes que vous prétendez égorger ! Ils avaient partagé vos plaisirs et vos douleurs ; leurs rires et leurs larmes étaient sincères, et vous leur répondiez par de faux sourires et des larmes feintes ! Sachems ! Outougamiz ne sait point savourer le meurtre et le crime : il n'est point un vieillard, il n'est point un oracle ; mais il vous annonce, par la voix de ce Manitou d'or qu'il porte sur son cœur, qu'un pareil forfait, s'il est exécuté, amènera l'extermination des Natchez et la ruine de la patrie. »

Ce discours étonna le conseil : on ne savait où Outougamiz le Simple avait trouvé de telles paroles ; mais, à l'exception de deux ou trois Sachems, tous les autres repoussèrent l'opinion généreuse du jeune guerrier. Adario donna des louanges aux sentiments de son neveu ; mais il s'éleva avec force contre les étrangers.

« Cessons, s'écria-t-il, de nous apitoyer sur le sort des blancs. A entendre Outougamiz, ne dirait-on pas que notre pays est libre, que nous cultivons en paix nos champs ? Qu'est-il donc arrivé ? quel heureux soleil a tout à coup brillé sur nos destinées ? J'en appelle à tous les guerriers ici présents, ne sommes-nous pas dépouillés et plus opprimés que jamais ? Il suffirait donc que ces étrangers qui ont tué mon fils, qui ont massacré la vieille compagne de mes jours, qui ont réduit ma fille au dernier degré de misère ; il suffirait que ces étrangers vinssent se promener au milieu de nos fêtes, pour qu'Adario oubliât ce qu'il a perdu, pour qu'il renonçât à une vengeance légitime, pour qu'il consentît à la servitude de sa patrie, pour qu'il trompât tant de nations associées à notre cause, et dont l'indépendance a été confiée à nos mains ? Puisse la terre dévorer les Natchez, avant qu'ils se rendent coupables d'une telle lâcheté, d'un aussi abominable parjure ! »

Adario fut interrompu par les acclamations les plus vives et par le cri répété de *mort aux blancs* !

Aussitôt que le vieillard se put faire entendre de nouveau, il reprit la parole :

« Sachems, abandonner l'entreprise est impossible ; mais exécuterons-nous notre dessein le jour où le dernier des trois roseaux qui restent sera brûlé ; attendrons-nous le jour qui avait été marqué avant l'enlèvement des huit roseaux ? Sachems, prononcez. »

Une violente agitation se manifesta dans l'assemblée :

les uns demandaient que le massacre eût lieu aussitôt que les roseaux restants seraient brûlés ; ils prétendaient que telle était la volonté des Génies, puisqu'ils avaient permis qu'une partie de la gerbe fût ravie sous l'autel ; les autres insistaient pour qu'on ne frappât le grand coup qu'à l'expiration du terme primitivement fixé.

« Quelle folie ! s'écriait le chef des Chicassaws, d'entreprendre la destruction de vos ennemis avant que toutes les chairs rouges soient arrivées. Il nous manque encore cinq tribus des plus puissantes. D'ailleurs ne ferons-nous pas avorter le dessein général, en commençant trop tôt ? Si le plan est exécuté ici huit jours avant qu'il le soit ailleurs, n'est-il pas certain que les autres colonies de nos oppresseurs échapperont à la vengeance commune, et que bientôt réunies elles viendront nous exterminer ? Pour attaquer nos ennemis dans trois jours, il faudrait pouvoir prévenir de cette nouvelle résolution les divers peuples conjurés ; or, trois jours suffisent-ils aux plus rapides messagers pour se rendre chez tous ces peuples ? »

Ondouré appuya l'opinion des Chicassaws : René n'était pas arrivé ; le serait-il dans trois jours, et si l'on précipitait le massacre, n'y pourrait-il pas échapper ? Le tuteur du Soleil rejeta avec mépris l'idée que le Grand Esprit avait envoyé un mort dérober les roseaux du temple ; il accusa de lâcheté les gardiens et déclara que bientôt il connaîtrait le prétendu fantôme.

Le jongleur repoussa vivement cette attaque : soit qu'il crût ou ne crût pas au fantôme, il lui importait de défendre son art et de soutenir l'honneur des prêtres. Les Yazous, les Miamis et une partie des Natchez combattirent à leur tour l'avis des Chicassaws et d'Ondouré. Tous les guerriers parlaient à la fois ; des contradictions on en vint aux insultes : les conjurés se levaient, se rasseyaient, criaient, se saisissaient les uns les autres par le manteau, se menaçaient du geste, des regards et de la voix ; enfin, un Sachem Yazou, renommé parmi les Sauvages, parvint à se faire écouter : il combattit l'avis des Chicassaws.

Il soutint d'abord qu'il était possible qu'avant l'enlèvement d'une partie de la gerbe, il y eût déjà erreur ou dans le nombre des roseaux aux Natchez, ou dans celui des roseaux placés chez les autres nations ; qu'ainsi rien ne prouvait que la vengeance pût être exécutée partout le même jour. Ensuite il ajouta que la disparition des huit roseaux dans le temple des Natchez était certainement un effet de la volonté des Génies ; que cette même volonté aurait aussi retiré le même nombre de roseaux chez tous les peuples conjurés, et que par conséquent l'extermination aurait lieu partout le même jour. A ces raisons politiques et religieuses le chef des Yazous joignit une raison d'intérêt qui, faisant varier les Chicassaws, fixa l'opinion du conseil :

« Des pirogues chargées de grandes richesses pour les Blancs du haut fleuve se sont, dit le Sachem, arrêtées au fort Rosalie ; elles n'y resteront que quelques jours : si nous exterminons les Français avant le départ de ces pirogues, nous nous emparerons de ce trésor[436]. »

Les Chicassaws, dont la cupidité était connue de tous les Indiens, feignirent d'être convaincus par l'éloquence du Yazou ; ils ne l'étaient que par leur avarice ; ils revinrent à l'avis d'exécuter le plan arrêté dans la nuit où serait brûlé le dernier des trois roseaux restés sous l'autel. L'immense majorité du conseil adopta cette résolution.

On convint de continuer les grands jeux, comme si Chactas n'était pas mort et comme si le jour de l'exécution n'était pas avancé. On convint encore de n'instruire les jeunes guerriers de la conjuration que quelques heures avant le massacre.

Ces délibérations prises, l'assemblée se sépara : Outougamiz sortit du Conseil avec une espèce de joie. En traversant les forêts, au milieu de la nuit, pour retourner à la cabane de Céluta, il se disait : « Si René n'arrive pas dans trois jours, il est sauvé ! » Mais bientôt il vint à penser que si René revenait avant l'expiration de ces trois jours, l'heure de sa mort serait considérablement avancée, et que l'on aurait huit jours de moins pour profiter des chances favorables.

Le jeune Sauvage se mit alors à compter le peu de moments que le frère d'Amélie avait peut-être à passer sur la terre ; la nouvelle détermination du conseil avait forcé ses idées de se fixer sur un objet affreux ; elle avait ravivé ses blessures ; elle avait fait sortir son âme de l'engourdissement de la douleur. Le désespoir d'Outougamiz lui arracha des cris épouvantables ; les échos répétèrent ses cris, et les Natchez, qui les entendirent, crurent ouïr le dernier soupir de la patrie.

Céluta reconnut la voix de son frère ; elle sort précipitamment de son foyer, elle court dans les bois, elle appelle l'ami de René, elle le suit au cri de sa douleur.

« Qui m'appelle ? dit Outougamiz.

— C'est ta sœur, répond Céluta.

— Céluta ! dit Outougamiz s'approchant d'elle ; si c'est toi, Céluta, oh ! que tu es malheureuse !

— René est-il mort ? s'écria Céluta en arrivant à son frère.

— Non, repartit Outougamiz, mais l'heure de sa mort est avancée. C'est dans trois jours le jour fatal ! Dans trois jours c'en est fait de René, de moi, de toi, de toute la terre. »

A peine avait-il prononcé ces mots, que Céluta, d'une voix extraordinaire et étouffée, murmura ces mots : « C'est moi qui le tue ! »

Par les paroles de son frère, Céluta avait tout à coup compris l'autre conséquence de l'anticipation du jour du massacre. En effet, si René, au lieu de prolonger son absence, reparaissait tout à coup aux Natchez, c'était sa femme alors qui, au lieu de le sauver par l'enlèvement des roseaux, aurait précipité sa perte. Longtemps Céluta, affaissée par la douleur, fit de vains efforts pour parler ; enfin, la voix s'échappant en sanglots du fond de sa poitrine :

« C'est moi qui ai dérobé les roseaux !

— Malheureuse ! s'écrie son frère, c'est toi !... toi ! sacrilège, parjure, homicide !

— Oui, reprit Céluta désespérée, c'est moi, moi qui ai tout fait ! punis-moi ; dérobe-moi pour jamais à la lumière du jour, rends-moi ce service fraternel. Les tourments de ma vie sont maintenant au-dessus de mon courage. »

Outougamiz anéanti s'appuyait contre le tronc d'un arbre : il ne parlait plus, sa douleur le submergeait. Il rompt enfin le silence :

« Ma sœur, dit-il, vous êtes très malheureuse ! très malheureuse ! plus malheureuse que moi ! »

Céluta restait muette comme le rocher. Outougamiz reprit : « Vous êtes obligée en conscience d'être une seconde fois parjure, de révéler le secret à René : ce secret est maintenant le vôtre, c'est vous qui assassinez mon ami ; mais je dois aussi vous dire une chose, c'est que moi, me voilà forcé d'avertir les Sachems : vous ne voulez pas que je sois votre complice, que je trahisse mon serment. »

Outougamiz s'arrêta un moment après ces mots, puis ajouta : « Oui, c'est là notre devoir à tous deux : dites le secret à René, quand René reviendra, moi je dirai votre secret aux Sachems : si mon ami a le temps de se sauver, ma joie sera comme celle du ciel ; mais soyez prompte, car il faut que je révèle ce que vous allez faire. »

Le simple et sublime jeune homme s'éloigna.

Ondouré était revenu du conseil l'esprit agité : la majorité de l'assemblée s'était prononcée contre son opinion. Le crime perdait aux yeux de cet homme la plus grande partie de son charme, si René n'était enveloppé dans le massacre, et si Céluta n'était le prix du forfait. Il résolut de se rendre à la demeure de cette femme que tout semblait abandonner, jusqu'à Outougamiz lui-même. Peut-être Céluta avait-elle reçu quelques nouvelles de René ; peut-être était-ce cette épouse ingénieuse et fidèle qui avait dérobé les roseaux du temple : il importait au tuteur du Soleil de s'éclairer sur ces deux points.

Il arriva à la cabane de Céluta, au moment où la sœur d'Outougamiz venait d'en sortir attirée au dehors par les cris de son frère. L'intérieur de la hutte était à peine éclairé par une lampe suspendue au foyer. Ondouré visita tous les coins de cet asile de la douleur ; il ne trouva personne, excepté la fille de René, qui dormait dans un berceau auprès du lit de sa mère, et qu'il fut tenté de plonger dans un éternel sommeil.

La couche de la veuve et de l'enfant, au lieu d'appeler dans le cœur du monstre la pitié et le remords, n'y réveilla que les feux de l'amour et de la jalousie. Ondouré sentit une flamme rapide courir dans la moelle de ses os : ses yeux se chargèrent de volupté, ses sens s'embrasèrent ; l'obscurité, la solitude et le silence sollicitaient le désir. Ondouré se précipite sur la couche pudique de Céluta et lui prodigue les embrassements et les caresses ; il y cherche l'empreinte des grâces d'une femme ; il y colle ses lèvres avides et couvre de baisers ardents les plis du voile qui avaient pu toucher ou la bouche ou le sein de la beauté. Dans sa frénésie, il jure qu'il périra ou qu'il obtiendra la réalité des plaisirs, dont la seule image allume le désir des passions dans son âme. Mais Céluta qui pleure au fond des bois avec son frère ne reparaît pas, et Ondouré, dont tous les moments sont comptés, est obligé de quitter la cabane.

Une femme, ou plutôt un spectre, s'avance vers lui : à peine eut-il quitté le toit souillé de sa présence, qu'il se trouve face à face d'Akansie.

« J'ai trop longtemps, dit la mère du jeune Soleil, j'ai trop longtemps supporté mes tourments. Lorsqu'après avoir appris ta visite à ma rivale, je t'ai ordonné de comparaître devant moi, tu ne m'as pas obéi. Je te retrouve sortant encore de ce lieu où tes pas et les miens sont enchaînés par Athaënsic : misérable ! je ne t'adresse plus de reproches ; l'amour s'éteint dans mon cœur ; tu es au-dessous du mépris ; mais j'ai des crimes à expier, une vengeance à satisfaire. Je t'en ai prévenu, je vais me dénoncer aux Sachems et te dénoncer avec moi : tes complots, tes forfaits, les miens, vont être révélés ; justice sera faite pour tous. »

Ondouré fut d'autant plus effrayé de ces paroles, qu'à la lumière du jour naissant il n'aperçut point sur le visage d'Akansie cette langueur qui lui apprenait autrefois combien la femme jalouse était encore amante ; il n'y avait que sécheresse et désespoir dans l'expression des traits d'Akansie. Ondouré prend aussitôt son parti.

Non loin de la cabane de Céluta était un marais, repaire impur des serpents. Ondouré affecte un violent repentir ; il feint d'adorer celle qu'il n'a jamais aimée ; il l'entoure de ses bras suppliants, la conjure de l'écouter. Akansie se débat entre les bras du scélérat, l'accable de ces reproches que la passion trahie, que le mépris longtemps contenu savent si bien trouver : « Si vous ne voulez pas m'entendre, s'écrie le tuteur du Soleil, je vais me donner la mort. »

Akansie était bien criminelle, mais elle avait tant aimé ! Il lui restait de cet amour une certaine complaisance involontaire ; elle se laisse entraîner vers le marais, prêtant l'oreille à des excuses qui ne la trompaient plus, mais qui la charmaient encore. Ondouré, toujours se justifiant et toujours marchant avec sa victime, la conduit dans un lieu écarté. Il affecte le langage de la passion : que son amante offensée daigne seulement lui sourire, et il va passer à ses pieds une vie de reconnaissance et d'adoration ! Akansie sent expirer sa colère ; Ondouré, feignant un transport d'amour, se prosterne devant son idole.

Akansie se trouvait alors sur une étroite levée qui séparait des eaux stagnantes, où une multitude de serpents à sonnettes se jouaient avec leurs petits, aux derniers feux de l'automne. Ondouré embrasse les pieds d'Akansie, les attire à lui ; l'infortunée tombe en arrière, et roule dans l'onde empoisonnée ; elle y plonge de tout son poids. Les reptiles dont le venin augmente de subtilité quand ils ont une famille à défendre, font entendre le bruit de mort ;

s'élançant tous à la fois, ils frappent de leur tête aplatie et de leur dent creuse l'ennemie qui vient troubler leurs ébats maternels.

La joie du crime rayonna sur le front d'Ondouré. Akansie luttant contre un double trépas, au milieu des serpents et de l'onde, s'écriait : « Je l'ai bien mérité ! homme affreux ! couronne tes forfaits ; va immoler tes dernières victimes, mais sache que ton heure est aussi arrivée !

— Eh bien ! répondit l'infâme jetant le masque ; oui, c'est moi qui te tue parce que tu me voulais trahir. Meurs ! tous mes forfaits sont les tiens. Je brave tes menaces ! désormais il n'est plus de rémission pour moi, mon dernier soupir sera pour un nouveau crime et pour un amour qui fait ton supplice. Tu n'auras pas la tête de Céluta, mais je lui prodiguerai les baisers que tu m'as permis de donner à cette tête charmante ! »

Ondouré mugissant comme s'il eût déjà habité l'enfer, abandonne la femme qui lui avait fait tous les sacrifices.

Dieu fit sentir à l'instant même à ce réprouvé un avant-goût des vengeances éternelles. Quelques chasseurs se montrèrent sur la levée ; ils avaient reconnu le tuteur du Soleil et s'avançaient rapidement vers lui. Akansie flottait encore sur les eaux, il était impossible de la dérober à la vue des chasseurs ; ils allaient s'empresser de la secourir : ne pouvait-elle pas conserver assez de vie pour parler, quand elle serait déposée sur le rivage ? L'effroi d'Ondouré glaça un moment son cœur, mais il revint bientôt à lui et se montra digne de son crime. Le moyen de tromper qu'il prit n'était pas complètement sûr, mais il était le seul qui lui restât à prendre ; il l'aurait du moins opposé à une accusation d'assassinat. Ondouré appelle donc les guerriers avec tous les signes du plus violent désespoir : « A moi, s'écriait-il, aidez-moi à sauver la Femme-Chef qui vient de tomber dans cet abîme », et feignant de secourir Akansie, il essayait de lui plonger la tête dans l'eau.

Les chasseurs se précipitent, écartent les serpents avec des branches de tamarin et retirent du marais la mère du jeune Soleil.

Elle ne donna dans le premier moment aucun signe de vie, mais bientôt quelques mouvements se manifestèrent, ses yeux s'ouvrirent, son regard fixe tomba sur Ondouré qui recula trois pas comme sous l'œil du Dieu vengeur.

Des cris étouffés qui ressemblaient au râle de la mort, s'échappèrent peu à peu du sein d'Akansie ! Elle s'agite et rampe sur la terre ; on eût dit des reptiles qui l'avaient frappée. Sa peau, par l'effet ordinaire de la morsure du serpent à sonnettes, était marquée de taches noires, vertes et jaunes ; une teinte livide et luisante couvre ces taches, comme le vernis couvre un tableau. Les doigts de la femme coupable étaient crevés ; une écume impure sortait de sa bouche ; les chasseurs contemplaient avec horreur le vice châtié de la main du Grand Esprit.

Céluta qui revenait des bois voisins et qui regagnait sa cabane par la levée du marais, fut un nouveau témoin envoyé du ciel à cette scène. A l'aspect de la femme punie, elle fut saisie d'une pitié profonde et lui prodigua des soins et des secours. Akansie reconnaissant la généreuse Indienne, fit des efforts extraordinaires pour parler, mais sa langue enflée ne laissait sortir de sa bouche que des sons inarticulés. Lorsqu'elle s'aperçut qu'elle ne se pouvait faire entendre, le désespoir s'empara d'elle ; elle se roula sur la terre qu'elle mordait dans les convulsions de la mort.

« Grand Esprit, s'écria Céluta, accepte le repentir de cette pauvre femme ! Pardonne-lui comme je lui pardonne, si jamais elle m'a offensée ! »

A cette prière, des espèces de larmes voulurent couler des yeux d'Akansie ; il se répandit sur son front une sérénité qui l'aurait embellie, si quelque chose avait pu effacer l'horreur de ses traits. Ses lèvres ébauchèrent un sourire d'admiration et de gratitude : elle expira sans douleur, mais en emportant le fatal secret. Ondouré délivré de ses craintes remercia intérieurement le ciel épouvanté de sa reconnaissance. Céluta reprenant le chemin de sa retraite disait au soleil qui se levait : « Soleil, tu viens de voir en deux matins la mort de Chactas et celle d'Akansie : rends la mienne semblable à la première. »

Ondouré fit avertir les parents de la Femme-Chef d'enlever le corps d'Akansie : afin de ne pas effrayer l'imagination des conjurés par le spectacle d'une seconde pompe funèbre, les Sachems décidèrent que les funérailles (qui ne devaient jamais être célébrées) n'auraient lieu qu'après le massacre.

Devenu plus puissant que jamais par la mort de la Femme-Chef, le tuteur du Soleil ne se souvenant ni d'avoir été aimé d'Akansie, ni de l'avoir assassinée, se rendit à la vallée des bois. Les jeux avaient recommencé : Outougamiz, par ordre des vieillards, s'était venu mêler à ces jeux. Quelques moments de réflexion lui avaient suffi pour le tranquilliser sur le pieux larcin de sa sœur : il lui semblait moins nécessaire d'en instruire immédiatement le conseil, puisque René n'était pas arrivé, et que Céluta ne pouvait confier le secret à René absent. En supposant même le retour du frère d'Amélie, Outougamiz avait une telle confiance dans la vertu de Céluta, qu'il était sûr qu'elle se tairait, même après avoir rendu le secret plus fatal. Enfin, quand Outougamiz se hâterait de tout apprendre aux Sachems, les Sachems feraient peut-être mourir Céluta sans utilité pour personne, car le massacre n'en aurait pas moins lieu. Et qui pouvait dire, s'il était bon ou mauvais que le jour de ce massacre fût retardé ou avancé pour le destin du guerrier blanc ?

Telles étaient les réflexions d'Outougamiz. Le frère et la sœur comptaient maintenant chaque heure écoulée ; ils regardaient si le soleil baissait à l'horizon, si l'éphémère qui sort des eaux à l'approche du soir, commençait à voler dans les prairies ; ils se disaient : « Encore un moment passé, et René n'est pas revenu ! » Nos illusions sont sans terme ; détrompés mille fois par l'amertume du calice, nous y reportons sans cesse nos lèvres avides.

Les ennemis s'étant refusés à recevoir le calumet de paix, René avait renvoyé les guerriers porteurs des présents pour les Illinois, et il revenait seul aux Natchez. Accablé du passé, n'espérant rien de l'avenir, insensible à tout, hors à la raison de Chactas, à l'amitié d'Outougamiz et à la vertu de Céluta, il ne soupçonnait pas qu'on en voulût à sa vie ; ses ennemis étaient loin de savoir à leur tour à quel point il y tenait peu. Les Natchez l'accusaient de crimes imaginaires ; ils l'avaient condamné pour ces crimes, et il ne pensait pas plus aux Natchez qu'au reste du monde ; ses idées comme ses désirs habitaient une région inconnue.

Un jour, dans la longue route qu'il avait à parcourir, il arriva à une grande prairie dépouillée d'arbres ; on n'y voyait qu'une vieille épine couverte de fleurs tardives, qui croissait sur le bord d'un chemin indien. Le soleil approchait de son couchant, lorsque le frère d'Amélie parvint à cette épine. Résolu de passer la nuit dans ce lieu, il aperçut un gazon sur lequel étaient déposées des gerbes de maïs ; il reconnut la tombe d'un enfant et les présents maternels. Remerciant la Providence de l'avoir appelé au festin des morts, il s'assit entre deux grosses racines de l'épine, qui se tordaient au-dessus de la terre. La brise du soir soufflait par intervalles dans le feuillage de l'arbre ; elle en détachait les fleurs, et ces fleurs tombaient sur la tête de René en pluie argentée. Après avoir pris son repas, le voyageur s'endormit au chant du grillon.

La mère, qui avait couché l'enfant sous l'herbe au bord du chemin, vint à minuit apporter des dons nouveaux et humecter de son lait le gazon de la tombe[437]. Elle crut distinguer une espèce d'ombre ou de fantôme étendu sur la terre ; la frayeur la saisit, mais l'amour maternel, plus fort que la frayeur, l'empêche de reculer. S'avançant à pas silencieux vers l'objet inconnu, elle vit un jeune blanc qui dormait la face tournée vers les étoiles, un bras jeté sur sa tête. L'Indienne se glisse à genoux jusqu'au chevet de l'étranger qu'elle prenait pour une divinité propice. Quelques insectes voltigeant autour du front de René, elle les chassait doucement, dans la crainte de réveiller l'Esprit, et dans la crainte aussi d'éloigner l'âme de l'enfant, qui pouvait errer autour du bon Génie. La rosée descendait avec abondance ; la mère étendit son voile sur ses deux bras, et le soutint ainsi au-dessus de la tête de René : « Tu réchauffes mon enfant, disait-elle en elle-même, il est juste que je te fasse un abri. »

Quelques sons confus et bientôt quelques paroles distinctes échappent aux lèvres du frère d'Amélie ; il rêvait de sa sœur : les mots qu'il laissait tomber étaient tour à tour prononcés dans sa langue maternelle et dans la langue des Sauvages. L'Indienne voulut profiter de cet oracle ; elle répondait à René à mesure qu'il murmurait quelque chose. Il s'établit entre elle et lui un dialogue : « Pourquoi m'as-tu quitté ? dit René en natchez.

— Qui ? » demanda l'Indienne.

René ne répondit point.

« Je l'aime, dit le frère d'Amélie un moment après.

— Qui ? dit encore l'Indienne.

— La mort », repartit René en français.

Après un assez long silence, René dit : « Est-ce là le corps que je portais ? » Et il ajouta d'une voix élevée : « Les voici tous : Amélie, Céluta, Mila, Outougamiz, Chactas, d'Artaguette ! »

René poussa un soupir, se tourna du côté du cœur, et ne parla plus.

Le bruit que l'Indienne fit malgré elle, en se voulant retirer, réveilla le frère d'Amélie. Il fut d'abord étonné de voir une femme à ses côtés, mais il comprit bientôt que c'était la mère de l'enfant dont il foulait le tombeau. Il lui imposa les mains, poussa les trois cris de douleur, et lui dit : « Pardonne-moi, j'ai mangé une partie de la nourriture de ton fils ; mais j'étais voyageur, et j'avais faim ; ton fils m'a donné l'hospitalité.

— Et moi, dit l'Indienne, je croyais que tu étais un Génie et je t'ai interrogé pendant ton sommeil.

— Que t'ai-je dit ? demanda René. — Rien », repartit l'Indienne.

René s'était égaré ; il s'enquit du chemin qu'il devait suivre : « Tu tournes le dos aux Natchez, répondit la femme sauvage ; en continuant à marcher vers le nord, tu n'y arriveras jamais. » Destinée de l'homme ! si René n'eût point rencontré cette femme il se fût éloigné de plus en plus du lieu fatal. L'Indienne lui montra sa route, et le quitta après lui avoir recommandé l'enfant qu'elle avait perdu.

Il se leva enfin le jour qui devait être suivi d'une nuit si funeste ! Céluta et son frère le passèrent à parcourir les bois, toujours dans la crainte d'y rencontrer René, toujours dans l'espoir de l'arrêter s'ils le rencontraient, toujours regrettant Mila si légère dans sa course, si heureuse dans ses recherches !

Le jeu des osselets, commencé après la partie de la balle gagnée par les Natchez, avait continué dans la vallée des Bois. Une heure avant le coucher du soleil, le Sachem d'ordre se présente aux différents groupes des joueurs, et dit à voix basse :

« Quittez le jeu, retournez à vos tentes ; attendez-y le Sachem de votre nation. »

Les jeunes gens se regardent avec étonnement, et laissant tomber les osselets, se retirent. La nuit vint. Le ciel se couvrit d'un voile épais : toutes les brises expirèrent ; des ténèbres muettes et profondes enveloppèrent le désert.

Après mille courses inutiles, Céluta était rentrée dans sa cabane : quelques heures de plus écoulées, et René était mort ou sauvé ! L'amante qui tant de fois avait désiré le retour de son bien-aimé, l'épouse qui si souvent s'était levée avec joie, croyant reconnaître les pas de son époux, tremblait à présent au moindre bruit, et n'implorait que le silence. Naguère Céluta eût donné tout son sang pour épargner la plus petite douleur au frère d'Amélie ; maintenant elle eût béni un accident malheureux qui, sans être mortel, eût arrêté le guerrier blanc loin des Natchez.

Au fort Rosalie on était loin d'être rassuré : Chépar seul s'obstinait à ne vouloir rien voir. De nouveaux courriers du gouverneur général, du capitaine d'Artaguette et du père Souël annonçaient l'existence d'un complot. Le conseil était rassemblé, et le nègre Imley, saisi dans les bois, avait été amené devant ce conseil.

Les renseignements envoyés par le missionnaire étaient exacts et détaillés ; ils désignaient Ondouré comme chef de la conjuration. Imley interrogé nia tout, hors ce qu'il ne pouvait nier, sa propre fuite. Il dit qu'il avait quitté son maître comme l'oiseau reprend sa liberté quand il trouve la porte de sa cage ouverte. Pressé par des questions insidieuses, et certain qu'il était d'être condamné à mort, le nègre, au lieu de répondre, se prit à railler ses juges : il répétait leurs gestes, affectait leur air, contrefaisait leur voix avec un talent d'imitation extraordinaire. Fébriano surtout excitait sa verve comique, et il fit du commandant une copie si ressemblante, qu'un rire involontaire bouleversa le conseil. Chépar, furieux, ordonna d'appliquer l'esclave à la torture, ce qui fut sur-le-champ exécuté. L'Africain brava les tourments avec une constance héroïque, continuant ses moqueries au milieu des douleurs, et ne laissant pas échapper un mot qui pût compromettre le secret des Sauvages. On le retira de la gêne[438] pour le réserver au gibet. Alors il se mit à chanter Izéphar, à rire, à tourner sur lui-même, à frapper des mains, à gambader malgré le disloquement de ses membres, et tout à coup il tomba mort : il s'était étouffé avec sa langue, genre de suicide connu de plusieurs peuplades africaines. Mélange de force et de légèreté, le caractère d'Imley ne se démentit pas un moment : ce Noir n'aima que l'amour et la liberté, et il traita l'un et l'autre avec la même insouciance que la mort et la vie.

Le commandant regarda l'aventure d'Imley comme

celle d'un esclave fugitif qui n'avait aucun rapport avec les desseins qu'on supposait aux Sauvages. Il traita les missionnaires de poltrons ; il accusa les colons de répandre inconsidérément des alarmes aussitôt qu'ils perdaient un nègre. Poussé par Fébriano, vendu aux intérêts d'Ondouré, mais qui ignorait le complot, Chépar s'emporta jusqu'à faire mettre aux fers des habitants qui demandaient à s'armer et parlaient de se retrancher sur les concessions. Il refusait de croire à une conjuration qui s'achevait en ce moment même sous ses pas, dans le sein de la terre.

Les jeunes guerriers, après avoir quitté les jeux, s'étaient armés. Le Sachem d'ordre avait reparu : heurtant doucement dans les ténèbres à la porte de chaque cabane, il avait dit :

« Que les jeunes guerriers se rendent par des chemins divers au lac souterrain ; ils y trouveront les Sachems ; que les femmes, après le départ des guerriers, s'enferment dans leurs cabanes ; qu'elles y veillent en silence et sans lumière. »

Aussitôt les jeunes guerriers se glissent à travers les ténèbres, jusqu'au lieu du rendez-vous. Les portes des huttes se referment sur les femmes et sur les enfants, les lumières s'éteignent : tous les Sauvages quittent le désert, hors quelques sentinelles placées çà et là derrière les arbres. Outougamiz, avec le reste de sa tribu, descendit au lac souterrain.

A l'orient du grand village des Natchez, dans la même cyprière où s'élevait le temple d'Athaënsic, s'ouvre perpendiculairement, comme le soupirail d'une mine, une caverne profonde[439]. On n'y peut pénétrer qu'à l'aide d'une échelle et d'un flambeau. A la profondeur de cent pieds se trouve une grève qui borde un lac. Sur ce lac, semblable à celui de l'empire des ombres, quelques Sauvages, pourvus de torches et de fanaux, eurent un jour l'audace de s'embarquer. Autour du gouffre ils n'aperçurent que des rochers stériles hérissant des côtes ténébreuses, ou suspendus en voûtes au-dessus de l'abîme. Des bruits lamentables, d'effrayantes clameurs, d'affreux rugissements, assourdissaient les navigateurs à mesure qu'ils s'enfonçaient dans ces solitudes d'eau et de nuit. Entraînés par un courant rapide et tumultueux, ce ne fut qu'après de longs efforts que ces audacieux mortels parvinrent à regagner le rivage, épouvantant de leurs récits quiconque serait tenté d'imiter leur exemple.

Tel était le lieu que les conjurés avaient fixé pour celui de leur assemblée. C'était de cette demeure souterraine que la liberté du Nouveau-Monde devait s'élancer, qu'elle devait rappeler à la lumière du jour ces peuples ensevelis par les Européens dans les entrailles de la terre. Déjà les jeunes guerriers étaient réunis et attendaient la révélation du mystère que les Sachems leur avaient promise.

Au bord du lac était un grand fragment de rocher ; les jongleurs l'avaient transformé en autel. On y voyait, à la lueur d'une torche, trois hideux marmousets[440] de tailles inégales. Celui du centre, Manitou de la liberté, surpassait les autres de toute la tête ; dans ses traits grossièrement sculptés on reconnaissait le symbole d'une indépendance rude, ennemie du joug des lois, impatiente même des chaînes de la nature. Les deux autres figures représentaient l'une les chairs rouges, l'autre les chairs blanches. Un feu d'ossements brûlait devant ces idoles, en jetant une lumière enfumée et une odeur pénétrante. Du sang humain, des poisons exprimés de divers serpents, des herbes vénéneuses cueillies avec des paroles cabalistiques, remplissaient un vase de cyprès. Un vent nocturne se leva sur le lac dont les flots montèrent aux voûtes de l'abîme : la tempête dans les flancs de la terre, les idoles menaçantes, le bassin de sang, le feu mortuaire, les prêtres agitant des vipères avec des évocations épouvantables, la foule des Sauvages, dans leurs habillements bizarres et divers, toute cette scène, entourée par les masses des rochers souterrains, donnait une idée du Tartare.

Soudain un des jongleurs, les bras tendus vers le lac, s'écrie : « Divinité de la vengeance, est-ce toi qui sors de l'abîme avec cet orage ? Oui, tu viens : reçois nos vœux ! »

Le jongleur lance une vipère dans les flots ; un autre prêtre répand le bassin de sang sur le feu : une triple nuit s'étend sous les voûtes.

Quelques minutes s'écoulent dans l'obscurité, puis tout à coup une vive clarté illumine les vagues orageuses et les rochers fantastiques. Les idoles ont disparu ; on n'aperçoit plus sur la pierre, autel de la vengeance, que le vieillard Adario vêtu de la tunique de guerre, appuyé d'une main sur son casse-tête, tenant de l'autre un flambeau.

« Guerriers, dit-il, la liberté se lève, le soleil de l'indépendance, resté depuis deux cent cinquante neiges sous l'horizon, va éclairer de nouveau nos forêts. Jour sacré, salut ! Mon cœur se réjouit à tes rayons, comme le chêne décrépit au premier sourire du printemps ! Pour toi Adario a dépouillé ses lambeaux, il a lavé sa chevelure comme un jeune homme, il renaît au souffle de la liberté.

« Donnez trois poignards. »

Le Sachem jette trois poignards du haut du roc.

« Jeunes guerriers, vous n'êtes pas assemblés ici pour délibérer ; vos Sachems ont prononcé pour vous au Rocher du Lac, dans le conseil général des peuples ; ils ont juré de purger nos déserts des brigands qui les infestent. Vous êtes venus seulement pour dévorer les ours étrangers. Le moment du festin est arrivé. Vous ne quitterez ces voûtes que pour marcher à la mort ou à la liberté. C'est la dernière fois que vous aurez été obligés de vous cacher dans les profondeurs de la terre, pour parler le langage des hommes.

« Donnez la hache. »

Adario jette à ses pieds une hache teinte de sang.

Un cri de surprise mêlé de joie échappe au bouillant courage des jeunes guerriers. Adario reprend la parole :

« Tout est réglé par vos pères. Plongés dans le sommeil,

nos oppresseurs ne soupçonnent pas la mort. Nous allons sortir de cette caverne divisés en trois compagnies : je conduirai les Natchez, et les mènerai, au travers des ombres, à l'escalade du fort. Vous, Chicassaws, sous la conduite de vos Sachems, vous formerez le second corps ; vous attaquerez le village des Blancs au fort Rosalie. Vous, Miamis et Yazous, composant le troisième corps, guidés dans vos vengeances par Ondouré et par Outougamiz, vous détruirez les blancs dont les demeures sont dispersées dans les campagnes. Les esclaves noirs, qui comme nous vont briser leurs chaînes, seconderont nos efforts.

« Tels sont, ô jeunes guerriers ! les devoirs que vous êtes appelés à remplir. Il ne s'agit pas de la cause particulière des Natchez : le coup que vous allez porter sera répété dans un espace immense. A l'instant où je vous parle, mille nations, comme vous cachées dans les cavernes, vont en sortir, comme vous, pour exterminer la race étrangère ; le reste des chairs rouges ne tardera pas à vous imiter.

« Quant à moi, je n'ai plus qu'un jour à vivre, la nuit prochaine j'aurai rejoint Chactas, ma femme et mes enfants : il ne m'a été permis de leur survivre que pour les venger. Je vous recommande ma fille. »

Il dit et jette son casse-tête au milieu des jeunes guerriers.

Une acclamation générale ébranle les dômes funèbres : « Délivrons la patrie ! »

On vit alors un jeune guerrier monter sur la pierre auprès d'Adario, c'était Outougamiz ; il dit :

« Vous avez voulu me faire tuer le guerrier blanc, mon ami. Il n'est point arrivé ; ainsi je ne le tuerai pas, mais je tuerai quiconque le tuera ! Vous voulez que j'égorge des chevreuils étrangers pendant la nuit ; je n'assassinerai personne. Quand le jour sera venu, si l'on combat, je combattrai. J'avais promis le secret, je l'ai tenu : dans quelques heures, la borne de mon serment sera passée, je serai libre ; j'userai de ma liberté comme il me plaira. Guerriers, je ne sais point parler, parce que je n'ai point d'esprit ; mais si je suis comme un ramier timide pendant la paix, je suis comme un vautour pendant la guerre : Ondouré, c'est pour toi que je dis cela : souviens-toi des paroles d'Outougamiz le Simple. »

Outougamiz saute en bas du rocher, comme un plongeur qui se précipite dans les vagues ; quelque temps après on le chercha, et on ne le trouva plus.

Ondouré n'avait remarqué du discours du frère de Céluta que le passage où le jeune homme s'était applaudi de l'absence de René. Le tuteur du Soleil ressentait de cette absence les plus vives alarmes ; il se voyait au moment d'exécuter le dessein qu'il avait conçu sans atteindre le principal but de ce dessein. Céluta, en dérobant les roseaux, pouvait s'applaudir d'avoir obtenu ce qu'elle avait désiré, d'avoir sauvé son époux. Il n'y avait aucun moyen pour Ondouré de reculer la catastrophe ; et, comme dans toutes les choses humaines, il fallait prendre l'événement tel que le ciel l'avait fait.

Les guerriers sortirent du lac souterrain, et, cachés dans l'épaisseur de la cyprière, ils se divisèrent en trois corps. Assis à terre dans le plus profond silence, ils attendirent l'ordre de la marche. Minuit approchait ; le dernier roseau allait être brûlé dans le temple.

Que différemment occupée était Céluta dans sa cabane ! Tressaillant au plus léger murmure des feuilles, les yeux constamment fixés sur la porte, comptant, par les battements de son cœur, toutes les minutes de cette dernière heure, elle n'aurait pu supporter longtemps de telles angoisses sans mourir. A force d'avoir écouté le silence, ce silence s'était rempli pour elle de bruits sinistres : tantôt elle croyait ouïr des voix lointaines, tantôt il lui semblait entendre des pas précipités. Mais n'est-ce point en effet des pas qui font retentir le sentier désert ? Ils approchent rapidement. Céluta ne peut plus se tromper ; elle se veut lever, les forces lui manquent ; elle reste enchaînée sur sa natte, le front couvert de sueur. Un homme paraît sur le seuil de la porte : ce n'est pas René ! c'est le bon grenadier de la Nouvelle-Orléans, le fils de la vieille hôtesse de Céluta, le soldat du capitaine d'Artaguette.

Il apportait un billet écrit du poste des Yazous par son capitaine. Quel bonheur, quel soulagement, dans la crainte et l'attente d'une grande catastrophe, de voir entrer un ami au lieu de la victime ou de l'ennemi que l'on attendait ! Céluta retrouve ses forces, se lève, court les bras ouverts au grenadier, mais tout à coup elle se souvient du péril général ; René n'est pas le seul Français menacé, tous les Blancs sont sous le poignard ; un moment encore et Jacques peut être égorgé. « Fils de ma vieille mère de la chair blanche, s'écrie-t-elle, celui que vous cherchez n'est pas ici ; retournez vite sur vos pas, vous n'êtes pas en sûreté dans cette cabane ; au nom du Grand Esprit, retirez-vous ! »

Le grenadier n'entendait point ce qu'elle disait ; il lui montrait le billet qui n'était point pour René, mais pour elle-même. Céluta ne pouvait lire ce billet. Jacques et Céluta faisaient des gestes multipliés, tâchaient de se faire comprendre l'un de l'autre sans y pouvoir réussir. Dans ce moment un sablier qui appartenait à René, et avec lequel l'Indienne avait appris à diviser le temps, laisse échapper le dernier grain de sable qui annonçait l'heure expirée. Céluta voit tomber dans l'éternité la minute fatale : elle jette un cri, arrache le billet de la main de Jacques, et pousse le soldat hors de sa cabane. Celui-ci ayant rempli son message, et ne se pouvant expliquer les manières extraordinaires de Céluta, court à travers les bois afin de gagner le fort Rosalie, avant le lever du jour.

Que contenait le billet du capitaine ? On l'a toujours ignoré. A force de regarder la lettre, de se souvenir des paroles et des gestes du soldat qui n'avait pas l'air triste, Céluta laisse pénétrer dans son cœur un rayon d'espérance ; pâle crépuscule bientôt éteint dans cette sombre nuit.

Maintenant chaque minute aux Natchez appartenait à la mort : quelques heures de plus d'absence, et René était à l'abri de la catastrophe, déjà commencée peut-être pour ses compatriotes. Ah ! si Céluta, aux dépens de sa vie, eût pu précipiter la fuite du temps ! Un nouveau bruit se fait entendre : sont-ce les meurtriers qui viennent chercher René dans sa cabane ? ils ne l'y trouveront pas ! Serait-ce le frère d'Amélie lui-même ? Céluta s'élance à la porte : ô prodige ! Mila ! Mila échevelée, pâle, amaigrie, recouverte de lambeaux comme si elle sortait du sépulcre, et charmante encore ! Céluta recule au fond de la cabane ; elle s'écrie : « Ombre de ma sœur, me viens-tu chercher ? le moment fatal est-il arrivé ?

— Je ne suis point un fantôme, répondit Mila, déjà tombée dans le sein de son amie ; je suis ta petite Mila. »

Et les deux sœurs entrelaçaient leurs bras, mêlaient leurs pleurs, confondaient leurs âmes. Mila dit rapidement :

« Après la découverte du secret, Ondouré me fit enlever. Ils m'ont enfermée dans une caverne et m'ont fait souffrir toutes sortes de maux ; mais je me suis ri des Allouez : cette nuit, je ne sais pourquoi, mes geôliers se sont éloignés de moi un moment ; ils étaient armés et ils sont allés parler à d'autres guerriers sous des arbres. Moi, qui cherchais toujours les moyens de me sauver, j'ai suivi ces méchants. Je me suis glissée derrière eux : une fois échappée, ils auraient plus tôt attrapé l'oiseau dans la nue que Mila dans le bois. J'accours ; où est Outougamiz ? Le guerrier blanc est-il arrivé ? Lui as-tu dit le secret, comme je le lui vais dire ? Il y a encore huit nuits avant la catastrophe, si ce beau jongleur amoureux m'a dit vrai sur le nombre des roseaux.

— Oh, Mila ! s'écrie Céluta, je suis la plus coupable, la plus infortunée des créatures ! J'ai avancé la mort de

René ; j'ai dérobé huit roseaux ; c'est à l'heure même où je te parle que le coup est porté.

— Tu as fait cela ? dit Mila ; je ne t'aurais pas crue si courageuse ! René est-il arrivé ?

— Non, repartit Céluta. — Eh bien ! dit Mila, que te reproches-tu ? Tu as sauvé mon libérateur ; tu n'as plus que quelques heures à attendre. Mais que fais-tu ? que fait Outougamiz pendant ces heures ? Tu commences toujours bien, Céluta, et tu finis toujours mal. Crois-tu que tu sauveras René en te contentant de pleurer sur ta natte ? Je ne sais point demeurer ainsi tranquille ; je ne sais point sacrifier mes sentiments ; je ne sais point douter de la vertu de mes amis, les soupçonner, m'attendrir sur une patrie impitoyable et garder le secret des assassins. Méchants, vous m'avez laissée échapper de mon tombeau, je viens révéler vos iniquités ! je viens sauver mon libérateur s'il n'est point encore tombé entre vos mains ! » Mila échappée aux bras de sa sœur fuit en s'écriant : « Nous perdons des moments irréparables. »

Depuis le jour où René avait rencontré l'Indienne qui lui enseigna sa route, il s'était avancé paisiblement vers le pays des Natchez. A mesure qu'il marchait, il se trouvait moins triste ; ses noirs chagrins paraissaient se dissiper ; il touchait au moment de revoir sa femme et sa fille, objets charmants qui n'avaient contre eux que le malheur dont le frère d'Amélie avait été frappé. René se reprochait sa lettre ; il se reprochait cette sorte d'indifférence qu'un chagrin dévorant avait laissée au fond de son cœur : démentant son caractère, il se laissait aller peu à peu aux sentiments les plus tendres et les plus affectueux : retour au calme qui ressemblait à ce soulagement que le mourant éprouve avant d'expirer. Céluta était si belle ! Elle avait tant aimé René ! elle avait tant souffert pour lui ! Outougamiz, Chactas, d'Artaguette, Mila, attendaient René. Il allait retrouver cette petite société supérieure à tout ce qui existait sur la terre ; il allait élever sur ses genoux cette seconde Amélie qui aurait les charmes de la première, sans en avoir le malheur[441].

Ces idées, si différentes de celles qu'il nourrissait habituellement, amenèrent René jusqu'à la vue des bois des Natchez : il sentit quelque chose d'extraordinaire en découvrant ces bois. Il en vit sortir une fumée qu'il prit pour celle de ses foyers ; il était encore assez loin, et il précipita sa marche. Le soleil se coucha dans les nuages d'une tempête ; et la nuit la plus obscure (celle même du massacre) couvrit la terre.

René fit un long détour afin d'arriver chez lui par la vallée. La rivière qui coulait dans cette vallée ayant grossi, il eut quelque peine à la traverser ; deux heures furent ainsi perdues dans une nuit dont chaque minute était un siècle. Comme il commençait à gravir la colline sur le penchant de laquelle était bâtie sa cabane, un homme s'approcha de lui dans les ténèbres, pour le reconnaître, et disparut.

Le frère d'Amélie n'était plus qu'à la distance d'un trait d'arc de la demeure qu'il s'était bâtie : une faible clarté s'échappant par la porte ouverte en dessinait le cadre au-dehors sur l'obscurité du gazon. Aucun bruit ne sortait du toit solitaire. René hésitait maintenant à entrer ; il s'arrêtait à chaque demi-pas ; il ne savait pourquoi il était tenté de retourner en arrière, de s'enfoncer dans les bois et d'attendre le retour de l'aurore. René n'était plus le maître de ses actions ; une force irrésistible le soumettait aux décrets de la Providence : poussé presque malgré lui jusqu'au seuil qu'il redoutait de franchir, il jette un regard dans la cabane.

Céluta, la tête baissée dans son sein, les cheveux pendants et rabattus sur son front, était à genoux, les mains croisées, les bras levés dans le mouvement de la prière la plus humble et la plus passionnée. Un maigre flambeau, dont la mèche allongée par la durée de la veille obscurcissait la clarté, brûlait dans un coin du foyer. Le chien favori de René, étendu sur la pierre de ce foyer, aperçut son maître et donna un signe de joie, mais il ne se leva point, comme s'il eût craint de hâter un moment fatal. Suspendue, dans son berceau, à l'une des solives sculptées de la cabane, la fille de René poussait de temps en temps une petite plainte, que Céluta, absorbée dans sa douleur, n'entendait pas.

René, arrêté sur le seuil, contemple en silence ce triste et touchant spectacle ; il devine que ces vœux adressés au Ciel sont offerts pour lui : son cœur s'ouvre à la plus grande reconnaissance ; ses yeux, dans lesquels un brûlant chagrin avait depuis longtemps séché les larmes, laissent échapper un torrent de pleurs délicieux. Il s'écrie : « Céluta ! ma Céluta ! » Et il vole à l'infortunée qu'il relève, qu'il presse avec ardeur. Céluta veut parler, l'amour, la terreur, le désespoir, lui ferment la bouche ; elle fait de violents efforts pour trouver des accents ; ses bras s'agitent, ses lèvres tremblent ; enfin un cri aigu sort de sa poitrine, et lui rendant la voix : « Sauvez-le, sauvez-le ! Esprits secourables, emportez-le dans votre demeure ! »

Céluta jette ses bras autour de son époux, l'enveloppe, et semble vouloir le faire entrer dans son sein pour l'y cacher.

René prodigue à son épouse des caresses inaccoutumées. « Qu'as-tu, ma Céluta ? lui disait-il ; rassure-toi. Je viens te protéger et te défendre. »

Céluta regardant vers la porte s'écrie : « Les voilà, les voilà ! » Elle se place devant René pour le couvrir de son corps. « Barbares, vous n'arriverez à lui qu'à travers mon sein.

— Ma Céluta, dit René, il n'y a personne : qui te peut troubler ainsi ? »

Céluta frappant la terre de ses pieds : « Fuis, fuis ! tu es mort ! Non, viens ; cache-toi sous les peaux de ma couche ; prends des vêtements de femme. » L'épouse désolée, arrachant ses voiles, en veut couvrir son époux.

« Céluta, disait celui-ci, reprends ta raison ; aucun péril ne me menace.

— Aucun péril ! dit Céluta, l'interrompant. N'est-ce pas moi qui te tue ? n'est-ce pas moi qui hâte ta mort ? n'est-ce pas moi qui en ai fixé le jour en dérobant les roseaux ?... Un secret... Ô ma patrie !

— Un secret ? repartit René. — Je ne te l'ai pas dit ! s'écrie Céluta. Oh ! ne perds pas ce seul moment laissé à ton existence ! Fuyons tous deux ! viens te précipiter avec moi dans le fleuve ! »

Céluta est aux genoux de René ; elle baise la poussière de ses pieds, elle le conjure par sa fille de s'éloigner seulement pour quelques heures. « Au lever du soleil, dit-elle, tu seras sauvé ; Outougamiz viendra ; tu sauras tout ce que je ne puis te dire dans ce moment !

— Eh bien ! dit René, si cela peut guérir ton mal, je m'éloigne ; tu m'expliqueras plus tard ce mystère, qui n'est sans doute que celui de ta raison troublée par une fièvre ardente. »

Céluta ravie s'élance au berceau de sa fille, présente Amélie au baiser de son père, et avec ce même berceau pousse René vers la porte. René va sortir : un bruit d'armes retentit au dehors. René tourne la tête ; la hache lancée l'atteint et s'enfonce dans son front, comme la cognée dans la cime du chêne, comme le fer qui mutile une statue antique, image d'un Dieu et chef-d'œuvre de l'art. René tombe dans sa cabane : René n'est plus !

Ondouré a fait retirer ses complices : il est seul avec Céluta évanouie, étendue dans le sang et auprès du corps de René. Ondouré rit d'un rire sans nom. A la lueur du flambeau expirant, il promène ses regards de l'une à l'autre victime. De temps en temps il foule aux pieds le cadavre de son rival et le perce à coups de poignard. Il dépouille en partie Céluta et l'admire. Il fait plus... Éteignant ensuite le flambeau, il court présider à d'autres assassinats, après avoir fermé la porte du lieu témoin de son double crime.

Heureuse, mille fois heureuse, si Céluta n'avait jamais rouvert les yeux à la lumière ! Dieu ne le voulut pas.

L'épouse de René revint à la vie quelques instants après la retraite d'Ondouré. D'abord elle étend les bras, et trempe ses mains dans le sang répandu autour d'elle, sans savoir ce que c'était. Elle se met avec effort sur son séant, secoue la tête, cherche à rassembler ses souvenirs, à deviner où elle est, ce qu'elle est. Par un bienfait de la Providence l'Indienne n'avait pas sa raison : elle ne se formait qu'une idée confuse de quelque chose d'effroyable. Elle plia ses bras devant elle, promena ses regards dans la cabane où les ténèbres étaient profondes. Le silence de la mort n'était interrompu de temps en temps que par les hurlements du chien. Céluta voulut inutilement murmurer quelques mots.

Dans ce moment elle crut voir Tabamica sa mère. Les mamelles qui nourrirent Céluta avaient disparu ; les lèvres de la femme des morts s'étaient retirées et laissaient à découvert des dents nues ; elle était sans nez et sans yeux : d'une main décharnée Tabamica semblait presser des entrailles qu'elle n'avait pas. Céluta veut s'avancer vers sa mère ; elle se lève, retombe sur ses genoux et se traîne au hasard dans sa cabane : ses vêtements à demi détachés faisaient entendre le froissement d'une draperie pesante et mouillée. Elle rencontra le corps de René ; épuisée par ses efforts, elle s'assied, sans le reconnaître, sur ce siège : elle s'y trouva bien, et s'y reposa.

Au bout de quelque temps la porte de la cabane s'entrouvrit et une voix dit tout bas : « Es-tu là ? » Céluta, rappelée par cette voix à une demi-existence, répondit : « Oui, je suis là.

— Ah ! dit Mila, est-il venu ?

— Qui ? demanda Céluta.

— René ? repartit Mila.

— Je ne l'ai pas vu, dit Céluta.

— Et moi je ne l'ai pu trouver, dit Mila toujours à voix basse ; les assassins n'ont donc pas encore paru ? Ton mari n'est donc pas revenu ? Il est donc sauvé ? » Céluta ne répondit rien.

« Pourquoi, reprit Mila, es-tu sans lumière ? J'ai peur et je n'ose entrer. » Céluta répondit qu'elle ne savait pourquoi elle était sans lumière.

« Comme ta voix est extraordinaire, s'écria Mila, es-tu malade ? La cabane sent le carnage : attends ; je viens à toi. »

Mila franchit le seuil et laissa retomber la porte. « Qu'as-tu répandu sur les nattes ? dit-elle en marchant dans l'obscurité ; mes pieds s'attachent à la terre ; où es-tu ? Tends-moi la main.

— Ici, dit Céluta.

— Je ne puis aller plus loin, repartit Mila ; je me sens défaillir. »

La porte de la cabane s'entrouvrit de nouveau : la voix d'Outougamiz appelle Céluta. « C'est Outougamiz, s'écria Mila, Dieu soit loué ! nous sommes sauvés !

— Qui parle ? dit Outougamiz saisi de terreur, n'est-ce pas Mila ? Cher fantôme, es-tu venu sauver René ?

— Oui, repartit Mila ; mais entre vite, Céluta n'est pas bien. »

Outougamiz, croyant entendre le fantôme de Mila, entre en frissonnant dans la cabane. « Donne-moi la main, dit Mila ; appuie-la sur mon cœur ; tu verras que je ne suis pas un spectre : on m'avait enfermée dans une caverne, je me suis échappée. »

Mila avait saisi la main d'Outougamiz étendue dans les ténèbres, et avait posé cette main sur son cœur.

« C'est comme la vie, dit Outougamiz ; mais je sais bien que tu es morte ; je te sais toujours gré d'être revenue pour sauver René. Mais Céluta, parle donc ?

— M'appelle-t-on ? dit Céluta.

— Est-ce que tu réponds du fond d'une tombe, s'écria Outougamiz, frappé de la voix sépulcrale de sa sœur ; je respire un champ de bataille ; j'ai du sang sous mes pieds.

— Du sang ! s'écria Mila ; allume donc un flambeau.

— Fantôme, répond Outougamiz, donne-moi la lumière des morts. »

482

Outougamiz cherche en tâtonnant le foyer ; il y trouve de la mousse de chêne et deux pierres à feu ; il frappe ces deux pierres l'une contre l'autre : une étincelle tombe sur la mousse, et soudain une flamme s'élève au milieu du foyer. Trois cris horribles s'échappent à la fois du sein de Céluta, de Mila et d'Outougamiz.

La cabane inondée de sang, quelques meubles renversés par les dernières convulsions du cadavre, les animaux domestiques montés sur les sièges et sur les tables pour éviter la souillure de la terre, Céluta assise sur la poitrine de René, et portant les marques de deux crimes qui auraient fait rebrousser l'astre du jour ; Mila debout, les yeux à moitié sortis de leur orbite ; Outougamiz le front sillonné comme par la foudre, voilà ce qui se présentait aux regards !

Mila rompt la première le silence ; elle se précipite sur le cadavre de René, le serre dans ses bras, le presse de ses lèvres.

« C'en est donc fait ! s'écrie-t-elle. Ô mon libérateur, faut-il que je te revoie ainsi ! Lâches amis, cœurs pusillanimes, c'est vous qui l'avez assassiné par vos indignes soupçons, par vos irrésolutions éternelles ! Félicite-toi, Outougamiz, d'avoir bien gardé ton secret. Mais, à présent, ranime donc ce cœur qui palpitait pour toi d'une amitié si sainte ! Oh ! tu es un sublime guerrier ! Je reconnais ta vertu ; mais ne m'approche jamais ; je préférerais à tes embrassements ceux du monstre dont tu vois l'œuvre dans cette cabane. »

Le désespoir ôtait la raison à la jeune Indienne, d'abord amante et ensuite amie de René. Outougamiz l'écoutait, muet comme la pierre du sépulcre ; puis tout à coup : « Hors d'ici, fantôme exécrable, ombre sinistre, ombre affamée qui veux dévorer mon ami !

— Ton ami ! dit Mila en relevant la tête : tu oses te dire l'ami de René ! Ne devrais-tu pas plutôt, comme cette femme sans amour, évanouie maintenant sur cette dépouille sanglante, ne devrais-tu pas supplier la terre de t'engloutir ? Moi seule j'ai aimé René ! En vain tu feins de me croire un fantôme : j'existe, je sors de la caverne où m'avaient plongée les scélérats dont j'allais révéler les desseins. As-tu pu jamais croire que tu étais obligé au secret ? As-tu pu te figurer que la liberté serait le fruit du crime ? »

Ici Céluta parut revenir à la vie, elle ouvrit les yeux et se souleva ; ses idées se débrouillèrent : elle se ressouvient de ses malheurs ; elle reconnaît Mila et Outougamiz ; elle reconnaît la dépouille mortelle du plus infortuné des hommes. La douleur lui rend les forces ; elle se lève, elle s'écrie : « C'est moi qui l'ai assassiné !

— Oui, c'est toi ! s'écrie à son tour Mila devenue cruelle par le désespoir.

— René, dit Céluta du ton le plus passionné, parlant au cadavre de son époux, je te voulais dire, avant de mourir, que mon âme t'adorait comme elle adore le Grand Esprit ; que ta lettre n'avait rien changé au fond de mon cœur ; que je te révérais comme la lumière du matin ; que je te croyais aussi innocent que l'enfant qui n'a fait encore que sourire à sa mère.

— Pourquoi donc, dit Mila, as-tu gardé le secret ? Que n'en instruisais-tu les Français, puisque tu ne pouvais l'apprendre à ton mari absent ? »

Mila pousse des sanglots, et ses larmes descendent à flots pressés comme la pluie de l'orage.

Le frère de Céluta s'approchant alors avec respect du corps de son ami : « Mila dit que tu n'étais pas coupable : quel bonheur ! Tu as donc pu mourir. »

Malgré son désespoir, Mila comprit ce mot, et tendit une main désarmée au jeune Sauvage.

Outougamiz continuant : « Je leur avais bien dit que je n'aimais point, que j'étais un mauvais ami, que je te tuerais. Je suis pourtant sorti du lac souterrain pour te sauver ; j'ai couru de toutes parts ; des guerriers qui prétendaient t'avoir vu m'ont égaré : je suis simple, on me trompe toujours. Tu es mort seul, je mourrai aussi ;

mais il faut auparavant... J'attendrai pourtant que la patrie n'ait plus besoin de lui, car il faudra maintenant défendre la patrie. »

Dans ce moment Céluta fut saisie de convulsions. Un ruisseau de sueur glacée sillonne son front : elle cherche à s'étrangler, se roule d'un côté sur l'autre, pousse des espèces de mugissements. Outougamiz et Mila volent à son secours ; Céluta les regarde et leur dit en pressant ses flancs : « Le savez-vous ? La mort m'a-t-elle fait violence ? »

Mila jette un cri : elle a deviné ! Outougamiz qui n'a pas compris veut parler encore : « Tu ne sais rien, lui dit Mila en l'interrompant, le cadavre de ton ami est un spectacle délicieux auprès de ce que j'entrevois ! »

Le jour commençait à poindre ; le canon se fait entendre du côté du fort Rosalie ; les parentes de Chactas arrivent à la cabane de René ; elles venaient féliciter Céluta de l'absence de son mari : elles rencontrent cette scène épouvantable.

« Femmes, dit Outougamiz, on se bat : je dois mon sang à mon pays, quelque coupable qu'il puisse être. Je laisse entre vos mains ce que j'ai de plus cher au monde : ma femme qui n'est point morte comme on l'avait dit, ma sœur si misérable, et les restes de mon ami. Je reviendrai bientôt. » Il sort et marche vers le lieu où l'appelait le bruit des armes.

Les femmes enlevèrent Céluta et Mila qu'elles placèrent dans les bras l'une de l'autre sur un lit de feuillage. Elles laissèrent le corps de René dans la cabane qu'elles fermèrent. Elles portèrent les deux amies à l'ancienne demeure de Chactas et leur prodiguèrent les soins les plus tendres : il eût été plus humain de les laisser mourir.

Tous les colons périrent aux Natchez ; dix-sept personnes seulement échappèrent au massacre[442]. Parmi les soldats blessés qui se défendirent et se sauvèrent, se trouva le grenadier Jacques. Le fort avait été escaladé dans les ténèbres, et les sentinelles égorgées avant qu'on sût que les Indiens étaient en armes. Par l'imprudence du commandant, la garnison était à peine d'une centaine d'hommes, tout le reste ayant été dispersé dans différents postes le long du fleuve. Chépar, qui n'avait jamais voulu croire à la conjuration, accourut au bruit qui se faisait sur les remparts, et tomba sous la hache d'Adario. Fébriano, qui fut rencontré par Ondouré, reçut la mort de la main de ce Sauvage, son corrupteur et son complice. Il n'y eut de résistance chez les Français que dans une maison particulière. Adario, qui commandait l'attaque, y fut tué : il expira plein d'une grande joie ; il crut avoir délivré sa patrie et vengé ses enfants. Les coups de canon entendus d'Outougamiz avaient été tirés en signal de victoire par les Indiens eux-mêmes, après la conquête du fort.

Le frère de Céluta, trouvant que son bras était inutile, retourna à la cabane de René. Il s'assit auprès des restes inanimés du guerrier blanc. D'un air de mystère, il approcha l'œil d'une des blessures de son ami, comme pour voir dans le sein de René. Joignant les mains avec admiration, l'insensé dit quelques mots d'une tendresse passionnée. Il prit ensuite un petit vase de pierre sur une table, recueillit du sang de René qu'il réchauffa avec le sien, après s'être ouvert une veine. Il trempa le Manitou d'or dans le philtre de l'amitié, et il remit la chaîne à son cou.

La rage d'Ondouré était assouvie, mais non sa passion. Sortant d'une épouvantable orgie, enivré de vin, de succès, d'ambition et d'amour, il voulut revoir Céluta. Dans toute la pompe du meurtre et de la débauche, il s'avance au sanctuaire de la douleur ; ses crimes marchaient avec lui, comme les bourreaux accompagnent le condamné. Les bruyants éclats de rire du tuteur du Soleil et de ses satellites se faisaient entendre au loin.

Ondouré arrive à la cabane : il avait ordonné à ses amis de se tenir à quelque distance, car il avait ses desseins. Il recule quelques pas lorsqu'au lieu de Céluta, il n'aperçoit qu'Outougamiz. Reprenant bientôt son assurance : « Que fais-tu là ? dit-il à l'Indien...

— Je t'attendais, répondit celui-ci ; j'étais sûr que tu viendrais avec tes enfants célébrer le festin du prisonnier de guerre. Apportes-tu la chaudière du sang ? C'est un excellent mets qu'une chair blanche ! Ne dévore pas tout : je ne te demande que le cœur de mon ami.

— C'est juste, dit l'atroce Ondouré, nous te le réserverons. »

De nouveaux rires accompagnèrent ces paroles.

« Mais, dis-moi, continua le pervers, à qui la vapeur du vin ôtait la prévoyance, où est ta sœur ? Comme elle a été fidèle cette nuit à ce beau guerrier blanc ! Elle a perdu pour moi toute sa haine ; elle m'a pardonné mon amour pour Akansie. Viens, ma charmante colombe ; où es-tu donc ? m'accorderas-tu un second rendez-vous ? » et Ondouré entra dans la cabane.

Outougamiz se lève, s'appuyant sur un fusil de chasse que lui avait donné René : « Illustre chef, dit-il, changeant tout à coup de langage et de contenance, tous nos ennemis sont-ils morts ?

— En doutes-tu ? s'écria Ondouré.

— Ainsi, dit Outougamiz, la patrie est sauvée ; elle n'a plus besoin de défenseurs ? Tout est-il en sûreté pour l'avenir ? Peux-tu, fameux guerrier, te reposer en paix ?

— Oui, mon cher Outougamiz », répondit le tuteur du Soleil, qui n'avait pas ce qu'il fallait pour comprendre à la fois et le danger et la magnanimité de la question, « oui, je puis me reposer cent neiges avec ta sœur sur la natte du plaisir. »

Le corps de René séparait Ondouré d'Outougamiz. « La nuit, dit celui-ci, a été fatigante pour toi, Ondouré : va donc à ton repos, puisque ton bras n'est plus nécessaire à la patrie. Je te vais rendre ta hache. »

Outougamiz relève la hache avec laquelle le tuteur du Soleil avait frappé René ; elle était restée dans la cabane. Ondouré avance le bras pour la reprendre. « Non, pas comme cela », dit Outougamiz, et levant la hache avec les deux mains, il fend d'un seul coup la tête du monstre, qui tombe sur le corps de René, sans avoir le temps de proférer un blasphème. Outougamiz sort, couche en joue les satellites d'Ondouré, et leur crie de cette voix de l'homme de bien si foudroyante pour le méchant : « Disparaissez, race impure, ou je vous immole auprès de votre maître ! » Ces misérables, qui voyaient s'avancer une troupe de jeunes guerriers amis du frère de Céluta, prennent la fuite.

Les guerriers survenus déplorèrent de si grands malheurs. « Allons, leur dit Outougamiz, je reviendrai bientôt ici, mais il faut que j'aille dire à Mila et à ma sœur ce que le Manitou d'or a fait. »

Céluta ne put entendre le récit de son frère ; à chaque instant on craignait de la voir expirer. Mila apprit la mort d'Ondouré avec indifférence. « C'était plus tôt, dit-elle, que tu devais donner cette pâture aux chiens. »

Outougamiz revint la nuit suivante chercher les restes sacrés du frère d'Amélie ; il les porta sur ses épaules au bas de la colline, creusa dans un endroit écarté une fosse qu'il ne voulut montrer à personne : il y déposa le corps de celui qui, pendant sa vie, n'avait cherché que la solitude. « Je sais, dit-il en se retirant, que je suis un faux ami : je t'ai tué ; mais attends-moi : nous nous expliquerons dans le pays des âmes. »

Le frère de Céluta n'avait plus rien à faire de la vie, mais il se voulait assurer que sa sœur n'avait plus besoin de lui, et que Mila se pouvait passer d'un protecteur.

Déjà la lune avait parcouru trois fois sa carrière depuis la catastrophe tragique, et Céluta, toujours près de rendre le dernier soupir, semblait sans cesse revivre. La coupe de la colère céleste n'était point épuisée ; le Génie fatal de René poursuivait encore Céluta, comme ces fantômes nocturnes qui vivent du sang des mortels. Elle refusait pourtant toute nourriture : ses barbares amis étaient obligés de lui faire prendre de force quelques gouttes d'eau d'érable. Son corps, modèle de grâce et de beauté, n'était plus qu'un léger squelette, semblable à un jeune peuplier mort sur sa tige. Les longues paupières de Céluta n'avaient pas la force de se replier et de découvrir ses yeux éteints dans les larmes. Quand la veuve infortunée recouvrait la raison, elle était muette ; quand elle tombait dans la folie de la douleur, elle poussait des cris. Alors elle faisait des efforts pour écarter deux spectres qui voulaient la dévorer à la fois, Ondouré et le frère d'Amélie ; elle voyait aussi une femme qui lui était inconnue, et qui lui souriait d'un air de pitié du haut du ciel.

Témoin des maux de son amie, la courageuse Mila avait eu honte de ses propres chagrins : elle passait ses jours auprès de sa sœur, veillant à ses souffrances, la retournant sur sa couche, servant de mère à la fille de René. La tendre orpheline était déjà belle, mais sérieuse ; dans le sein de Mila, elle avait l'air d'une petite colombe blanche, sous l'aile du plus brillant oiseau des forêts américaines.

De temps en temps Outougamiz venait voir sa femme et sa sœur ; il s'asseyait au bord de la couche, prenait la main de Céluta, ou faisait danser Amélie sur ses genoux. Il se levait bientôt après, remettait l'enfant dans les bras de Mila et se retirait en silence. Le jeune homme dépérissait : chaque jour son front devenait plus pâle et son air plus languissant ; il ne parlait ni de René, ni de Céluta, ni de Mila. Tous les soirs il visitait la petite urne de pierre remplie du sang de René, et l'on remarquait avec surprise que ce sang ne se desséchait point. Outougamiz laissait suspendu autour de l'urne le Manitou d'or qu'il ne portait plus.

Un soir il était venu rendre sa visite accoutumée à sa sœur. Mila et plusieurs Indiennes étaient rangées autour du lit des tribulations : tout à coup, à leur profond étonnement, Céluta se soulève et s'assied d'elle-même sur sa couche. On ne lui avait point encore vu l'air qu'elle avait dans ce moment : c'était pour la douleur et la beauté quelque chose de surhumain. Elle baissa d'abord la tête dans son sein, mais relevant bientôt son front pâle où s'évanouissait une faible rougeur, elle dit d'une voix assurée : « Je voudrais manger. »

Ces mots surprirent Outougamiz : c'étaient les premiers que Céluta eût prononcés depuis la nuit de ses malheurs, et elle avait constamment repoussé toute nourriture. Pensant qu'elle revenait de son désespoir et qu'elle se déterminait à vivre, les matrones firent une exclamation de joie et s'empressèrent de lui porter du maïs nouveau. Mais Mila regardant Céluta lui dit : « Tu veux manger ?

— Oui, repartit Céluta la regardant à son tour ; il faut à présent que je vive. »

Mila lève les mains au ciel et s'écrie : « Ô vertu ! »

Outougamiz rompant lui-même son silence obstiné dit : « Qu'avez-vous ?

— Adore, reprit Mila : ce que tu vois ici n'est pas une femme ; c'est la compagne d'un Génie.

— Pourquoi le tromper ? dit Céluta. Mon ami, ajouta-t-elle en se tournant vers son frère, ma destinée s'accomplit au-delà de moi : je viens de découvrir dans mon sein un fantôme né de la mort[443]. » Outougamiz s'enfuit.

Céluta était mère : elle se résigna à la vie : dernier degré de vertu et de malheur où jamais fille d'Adam soit parvenue. Mais la nature ne s'élève pas ainsi au-dessus d'elle-même, sans souffrir jusque dans la source : le lendemain, aux rayons du jour, on s'aperçut que le visage de la veuve de René était devenu de la couleur de l'ébène, et ses cheveux de celle du cygne. Quelques soleils éclaircirent les ombres du front de Céluta, mais ne firent point disparaître de sa chevelure la vieillesse de l'adversité.

Lorsque le capitaine d'Artaguette apprit la catastrophe des Natchez, l'assassinat de René et les misères de Céluta, il se sentit frappé au cœur : il était attaché au frère d'Amélie par une noble amitié ; il avait nourri en secret une tendre passion pour la femme qui lui conserva la vie, en lui donnant le doux nom de frère. Rappelé à la Nouvelle-Orléans, il pleura avec Adélaïde, Harlay, le grenadier Jacques et sa vieille mère. Outougamiz avait caché la tombe de René ; d'Artaguette fit célébrer un service à la mémoire du frère d'Amélie : il pria Dieu de se souvenir de celui qui avait voulu être oublié.

Cependant des troupes se rassemblaient de toutes parts pour aller châtier les Indiens. Les huit roseaux retirés du temple avaient fait avorter le complot général chez les autres nations conjurées, excepté chez les Yazous, où le père Souël fut massacré. L'armée française arriva au fort Rosalie. Bien que divisés entre eux, les Natchez se défendirent avec courage, et Outougamiz, qui pouvait à peine porter le poids de ses armes, fit admirer de nouveau sa valeur. Mais enfin il fallut céder au torrent, et quitter à jamais la patrie.

Une nuit les Natchez déterrèrent les os de leurs pères, les chargèrent sur leurs épaules, et mettant au milieu des jeunes guerriers les femmes, les vieillards et les enfants, ils prirent la route du désert sans savoir où ils trouveraient un asile. Le capitaine d'Artaguette se trouvait dans la division des troupes chargées d'attaquer les Chicassaws ; il exécuta devant l'ennemi une retraite où il s'acquit la plus grande gloire ; mais où il perdit la vie avec son fidèle grenadier. Comme il ne périt qu'après avoir sauvé l'armée, on crut généralement qu'il avait cherché la mort. Adélaïde et Harlay avaient quitté l'Amérique ; la mère de Jacques s'était éteinte dans sa vieillesse.

Le faible reste des Natchez exilés était déjà loin dans la solitude. Outougamiz expira cinq lunes après avoir quitté la terre de la patrie. On sut alors qu'il avait continué à s'ouvrir les veines toutes les nuits pour rafraîchir l'urne du sang ; son sang s'épuisa avant son amitié. Il montra une joie excessive de mourir, et laissa en héritage (c'était tout son bien) l'urne du sang et le Manitou d'or à la fille de René. On l'enterra, comme il avait enseveli son ami, sous un arbre inconnu.

Quelques jours après sa mort, Céluta mit au monde une fille : elle ferma les yeux en la portant à son sein ; et quand elle l'eut allaitée, elle la suspendit à ses épaules.

Elle continua d'en agir ainsi dans la suite, de sorte qu'elle ne vit jamais l'enfant qu'elle n'appelait que le fantôme.

Mila, devenue veuve à son tour, portait toujours la fille de René, que Céluta ne voulut plus toucher de peur de la flétrir, après avoir enfanté une autre fille. Céluta ne pressait jamais sur son cœur cette autre fille sans éprouver des convulsions. L'amour maternel demandait des baisers que l'amour conjugal refusait : dans les plaintes de l'innocence, Céluta entendait la voix du crime. Quelquefois l'épouse de René était prête à déchirer l'enfant ; un sentiment plus fort, celui de la mère, rendait ses mains impuissantes. Qui pourrait peindre de pareils combats, de tels supplices ?

Mila faisait l'admiration des exilés. A peine ornée de dix-sept printemps, elle déployait un courage et une raison extraordinaires. Elle ne vivait que pour Céluta ; elle préparait sa couche, ses vêtements, sa nourriture ; elle était devenue la mère de la fille de René. Ses manières vives n'étaient point changées ; mais elle gardait le silence, et ne parlait plus que par signes et par sourires.

Les Natchez trouvèrent enfin l'hospitalité chez une nation autrefois alliée de la leur. Un exilé, commençant la danse du suppliant, présenta le calumet des bannis ; il fut accepté. Un enfant apporta en échange une calebasse pleine du jus de l'érable et couronnée de fleurs. Alors les tentes de la patrie furent plantées dans la terre étrangère, et les ossements des aïeux déposés à ces nouveaux foyers.

Pour premier bienfait du Ciel, la seconde fille de Céluta mourut. Le fantôme se replongea dans la nuit éternelle. Aucune mère n'alla répandre son lait sur le gazon funèbre : Céluta eût encore rempli ce pieux devoir, si elle n'avait craint que le fantôme ne rentrât dans son sein avec le parfum des fleurs. La fille de René avait trouvé une patrie ; la fille d'Ondouré était retournée à la terre : on s'aperçut que Céluta ne se croyait plus obligée de vivre, et l'on devina que Mila ne quitterait pas son amie.

Un soir, lorsque les bannis prenaient leur repas à la

porte de leurs tentes, Céluta sortit de la sienne. Elle était vêtue d'une robe de peaux d'oiseaux et de quadrupèdes cousues ensemble, ouvrage ingénieux de Mila : ses cheveux blancs flottaient en boucles sur sa jeune tête ornée d'une couronne de ronces à fleurs bleues ; elle portait dans ses bras la fille de René, et Mila, à moitié nue, suivait sa compagne. Les bannis, étonnés et charmés de les voir, se levèrent, les comblèrent de bénédictions et formèrent un cortège. Ils arrivèrent tous ainsi au bord d'une cataracte dont on entendait de loin les mugissements. Cette cataracte, qu'aucun voyageur n'avait visitée[444], tombait entre deux montagnes dans un abîme. Céluta donna un baiser à sa fille, la déposa sur le gazon, mit sur les genoux de l'enfant le Manitou d'or et l'urne où le sang s'était desséché. Mila et Céluta, se tenant par la main, s'approchèrent du bord de la cataracte comme pour regarder au fond, et, plus rapides que la chute du fleuve, elles accomplirent leur destinée[445]. Céluta s'était souvenue que René, dans sa lettre, avait regretté de ne s'être pas précipité dans les ondes écumantes.

Les femmes prirent dans leurs bras la fille de René laissée sur la rive ; elles la portèrent au plus vieux Sachem qui en confia le soin à une matrone renommée. Cette matrone suspendit au cou de l'enfant le Manitou d'or, comme une parure. Le nom français d'Amélie étant ignoré des Sauvages, les Sachems en imposèrent un autre à l'orpheline, qui vit ainsi périr jusqu'à son nom.

Lorsque la fille de Céluta eut atteint sa seizième année, on lui raconta l'histoire de sa famille. Elle parut triste le reste de sa vie qui fut courte. Elle eut elle-même, d'un mariage sans amour, une fille plus malheureuse encore que sa mère. Les Indiens chez lesquels les Natchez s'étaient retirés périrent presque tous dans une guerre contre les Iroquois, et les derniers enfants de la nation du Soleil se vinrent perdre dans un second exil au milieu des forêts de Niagara[446].

Il y a des familles que la destinée semble persécuter :

n'accusons pas la Providence. La vie et la mort de René furent poursuivies par des feux illégitimes qui donnèrent le ciel à Amélie et l'enfer à Ondouré : René porta le double châtiment de ses passions coupables. On ne fait point sortir les autres de l'ordre, sans avoir en soi quelque principe de désordre ; et celui qui, même involontairement, est la cause de quelque malheur ou de quelque crime, n'est jamais innocent aux yeux de Dieu[447].

Puisse mon récit avoir coulé comme tes flots, ô Meschacebé[448] !

NOTE

J'avais renvoyé, dans la Préface des *Natchez*, les lecteurs
à l'Histoire de la Nouvelle-France, par le père Charlevoix,
mais en y réfléchissant, j'ai pensé qu'il était plus simple
de leur éviter cette recherche, s'ils avaient envie de la
faire, en insérant ici quelques pages de Charlevoix.

Le premier extrait de cet auteur renferme la description
du pays et des mœurs des Natchez. On verra que je n'ai
été, sous ce rapport, qu'*historien* fidèle ; Charlevoix n'a
pas été d'ailleurs le seul historien et le seul voyageur que
j'aie consulté.

Le second extrait contient la relation de la conspiration
des Natchez et de leurs alliés. On reconnaîtra ce que le
poète a ajouté à la vérité.

Le père Charlevoix ne parle point des *roseaux* ou
bûchettes déposées dans le Temple pour fixer le jour du
massacre, mais j'ai lu cette circonstance dans un voyageur
dont je ne puis plus me rappeler le nom, si ce n'est
Carter. Ce voyageur disait qu'une partie des *bûchettes*
avait été dérobée par une jeune Sauvage, amoureuse d'un
Français.

Le chevalier d'Artaguette, frère du général Diron d'Artaguette, est, comme le commandant du fort Rosalie,
M. de Chépar, un personnage historique. Le chevalier

d'Artaguette fut réellement tué dans une retraite devant les Sauvages.

Je n'ai point, au reste, exagéré l'état de civilisation des Natchez ; cette civilisation était très avancée chez ce peuple. J'ai seulement donné le nom d'*édile* à un Natchez qui remplissait les fonctions attribuées à l'édile chez les Romains. Il m'eût été difficile de conserver dans un *poème* le titre de *Chef de la farine*, que l'édile portait chez la nation du Soleil.

Ce *Chef de la farine*, au moment de la conspiration contre les Français, était un homme qui avait une partie des vices, de la capacité et du caractère que j'ai attribués à Ondouré.

On trouvera dans mon *Voyage en Amérique* la description générale des mœurs des Sauvages de l'Amérique septentrionale. Elle servira de commentaire aux *Natchez* : je dois dire seulement ici que quelques-uns des traits que j'ai ajoutés à la peinture des usages des Esquimaux sont empruntés aux derniers voyages du capitaine Parry et du capitaine Lyon.

PREMIER EXTRAIT DE CHARLEVOIX

Description du pays des Natchez

Ce canton, le plus beau, le plus fertile et le plus peuplé de toute la Louisiane, est éloigné de quarante lieues des Yazous, et sur la même main. Le débarquement est vis-à-vis une butte assez haute et fort escarpée, au pied de laquelle coule un petit ruisseau qui ne peut recevoir que des chaloupes et des pirogues. De cette première butte on monte à une seconde, ou plutôt sur une colline dont la pente est assez douce, et au sommet de laquelle on a bâti une espèce de redoute fermée par une simple palissade. On a donné à ce retranchement le nom de *fort*.

Plusieurs monticules s'élèvent au-dessus de cette colline, et quand on les a passés, on aperçoit de toutes parts de grandes prairies séparées par de petits bouquets de bois qui font un très bel effet. Les arbres les plus communs dans ces bois sont le noyer et le chêne, et partout les terres sont excellentes. Feu M. d'Iberville, qui le premier entra dans le Mississipi par son embouchure, étant monté jusqu'aux Natchez, trouva ce pays si charmant et si avantageusement situé, qu'il crut ne pouvoir mieux placer la métropole de la nouvelle colonie. Il en traça le plan et lui destina le nom de *Rosalie*, qui était celui de Mme la chancelière de Pont-Chartrain. Mais ce projet ne paraît pas devoir s'exécuter sitôt, quoique nos géographes aient toujours à bon compte marqué sur leurs cartes la ville de Rosalie aux Natchez.

Il est certain qu'il faut commencer par un établissement plus près de la mer ; mais si la Louisiane devient jamais une colonie florissante, comme il peut fort bien arriver, il me semble qu'on ne peut mieux placer sa capitale qu'en cet endroit. Il n'est point sujet au débordement du fleuve, l'air y est pur, le pays fort étendu, le terrain propre à tout et bien arrosé ; il n'est pas trop loin de la mer, et rien n'empêche les vaisseaux d'y monter ; enfin, il est à portée de tous les lieux où l'on paraît avoir dessein de s'établir. La compagnie y a un magasin, et y entretient un commis principal qui n'a pas encore beaucoup d'occupation.

Parmi un grand nombre de concessions particulières, qui sont déjà ici en état de rapporter, il y en a deux de la première grandeur, je veux dire de quatre lieues en carré ; l'une appartient à une société de Malouins, qui l'ont achetée de M. Hubert, commissaire ordonnateur et président du conseil de la Louisiane ; l'autre est à la compagnie, qui y a envoyé des ouvriers de Clairac pour y faire du tabac. Ces deux concessions sont situées de manière qu'elles forment un triangle parfait avec le fort, et la distance d'un angle à l'autre est d'une lieue. A moitié chemin des deux concessions est le grand village des Natchez. J'ai visité avec soin tous ces lieux, et voici ce que j'y ai remarqué de plus considérable.

La concession des Malouins est bien placée ; il ne lui manque, pour tirer parti de tout son terrain, que des nègres ou des *engagés*. J'aimerais encore mieux les seconds que les premiers ; le temps de leur service expiré, ils deviennent des habitants, et augmentent le nombre des sujets naturels du roi, au lieu que ceux-là sont toujours des étrangers : et qui peut s'assurer qu'à force de se multiplier dans nos colonies, ils ne deviendront pas un jour des ennemis redoutables ? Peut-on compter sur des esclaves qui ne nous sont attachés que par la crainte, et pour qui la terre même où ils naissent n'a jamais le doux nom de patrie ?

La première nuit que je passai dans cette habitation, il y eut, vers les neuf heures du soir, une grande alarme ; j'en demandai le sujet, et on me répondit qu'il y avait dans le voisinage une bête d'une espèce inconnue, d'une grandeur extraordinaire et dont le cri ne ressemblait à celui d'aucun animal que nous connaissions. Personne n'assurait pourtant l'avoir vue, et on ne jugeait de sa taille que par sa force : elle avait déjà enlevé des moutons et des veaux et étranglé quelques vaches. Je dis à ceux qui me faisaient ce récit qu'un loup enragé pouvait faire tout cela, et quant au cri, qu'on s'y trompait tous les jours. Je ne persuadai personne : on voulait que ce fût une bête monstrueuse ; on venait de l'entendre, on y courut armé de tout ce qu'on trouva sous sa main, mais ce fut inutilement.

La concession de la compagnie est encore plus avantageusement située que celle des Malouins. Une même rivière arrose l'une et l'autre, et va se décharger dans le fleuve, à deux lieues de celle-là, à laquelle une magnifique cyprière de six lieues d'étendue fait un rideau qui en couvre tous les derrières. Le tabac y a très bien réussi, mais les ouvriers de Clairac s'en sont presque tous retournés en France.

J'ai vu, dans le jardin du sieur Le Noir, commis principal, de fort beau coton sur l'arbre, et un peu plus bas on commence à voir de l'indigo sauvage. On n'en a pas encore fait l'épreuve, mais il y a beaucoup d'apparence qu'il ne réussira pas moins que celui qu'on a trouvé dans l'île de Saint-Domingue, où il est aussi estimé que celui qu'on y a transplanté d'ailleurs ; et puis l'expérience nous apprend qu'une terre qui produit naturellement cette plante est fort propre à porter l'étrangère qu'on y veut semer.

Le grand village des Natchez est aujourd'hui réduit à

499

fort peu de cabanes : la raison qu'on m'en a apportée est que les Sauvages, à qui leur Grand Chef a droit d'enlever tout ce qu'ils ont, s'éloignent de lui le plus qu'ils peuvent, et par là plusieurs bourgades de cette nation se sont formées à quelque distance de celle-ci. Les Tioux, leurs alliés et les nôtres, en ont aussi établi une dans leur voisinage.

Les cabanes du grand village des Natchez, le seul que j'aie vu, sont en forme de pavillon carré, fort basses et sans fenêtres ; le faîte est arrondi à peu près comme un four. La plupart sont couvertes de feuilles et de paille de maïs ; quelques-unes sont construites d'une espèce de torchis qui me parut assez bon, et qui est revêtu en dehors et en dedans de nattes fort minces. Celle du Grand Chef est fort proprement crépie en dedans ; elle est aussi plus grande et plus haute que les autres, placée sur un terrain un peu élevé, et isolée de toutes parts. Elle donne sur une grande place qui n'est pas des plus régulières, et a son aspect au nord. J'y trouvai pour tout meuble une couche de planches fort étroite, élevée de terre de deux ou trois pieds ; apparemment que quand le Chef veut se coucher, il y étend une natte ou quelque peau.

Il n'y avait pas une âme dans le village : tout le monde était allé dans une bourgade voisine, où il y avait une fête, et toutes les portes étaient ouvertes ; mais il n'y avait rien à craindre des voleurs, car il ne restait partout que les quatre murailles. Ces cabanes n'ont aucune issue pour la fumée ; néanmoins toutes celles où j'entrai étaient assez blanches. Le temple est à côté de celle du Grand Chef, tourné vers l'orient, et à l'extrémité de la place. Il est composé des mêmes matériaux que les cabanes, mais sa figure est différente : c'est un carré, long d'environ quarante pieds sur vingt de large, avec un toit tout simple, de la figure des nôtres. Il y a aux deux extrémités comme deux girouettes de bois, qui représentent fort grossièrement deux aigles.

La porte est au milieu de la longueur du bâtiment qui

n'a point d'autres ouvertures ; des deux côtés il y a des bancs de pierre. Les dedans répondent parfaitement à ces dehors rustiques. Trois pièces de bois, qui se joignent par les bouts, et qui sont placées en triangle, ou plutôt également écartées les unes des autres, occupent presque tout le milieu du temple, et brûlent lentement. Un Sauvage, que l'on appelle le gardien du temple, est obligé de les attiser et d'empêcher qu'elles ne s'éteignent. S'il fait froid, il peut avoir son feu à part, mais il ne lui est pas permis de se chauffer à celui qui brûle en l'honneur du Soleil. Ce gardien était aussi à la fête, du moins je ne le vis point, et ses tisons jetaient une fumée qui nous aveuglait.

D'ornements, je n'en vis aucuns, ni rien absolument qui dût me faire connaître que j'étais dans un temple. J'y aperçus seulement trois ou quatre caisses rangées sans ordre, où il y avait quelques ossements secs, et par terre quelques têtes de bois un peu moins mal travaillées que les deux aigles du toit. Enfin, si je n'y eusse pas trouvé du feu, j'eusse cru que ce temple était abandonné depuis longtemps, ou qu'il avait été pillé. Ces cônes enveloppés de peaux, dont parlent quelques relations ; ces cadavres des Chefs, rangés en cercle dans un temple tout rond, et terminé en manière de dôme, cet autel, etc., je n'ai rien vu de tout cela : si les choses étaient ainsi du temps passé, elles ont bien changé depuis.

Peut-être aussi, car il ne faut condamner personne que quand il n'y a aucun moyen de l'excuser, peut-être, dis-je, que le voisinage des Français a fait craindre aux Natchez que les corps de leurs Chefs et tout ce que leur temple avait de plus précieux, ne courussent quelque risque, s'ils ne les transportaient pas ailleurs, et que le peu d'attention qu'on apporte présentement à bien garder ce temple vient de ce qu'on l'a dépouillé de ce qu'il avait de plus sacré pour ces peuples. Il est pourtant vrai que contre la muraille, vis-à-vis de la porte, il y avait une table dont je ne pris pas la peine de mesurer les dimensions, parce que je ne soupçonnai point que ce fût un autel : on m'a assuré depuis qu'elle a trois pieds de haut, cinq de long et quatre de large.

On m'a ajouté qu'on y fait un petit feu avec des écorces de chêne, et qu'il ne s'éteint jamais, ce qui est faux, car il n'y avait alors ni feu, ni rien qui fît connaître qu'on y en eût jamais fait. On dit encore que quatre vieillards couchent tour à tour dans le temple pour y entretenir ce feu, que celui qui est de garde ne doit point sortir pendant les huit jours qu'il doit être en faction ; qu'on a soin de prendre de la braise allumée des bûches qui brûlent au milieu du temple, pour mettre sur l'autel ; qu'il y a douze hommes entretenus pour fournir des écorces de chêne ; qu'il y a des marmousets de bois et une figure de serpent à sonnettes, aussi de bois, qu'on met sur l'autel, et auxquels on rend de grands honneurs ; que quand le Chef meurt, on l'enterre d'abord, et que quand on juge que les chairs sont consumées, le gardien du temple les exhume, lave les ossements, les enveloppe de ce qu'il peut avoir de plus précieux, et les met dans de grands paniers faits de cannes, qu'il ferme bien ; qu'il enveloppe ces paniers de peaux de chevreuil très propres et les place devant l'autel, où ils restent jusqu'à la mort du Chef régnant ; qu'alors il renferme ces ossements dans l'autel.

Je ne puis rien dire sur ce dernier article, sinon que je vis quelques ossements dans une ou deux caisses, mais qu'ils ne faisaient pas la moitié d'un corps humain, qu'ils me paraissaient bien vieux, et qu'ils n'étaient point sur la table qu'on dit être l'autel. Quant aux autres articles, 1° comme je n'ai été que de jour dans le temple, j'ignore ce qui s'y passe la nuit ; 2° il n'y avait aucun garde dans le temple quand je l'ai visité. J'y aperçus bien, comme je l'ai déjà dit, quelques marmousets, mais je n'y remarquai point de figure de serpent.

Quant à ce que j'ai vu dans des relations, que ce temple est tapissé et son pavé couvert de nattes de cannes ; qu'on y met ce qu'on a de plus propre, et qu'on y apporte tous les ans les prémices de toutes les récoltes, il en faut assurément rabattre beaucoup : je n'ai jamais rien vu de plus maussade, de plus malpropre, qui fût plus en désordre : les bûches brûlaient sur la terre nue, et je n'y aperçus point de nattes, non plus qu'aux murailles. M. Le Noir, avec qui j'étais, me dit seulement que tous les jours on mettait au feu une nouvelle bûche, et qu'au commencement de chaque lune on en faisait la provision pour tout le mois. Il ne le savait pourtant que par ouïdire, car c'était la première fois qu'il voyait ce temple aussi bien que moi.

Pour ce qui regarde la nation des Natchez en général, voici ce que j'en pus apprendre. On ne voit rien dans leur extérieur qui les distingue des autres Sauvages du Canada et de la Louisiane. Ils font rarement la guerre, et ne mettent point leur gloire à détruire des hommes. Ce qui les distingue plus particulièrement, c'est la forme de leur gouvernement, tout à fait despotique ; une grande dépendance, qui va même jusqu'à une espèce d'esclavage dans les sujets ; plus de fierté et de grandeur dans les Chefs, et leur esprit pacifique, qui cependant s'est un peu démenti depuis plusieurs années.

Les Hurons croient aussi bien qu'eux leurs Chefs héréditaires issus du Soleil ; mais il n'y en a pas un qui voulût être son valet, ni le suivre dans l'autre monde pour y avoir l'honneur de le servir, comme il arrive souvent parmi les Natchez. Garcilaso de la Vega parle de cette nation comme d'un peuple puissant, et il n'y a pas six ans qu'on y comptait quatre mille guerriers. Il paraît qu'elle était encore plus nombreuse du temps de M. de La Salle, et même lorsque M. d'Iberville découvrit l'embouchure du Mississipi. Aujourd'hui les Natchez ne pourraient pas mettre sur pied deux mille combattants. On attribue cette diminution à des maladies contagieuses, qui, ces dernières années ont fait parmi eux de grands ravages.

Le Grand Chef des Natchez porte le nom de *Soleil*, et c'est toujours, comme parmi les Hurons, le fils de sa plus proche parente qui lui succède. On donne à cette femme la qualité de Femme-Chef, et quoique pour l'ordinaire elle ne se mêle pas du gouvernement, on lui rend de grands honneurs. Elle a même, aussi bien que le Soleil, droit de vie et de mort ; dès que quelqu'un a eu le malheur de déplaire à l'un ou à l'autre, ils ordonnent à leurs gardes, qu'on nomme *Allouez*, de le tuer. *Va me défaire de ce chien*, disent-ils, et ils sont obéis sur-le-champ. Leurs sujets et les Chefs mêmes des villages ne les abordent jamais qu'ils ne les saluent trois fois, en jetant un cri qui est une espèce de hurlement ; ils font la même chose en se retirant, et se retirent en marchant à reculons. Lorsqu'on les rencontre, il faut s'arrêter, se ranger du chemin, et jeter les mêmes cris dont j'ai parlé, jusqu'à ce qu'ils soient passés. On est aussi obligé de leur porter ce qu'il y a de meilleur dans les récoltes, dans le produit de la chasse, et dans celui de la pêche. Enfin personne, non pas même leurs plus proches parents et ceux qui composent les familles nobles, lorsqu'ils ont l'honneur de manger avec eux, n'a droit de boire dans le même vase, ni de mettre la main au plat.

Tous les matins, dès que le soleil paraît, le Grand Chef se met à la porte de sa cabane, se tourne vers l'orient, et hurle trois fois en se prosternant jusqu'à terre. On lui apporte ensuite un calumet, qui ne sert qu'en cette occasion : il fume et pousse la fumée de son tabac vers l'astre du jour, puis il fait la même chose vers les trois autres parties du monde. Il ne reconnaît sur la terre de maître que le Soleil, dont il prétend tirer son origine, exerce un pouvoir sans bornes sur ses sujets, peut disposer de leurs biens et de leur vie, et, quelques travaux qu'il leur commande, ils n'en peuvent exiger aucun salaire.

Lorsque le Chef ou la Femme-Chef meurent, tous leurs Allouez sont obligés de les suivre dans l'autre monde ; mais ils ne sont pas les seuls qui ont cet honneur, car c'en est un, et qui est fort recherché. Il y a tel Chef dont la mort coûte la vie à plus de cent personnes, et on m'a assuré qu'il meurt peu de Natchez considérables, à qui quelques-uns de leurs parents, de leurs amis ou de leurs serviteurs ne fassent pas cortège dans le pays des âmes. Il paraît, par les diverses relations que j'ai vues de ces horribles cérémonies, qu'elles varient beaucoup. En voici une des obsèques d'une Femme-Chef, que je tiens d'un voyageur qui en fut témoin, et sur la sincérité duquel j'ai tout lieu de compter.

Le mari de cette femme n'étant pas noble, c'est-à-dire de la famille du Soleil, son fils aîné l'étrangla selon la coutume ; on vida ensuite la cabane de tout ce qui y était, et on y construisit une espèce de char de triomphe, où le corps de la défunte et celui de son époux furent placés. Un moment après, on rangea autour de ces cadavres douze petits enfants que leurs parents avaient étranglés par ordre de l'aînée des filles de la Femme-Chef, et qui succédait à la dignité de sa mère. Cela fait, on dressa dans la place publique quatorze échafauds ornés de branches d'arbre et de toiles, sur lesquelles on avait peint différentes figures. Ces échafauds étaient destinés pour autant de personnes qui devaient accompagner la Femme-Chef dans l'autre monde. Leurs parents étaient tous autour d'elles, et regardaient comme un grand honneur pour leurs familles, la permission qu'elles avaient eue de se sacrifier ainsi. On s'y prend quelquefois dix ans auparavant pour obtenir cette grâce, et il faut que ceux ou celles qui l'ont obtenue, filent eux-mêmes la corde avec laquelle ils doivent être étranglés.

Ils paraissent sur leurs échafauds revêtus de leurs plus riches habits, portant à la main droite une grande coquille. Leur plus proche parent est à leur droite, ayant sous son bras gauche la corde qui doit servir à l'exécution et à la main droite un casse-tête. De temps en temps il fait le cri de mort, et à ce cri, les quatorze victimes descendent de leurs échafauds, et vont danser toutes ensemble au milieu de la place, devant le temple et devant la cabane de la Femme-Chef. On leur rend ce jour-là et les suivants de grands respects : ils ont chacun cinq domestiques, et leur visage est peint en rouge. Quelques-unes ajoutent que pendant les huit jours qui précèdent leur mort, ils portent à la jambe un ruban rouge, et que pendant tout ce temps-là c'est à qui les régalera. Quoi qu'il en soit, dans l'occasion dont je parle, les pères et les mères qui avaient étranglé leurs enfants, les prirent entre leurs mains, et se rangèrent des deux côtés de la cabane ; les quatorze personnes qui étaient aussi destinées à mourir s'y placèrent de la même manière, et ils étaient suivis des parents et des amis de la défunte, tous en deuil, c'est-à-dire, les cheveux coupés. Tous faisaient retentir les airs de cris si affreux, qu'on eût dit que tous les diables étaient sortis des enfers pour venir hurler en cet endroit. Cela fut suivi de danses de la part de ceux qui devaient mourir, et de chants de la part des parents et de la Femme-Chef.

Enfin, on se mit en marche : les pères et mères, qui portaient leurs enfants morts, paraissaient les premiers, marchant deux à deux : ils précédaient immédiatement le brancard où était le corps de la Femme-Chef, que quatre hommes portaient sur leurs épaules. Tous les autres venaient après dans le même ordre que les premiers. De dix pas en dix pas ceux-ci laissaient tomber leurs enfants par terre ; ceux qui portaient le brancard marchaient dessus, puis tournaient tout autour d'eux, en sorte que quand le convoi arriva au temple ces petits corps étaient en pièces.

Tandis qu'on enterrait dans le temple le corps de la Femme-Chef, on déshabilla les quatorze personnes qui devaient mourir, on les fit asseoir par terre devant la porte, chacune ayant deux Sauvages, dont l'un était assis sur ses genoux et l'autre lui tenait les bras par derrière. On leur passa une corde au cou, on leur couvrit la tête d'une peau de chevreuil, on leur fit avaler trois pilules de tabac et boire un verre d'eau, et les parents de la Femme-Chef tirèrent des deux côtés les cordes en chantant, jusqu'à ce qu'elles fussent étranglées. Après quoi on jeta

506

tous ces cadavres dans une même fosse qu'on couvrit de terre.

Quand le Grand Chef meurt, s'il a encore sa nourrice, il faut qu'elle meure aussi. Mais il est arrivé plusieurs fois que les Français ne pouvant empêcher cette barbarie, ont obtenu la permission de baptiser les petits enfants qui devaient être étranglés, et qui, par conséquent, n'accompagnaient pas ceux en l'honneur desquels on les immolait dans leur prétendu paradis.

Nous ne connaissons point de nation, dans ce continent, où le sexe soit plus débordé que dans celle-ci. Il est même forcé par le Soleil et les chefs subalternes à se prostituer à tout venant ; et une femme, pour être publique, n'en est pas moins estimée. Quoique la polygamie soit permise, et que le nombre des femmes qu'on peut avoir ne soit pas limité, ordinairement chacun n'a que la sienne ; mais il peut la répudier quand il veut, liberté dont il n'y a pourtant guère que les Chefs qui fassent usage. Les femmes sont assez bien faites pour des Sauvages et assez propres dans leur ajustement et dans tout ce qu'elles font. Les filles de la famille noble ne peuvent épouser que des hommes obscurs, mais elles ont le droit de congédier leur mari quand bon leur semble, et d'en prendre un autre, pourvu qu'il n'y ait point d'alliance entre eux.

Si leurs maris leur font une infidélité, elles peuvent leur faire casser la tête, et elles ne sont point sujettes à la même loi. Elles peuvent même avoir autant de galants qu'elles le jugent à propos, sans que le mari puisse le trouver mauvais : c'est un privilège attaché au sang du Soleil. Il se tient debout, en présence de sa femme, dans une posture respectueuse ; il ne mange point avec elle ; il la salue du même ton que ses domestiques : le seul privilège que lui procure une alliance si onéreuse, c'est d'être exempt de travail et d'avoir autorité sur ceux qui servent son épouse.

Les Natchez ont deux Chefs de guerre, deux maîtres des cérémonies pour le temple, deux officiers pour régler ce qui se doit pratiquer dans les traités de paix ou de guerre ; un qui a l'inspection sur les ouvrages, et quatre autres qui sont chargés d'ordonner tout dans les festins publics. C'est le Grand Chef qui donne ces emplois, et ceux qui en sont revêtus sont respectés et obéis comme il le serait lui-même. Les récoltes se font en commun : le Soleil en marque le jour et convoque le village. Vers la fin de juillet il indique un autre jour pour le commencement d'une fête qui en dure trois, et qui se passe en jeux et en festins.

Chaque particulier y contribue de sa chasse, de sa pêche et de ses autres provisions, qui consistent en maïs, fèves et melons. Le Soleil et la Femme-Chef y président, dans une loge élevée et couverte de feuillages : on les y porte dans un brancard, et le premier tient en sa main une manière de sceptre orné de plumages de diverses couleurs. Tous les nobles sont autour d'eux dans une posture respectueuse. Le dernier jour le Soleil harangue l'assemblée : il exhorte tout le monde à remplir exactement ses devoirs, surtout à avoir une grande vénération pour les Esprits qui résident dans le temple, et à bien instruire les enfants. Si quelqu'un s'est signalé par quelque action de zèle, il fait son éloge. Il y a vingt ans que le feu du ciel ayant réduit le temple en cendres, sept ou huit femmes jetèrent leurs enfants au milieu des flammes, pour apaiser les Génies ; le Soleil fit aussitôt venir ces héroïnes, leur donna publiquement de grandes louanges, et finit son discours en exhortant les autres femmes à imiter dans l'occasion un si bel exemple.

Les pères de famille ne manquent jamais d'apporter au temple les prémices de tout ce qu'ils recueillent, et on fait de même de tous les présents qui sont offerts à la nation. On les expose à la porte du temple, dont le gardien, après les avoir présentés aux Esprits, les porte chez le Soleil, qui les distribue à qui bon lui semble. Les semences sont pareillement offertes devant le temple avec de grandes cérémonies, mais les offrandes qui s'y font, de pains et de farine, à chaque nouvelle lune, sont pour le profit des gardiens du temple.

Les mariages des Natchez ne diffèrent presque pas de ceux des Sauvages du Canada : la principale différence qui s'y trouve consiste en ce qu'ici le futur époux commence par faire aux parents de la fille les présents dont on est convenu, et que les noces sont suivies d'une grand festin. La raison pour laquelle il n'y a guère que les Chefs qui aient plusieurs femmes, c'est que, pouvant faire cultiver leurs champs par le peuple, sans qu'il leur en coûte rien, le nombre de leurs épouses ne leur est point à charge. Les Chefs se marient avec encore moins de cérémonie que les autres. Ils se contentent de faire avertir les parents de la fille sur laquelle ils ont jeté les yeux qu'ils la mettent au nombre de leurs femmes ; mais ils n'en gardent qu'une ou deux dans leurs cabanes ; les autres restent chez leurs parents, où leurs maris les visitent quand il leur plaît. La jalousie ne règne point dans ces mariages ; les Natchez se prêtent même sans façon leurs femmes, et c'est apparemment de là que vient la facilité avec laquelle ils les congédient pour en prendre d'autres.

Lorsqu'un Chef de guerre veut lever un parti, il plante, dans un endroit marqué pour cela, deux arbres ornés de plumes, de flèches et de casse-tête, le tout peint en rouge, aussi bien que les arbres qui sont encore piqués du côté où l'on veut porter la guerre. Ceux qui veulent s'enrôler se présentent au Chef, bien parés, le visage barbouillé de différentes couleurs, et lui déclarent le désir qu'ils ont de pouvoir apprendre sous ses ordres le métier des armes ; qu'ils sont disposés à endurer toutes les fatigues de la guerre, et prêts à mourir, s'il le faut pour la patrie.

Quand le Chef a le nombre de soldats que demande l'expédition qu'il médite, il fait préparer chez lui un breuvage qui se nomme la *médecine de la guerre*. C'est un vomitif fait avec une racine bouillie dans l'eau : on en donne à chacun deux pots, qu'il faut avaler tout de suite, et que l'on rend presque aussitôt avec les plus violents efforts. On travaille ensuite aux préparatifs, et, jusqu'au jour fixé pour le départ, les guerriers se rendent soir et matin dans une place, où, après avoir dansé et raconté leurs beaux faits d'armes, chacun chante sa chanson de mort. Ce peuple n'est pas moins superstitieux sur les songes que les Sauvages du Canada : il n'en faut qu'un de mauvais augure pour rebrousser chemin quand on est en marche.

Les guerriers marchent avec beaucoup d'ordre et prennent de grandes précautions pour camper et pour se rallier. On envoie souvent à la découverte, mais on ne pose point de sentinelles pendant la nuit : on éteint tous les feux, on se recommande aux Esprits, et on s'endort avec sécurité, après que le Chef a averti tout le monde de ne point ronfler trop fort, et d'avoir toujours près de soi ses armes en bon état. Les idoles sont exposées sur une perche penchée du côté des ennemis, et tous les guerriers, avant que de s'aller coucher, passent les uns après les autres, le casse-tête à la main, devant ces prétendues divinités. Ils se tournent ensuite vers le pays ennemi, et font de grandes menaces que le vent emporte souvent d'un autre côté.

Il ne paraît pas que les Natchez exercent sur leurs prisonniers, durant la marche, les cruautés qui sont en usage dans le Canada. Lorsque ces malheureux sont arrivés au grand village, on les fait chanter et danser plusieurs jours de suite devant le temple, après quoi ils sont livrés aux parents de ceux qui ont été tués durant la campagne. Ceux-ci, en les recevant, fondent en pleurs, puis, après avoir essuyé leurs larmes avec les chevelures que les guerriers ont rapportées, ils se cotisent pour récompenser ceux qui leur ont fait présent de leurs esclaves, dont le sort est toujours d'être brûlés.

Les guerriers changent de nom à mesure qu'ils font de nouveaux exploits ; ils les reçoivent des anciens Chefs de guerre, et ces noms ont toujours quelque rapport à l'action par laquelle on a mérité cette distinction ; ceux qui, pour la première fois, ont fait un prisonnier ou enlevé une chevelure, doivent pendant un mois s'abstenir de voir leurs femmes et de manger de la viande. Ils s'imaginent que s'ils y manquaient, les âmes de ceux qu'ils ont tués ou brûlés les feraient mourir, ou que la première blessure qu'ils recevraient serait mortelle, ou du moins qu'ils ne remporteraient plus aucun avantage sur leurs ennemis. Si le Soleil commande ses sujets en personne, on a grand soin qu'il ne s'expose pas trop, moins peut-être par zèle pour sa conservation qu'à cause que les autres Chefs de guerre et les principaux du parti seraient mis à mort, pour ne l'avoir pas bien gardé.

Les jongleurs des Natchez ressemblent assez à ceux du Canada, et traitent les malades à peu près de la même façon. Ils sont bien payés quand le malade guérit ; mais, s'il meurt, il leur en coûte souvent à eux-mêmes la vie. Il y a, dans cette nation, une autre espèce de jongleurs qui ne courent pas moins de risques que ces médecins ; ce sont certains vieillards fainéants, qui, pour faire subsister leurs familles sans être obligés de travailler, entreprennent de procurer la pluie ou le beau temps, selon les besoins. Vers le printemps on se cotise pour acheter de ces prétendus magiciens un temps favorable aux biens de la terre. Si c'est de la pluie qu'on demande, ils se remplissent la bouche d'eau, et avec un chalumeau dont l'extrémité est percée de plusieurs trous comme un entonnoir, ils soufflent en l'air du côté où ils aperçoivent quelque nuage, tandis que le chichikoué d'une main et leur Manitou de l'autre, ils jouent de l'un et lèvent l'autre en l'air, invitant, par des cris affreux, les nuages à arroser les campagnes de ceux qui les ont mis en œuvre.

S'il est question d'avoir du beau temps, ils montent sur le toit de leurs cabanes, font signe aux nuages de passer outre ; et si les nuages passent et se dissipent, ils dansent et chantent autour de leurs idoles, puis avalent de la fumée de tabac et présentent au ciel leurs calumets. Tout le temps que durent ces opérations ils observent un jeûne rigoureux, et ne font que danser et chanter ; si on obtient ce qu'ils ont promis, ils sont bien récompensés ; s'ils ne réussissent pas, ils sont mis à mort sans miséricorde. Mais ce ne sont pas les mêmes qui se mêlent de procurer la pluie et le beau temps : leurs Génies, disent-ils, ne peuvent donner que l'un ou l'autre.

Le deuil, parmi ces Sauvages, consiste à se couper les cheveux, à ne se point peindre le visage, et à ne se point trouver aux assemblées, mais j'ignore combien il dure. Je n'ai pu savoir non plus s'ils célèbrent la grande Fête des Morts, dont je vous ai donné la description ; il paraît que dans cette nation, où tout est en quelque façon esclave de ceux qui commandent, tous les honneurs mortuaires sont pour ceux-ci, surtout pour le Soleil et pour la Femme-Chef.

Les traités de paix et d'alliance se font avec beaucoup d'appareil, et le Grand Chef y soutient toujours sa dignité en véritable souverain. Dès qu'il est averti du jour de l'arrivée des ambassadeurs, il donne ses ordres aux maîtres des cérémonies pour les préparatifs de leur réception, et nomme ceux qui doivent nourrir tour à tour ces envoyés, car c'est aux dépens de ses sujets qu'il fait tous les frais de l'ambassade. Le jour de l'entrée des ambassadeurs, chacun a sa place marquée selon son rang, et quand ces ministres sont à cinq cents pas du Grand Chef, ils s'arrêtent, et chantent la paix.

Ordinairement l'ambassade est composée de trente hommes et de six femmes. Six des meilleures voix marchent à la tête du cortège, et entonnent ; les autres suivent, et le chichikoué sert à régler la mesure. Quand le Soleil fait signe aux ambassadeurs d'approcher, ils se remettent en marche ; ceux qui portent le calumet dansent en chantant, se tournent de tous côtés, se donnent de grands mouvements, et font quantité de grimaces et de contorsions. Ils recommencent le même manège autour du Grand Chef, quand ils sont arrivés auprès de lui ; ils le frottent ensuite avec leur calumet depuis les pieds jusqu'à la tête, puis ils vont rejoindre leur troupe.

Alors ils remplissent un calumet de tabac, et tenant du feu d'une main, ils avancent tous ensemble vers le Grand Chef, et lui présentent le calumet allumé. Ils fument avec lui, poussent vers le ciel la première vapeur de leur tabac, la seconde vers la terre, et la troisième autour de l'horizon. Cela fait, ils présentent leurs calumets aux parents du Soleil et aux Chefs subalternes. Ils vont ensuite frotter de leurs mains l'estomac du Soleil, puis ils se frottent eux-mêmes tout le corps ; enfin ils posent leurs calumets sur des fourches vis-à-vis le Grand Chef, et l'orateur de l'ambassade commence sa harangue, qui dure une heure.

Quand il a fini, on fait signe aux ambassadeurs, qui jusque-là étaient demeurés debout, de s'asseoir sur des bancs placés pour eux près du Soleil, lequel répond à leur discours, et parle aussi une heure entière. Ensuite un maître des cérémonies allume un grand calumet de paix, et y fait fumer les ambassadeurs, qui avalent la première gorgée. Alors le Soleil leur demande des nouvelles de leur santé ; tous ceux qui assistent à l'audience leur font le même compliment ; puis on les conduit dans la cabane qui leur est destinée, et où on leur donne un grand repas. Le soir du même jour le Soleil leur rend visite ; mais quand ils le savent prêt à sortir de chez lui pour leur faire cet honneur, ils le vont chercher, le portent sur leurs épaules dans leur logis, et le font asseoir sur une grande peau. L'un d'eux se place derrière lui, appuie ses deux mains sur ses épaules, et le secoue assez longtemps, tandis que les autres, assis en rond par terre, chantent leurs belles actions à la guerre.

Ces visites recommencent tous les matins et tous les soirs, mais à la dernière le cérémonial change. Les ambassadeurs plantent un poteau au milieu de leur cabane, et s'asseyent tout autour : les guerriers qui accompagnent le Soleil, parés de leurs plus belles robes, dansent, et tour à tour frappent le poteau, et racontent leurs plus beaux faits d'armes ; après quoi ils font des présents aux ambassadeurs. Le lendemain ceux-ci ont, pour la première fois, la permission de se promener dans le village, et tous les soirs on leur donne des fêtes, qui ne consistent que dans des danses. Quand ils sont sur leur départ, les maîtres de cérémonies leur font fournir toutes les provisions dont ils ont besoin pour leur voyage, et c'est toujours aux dépens des particuliers.

La plupart des nations de la Louisiane avaient autrefois leur temple aussi bien que les Natchez, et dans tous ces temples il y avait un feu perpétuel. Il semble même que les Maubiliens avaient sur tous les peuples de cette partie de la Floride une espèce de primatie de religion, car c'était à leur feu qu'il fallait rallumer celui que, par négligence ou par malheur, on avait laissé éteindre. Mais aujourd'hui le temple des Natchez est le seul qui subsiste, et il est en grande vénération parmi tous les Sauvages qui habitent dans ce vaste continent, et dont la diminution est aussi considérable et a été encore plus prompte que celle des peuples du Canada, sans qu'il soit possible d'en savoir la véritable raison. Des nations entières ont absolument disparu depuis quarante ans au plus. Celles qui subsistent encore ne sont plus que l'ombre de celles qu'elles étaient lorsque M. de La Salle découvrit ce pays.

DEUXIÈME EXTRAIT DE CHARLEVOIX

Il y avait déjà plusieurs années que les Chichacas, à l'instigation de quelques Anglais, avaient formé le dessein de détruire de telle sorte toute la colonie de la Louisiane, qu'il n'y restât pas un seul Français. Ils avaient conduit leur intrigue avec un si grand secret, que les Illinois, les Acansas et les Tonicas, à qui ils n'avaient pas osé le communiquer, parce qu'ils savaient que leur attachement pour nous était à toute épreuve, n'en avaient pas eu le moindre vent. Toutes les autres nations y étaient entrées ;

chacune devait faire main basse sur tous les habitants qu'on lui avait marqués, et toutes devaient frapper le même jour, à la même heure. Les Tchactas mêmes, la plus nombreuse nation de ce continent, et de tout temps nos alliés, avaient été gagnés, du moins ceux de l'Est, qu'on appelle la grande nation ; ceux de l'Ouest, ou la petite nation, n'y avaient point pris de part, mais ils gardèrent longtemps le secret, et ce ne fut que par hasard qu'ils le découvrirent, et lorsqu'il était déjà trop tard pour donner avis à tout le monde de se tenir sur ses gardes.

M. Perrier ayant appris que les premiers avaient quelque démêlé avec M. Diron d'Artaguette, lieutenant du roi et commandant au fort de la Maubile, fit inviter les chefs de toute la nation à le venir trouver à la Nouvelle-Orléans, leur faisant espérer une entière satisfaction sur tous leurs griefs. Ils y vinrent, et après qu'ils se furent expliqués sur le sujet qui les avait fait appeler, ils dirent au Commandant-Général que la nation était charmée qu'il lui eût envoyé un officier pour résider dans leur pays, et qu'il les eût invités à le venir voir. Ils n'en dirent pas davantage, mais ils s'en retournèrent fort disposés 1° à manquer de parole aux Chichacas à qui ils avaient promis de détruire toutes les habitations qui dépendaient du fort de la Maubile ; en second lieu, à faire en sorte que les Natchez exécutassent leur projet. C'est ce que les Natchez leur ont depuis reproché en face et en présence des Français, sans qu'ils aient osé le nier. On n'a jamais douté que leur dessein n'ait été de nous obliger d'avoir recours à eux, et par ce moyen de profiter, et de ce que nous leur donnerions pour les engager à nous secourir, et du butin qu'ils feraient sur les Natchez.

Ainsi le Commandant-Général était, sans le savoir, à la veille de voir une partie de la colonie détruite par des ennemis dont il ne se défiait point, et trahi par les alliés sur lesquels il croyait pouvoir compter, et qui étaient en effet une de ses grandes ressources, mais qui voulaient profiter de nos malheurs. Au reste, il était d'autant plus aisé à ceux que les Chichacas avaient mis dans leurs intérêts, de réussir dans leurs projets, qu'aucune habitation française n'était à l'épreuve d'une surprise et d'un coup de main. Il y avait bien en quelques endroits des forts, mais, à l'exception de celui de la Maubile, ils n'étaient que de pieux, dont les deux tiers étaient pourris ; et, eussent-ils été en état de défense, ils ne pouvaient garantir de la fureur des Sauvages qu'un petit nombre d'habitations voisines. On était d'ailleurs partout dans une sécurité qui aurait mis ces barbares en état de massacrer tous les Français, jusque dans les places les mieux gardées, comme il arriva le 28 de novembre aux Natchez, de la manière que je vais dire.

M. de Chépar, qui commandait dans ce poste, s'était un peu brouillé avec ces Sauvages ; mais il paraît que ceux-ci avaient porté la dissimulation jusqu'à lui persuader que les Français n'avaient point d'alliés plus fidèles qu'eux.

Le jour destiné pour l'exécution du complot général n'était point encore venu ; mais deux choses déterminèrent les Natchez à l'anticiper : la première est qu'il venait d'arriver au débarquement quelques bateaux assez bien pourvus de marchandises pour la garnison de ce poste, pour celle des Yazous, et pour plusieurs habitants, et qu'ils voulaient s'en emparer avant que la distribution s'en fît ; la seconde, que le commandant avait reçu la visite de MM. Kolly père et fils, dont la concession n'était pas éloignée de là, et de plusieurs autres personnes considérables ; car ils comprirent d'abord qu'en prétextant d'aller à la chasse pour donner à M. de Chépar de quoi régaler ses hôtes, ils pourraient s'armer tous, sans qu'on se défiât de rien. Ils en firent la proposition au commandant ; elle fut agréée avec joie, et sur-le-champ ils allèrent traiter avec les habitants pour avoir des fusils, des balles et de la poudre, qu'ils payèrent comptant.

Cela fait, ils se répandirent, le lundi 28, de grand matin, dans toutes les habitations, publiant qu'ils allaient partir pour la chasse, observant d'être partout en plus grand nombre que les Français. Ils chantèrent ensuite le calumet en l'honneur du commandant et de sa compagnie ; après quoi ils retournèrent chacun à leur poste. Un moment après, au signal de trois coups de fusil tirés consécutivement à la porte du logis de M. de Chépar, ils firent main basse en même temps partout. Le commandant et M. Kolly furent tués des premiers. Il n'y eut de résistance que dans la maison de M. de La Loire des Ursins, commis principal de la compagnie des Indes, où il y avait huit hommes. On s'y battit bien. Huit Natchez y furent tués, six Français le furent aussi ; les deux autres se sauvèrent. M. de La Loire venait de monter à cheval : au premier bruit qu'il entendit, il voulut retourner chez lui, mais il fut arrêté par une troupe de Sauvages, contre lesquels il se défendit assez longtemps, jusqu'à ce que, percé de plusieurs coups, il tomba mort, après avoir tué quatre Natchez. Ainsi, ces barbares perdirent en cet endroit douze hommes ; mais ce fut tout ce que leur coûta leur trahison.

Avant que d'exécuter leur coup, ils s'étaient assurés de plusieurs nègres, entre lesquels étaient deux commandants. Ceux-ci avaient persuadé aux autres qu'ils seraient libres avant les Sauvages ; que nos femmes et nos enfants seraient leurs esclaves, et qu'ils n'auraient rien à craindre des autres postes, parce que le massacre se ferait en même temps partout. Il paraît néanmoins que le secret n'avait été confié qu'à un petit nombre.

Appendice*

* On a regroupé dans cette section complémentaire un certain nombre
de textes de Chateaubriand, contemporains de la rédaction des *Natchez*,
et destinés à préciser leur genèse ou à illustrer leur problématique.

Essai historique, politique et moral
sur les Révolutions anciennes et modernes, considérées dans leurs rapports avec la Révolution française
(1797)

Première partie, chap. XLVI :
« La Scythie heureuse et sauvage »

Les heureux Scythes, que les Grecs appelaient barbares, habitaient ces régions septentrionales qui s'étendent à l'Est de l'Europe, et à l'Ouest de l'Asie. Un roi ou plutôt un père guidait la peuplade errante. Ses enfants le suivaient plutôt par amour que par devoir. N'ayant que leur simplicité pour justice, pour lois que leurs bonnes mœurs, ils trouvaient en lui un arbitre pendant la paix, et un chef durant la guerre. Et qu'auraient gagné les monarques voisins à attaquer une nation qui méprisait l'or et la vie ? Darius fut assez insensé pour le faire. Il reçut de ses ennemis le symbole énergique, présage de sa ruine. Il les envoya défier au combat par une vaine forfanterie ; — « Viens attaquer les tombeaux de nos pères », lui répondirent ces hommes pauvres et vertueux. C'eût été une digne proie pour un tyran.

Libre comme l'oiseau de ses déserts, le Scythe, reposé à l'ombrage de la vallée, voyait se jouer autour de lui sa jeune famille et ses nombreux troupeaux. Le miel des rochers, le lait de ses chèvres suffisaient aux nécessités de sa vie ; l'amitié aux besoins de son cœur. Lorsque les collines prochaines avaient donné toutes leurs herbes à ses brebis, monté sur son chariot couvert de peaux, avec son épouse et ses enfants, il émigrait à travers les bois au rivage de quelque fleuve ignoré, où la fraîcheur des gazons et la beauté des solitudes l'invitaient à se fixer de nouveau.

Quelle félicité devait goûter ce peuple aimé du ciel ! A l'homme primitif sont réservées mille délices. Le dôme des forêts, le vallon écarté qui remplit l'âme de silence et de méditation, la mer se brisant au soir sur des grèves lointaines, les derniers rayons du soleil couchant sur la cime des rochers, tout est pour lui spectacle et jouissance. Ainsi je l'ai vu sous les érables de l'Érié, ce favori de la nature qui sent beaucoup et pense peu, qui n'a d'autre raison que ses besoins, et qui arrive au résultat de la philosophie comme l'enfant, entre les jeux et le sommeil. Assis insouciant, les jambes croisées à la porte de sa hutte, il laisse s'écouler ses jours sans les compter. L'arrivée des oiseaux passagers de l'automne, qui s'abattent à l'entrée de la nuit sur le lac, ne lui annonce point la fuite des années, et la chute des feuilles de la forêt ne l'avertit que du retour des frimas. Heureux jusqu'au fond de l'âme, on ne découvre point sur le front de l'Indien comme sur le nôtre, une expression inquiète et agitée. Il porte seulement avec lui cette légère affection de mélancolie qui s'engendre de l'excès du bonheur, et qui n'est peut-être que le pressentiment de son incertitude. Quelquefois, par cet instinct de tristesse particulier à son cœur, vous le surprendrez plongé dans la rêverie, les yeux attachés sur le courant d'une onde, sur une touffe de gazon agitée par le vent, ou sur les nuages qui volent fugitifs par-dessus sa tête, et qu'on a comparés quelque part aux illusions de la vie : au sortir de ces absences de lui-même, je l'ai souvent observé jetant un regard attendri et reconnaissant vers le ciel, comme s'il eût cherché ce je ne sais quoi inconnu, qui prend pitié du pauvre Sauvage.

Bons Scythes, que n'existâtes-vous de nos jours ! J'aurais été chercher parmi vous un abri contre la tempête. Loin des querelles insensées des hommes, ma vie se fût écoulée dans tout le calme de vos déserts ; et mes cendres, peut-être honorées de vos larmes, eussent trouvé sous vos ombrages solitaires le paisible tombeau que leur refusera la terre de la patrie.

[...] Je ne hais point une constitution plus qu'une autre, considérée abstraitement. Prises en ce qui me regarde comme individu, elles me sont toutes parfaitement indifférentes : mes mœurs sont de la solitude et non des hommes. Eh ! malheureux, nous nous tourmentons pour un gouvernement parfait, et nous sommes vicieux ! bon, et nous sommes méchants ! Nous nous agitons aujourd'hui pour un vain système, et nous ne serons plus demain ! Des soixante années que le ciel peut-être nous destine à traîner sur ce globe, nous en dépenserons vingt à naître, et vingt à mourir, et la moitié des vingt autres s'évanouira dans le sommeil. Craignons-nous que les misères inhérentes à notre nature d'homme, ne remplissent pas assez ce court espace, sans y ajouter des maux d'opinion ? Est-ce un instinct indéterminé, un vide intérieur que nous ne saurions remplir, qui nous tourmente ? Je l'ai aussi sentie cette soif vague de quelque chose. Elle m'a traîné dans les solitudes muettes de l'Amérique, et dans les villes bruyantes de l'Europe ; je me suis enfoncé pour la satisfaire dans l'épaisseur des forêts du Canada, et dans la foule qui inonde nos jardins et nos temples. Que de fois elle m'a contraint de sortir des spectacles de nos cités, pour aller voir le soleil se coucher au loin sur quelque site sauvage ! que de fois, échappé à la société des hommes, je me suis tenu immobile sur une grève solitaire, à contempler durant des heures, avec cette même inquiétude, le tableau philosophique de la mer ! Elle m'a fait suivre autour de leurs palais, dans leurs chasses pompeuses, ces rois qui laissent après eux une longue renommée ; et j'ai aimé, avec elle encore, à m'asseoir en silence à la porte de la hutte hospitalière, près du Sauvage qui passe inconnu dans la vie, comme les fleuves sans nom de ses déserts. Homme, si c'est ta destinée de porter partout un cœur miné d'un désir inconnu ; si c'est là ta maladie, une ressource te reste. Que les sciences, ces filles du ciel, viennent remplir le vide fatal qui te conduira tôt ou tard à ta perte. Le calme des nuits t'appelle. Vois ces millions d'astres étincelants, suspendus de toutes parts sur ta tête ; cherche, sur les pas des Newton, les lois cachées qui promènent magnifiquement ces globes de feu à travers l'azur céleste ; ou, si la divinité touche ton âme, médite en l'adorant sur cet Être incompréhensible qui remplit de son immensité ces espaces sans bornes. Ces études sont-elles trop sublimes pour ton génie, ou serais-tu assez misérable pour ne point espérer dans ce Père des affligés qui consolera ceux qui pleurent ? Il est d'autres occupations aussi aimables et moins profondes. Au lieu de t'entretenir des haines sociales, observe les paisibles générations, les douces sympathies, et les amours du règne le plus charmant de la nature. Alors tu ne connaîtras que des plaisirs. Tu auras du moins cet avantage, que chaque matin tu retrouveras tes plantes chéries ; dans le monde, que d'amis ont pressé le soir un ami sur leur cœur, et ne l'ont plus trouvé à leur réveil ! Nous sommes ici-bas comme au spectacle : si nous détournons un moment la tête, le coup de sifflet part, les palais enchantés s'évanouissent ; et lorsque nous ramenons les yeux sur la scène, nous n'apercevons plus que des déserts et des acteurs inconnus.

Seconde partie, chap. XIII : « Aux Infortunés »

Un infortuné parmi les enfants de la prospérité, ressemble à un gueux qui se promène en guenilles au milieu d'une société brillante : chacun le regarde et le fuit. Il doit donc éviter les jardins publics, le fracas, le grand jour ; le plus souvent même il ne sortira que la nuit. Lorsque la brune commence à confondre les objets, notre infortuné s'aventure hors de sa retraite, et, traversant en hâte les lieux fréquentés, il gagne quelque chemin solitaire, où il puisse errer en liberté. Un jour il va s'asseoir au sommet d'une colline qui domine la ville et commande une vaste contrée ; il contemple les feux qui brillent dans l'étendue du paysage obscur, sous tous ces toits habités. Ici, il voit éclater le réverbère à la porte de cet hôtel, dont les habitants, plongés dans les plaisirs, ignorent qu'il est un misérable, occupé seul à regarder de loin la lumière de leurs fêtes : lui qui eut aussi des fêtes et des amis ! Il ramène ensuite ses regards sur quelque petit rayon tremblant dans une pauvre maison écartée du faubourg, et il se dit : Là, j'ai des frères.

Une autre fois, par un clair de lune, il se place en embuscade sur un grand chemin, pour jouir encore à la dérobée de la vue des hommes, sans être distingué d'eux ; de peur qu'en apercevant un malheureux, ils ne s'écrient, comme les gardes du Docteur Anglais, dans *La Chaumière Indienne* : Un Paria ! un Paria !

Mais le but favori de ses courses sera peut-être un bois de sapins, planté à quelque deux milles de la ville. Là il a trouvé une société paisible, qui comme lui cherche le silence et l'obscurité. Ces Sylvains solitaires veulent bien le souffrir dans leur république, à laquelle il paie un léger tribut ; tâchant ainsi de reconnaître, autant qu'il est en lui, l'hospitalité qu'on lui a donnée.

Lorsque les chances de la destinée nous jettent hors de la société, la surabondance de notre âme, faute d'objet réel, se répand jusque sur l'ordre muet de la création, et nous y trouvons une sorte de plaisir que nous n'aurions jamais soupçonné. La vie est douce avec la nature. Pour moi je me suis sauvé dans la solitude, et j'ai résolu d'y mourir, sans me rembarquer sur la mer du monde. J'en contemple encore quelquefois les tempêtes, comme un homme jeté seul sur une île déserte, qui se plaît, par une secrète mélancolie, à voir les flots se briser au loin sur les côtes où il fit naufrage. Après la perte de nos amis, si nous ne succombons à la douleur, le cœur se replie sur lui-même ; il forme le projet de se détacher de tout autre sentiment, et de vivre uniquement avec ses souvenirs. S'il devient moins propre à la société, sa sensibilité se développe aussi davantage. Le malheur nous est utile ; sans lui les facultés aimantes de notre âme resteraient inactives : il la rend un instrument tout harmonie, dont, au moindre souffle, il sort des murmures inexprimables. Que celui que le chagrin mine s'enfonce dans les forêts ; qu'il erre sous leur voûte mobile ; qu'il gravisse la colline, d'où l'on découvre, d'un côté de riches campagnes, de l'autre le soleil levant sur des mers étincelantes, dont le vert changeant se glace de cramoisi et de feu, sa douleur ne tiendra point contre un pareil spectacle : non qu'il oublie ceux qu'il aima, car alors ses maux seraient préférables, mais leur souvenir se fondra avec le calme des bois et des cieux : il gardera sa douceur et ne perdra que son amertume. Heureux ceux qui aiment la nature : ils la trouveront, et trouveront seulement elle, au jour de l'adversité.

Telle est la première sorte de plaisir qu'on peut tirer du malheur ; mais on en compte plusieurs autres. Je recommanderais particulièrement l'étude de la botanique, comme propre à calmer l'âme en détournant les yeux des passions des hommes, pour les porter sur le peuple innocent des fleurs. Armé de ses ciseaux, de son style, de sa lunette, on s'en va tout courbé, longeant les fossés d'un vieux chemin, s'arrêtant au massif d'une tour en ruine, aux mousses d'une antique fontaine, à l'orée septentrionale d'un bois ; ou peut-être on parcourt des grèves que les algues festonnent de leurs grands falbalas frisés et couleur d'écaille fondue. Notre botanophile se plaît à rencontrer la *tulipa silvestris* qui se retire comme lui sous les ombrages les plus solitaires ; il s'attache à ces *lis* mélancoliques, dont le front penché semble rêver sur le courant des eaux. A l'aspect attendrissant du *convolvulus*, qui entoure de ses fleurs pâles quelque aulne décrépit, il croit voir une jeune fille presser de ses bras d'albâtre son vieux père mourant ; l'*ulex* épineux, couvert de ses papillons d'or, qui présente un asile assuré aux petits des oiseaux, lui montre une puissance protectrice du faible ; dans les *thyms* et les *calamens*, qui embellissent généreusement un sol ingrat de leur verdure parfumée, il reconnaît le symbole de l'amour de la patrie. Parmi les végétaux supérieurs, il s'égare volontiers sous ces arbres dont les sourds mugissements imitent la triste voix des mers lointaines ; il affecte cette famille américaine, qui laisse pendre ses branches négligées comme dans la douleur ; il aime ce saule au port languissant, qui ressemble avec sa tête blonde et sa chevelure en désordre, à une bergère pleurant au bord d'une onde. Enfin il recherche de préférence dans ce règne aimable, les plantes qui, par leurs accidents, leurs goûts, leurs mœurs, entretiennent des intelligences secrètes avec son âme.

Oh ! qu'avec délices, après cette course laborieuse, on rentre dans sa misérable demeure chargé de la dépouille des champs ! Comme si l'on craignait que quelqu'un ne vînt ravir ce trésor, fermant mystérieusement la porte sur soi, on se met à faire l'analyse de sa récolte, blâmant ou approuvant Tournefort, Linné, Vaillant, Jussieu, Solander, du Bourg. Cependant la nuit approche. Le bruit commence à cesser au-dehors, et le cœur palpite d'avance du plaisir qu'on s'est préparé. Un livre qu'on a eu bien de la peine à se procurer, un livre qu'on tire précieusement du lieu obscur où on le tenait caché, va remplir ces heures de silence. Auprès d'un humble feu et d'une lumière vacillante, certain de n'être point entendu, on s'attendrit sur les maux imaginaires des Clarisse, des Clémentine, des Héloïse, des Cécilia. Les romans sont les livres des malheureux : ils nous nourrissent d'illusions, il est vrai ; mais en sont-ils plus remplis que la vie ?

Eh bien, si vous le voulez, ce sera un grand crime, une grande vérité, dont notre Solitaire s'occupera : Agrippine assassinée par son fils. Il veillera au bord du lit de l'ambitieuse Romaine, maintenant retirée dans une chambre obscure à peine éclairée d'une petite lampe. Il voit l'impératrice tombée faire un reproche touchant à la seule suivante qui lui reste, et qui elle-même l'abandonne ; il observe l'anxiété augmentant à chaque minute sur le visage de cette malheureuse princesse qui, dans une vaste solitude, écoute attentivement le silence. Bientôt on entend le bruit sourd des assassins qui brisent les portes extérieures ; Agrippine tressaille, s'assied sur son lit, prête l'oreille. Le bruit approche, la troupe entre, entoure la couche ; le centurion tire son épée et en frappe la reine aux tempes ; alors, *ventrem feri* ! s'écrie la mère de Néron : mot dont la sublimité fait hocher la tête.

Peut-être aussi, lorsque tout repose, entre deux ou trois heures du matin, au murmure des vents et de la pluie qui battent contre vos fenêtres, écrivez-vous ce que vous savez des hommes. L'infortuné occupe une place avantageuse pour les bien étudier, parce qu'étant hors de leur route, il les voit passer devant lui.

Seconde partie, chap. XXIII, note A

J'ai bien éprouvé une fois dans ma vie cet effet d'un nom. C'était en Amérique. Je partais alors pour le pays des Sauvages, et je me trouvais embarqué sur le paquebot qui remonte de New York à Albany par la rivière d'Hudson. La société des passagers était nombreuse et aimable, consistant en plusieurs femmes et quelques officiers américains. Un vent frais nous conduisait mollement à notre destination. Vers le soir de la première journée, nous nous assemblâmes sur le pont, pour prendre une collation de fruits et de lait. Les femmes s'assirent sur les bancs du gaillard et les hommes se mirent à leurs pieds. La conversation ne fut pas longtemps bruyante : j'ai toujours remarqué qu'à l'aspect d'un beau tableau de la nature, on tombe involontairement dans le silence. Tout à coup je ne sais qui de la compagnie s'écria : « C'est auprès de ce lieu que le Major André fut exécuté. » Aussitôt voilà mes idées bouleversées ; on pria une Américaine très jolie de chanter la romance de l'infortuné jeune homme ; elle céda à nos instances, et commença à faire entendre une voix timide, pleine de volupté et d'émotion. Le soleil se couchait ; nous étions alors entre de hautes montagnes. On apercevait çà et là, suspendues sur ces abîmes, des cabanes rares qui disparaissaient et reparaissaient tour à tour entre des nuages, mi-partie blancs et roses, qui filaient horizontalement à la hauteur de ces habitations. Lorsqu'au-dessus de ces mêmes nuages on découvrait la cime des rochers et les sommets chevelus des sapins, on eût cru voir de petites îles flottantes dans les airs. La rivière majestueuse, tantôt coulant Nord et Sud, s'étendait en ligne droite devant nous, encaissée entre deux rives parallèles, comme une table de plomb ; puis tout à coup, tournant à l'aspect du couchant, elle courbait ses flots d'or autour de quelque mont qui, s'avançant dans le fleuve avec toutes ses plantes, ressemblait à un gros bouquet de verdure, noué au pied d'une zone bleue et aurore. Nous gardions un profond silence ; pour moi, j'osais à peine respirer. Rien n'interrompait le chant plaintif de la jeune passagère, hors le bruit insensible que le vaisseau, poussé par une légère brise, faisait en glissant sur l'onde. Quelquefois la voix se renflait un peu davantage lorsque nous rasions de plus près la rive ; dans deux ou trois endroits elle fut répétée par un faible écho : les Anciens se seraient imaginé que l'âme d'André, attirée par cette mélodie touchante, se plaisait à en murmurer les derniers sons dans les montagnes. L'idée de ce jeune homme, amant, poète, brave et infortuné, qui, regretté de ses concitoyens, et honoré des larmes de Washington, mourut dans la fleur de l'âge pour son pays, répandait sur cette scène romantique une teinte encore plus attendrissante. Les officiers américains et moi nous avions les larmes aux yeux ; moi, par l'effet du recueillement délicieux où j'étais plongé ; eux, sans doute, par le souvenir des troubles passés de la patrie, qui redoublait le calme du moment présent. Ils ne pouvaient contempler, sans une sorte d'extase de cœur, ces lieux naguère chargés de bataillons étincelants et retentissants du bruit des armes, maintenant ensevelis dans une paix profonde, éclairés des derniers feux du jour, décorés de la pompe de la nature, animés du doux sifflement des cardinaux et du roucoulement des ramiers sauvages, et dont les simples habitants, assis sur la pointe d'un roc, à quelque distance de leurs chaumières, regardaient tranquillement notre vaisseau passer sur le fleuve au-dessous d'eux.

Au reste, ce voyage que j'entreprenais alors, n'était que le prélude d'un autre bien plus important, dont à mon retour j'avais communiqué les plans à M. de Malesherbes, qui devait les présenter au gouvernement. Je ne me proposais rien moins que de déterminer par terre la grande question du passage de la mer du Sud dans l'Atlantique par le Nord. On sait que malgré les efforts du capitaine Cook, et des navigateurs subséquents, il est toujours resté un doute. Un vaisseau marchand, en 1786, prétendit avoir entré, par les 48° latit. N., dans une mer intérieure de l'Amérique septentrionale, et que tout ce qu'on avait pris pour la côte au nord de la Californie, n'était qu'une longue chaîne d'îles extrêmement serrées. D'une autre part, un voyageur, parti de la baie d'Hudson, a vu la mer par les 72° de latit. Nord, à l'embouchure de la rivière du *Cuivre*. On dit qu'il est arrivé l'été dernier une frégate, que l'Amirauté d'Angleterre avait chargée de vérifier la découverte du vaisseau marchand dont j'ai parlé, et que cette frégate confirme la vérité des rapports de Cook : quoi qu'il en soit, voici sommairement le plan que je m'étais tracé.

Si le gouvernement avait favorisé mon projet, je me serais embarqué pour New York. Là, j'eusse fait construire deux immenses chariots couverts, traînés par quatre couples de bœufs. Je me serais procuré en outre six petits chevaux, pareils à ceux dont je me suis servi dans mon premier voyage. Trois domestiques européens, et trois Sauvages des Cinq-Nations, m'eussent accompagné. Quelques raisons m'empêchent de m'étendre davantage sur les plans que je comptais suivre : le tout forme un petit volume en ma possession, qui ne serait pas inutile à ceux qui explorent des régions inconnues. Il me suffira de dire que j'eusse renoncé à parcourir les déserts de l'Amérique, s'il en eût dû coûter une larme à leurs simples habitants. J'aurais désiré que parmi ces nations sauvages, *l'homme à longue barbe*, long-temps après mon départ, eût voulu dire, l'ami, le bienfaiteur des hommes.

Enfin tout étant préparé, je me serais mis en route, marchant directement à l'Ouest, en longeant les lacs du Canada jusqu'à la source du Missisipi, que j'aurais reconnue. De là, descendant par les plaines de la haute Louisiane, jusqu'au 40° degré de latitude Nord, j'eusse repris ma route à l'Ouest, de manière à attaquer la côte de la mer du Sud, un peu au-dessus de la tête du golfe de Californie. Suivant ici le contour des côtes, toujours en vue de la mer, j'aurais remonté droit au Nord, tournant le dos au Nouveau-Mexique. Si aucune découverte n'eût altéré ma marche, je me fusse avancé jusqu'à l'embouchure de la grande rivière de *Cook*, et de là jusqu'à celle de la rivière du *Cuivre*, par les 72 degrés de latitude septentrionale. Enfin, si nulle part je n'eusse trouvé un passage, et que je n'eusse pu doubler le cap le plus Nord de l'Amérique, je serais rentré dans les États-Unis par la baie d'Hudson, le Labrador et le Canada.

Tel était l'immense et périlleux voyage que je me proposais d'entreprendre pour le service de ma patrie et de l'Europe. Je calculais qu'il m'eût retenu (tout accident à part) de cinq à six ans. On ne saurait mettre en doute son utilité. J'aurais donné l'histoire des trois règnes de la nature, celle des peuples et de leurs mœurs, dessiné les principales vues, etc., etc.

Quant à ce qui est des risques du voyage, ils sont grands, sans doute ; mais je suppose que ceux qui calculent tous les dangers ne vont guère voyager chez les Sauvages. Cependant on s'effraie trop sur cet article. Lorsque je me suis trouvé exposé en

Amérique, le péril venait toujours du local, et de ma propre imprudence, mais presque jamais des hommes. Par exemple, à la cataracte de Niagara, l'échelle indienne, qui s'y trouvait jadis, étant rompue, je voulus, en dépit des représentations de mon guide, me rendre au bas de la chute par un rocher à pic d'environ deux cents pieds de hauteur. Je m'aventurai dans la descente. Malgré les rugissements de la cataracte et l'abîme effrayant qui bouillonnait au-dessous de moi, je conservai ma tête, et parvins à une quarantaine de pieds du fond. Mais ici le rocher lisse et vertical n'offrait plus ni racines, ni fentes où pouvoir reposer mes pieds. Je demeurai suspendu par la main à toute ma longueur, ne pouvant ni remonter, ni descendre, sentant mes doigts s'ouvrir peu à peu de lassitude sous le poids de mon corps, et voyant la mort inévitable : il y a peu d'hommes qui aient passé dans leur vie deux minutes comme je les comptai alors, suspendu sur le gouffre de Niagara. Enfin, mes mains s'ouvrirent et je tombai. Par le bonheur le plus inouï, je me trouvai sur le roc vif, où j'aurais dû me briser cent fois, et cependant je ne me sentais pas grand mal ; j'étais à un demi-pouce de l'abîme, et je n'y avais pas roulé : mais lorsque le froid de l'eau commença à me pénétrer, je m'aperçus que je n'en étais pas quitte à aussi bon marché que je l'avais cru d'abord. Je sentis une douleur insupportable au bras gauche ; je l'avais cassé au-dessus du coude. Mon guide, qui me regardait d'en haut, et auquel je fis signe, courut chercher quelques Sauvages qui, avec beaucoup de peine, me remontèrent avec des cordes de bouleau, et me transportèrent chez eux.

Ce ne fut pas le seul risque que je courus à Niagara : en arrivant, je m'étais rendu à la chute, tenant la bride de mon cheval entortillée à mon bras. Tandis que je me penchais pour regarder en bas, un serpent à sonnette remua dans les buissons voisins ; le cheval s'effraie, recule en se cabrant et en approchant du gouffre ; je ne puis désengager mon bras des rênes, et le cheval, toujours plus effarouché, m'entraîne après lui. Déjà ses pieds de devant quittaient la terre, et accroupi sur le bord de l'abîme, il ne s'y tenait plus que par force de reins. C'en était fait de moi, lorsque l'animal, étonné lui-même du nouveau péril, fait un dernier effort, s'abat en dedans par une pirouette, et s'élance à dix pieds loin du bord.

Lorsque j'ai commencé cette note, je ne comptais la faire que de quelques lignes ; le sujet m'a entraîné ; puisque la faute est commise, une demi-page de plus ne m'exposera pas davantage à la critique, et le lecteur sera peut-être bien aise qu'on lui dise un mot de cette fameuse cataracte du Canada, la plus belle du monde connu.

Elle est formée par la rivière Niagara, qui sort du lac Érié, et se jette dans l'Ontario. A environ neuf milles de ce dernier lac se trouve la chute : sa hauteur perpendiculaire peut être d'environ deux cents pieds. Mais ce qui contribue à la rendre si violente, c'est que, depuis le lac Érié jusqu'à la cataracte, le fleuve arrive toujours en déclinant par une pente rapide, dans un cours de près de six lieues ; en sorte qu'au moment même du saut, c'est moins une rivière qu'une mer impétueuse, dont les cent mille torrents se pressent à la bouche béante d'un gouffre. La cataracte se divise en deux branches, et se courbe en un fer à cheval d'environ un demi-mille de circuit. Entre les deux chutes s'avance un énorme rocher creusé en dessous, qui pend, avec tous ses sapins, sur le chaos des ondes. La masse du fleuve qui se précipite au midi, se bombe et s'arrondit comme un vaste cylindre au moment qu'elle quitte le bord, puis se déroule en nappe de neige, et brille au soleil de toutes les couleurs du prisme : celle qui tombe au nord, descend dans une ombre effrayante, comme une colonne d'eau du déluge. Des arcs-en-ciel sans nombre se courbent et se croisent sur l'abîme, dont les terribles mugissements se font entendre à soixante milles à la ronde. L'onde, frappant le roc ébranlé, rejaillit en tourbillons d'écume qui, s'élevant au-dessus des forêts, ressemblent aux fumées épaisses d'un vaste embrasement. Des rochers démesurés et gigantesques, taillés en forme de fantômes, décorent la scène sublime ; des noyers sauvages, d'un aubier rougeâtre et écailleux, croissent chétivement sur ces squelettes fossiles. On ne voit auprès aucun animal vivant, hors des aigles qui, en planant au-dessus de la cataracte où ils viennent chercher leur proie, sont entraînés par le courant d'air, et forcés de descendre en tournoyant au fond de l'abîme. Quelque *carcajou* tigré se suspendant par sa longue queue à l'extrémité d'une branche abaissée, essaie d'attraper les débris des corps noyés des élans et des ours que le remole jette à bord ; et les serpents à sonnette font entendre de toutes parts leurs bruits sinistres.

Seconde partie, chap. LVI

L'état de société est si opposé à celui de nature, que dans le premier les êtres faibles tendent toujours au gouvernement :

l'enfant bat les domestiques ; l'écolier veut en montrer à son maître ; le sot aspire aux emplois, et les obtient presque toujours ; l'hypocondriaque sacrifie son cercle à sa goutte ; le vieillard réclame la première place ; et la femme domine le tout.

Dans l'état de nature, l'enfant se tait et attend ; la femme est soumise ; le fort et le guerrier commandent ; le vieillard s'assied au pied de l'arbre, et meurt*.

Soyons hommes, c'est-à-dire libres ; apprenons à mépriser les préjugés de la naissance et des richesses, à nous élever au-dessus

* Philippe Le Cocq, d'une petite ville de Poitou, passa au Canada dans son enfance, y servit comme soldat, à l'âge de vingt ans, dans la guerre de 1754, et, après la prise de Québec, se retira chez les Cinq Nations, où, ayant épousé une Indienne, il renonça aux coutumes de son pays, pour prendre les mœurs des Sauvages. Lorsque je voyageais chez ces peuples, je ne fus pas peu surpris, en entendant dire que j'avais un compatriote établi à quelque distance dans le bois. Je courus chez lui ; je le trouvai occupé à faire la pointe à des jalons, à l'ouverture de sa hutte. Il me jeta un regard assez froid, et continua son ouvrage ; mais aussitôt que je lui adressai la parole en français, il tressaillit au souvenir de la patrie, et la grosse larme roula dans ses yeux. Ces accents connus avaient reporté soudainement dans le cœur du vieillard toutes les sensations de son enfance : dans la jeunesse nous regrettons peu nos premiers ans ; mais plus nous nous enfonçons dans la vie, plus leur souvenir devient aimable ; c'est qu'alors chacune de nos journées est un triste terme de comparaison. Philippe me pria d'entrer ; je le suivis. Il avait de la peine à s'exprimer : je le voyais travailler à rassembler les anciennes idées de l'homme civil ; et j'étudiais avidement cette leçon. Par exemple, j'eus lieu de remarquer qu'il y avait deux espèces de choses relatives, absolument effacées de sa tête ; celle de la propriété du superflu ; et celle de la nuisance envers autrui sans nécessité. Je ne voulus lui faire ma grande question qu'après que quelques heures de conversation lui eurent redonné une assez grande quantité de mots et de pensées. A la fin je lui dis : « Philippe, êtes-vous heureux ? » Il ne sut d'abord que répondre. « Heureux ? dit-il en réfléchissant ; heureux, oui ;... oui, heureux, depuis que je suis sauvage. — Et comment passez-vous votre vie ? » repris-je. Il se mit à rire. « J'entends, dis-je ; vous pensez que cela ne vaut pas une réponse. Mais est-ce que vous ne voudriez pas reprendre votre ancienne vie, retourner dans votre pays ? — Mon pays, la France ? Si je n'étais pas si vieux, j'aimerais à le revoir... — Et vous ne voudriez pas y rester ? » ajoutai-je. Le mouvement de tête de Philippe m'en dit assez. « Et qu'est-ce qui vous a déterminé à vous faire, comme vous le dites, sauvage ? — Je n'en sais rien, l'instinct. » Ce mot du vieillard mit fin à mes doutes et à mes questions. Je restai deux jours chez Philippe pour l'observer, et je ne le vis jamais se démentir un seul instant ; son âme, libre du combat des passions sociales, me sembla, pour m'exprimer dans le style des Sauvages, « calme comme le champ de bataille, après que les guerriers ont fumé ensemble le calumet de paix ».

des grands et des rois, à honorer l'indigence et la vertu ; donnons de l'énergie à notre âme, de l'élévation à notre pensée ; portons partout la dignité de notre caractère, dans le bonheur et dans l'infortune ; sachons braver la pauvreté et sourire à la mort : mais, pour faire tout cela, il faut commencer par cesser de nous passionner pour les institutions humaines, de quelque genre qu'elles soient. Nous n'apercevons presque jamais la réalité des choses, mais leurs images réfléchies faussement par nos désirs ; et nous passons nos jours, à peu près comme celui qui, sous notre zone nuageuse, ne verrait le ciel qu'à travers ces vitrages coloriés qui trompent l'œil, en lui présentant la sérénité d'une plus douce latitude. Tandis que nous nous berçons ainsi de chimères, le temps vole et la tombe se ferme tout à coup sur nous. Les hommes sortent du néant, et y retournent : la mort est un grand lac creusé au milieu de la nature ; les vies humaines, comme autant de fleuves, vont s'y engloutir ; et c'est de ce même lac que s'élèvent ensuite d'autres générations qui, répandues sur la terre, viennent également, après un cours plus ou moins long, se perdre à leur source. Profitons donc du peu d'instants que nous avons à passer sur ce globe, pour connaître au moins la vérité. Si c'est la vérité politique que nous cherchons, elle est facile à trouver. Ici, un ministre despote me bâillonne, me plonge au fond des cachots, où je reste vingt ans sans savoir pourquoi : échappé de la Bastille, plein d'indignation, je me précipite dans la démocratie ; un anthropophage m'y attend à la guillotine. Le Républicain, sans cesse exposé à être pillé, volé, déchiré par une populace furieuse, s'applaudit de son bonheur* ; le Sujet, tranquille esclave, vante les bons repas et les caresses de son maître. Ô homme de la nature, c'est toi seul qui me fais me glorifier d'être homme ! Ton cœur ne connaît point la dépendance ; tu ne sais ce que c'est que de ramper dans une cour, ou de caresser un tigre populaire. Que t'importe nos arts, notre luxe, nos villes ?

---

* On dit que les orages de la démocratie valent mieux que le calme du despotisme. Cette phrase est harmonieuse, et voilà tout. On ne me persuadera jamais que le repos n'est pas la partie essentielle du bonheur. Je remarque même que c'est le but vers lequel nous tendons sans cesse : on travaille, pour se reposer ; on marche, pour goûter un sommeil plus doux ; on pense, pour délasser ensuite sa pensée ; un ami repose son cœur dans le cœur d'un ami ; l'amour a placé de même le comble de ses voluptés dans le repos ; enfin, le malheureux qui a perdu la tranquillité sur la terre, aspire encore à celle de la tombe, et la nature a élevé l'idée de la mort à l'extrémité des chagrins, comme Hercule ses colonnes au bout du monde.

As-tu besoin de spectacle : tu te rends au temple de la nature, à la religieuse forêt ; les colonnes moussues des chênes en supportent le dôme antique ; un jour sombre pénètre la sainte obscurité du sanctuaire ; et de faibles bruits, de légers soupirs, de doux murmures, des chants plaintifs, ou mélodieux, circulent sous les voûtes sonores. On dit que le Sauvage ignore la douceur de la vie. Est-ce l'ignorer que de n'obéir à personne ? que d'être à l'abri des révolutions ? que de n'avoir ni à avilir ses mains par un travail mercenaire, ni son âme par un métier encore plus vil, celui de flatteur ? N'est-ce rien que de pouvoir se montrer impunément toujours grand, toujours fier, toujours libre ? de ne point connaître les odieuses distinctions de l'état civil ? enfin, de n'être point obligé, lorsqu'on se sent né avec l'orgueil et la noble franchise d'un homme, de passer une partie de sa vie à cacher ses sentiments, et l'autre à être témoin des vices et des absurdités sociales ?

Je sens qu'on va dire : Vous êtes donc de ces sophistes qui vantent sans cesse le bonheur du Sauvage aux dépens de celui de l'homme policé ? Sans doute, si c'est là ce que vous appelez être un sophiste, j'en suis un ; j'ai du moins de mon côté quelques beaux génies. Quoi ! il faudra que je tolère la perversité de la société, parce qu'on prétend ici se gouverner en république plutôt qu'en monarchie ; là, en monarchie plutôt qu'en république ? Il faudra que j'approuve l'orgueil et la stupidité des grands et des riches ; la bassesse et l'envie du pauvre et des petits ? Les corps politiques, quels qu'ils soient, ne sont que des amas de passions putréfiées et décomposées ensemble ; les moins mauvais sont ceux dont les dehors gardent encore de la décence, et blessent moins ouvertement la vue ; comme ces masses impures destinées à fertiliser les champs, sur lesquelles on découvre quelquefois un peu de verdure.

Mais il n'y a donc point de gouvernement, point de liberté ? De liberté ? Si ! une délicieuse ! une céleste ! celle de la Nature. Et quelle est-elle, cette liberté que vous vantez comme le suprême bonheur ? Il me serait impossible de la peindre ; tout ce que je puis faire est de montrer comment elle agit sur nous. Qu'on vienne passer une nuit avec moi chez les Sauvages du Canada, peut-être alors parviendrai-je à donner quelque idée de cette espèce de liberté. Cette nuit aussi pourra délasser le lecteur de la scène de misères à travers laquelle je l'ai conduit dans ce volume : elle en sera la conclusion. On fermera alors le livre dans une disposition d'âme plus calme et plus propre à distinguer les vérités, des erreurs contenues dans cet ouvrage : mélange inévitable à la nature humaine, et dont la faiblesse de mes lumières me rend plus susceptible qu'un autre.

Seconde partie, chap. LVII :
« Nuit chez les Sauvages de l'Amérique »

C'est un sentiment naturel aux malheureux de chercher à rappeler les illusions du bonheur, par le souvenir de leurs plaisirs passés. Lorsque j'éprouve l'ennui d'être, que je me sens le cœur flétri par le commerce des hommes, je détourne involontairement la tête, et je jette en arrière un œil de regret. Méditations enchantées ! charmes secrets et ineffables d'une âme jouissante d'elle-même, c'est au sein des immenses déserts de l'Amérique que je vous ai goûtés à longs traits ! On se vante d'aimer la liberté, et presque personne n'en a une juste idée. Lorsque, dans mes voyages parmi les nations indiennes du Canada, je quittai les habitations européennes et me trouvai, pour la première fois, seul au milieu d'un océan de forêts, ayant pour ainsi dire la nature entière prosternée à mes pieds, une étrange révolution s'opéra dans mon intérieur ; Dans l'espèce de délire qui me saisit, je ne suivais aucune route ; j'allais d'arbre en arbre, à droite et à gauche indifféremment, me disant en moi-même : « Ici, plus de chemins à suivre, plus de villes, plus d'étroites maisons, plus de Présidents, de Républiques, de Rois, surtout plus de Lois, et plus d'Hommes. Des Hommes ? si : quelques bons Sauvages qui ne s'embarrassent de moi, ni moi d'eux ; qui, comme moi encore, errent libres où la pensée les mène, mangent quand ils veulent, dorment où et quand il leur plaît. » Et pour essayer si j'étais enfin rétabli dans mes droits originels, je me livrais à mille actes de volonté, qui faisaient enrager le grand Hollandais qui me servait de guide, et qui, dans son âme, me croyait fou.

Délivré du joug tyrannique de la société, je compris alors les charmes de cette indépendance de la nature, qui surpassent de bien loin tous les plaisirs dont l'homme civil peut avoir l'idée. Je compris pourquoi pas un Sauvage ne s'est fait Européen, et pourquoi plusieurs Européens se sont faits Sauvages ; pourquoi le sublime *Discours sur l'inégalité des conditions*, est si peu entendu de la plupart de nos philosophes. Il est incroyable combien les nations et leurs institutions les plus vantées, paraissaient petites et diminuées à mes regards ; il me semblait que je voyais les royaumes de la terre avec une lunette invertie, ou plutôt, moi-même agrandi et exalté, je contemplais d'un œil de géant le reste de ma race dégénérée.

Vous, qui voulez écrire des hommes, transportez-vous dans les déserts ; redevenez un instant enfant de la nature, alors, et seulement alors, prenez la plume.

Parmi les innombrables jouissances que j'éprouvai dans ces voyages, une surtout a fait une vive impression sur mon cœur*.

J'allais alors voir la fameuse cataracte de Niagara, et j'avais pris ma route à travers les nations indiennes qui habitent les déserts à l'ouest des plantations américaines. Mes guides étaient le soleil, une boussole de poche et le Hollandais dont j'ai déjà parlé ; celui-ci entendait parfaitement cinq dialectes de la langue huronne. Notre équipage consistait en deux chevaux auxquels nous attachions le soir une sonnette au cou, et que nous lâchions ensuite dans la forêt : je craignais d'abord un peu de les perdre, mais mon guide me rassura en me faisant remarquer que, par un instinct admirable, ces bons animaux ne s'écartaient jamais hors de la vue de notre feu.

Un soir que, par approximation ne nous estimant plus qu'à environ huit ou neuf lieues de la cataracte, nous nous préparions à descendre de cheval avant le coucher du soleil, pour bâtir notre hutte et allumer notre bûcher de nuit à manière indienne, nous aperçûmes, dans le bois, les feux de quelques Sauvages, qui étaient campés un peu plus bas, au bord du même ruisseau où nous nous trouvions. Nous allâmes à eux. Le Hollandais leur ayant demandé par mon ordre la permission de passer la nuit avec eux, ce qui fut accordé sur-le-champ, nous nous mîmes alors à l'ouvrage avec nos hôtes. Après avoir coupé des branches, planté des jalons, arraché des écorces pour couvrir notre palais,

---

* Tout ce qui suit, à quelques additions près, est tiré du manuscrit de ces voyages, qui a péri avec plusieurs autres ouvrages commencés, tels que les *Tableaux de la Nature*, l'histoire d'une nation sauvage du Canada, sorte de roman, dont le cadre totalement neuf, et les peintures naturelles étrangères à notre climat, auraient pu mériter l'indulgence du lecteur. On a bien voulu donner quelque louange à ma manière de peindre la nature ; mais si l'on avait vu ces divers morceaux écrits sur mes genoux, parmi les Sauvages mêmes, dans les forêts et au bord des lacs de l'Amérique, j'ose présumer qu'on y eût peut-être trouvé des choses plus dignes du public. De tout cela, il ne m'est resté que quelques feuilles détachées, entre autres la *Nuit*, qu'on donne ici. J'étais destiné à perdre dans la Révolution, fortune, parents, amis, et ce qu'on ne recouvre jamais lorsqu'on l'a perdu, le fruit des travaux de la pensée, seul bien peut-être qui soit réellement à nous.

et rempli quelques autres travaux publics, chacun de nous vaqua à ses affaires particulières. J'apportai ma selle, qui me servit de fidèle oreiller durant tout le voyage ; le guide pansa mes chevaux ; et quant à son appareil de nuit, comme il n'était pas si délicat que moi, il se servait ordinairement de quelque tronçon d'arbre sec. L'ouvrage étant fini, nous nous assîmes tous en rond, les jambes croisées à la manière de tailleurs, autour d'un feu immense, afin de rôtir nos quenouilles de maïs, et de préparer le souper. J'avais encore un flacon d'eau-de-vie, qui ne servit pas peu à égayer nos Sauvages ; eux se trouvaient avoir des jambons d'oursons, et nous commençâmes un festin royal.

La famille était composée de deux femmes avec deux petits enfants à la mamelle, et de trois guerriers : deux d'entre eux pouvaient avoir de quarante à quarante-cinq ans, quoiqu'ils parussent beaucoup plus vieux ; le troisième était un jeune homme.

La conversation devint bientôt générale, c'est-à-dire, par quelques mots entrecoupés de ma part, et par beaucoup de gestes : langage expressif que ces nations entendent à merveille, et que j'avais appris parmi elles. Le jeune homme seul gardait un silence obstiné ; il tenait constamment les yeux attachés sur moi. Malgré les raies noires, rouges, bleues, les oreilles découpées, la perle pendante au nez dont il était défiguré, on distinguait aisément la noblesse et la sensibilité qui animaient son visage. Combien je lui savais gré de ne pas m'aimer ! Il me semblait lire dans son cœur l'histoire de tous les maux dont les Européens ont accablé sa patrie.

Les deux petits enfants, tout nus, s'étaient endormis à nos pieds, devant le feu ; les femmes les prirent doucement dans leurs bras, et les couchèrent sur des peaux, avec ces soins de mère, si délicieux à voir chez ces prétendus Sauvages : la conversation mourut ensuite par degrés, et chacun s'endormit dans la place où il se trouvait.

Moi seul je ne pus fermer l'œil : entendant de toutes parts les aspirations profondes de mes hôtes, je levai la tête, et, m'appuyant sur le coude, contemplai à la lueur rougeâtre du feu mourant, les Indiens étendus autour de moi et plongés dans le sommeil. J'avoue que j'eus peine à retenir des larmes. Bon jeune homme, que ton repos me parut touchant ! toi, qui semblais si sensible aux maux de ta patrie, tu étais trop grand, trop supérieur, pour te défier de l'étranger. Européens, quelle leçon pour nous ! Ces mêmes Sauvages que nous avons poursuivis avec le fer et la flamme ; à qui notre avarice ne laisserait pas même une pelletée de terre, pour couvrir leurs cadavres, dans tout cet univers, jadis leur vaste patrimoine ; ces mêmes Sauvages, recevant leur ennemi sous leurs huttes hospitalières, partageant avec lui leur misérable repas, leur couche infréquentée du remords, et dormant auprès de lui du sommeil profond du juste ! ces vertus-là sont autant au-dessus de nos vertus conventionnelles, que l'âme de ces hommes de la nature est au-dessus de celle de l'homme de la société.

Il faisait clair de lune. Échauffé de mes idées, je me levai et fus m'asseoir, à quelque distance, sur une racine qui traçait au bord du ruisseau : c'était une de ces nuits américaines que le pinceau des hommes ne rendra jamais, et dont je me suis rappelé cent fois le souvenir avec délices.

La lune était au plus haut point du ciel : on voyait çà et là, dans de grands intervalles épurés, scintiller mille étoiles. Tantôt la lune reposait sur un groupe de nuages, qui ressemblait à la cime de hautes montagnes couronnées de neige ; peu à peu ces nues s'allongeaient, se déroulaient en zones diaphanes et ondu-leuses de satin blanc, ou se transformaient en légers flocons d'écume, en innombrables troupeaux errant dans les plaines bleues du firmament. Une autre fois, la voûte aérienne paraissait changée en une grève où l'on distinguait les couches horizon-tales, les rides parallèles tracées comme par le flux et le reflux régulier de la mer : une bouffée de vent venait encore déchirer le voile, et partout se formaient dans les cieux de grands bancs d'une ouate éblouissante de blancheur, si doux à l'œil, qu'on croyait ressentir leur mollesse et leur élasticité. La scène sur la terre n'était pas moins ravissante : le jour céruséen et velouté de la lune, flottait silencieusement sur la cime des forêts, et descen-dant dans les intervalles des arbres, poussait des gerbes de lumières jusque dans l'épaisseur des plus profondes ténèbres. L'étroit ruisseau qui coulait à mes pieds, s'enfonçant tour à tour sous des fourrés de chênes-saules et d'arbres à sucre, et reparais-sant un peu plus loin dans des clairières tout brillant des constellations de la nuit, ressemblait à un ruban de moire et d'azur, semé de crachats de diamants, et coupé transversalement de bandes noires. De l'autre côté de la rivière, dans une vaste prairie naturelle, la clarté de la lune dormait sans mouvement sur les gazons où elle était étendue comme des toiles. Des bouleaux dispersés çà et là dans la savane, tantôt, selon le caprice des brises, se confondaient avec le sol, en s'enveloppant de gazes pâles, tantôt se détachaient du fond de craie en se couvrant d'obscurité, et formant comme des îles d'ombres flottantes sur une mer immobile de lumière. Auprès, tout était silence et repos, hors la chute de quelques feuilles, le passage brusque d'un vent subit, les gémissements rares et interrompus de la hulotte ; mais au loin, par intervalle, on entendait les roulements solennels de la cataracte de Niagara, qui, dans le calme de la nuit, se prolongeaient de désert en désert, et expiraient à travers les forêts solitaires.

La grandeur, l'étonnante mélancolie de ce tableau, ne sauraient s'exprimer dans les langues humaines ; les plus belles nuits en Europe ne peuvent en donner une idée. Au milieu de nos champs cultivés, en vain l'imagination cherche à s'étendre, elle rencontre de toutes parts les habitations des hommes : mais, dans ces pays déserts, l'âme se plaît à s'enfoncer, à se perdre dans un océan d'éternelles forêts ; elle aime à errer, à la clarté des étoiles, aux bords des lacs immenses, à planer sur le gouffre mugissant des terribles cataractes, à tomber avec la masse des ondes, et pour ainsi dire à se mêler, à se fondre avec toute une nature sauvage et sublime.

Ces jouissances sont trop poignantes : telle est notre faiblesse, que les plaisirs exquis deviennent des douleurs, comme si la nature avait peur que nous oubliassions que nous sommes hommes. Absorbé dans mon existence, ou plutôt répandu tout entier hors de moi, n'ayant ni sentiment, ni pensée distincte, mais un ineffable je ne sais quoi qui ressemblait à ce bonheur mental dont on prétend que nous jouirons dans l'autre vie, je fus tout à coup rappelé à celle-ci. Je me sentis mal, et je vis qu'il fallait finir. Je retournai à notre Ajouppa, où, me couchant auprès des Sauvages, je tombai bientôt dans un profond sommeil.

Le lendemain, à mon réveil, j'aperçus la troupe déjà prête pour le départ. Mon guide avait sellé les chevaux ; les guerriers étaient armés, et les femmes s'occupaient à rassembler les bagages, consistant en peaux, en maïs, en ours fumés. Je me levai, et tirant de mon porte-manteau un peu de poudre et de balles, du tabac et une boîte de gros rouge, je distribuai ces présents parmi nos hôtes, qui parurent bien contents de ma générosité. Nous nous séparâmes ensuite, non sans des marques d'attendrissement et de regret, touchant nos fronts et notre poitrine, à la manière de ces hommes de la nature, ce qui me paraissait bien valoir nos cérémonies. Jusqu'au jeune Indien, qui prit cordialement la main que je lui tendais, nous nous quittâmes tous le cœur plein les uns des autres. Nos amis prirent leur route au nord, en se dirigeant par les mousses, et nous à l'ouest, par ma boussole. Les guerriers partirent devant, poussant le cri de marche ; les femmes cheminaient derrière, chargées des bagages, et des petits enfants qui, suspendus dans des fourrures aux épaules de leurs mères, se détournaient en souriant pour nous regarder. Je suivis long-temps des yeux cette marche touchante et maternelle, jusqu'à ce que la troupe entière eût disparu lentement entre les arbres de la forêt.

Bienfaisants Sauvages ! vous qui m'avez donné l'hospitalité, vous que je ne reverrai sans doute jamais, qu'il me soit permis de vous payer ici un tribut de reconnaissance. Puissiez-vous jouir longtemps de votre précieuse indépendance, dans vos belles solitudes où mes vœux pour votre bonheur ne cessent de vous suivre ! Inséparables amis, dans quel coin de vos immenses déserts habitez-vous à présent ? Êtes-vous toujours ensemble, toujours heureux ? Parlez-vous quelquefois de l'étranger de la forêt ? Vous dépeignez-vous les lieux qu'il habite ? Faites-vous des souhaits pour son bonheur au bord de vos fleuves solitaires ? Généreuse famille, son sort est bien changé depuis la nuit qu'il passa avec vous ; mais du moins est-ce une consolation pour lui, si, tandis qu'il existe au-delà des mers, persécuté des hommes de son pays, son nom, à l'autre bout de l'univers, au fond de quelque solitude ignorée, est encore prononcé avec attendrissement, par de pauvres Indiens.

Fragments du *Génie*
du Christianisme primitif
(1799-1800)*

Histoire naturelle

Par un temps grisâtre d'automne, lorsque la bise souffle sur les champs, que les bois perdent leurs dernières feuilles, une troupe nombreuse de canards sauvages, tous rangés à la file, traversent en silence un ciel mélancolique. S'ils aperçoivent du haut des airs quelque manoir gothique environné d'étangs et de forêts, c'est là qu'ils se préparent à descendre, ils attendent la nuit et font de longues évolutions au-dessus des bois. Aussitôt que les vapeurs du soir commencent à envelopper les vallées, le cou tendu et les ailes sifflantes, ils s'abattent tout à coup sur les eaux qui retentissent. Un cri général, suivi d'un profond silence, s'élève dans les marais d'alentour. Guidés par une petite lumière qui brille peut-être isolée à l'étroite fenêtre d'une tour, les voyageurs s'approchent des murs à la faveur des roseaux et des ombres ; là, battant des ailes et poussant des cris par intervalles, au milieu

* En 1838, une nouvelle édition des *Œuvres complètes de Chateaubriand* publia dans le tome XXXI des fragments retrouvés de la première impression du *Génie du Christianisme*, commencée à Londres vers la fin de 1799. En voici quelques extraits, significatifs des emprunts alors pratiqués dans le manuscrit des *Natchez*.

du murmure des vents et des pluies, ils saluent l'habitation de l'homme.

Leur séjour est plus ou moins long sur ces ondes ; quelquefois ils partent dès le lendemain, à peu près à l'heure où ils sont arrivés la veille ; ils vont chercher d'autres retraites ignorées, et font le tour de la terre par un cercle de solitudes. Ils s'attachent aux vents et aux tempêtes qui ternissent l'éclat des flots et leur livrent la proie qui leur échapperait dans des eaux calmes et transparentes. Le pâtre, qui a allumé un feu de broussailles à l'orée d'un bois, entre deux rochers, voit passer ces oiseaux sur sa tête ; il les suit des yeux avec un vague désir ; il se figure les lieux inconnus, les climats lointains où ils se tendent ; il voudrait être sur leurs ailes, un secret instinct le tourmente, il sent qu'il n'est lui-même qu'un voyageur. Homme ! la saison de la migration n'est pas encore venue. Attends que le vent de ta mort se lève ; alors tu déploieras ton vol vers ces régions inconnues que ton cœur demande.

Mais voici deux beaux étrangers qui arrivent avec les frimas et qui sont aussi blancs que la neige ; ils descendent au milieu des landes sur les bruyères, dans un lieu découvert et dont on ne peut approcher sans être aperçu. Après quelques heures de repos, ils remontent sur les nuages. Vous courez à l'endroit d'où ils sont partis, et vous n'y trouvez que quelques plumes, seules marques de leur passage, que le vent a déjà dispersées. Heureux les hommes qui, comme le cygne, ont quitté la terre sans y laisser d'autres débris ni d'autres souvenirs que quelques plumes de leurs ailes !

C'est vers le mois de novembre que nos champs, en prenant un nouvel aspect, reçoivent aussi de nouveaux hôtes. Nos bois ont perdu leurs grâces riantes ; une vapeur bleuâtre, en s'élevant dans leurs percées, cache une partie du terrain et sert à lui donner des dimensions vagues et infinies. Par ce jeu de la nature, le paysage prend l'immensité et la tristesse du ciel ; le vent apporte de toutes parts l'odeur de la feuille séchée que le bûcheron solitaire traîne sous ses pas et qui rougit au loin les fonds de la forêt. Les arbres, qui balancent tristement leurs cimes dépouillées, ne portent que de noires légions qui se sont associées pour passer l'hiver ; elles ont leurs sentinelles et leurs gardes avancées ; quelquefois une corneille centenaire, antique sibylle des déserts, qui vit passer plusieurs générations d'hommes, se tient seule perchée sur un chêne avec lequel elle a vieilli. Là, tandis que toutes ses sœurs font silence, immobile, et comme pleine de pensées, elle abandonne de temps en temps aux vents des monosyllabes prophétiques.

La création

Si le monde n'eût été à la fois jeune et vieux, le grand, *le mélancolique*, le moral, disparaissaient de la nature, car ces sentiments tiennent par essence aux choses antiques. Chaque site eût perdu ses merveilles. Le rocher en ruine n'eût plus pendu sur l'abîme avec ses longues graminées ; les bois, dépouillés de leurs accidents, n'auraient point montré ce touchant désordre d'arbres *brisés ou morts* sur leurs tiges, de troncs *abattus* sur le cours des fleuves, *et tout rongés de fongus, de mousses et de lierre*. Les pensées inspirées, les bruits vénérables, *les génies*, les voix magiques, la sainte horreur des forêts, se fussent évanouis avec les voûtes sombres qui leur servent de retraites, et les solitudes de la terre et du ciel seraient demeurées nues et désenchantées en perdant ces colonnes de chênes qui les unissent. Le jour même où l'Océan répandit ses premières vagues sur ses rives, il baigna, n'en doutons point, des écueils déjà rongés par les flots, des grèves *festonnées d'algue et pavées* de débris de coquillages, *des baies mugissantes* et des caps décharnés qui soutenaient contre les eaux les rivages croulants de la terre.

D'une autre part, que fût devenue la pompe du soir si le premier coucher du soleil ne s'était fait sur la croupe de quelques vieilles montagnes, parmi des cimes de rochers, de bois chenus et de nuages de pourpre ? Et la lune qui, comme une blanche et timide vestale, se lève au milieu de la nuit pour chanter les louanges du Seigneur, aurait-elle osé confier à de jeunes arbrisseaux et de naissantes fontaines ce grand secret de mélancolie qu'elle ne raconte qu'aux vieux sapins et aux rivages antiques des mers ? *Ah ! il fallait que le cercueil du monde fût placé, pour ainsi dire, auprès de son berceau, afin qu'on ressentît dans les déserts ces douces et puissantes émotions qui résultent des contrastes de la mort et de la vie.*

En enlevant la beauté aux paysages, cette faible création l'eût aussi ravie aux plantes qui les décorent. Les fleurs sans parfums, sans couleurs, sans penchants, sans habitudes, n'auraient eu aucun rapport ni avec les vierges ni avec les zéphyrs, et, dans leurs hiéroglyphes secrets, on n'eût point retrouvé l'histoire mystérieuse de l'homme. La *Liane barbue*, à peine sortant de la terre, ne se fût point détournée des autres arbres américains, pour s'attacher au copalme, comme le véritable amour qui n'embrasse qu'un seul objet. La rose naissante eût pu ressembler encore à la jeune fille, mais aurait-elle exprimé la touchante aventure que raconte sa corolle fanée ? Et vous aussi, merveilleuse agave, vous n'eussiez point nourri votre rejeton dans votre sein, pour le laisser tomber à terre tout formé : image d'une mère qui porte son enfant dans ses bras, jusqu'à ce qu'il se puisse jouer seul sur la verdure. Enfin l'étonnante *sarracenia*, qui, dans les marais corrompus, renferme en son cornet vieilli, une source de la plus pure rosée, cette plante, trop jeune encore, n'eût point montré comment Dieu a caché l'espérance au fond des cœurs ulcérés par la douleur, comment il a fait jaillir la vertu du sein des misères de la vie.

Des plantes et de leurs migrations

Ici nous quittons la chair et le sang, les appétits grossiers, les affections animales ; nous entrons dans ce règne enchanteur, où les merveilles de la Providence prennent un caractère plus suave. En s'élevant dans les airs et sur le sommet des monts, on dirait que les plantes empruntent quelque chose du ciel dont elles se rapprochent. Au lever de l'aurore, par un profond calme, voyez dans cette prairie toutes ces fleurs immobiles sur leurs tiges ; elles se penchent à mille attitudes diverses, elles regardent tous les points de l'horizon. Dans ce moment même, où vous croyez que tout est tranquille, un grand mystère s'accomplit, la nature conçoit : et ces plantes sont autant de jeunes mères tournées vers la région mystérieuse, d'où leur doit venir la fécondité. L'une s'incline pour écouter les paroles secrètes, qu'un zéphyr lui révèle de la part d'une compagne ; l'autre envoie ses parfums à quelque tige aimée, comme un jeune époux répand ses désirs sur les traces d'une jeune épouse. Les ondes roulent la postérité des lis, les brises sont les berceaux où dorment les nouveau-nés des roses ; une abeille cueille du miel de fleur en fleur, et sans le savoir, féconde toute une prairie ; un papillon porte un peuple sur son aile, un monde descend dans une goutte de rosée, les sylphes ont des sympathies aériennes, des communications moins invisibles. Cependant toutes les amours des plantes ne sont pas également tranquilles : il en est d'orageuses, comme celles des hommes, il faut des tempêtes pour marier sur des hauteurs inaccessibles le cèdre du Liban au cèdre du Sinaï, tandis qu'au bas de la montagne, le plus doux vent suffit pour établir entre les fleurs un commerce de volupté, et favoriser le long des ruisseaux leurs générations odorantes : n'est-ce pas ainsi que le souffle des passions agite les rois de la terre sur leurs trônes, tandis que les bergers vivent heureux à leurs pieds ?

La fleur donne le miel, elle est la fille du matin, le charme du printemps, la source des parfums, la grâce des vierges, l'amour des poètes ; elle passe vite comme l'homme, mais elle rend doucement ses feuilles à la terre. On converse l'essence de ses odeurs : ce sont ses pensées qui lui survivent. Chez les anciens, elle couronnait la coupe du banquet, et les cheveux blancs du sage ; les premiers chrétiens en couvraient les reliques des martyrs, et l'autel des catacombes : aujourd'hui, et en mémoire de ces antiques jours, nous la mettons dans nos temples. Dans le monde, nous attribuons nos affections à ses couleurs : l'espérance à sa verdure, l'innocence à sa blancheur, la modestie à ses teintes de rose ; il y a des nations entières où elle est l'interprète des sentiments. Toute l'Inde communique par une fleur ; livre charmant qui ne cause ni troubles ni guerres, et qui ne garde que l'histoire fugitive des révolutions du cœur. Chez les sauvages Floridiens, lorsqu'un jeune homme veut déclarer son amour à une jeune fille, il se lève au milieu de la nuit, allume une torche de pin, se rend à la cabane de sa maîtresse comme un chasseur qui veut prendre une colombe au flambeau. Si la vierge réveillée couvre sa tête d'un voile, et dit : Guerrier, je ne te vois pas, c'est le signe du refus ; si elle éteint le flambeau, elle accepte la main du jeune homme. Alors il dépose sur la couche de sa future épouse une rose de magnolia, où le fruit mûr, semblable à un grain de corail, pend au bout d'une longue soie ; c'est le symbole d'une mère qui porte à son sein l'espérance de la patrie.

On a cru longtemps que les végétations n'avaient point la faculté locomotive, et l'on se trompait ; à la vérité, ce n'est pas toujours la plante entière ou une partie de la plante qui voyage, mais seulement sa graine : c'est sa postérité qu'elle envoie peupler d'autres régions ; les cocotiers sont de cette dernière espèce. On les trouve au milieu de l'Océan sur des écueils de sables, ils cachent dans leurs rameaux des fruits arrondis et pleins de lait, comme les mamelles d'une mère ; ils ont filtré le sel des eaux qui baignent leurs souches, en un miel délicieux. Quand la tempête survient, ils secouent leurs trésors sur les mers, et les mers les roulent à des côtes habitées, où ils se transforment en beaux arbres. Telle une petite société d'infortunés nourrit de larmes amères les doux fruits de la vertu, et ce n'est qu'au souffle de l'orage, qu'elle laisse tomber ces fruits pour les hommes.

En plaçant les sexes sur des individus différents dans plusieurs familles de plantes, la Providence a multiplié les mystères et les beautés de la nature. Les colons de la Virginie croient que les érables à fleurs rouges sont des mâles, et que ceux dont la fleur est blanche, sont des femelles : quoi qu'il en soit, on voit souvent, dans quelque vallée des Alleghanys, croître sur le même tronc deux de ces arbres solitaires. La brise, qui descend de l'escarpement de la montagne en se laissant rouler sur des nappes de verdure, et en apportant la fraîcheur des sources hautaines, tire des tiges blanches et roses des deux érables ; tantôt s'inclinant pour s'unir, ils ferment leurs cimes en berceau ; tantôt s'entrouvrant avec lenteur, ils dévoilent l'azur céleste. Si ce n'est pas l'épouse et l'époux, du moins c'est la sœur et le frère ; on les reconnaît aisément à leur air de famille, et au délicieux langage du désert dans lequel ils s'entretiennent ensemble.

Sur les branches de ces érables, on aperçoit quelquefois une plante parasite qui ressemble à une joubarbe ou à une tête d'artichaut ; cette plante est creuse en dedans et contient un verre d'une excellente eau. Les Sauvages qui la connaissent, trouvent une source dans la tige d'un arbre ; mais il y a quelque chose de plus miraculeux encore : si le vent arrache ce fongus, il prend racine partout où il tombe. On en a vu qui, par un hasard singulier, semblaient s'attacher aux pas des chasseurs, comme des fontainiers voyageant à leur suite. Certes, les échansons qui marchaient autrefois devant les cours, servaient aux rois des vivres bien moins rares : la Providence est le génie bienfaisant qui tous les soirs fait sortir de la terre, devant le Sauvage, une table chargée de mets et de liqueurs.

Presque tous les arbres de la Floride et de la Louisiane, en particulier le cyprès, le cèdre et le chêne vert, sont couverts d'une espèce de mousse blanche, qui descend de l'extrémité de leurs rameaux jusqu'à terre. Quand la nuit, au clair de la lune, vous apercevez, sur la nudité d'une savane, une yeuse isolée revêtue de cette draperie, vous croiriez voir un fantôme traînant après lui ses longs voiles. La scène n'est pas moins pittoresque au grand jour, car une foule de brillants scarabées, de colibris, de petites perruches vertes, de cardinaux empourprés, viennent s'accrocher à ces mousses, et présentent avec elles l'effet d'une tapisserie en laine blanche, où l'ouvrier aurait brodé des insectes et des oiseaux éclatants.

Les Espagnols se font des lits dans cette barbe des vieux chênes, et les Indiens y trouvent des maisons de campagne durant l'été. Quelquefois vous rencontrez, sous ces berceaux mouvants, à l'ombre d'un cèdre une famille de Sioux logée tout entière aux frais de la Providence.

Les mousses, en s'abaissant de toutes parts, forment les divers appartements du palais ; les jeunes garçons montent sur les rameaux de l'arbre et se couchent dans les espèces de hamac que le chevelu végétal forme en s'entrelaçant ; au-dessous, au pied du tronc, habitent le père et la mère : les filles sont dans une arcade retirée. Quand Dieu envoie les vents pour balancer ce grand cèdre ; que le château aérien, bâti sur ses branches, va flottant avec les oiseaux et les sauvages qui dorment dans ces abris ; que mille soupirs sortent de tous les corridors et de toutes les voûtes du mobile édifice ; les sept merveilles du monde n'ont rien de comparable à ce monument du désert.

[...]

Il est arrivé plus d'une fois qu'on s'est vu forcé d'abandonner un vaisseau en pleine mer. Aussitôt que l'équipage s'est retiré dans les chaloupes, un équipage d'une tout autre espèce s'empare du navire demi-submergé. Les plantes marines montent à l'abordage de toutes parts : elles entrent par les sabords, par les dalles, par les dunettes. Les unes grimpent sur le bec des ancres ; les autres s'attachent aux bois : toutes s'occupent à réparer les avaries. Celles-ci bouchent les voies d'eau ; celles-là garnissent les pompes ; les mousses étendent dans les cadres leurs lits de verdure ; de petits fongus garnissent de leurs coussins les coffres des matelots, les étuis de mathématiques, les octants, les compas, les quartiers de réduction. Sur les cartes géographiques, des moisissures colorées dessinent de nouveaux continents et de nouvelles mers ; les éponges emballent dans leur bourre humide les étoffes de l'Inde, les soies de la Chine, les cafés de l'Arabie. Cependant on voit pendre en dehors de riches tapis de varechs aux galeries de la chambre du capitaine ; les fucus filent le long des cordages, circulent d'un mât à l'autre, et forment des voiles, des manœuvres, des haubans ; les poireaux plantent des girouettes, et les algues déroulent leurs banderoles et leurs oriflammes. La machine réparée s'avance en triomphe sur les mers, au murmure des vents, qui sifflent dans ses merveilleux cordages, ou qui font tinter sa cloche abandonnée. Ainsi vogue le vaisseau du commerce de la nature ; il vogue sous le pavillon de celui-là même qui creusa le vaste océan ; il passe, sans craindre le naufrage, sur ces gouffres qui ont englouti tant de flottes, tant de trésors, tant de villes, tant de royaumes, et porte d'un rivage à l'autre les richesses de la Providence.

Mais c'est dans l'Amérique septentrionale qui se voient les grandes migrations des plantes. C'est là que les forêts entières changent, pour ainsi dire, de patrie, et ce sont encore les eaux qui fournissent les moyens du voyage.

Il est difficile de se faire une idée de la navigation intérieure, dont la nature a disposé les canaux dans cette partie du Nouveau Monde. Des millions de fleuves se croisent, se quittent, se mêlent de nouveau, se nouent, se dénouent en cent manières. Les uns tombent du sommet d'une montagne, tel que le Kanhaway ; les autres forment des rapides tumultueux sous des rives perpendiculaires de 300 pieds d'élévation, tels que le Kentucky ; d'autres ouvrent lentement leurs vastes plis à travers les forêts et les savanes, tels que la Kauk. Tous ces fleuves, en descendant les uns dans les autres et formant les branches d'une seule chaîne, varient leurs confluents selon leur plus ou moins de pureté, et le plus ou moins de vitesse de leur cours.

L'Ohio apporte tranquillement au Meschacebé la collection des belles ondes qu'il dérobe aux urnes du Kentucky, du Scioto, du Ouabache et du Tenase ; tandis que le Missouri darde, comme une écluse, son eau blanche à travers l'antre des fleuves, le coupe obliquement en Y, dont une large barre va frapper le bord opposé, rebondit, et, contraint alors de se mêler à son rival, le précipite avec lui vers la mer en décolorant ses ondes.

Quand tous ces fleuves se sont gonflés des déluges de l'hiver, quand les tempêtes ont abattu des pans entiers de forêts, c'est alors qu'il se fait dans les eaux de la solitude des embarcations dignes de sa pompe sauvage. Le temps, comme un puissant bûcheron, assemble sur toutes les sources les arbres déracinés : il les unit avec des lianes, il les cimente avec des vases et des argiles ; il y plante de jeunes arbrisseaux et lance son ouvrage sur les ondes. Charriés par les vagues écumantes, ces radeaux débouchent de toutes parts sur le Meschacebé. Le vieux fleuve s'en empare à son tour, et se charge d'aller les placer à son embouchure, pour y former une nouvelle branche et multiplier ses cornes avec ses années. Monté sur ces vastes trains de bois, il les dirige avec son trident, et repousse l'un et l'autre rivage ; par intervalles il élève sa grande voix en passant sous les monts, et répand ses eaux débordées autour des tombeaux indiens et des troncs des arbres, comme le Nil autour des pyramides et des colonnes égyptiennes. Mais, comme la grâce est toujours unie à la magnificence dans les scènes de la nature, tandis que le courant du milieu entraîne rapidement vers la mer les cadavres des pins et des chênes, on voit sur les deux courants latéraux remonter tranquillement, le long des rivages, des îles de pistia et de nénuphar, dont les roses jaunes s'élèvent comme de petits pavillons, à l'extrémité d'un mât de quinze à seize pouces. Des serpents verts, des hérons bleus, des flamants roses, de jeunes crocodiles, s'embarquent passagers sur ces vaisseaux de fleurs, et la colonie, déployant aux vents ses voiles d'or, va aborder endormie dans quelque anse retirée du fleuve.

Spectacle d'une nuit

Je voyageais avec une famille sauvage que j'avais rencontrée dans les bois à quelque distance de la cataracte de Niagara ; nous avions pris le repas du soir, et nous nous préparions à dormir ensemble. Et que pouvions-nous craindre les uns des autres ? Le Grand Esprit n'avait-il pas vu la fumée de notre couche commune s'élever au-dessus des arbres, et son soleil couchant ne l'avait-il pas dorée ? Pour lui dérober la connaissance d'un crime, il aurait fallu un toit plus épais qu'une écorce de chêne rongée de mousse, et percée par les hermines qui l'habitaient avant nous.

Bientôt la nuit sortit de l'orient, et la solitude sembla faire silence pour admirer la pompe céleste.

La lune monta peu à peu au zénith du ciel ; tantôt elle reposait sur un groupe de nues, qui ressemblait à la cime des hautes montagnes couronnées de neiges ; tantôt elle s'enveloppait dans ces mêmes nues, qui se déroulaient en zones diaphanes de satin blanc, ou se transformaient en légers flocons d'écume. Quelquefois un voile uniforme s'étendait sur la voûte azurée ; mais soudain, une bouffée de vent déchirant ce réseau, on voyait se former dans les cieux des bancs d'une ouate éblouissante de blancheur, si doux à l'œil, qu'on croyait ressentir leur mollesse et leur élasticité.

La scène sur la terre n'était pas moins ravissante : le jour bleuâtre et velouté de la lune flottait silencieusement sur la cime des forêts, descendait dans les intervalles des arbres, et poussait des gerbes de lumière jusque dans l'épaisseur des plus profondes ténèbres ; une rivière qui coulait devant nos huttes, tantôt se perdait dans les bois, tantôt reparaissait brillante des constellations de la nuit qu'elle répétait dans son sein. De l'autre côté de cette rivière, dans une vaste prairie naturelle, la clarté de la lune dormait sans mouvement sur les gazons ; des bouleaux agités par les brises, et dispersés çà et là dans la savane, formaient des îles d'ombres flottantes sur une mer immobile de lumière. Auprès tout était silence et repos, hors la chute de quelques feuilles, le passage brusque d'un vent subit, les gémissements rares et interrompus de la hulotte ; mais au loin, par intervalles, on entendait les roulements solennels de la cataracte de Niagara, qui, dans le calme de la nuit, se prolongeaient de désert en désert, et expiraient à travers les forêts solitaires.

La grandeur, l'étonnante mélancolie de ce tableau, ne sauraient s'exprimer dans les langues humaines ; les plus belles nuits en Europe ne peuvent en donner une idée. En vain, au milieu de nos champs cultivés, l'imagination cherche à s'étendre, elle rencontre de toutes parts les habitations des hommes ; mais, dans ces pays déserts, l'âme se plaît à s'enfoncer, à se perdre dans un océan de forêts ; elle aime, à la clarté des étoiles, à errer aux bords des lacs immenses, à planer sur le gouffre des cataractes, à tomber avec la masse des ondes, et pour ainsi dire à se mêler, à se fondre avec toute cette nature sublime.

Telle fut cette nuit passée au milieu d'une famille de Sauvages. Mes hôtes me quittèrent au lever du jour. Nous nous séparâmes, non sans des marques d'émotion et de regrets, touchant notre front et notre poitrine à la façon du désert. Immobile et sentant des larmes prêtes à couler, je suivis longtemps des yeux la troupe demi-nue qui s'éloignait à pas lents : les petits enfants suspendus aux épaules de leurs mères se détournaient en souriant pour me regarder, et je leur faisais des signes de la main en manière de derniers adieux. Cette marche touchante et maternelle s'enfonça peu à peu dans la forêt, où on la voyait paraître et disparaître tour à tour entre les arbres : elle se perdit enfin totalement dans leur épaisseur. Puissent ces Sauvages conserver de moi quelque souvenir ! Je trouve je ne sais quelle douceur à penser que, tandis que j'existe persécuté des hommes de mon pays, mon nom, au fond d'une solitude ignorée, est encore prononcé avec attendrissement par de pauvres Indiens.

Fragment d'un épisode

L'étranger était assis sous un papaya, au bord du lac de Tindaé. Le jour approchait de sa fin, et tout était calme, superbe, solitaire et mélancolique au désert. Les montagnes de Jore, les forêts de cèdres des Chéroquois, les nuages dans les cieux, les roseaux dans les savanes, les fleuves dans les vallées, se rougissaient des feux du couchant. Par-delà les rivages du lac, le soleil s'enfonçait avec majesté derrière les montagnes. On le voyait encore suspendu à l'horizon entre la fracture de deux hauts rochers : son globe élargi, d'un rouge pourpre mouvant et environné d'une auréole glorieuse, semblait osciller lentement dans un fluide d'or, comme le pendule de la grande horloge des siècles.

Prête à se livrer au silence, la solitude exécutait un dernier concert : les forêts, les eaux, les brises, les quadrupèdes, les oiseaux, les monstres, faisaient les diverses parties de ce chœur unique. La nonpareille chantait dans le copalme ; l'oiseau moqueur gazouillait dans le tulipier : on entendait à la fois et les flots expirant sur leurs grèves, et les crocodiles qui rugissaient sourdement. Nichées dans les feuillages des tamarins, des grenouilles d'un vert de porphyre imitaient par un cri singulier le tintement d'une petite cloche ; et de beaux serpents qui vivent sur les arbres, sifflaient suspendus aux dômes des bois, en se balançant dans les airs comme des festons de lianes. Enfin, de longues bandes de caribous, d'orignaux, de buffles sauvages, venaient en bramant, en mugissant, se baigner dans les eaux du lac. Toutes ces bêtes défilaient sous l'œil de l'universel Pasteur, qui conduit la chevrette de la montagne avec la même houlette dont il gouverne dans les plaines du ciel l'innombrable troupeau des astres.

Tandis que l'étranger contemplait ce rare spectacle, et les forêts autour de lui, et le soleil dans l'ouest, et le lac à ses pieds, il entendit marcher dans le bois : c'était le vieux Sauvage, son hôte. Outalissi s'avançait en s'appuyant sur son arc détendu, et ses cheveux, noués sur le sommet de sa tête avec des plumes d'aigle, ressemblaient à une touffe de filasse argentée ; il salua le jeune Européen selon la coutume du désert en l'agitant légèrement par l'épaule, il lui souhaita *un ciel bleu, beaucoup de chevreuils, un manteau de castor et l'espérance*. Il poussa la fumée du calumet de paix vers le soleil couchant et vers la terre : cela étant fait, il s'assit sous le papaya.

L'homme des forêts et l'homme des cités s'entretinrent des choses de la solitude ; ils louèrent le dieu des fleuves, le dieu des rochers, le dieu des hommes justes ; leurs pensées remontèrent vers le berceau du monde, vers ces temps où l'homme de trente années suçait encore le lait de sa mère, c'est-à-dire qu'il se nourrissait d'innocence, et l'étranger pria son hôte de lui raconter ce qu'il savait de l'*ancienne parole**. — « Fils de l'étranger, enfant des mille cabanes, répondit le Sauvage, je te parlerai dans toute la sincérité de mon cœur ; mais je ne pourrai mettre dans ma *chanson*** la cadence que j'y aurais mise autrefois, dans ce temps où mes cheveux ne comptaient encore que deux fois dix chutes de feuilles. J'ai bien changé depuis ces jours : les jarrets du vieux cerf se sont raidis, il a pris sa parure d'hiver, son poil est devenu blanc, et il va bientôt se retirer dans l'étroite caverne. Ô mon fils ! si je fleuris encore aujourd'hui, ce n'est plus que par la mémoire : un vieillard avec ses souvenirs ressemble à l'arbre décrépit de nos bois, qui ne se décore plus de son propre feuillage, mais qui couvre quelquefois sa nudité de la verdure des plantes qui ont végété sur ses antiques rameaux. »

L'ancien des hommes ayant ainsi fait l'apologie de son grand âge, avec cette douce prolixité si naturelle aux vieillards, commença son chant religieux. Son chef caduc se balançait sur ses épaules arrondies comme cette étoile du soir qui paraît trembler sur le dos des mers où elle est prête à s'éteindre.

D'abord il raconta les guerres du *Grand Esprit* contre le cruel *Kitchimanitou*, dieu du mal. Ensuite il célébra le jour fameux qui commence les temps, jour où le *Grand Lièvre*, au milieu des quadrupèdes de sa cour, se plut à former l'univers d'un grain de sable, qu'il tira du fond de l'abîme, et à transformer en homme les corps des animaux noyés. Il dit le premier homme et la belle *Atabensie*, la première de toutes les femmes, précipités pour avoir perdu l'innocence ; la terre rougie du sang fraternel ; *Jouskeka* l'impie, immolant le juste *Tabouitsavon* ; le déluge descendant à la voix du *Grand Esprit* pour punir la race de Jouskeka ; Massou sauvé seul, dans son canot d'écorce du naufrage du genre humain ; le corbeau envoyé à la découverte de la terre, et ce même corbeau revenant à son maître sans avoir trouvé où se reposer. Plus heureux que le volatile, le rat musqué rapporta à *Massou* un peu de terre pétrie dont *Massou* forma le nouvel univers. Ses flèches, lancées contre le tronc des arbres dépouillés, se changèrent en branches verdoyantes. *Massou*, par reconnaissance, épousa la femelle du rat musqué, et de cet étrange hyménée sortit la nouvelle race des hommes, qui tiennent de leur mère terrestre l'instinct et les passions animales, et se rapprochent de la divinité par l'âme et la raison qu'ils tiennent de leur père.

* La tradition.
** La tradition est chantée.

Tel fut le chant du vieux Sauvage, qui remplit d'étonnement l'Européen en retrouvant dans le plus profond des déserts, dans un monde séparé des trois autres parties de la terre, les traditions de notre sainte religion. Cependant la nuit américaine sortant de l'orient s'avançait sur les forêts du Nouveau Monde, dans toute la pompe de son costume sauvage, et l'on n'entendait plus que le roucoulement de la colombe de la Virginie. L'Indien et le voyageur se levèrent pour retourner à la cabane, ils passèrent près d'un tombeau qui formait la limite de deux nations dans la solitude : c'était celui d'un enfant ! On l'avait placé au bord du sentier public, afin que les jeunes femmes, en allant à la fontaine, pussent recevoir dans leur sein l'âme de l'innocente créature, et la rendre à la patrie. Il s'y trouvait alors une mère, toute semblable à Niobé, qui, à la clarté des étoiles, arrosait de son lait le gazon sacré et y déposait une gerbe de maïs et des fleurs de lis blanc. On y voyait aussi des épouses nouvelles qui, désirant les douceurs de la maternité, venaient puiser les semences de la vie à un tombeau et cherchaient, en entrouvrant leurs lèvres, à recueillir l'âme du petit enfant, qu'elles croyaient voir errer sur les fleurs.

J'admirai avec des pleurs dans les yeux ces mœurs très merveilleuses et ces dogmes attendrissants d'une religion qui semblait avoir été inventée par des mères...

Humbles monuments de l'art des Indiens ! vous n'invitez point une science fastueuse à vos tombes inconnues. Vous n'avez d'autres portiques que ceux des forêts, d'autres pilastres que le granit des rochers, d'autres ciselures que les guirlandes des vignes et des scolopendres. L'Ohio, silencieux et rapide, coule nuit et jour à votre base ; un bois de sapins conduit à vos sépulcres, et ses colonnes, marbrées de vert et de feu, forment le péristyle de ce temple de la mort. Dans ce bois règne sans cesse un bruit solennel, comme le sourd mugissement de l'orgue ; mais lorsqu'on pénètre au fond du sanctuaire, on n'entend plus que le chant des oiseaux, qui célèbrent à la mémoire des morts une fête éternelle.

Lettre au Citoyen Fontanes
(1800)*

[...] Les persécutions qu'éprouvèrent les premiers fidèles augmentèrent sans doute leur penchant aux méditations sérieuses. L'invasion des Barbares mit le comble à tant de calamités, et l'esprit humain en reçut une impression de tristesse qui ne s'est jamais effacée. Tous les liens qui attachent à la vie étant brisés à la fois, il ne resta plus que Dieu pour espérance, et les déserts pour refuge. Comme au temps du déluge, les hommes se sauvèrent sur le sommet des montagnes, emportant avec eux les débris des arts et de la civilisation. Les solitudes se remplirent d'anachorètes qui, vêtus de feuilles de palmier, se dévouaient à des pénitences sans fin, pour fléchir la colère céleste. De toutes parts s'élevèrent des couvents, où se retirèrent des malheureux trompés par le monde, et des âmes qui aimaient mieux ignorer certains sentiments de l'existence, que de s'exposer à les voir cruellement trahis. Une prodigieuse mélancolie dut être le fruit de cette vie monastique ; car la mélancolie s'engendre du vague des passions, lorsque ces passions, sans objet, se consument d'elles-mêmes dans un cœur solitaire.

* Dans son numéro du 1er nivôse an IX/22 décembre 1800, *Le Mercure de France* publia une « Lettre au C. Fontanes » signée : « L'auteur du *Génie du Christianisme* ». C'était le premier texte que Chateaubriand faisait imprimer depuis son retour en France. Ses considérations sur *De la littérature* étaient pour lui une occasion de « tester » certains thèmes de son futur livre.

Ce sentiment s'accrut encore, par les règles qu'on adopta dans la plupart des communautés. Là, des Religieux bêchaient leurs tombeaux, à la lueur de la lune, dans les cimetières de leurs cloîtres ; ici, ils n'avaient pour lit qu'un cercueil : plusieurs erraient comme des ombres sur les débris de Memphis et de Babylone, accompagnés par des lions qu'ils avaient apprivoisés au son de la harpe de David. Les uns se condamnaient à un perpétuel silence ; les autres répétaient, dans un éternel cantique, ou les soupirs de Job, ou les plaintes de Jérémie, ou les pénitences du roi-prophète. Enfin les monastères étaient bâtis dans les sites les plus sauvages : on les trouvait dispersés sur les cimes du Liban, au milieu des sables de l'Égypte, dans l'épaisseur des forêts des Gaules, et sur les grèves des mers britanniques. Oh ! comme ils devaient être tristes, les tintements de la cloche religieuse qui, dans le calme des nuits, appelaient les vestales aux veilles et aux prières, et se mêlaient, sous les voûtes du temple, aux derniers sons des cantiques et aux faibles bruissements des flots lointains ! Combien elles étaient profondes les méditations du Solitaire qui, à travers les barreaux de sa fenêtre, rêvait à l'aspect de la mer, peut-être agitée par l'orage ! la tempête sur les flots ! le calme dans sa retraite ! des hommes brisés sur des écueils au pied de l'asile de la paix ! l'infini de l'autre côté du mur d'une cellule, de même qu'il n'y a que la pierre du tombeau entre l'éternité et la vie !... Toutes ces diverses puissances du malheur, de la religion, des souvenirs, des mœurs, des scènes de la nature, se réunirent pour faire, du génie chrétien, le génie même de la mélancolie.

Il me paraît donc inutile d'avoir recours aux Barbares du Nord, pour expliquer ce caractère de tristesse que Mme de Staël trouve particulièrement dans la littérature anglaise et germanique, et qui pourtant n'est pas moins remarquable chez les maîtres de l'école française. Ni l'Angleterre, ni l'Allemagne n'a produit Pascal et Bossuet, ces deux grands modèles de la mélancolie en sentiments et en pensées.

Mais Ossian, mon cher ami, n'est-il pas la grande fontaine du Nord, où tous les bardes se sont enivrés de mélancolie, de même que les anciens peignaient Homère sous la figure d'un grand fleuve, où tous les petits fleuves venaient remplir leurs urnes ? J'avoue que cette idée de Mme de Staël me plaît fort. J'aime à me représenter les deux aveugles ; l'un, sur la cime d'une montagne d'Écosse, la tête chauve, la barbe humide, la harpe à la main, et dictant ses lois, du milieu des brouillards, à tout le peuple poétique de la Germanie : l'autre, assis sur le sommet du

Pinde, environné des Muses qui tiennent sa lyre, élevant son front couronné sous le beau ciel de la Grèce, et gouvernant, avec un sceptre orné de laurier, la patrie du Tasse et celle de Racine.

« Vous abandonnez donc ma cause ? » allez-vous vous écrier ici. Sans doute, mon cher ami ; mais il faut que je vous en dise la raison secrète : *c'est qu'Ossian lui-même est chrétien.* Ossian chrétien ! Convenez que je suis bienheureux d'avoir converti ce barde, et qu'en le faisant entrer dans les rangs de la religion, j'enlève un des premiers héros à *l'âge de la mélancolie.*

Il n'y a plus que les étrangers qui soient encore dupes d'Ossian. Toute l'Angleterre est convaincue que les poèmes qui portent ce nom sont l'ouvrage de M. Macpherson lui-même. J'ai été long-temps trompé par cet ingénieux mensonge : enthousiaste d'Ossian, comme un jeune homme que j'étais alors, il m'a fallu passer plusieurs années à Londres parmi les gens de lettres, pour être entièrement désabusé. Mais enfin je n'ai pu résister à la conviction, et les palais de Fingal se sont évanouis pour moi, comme beaucoup d'autres songes.

COMMENTAIRE

par

Jean-Claude Berchet

Histoire et géographie des Natchez

1. La géographie ancienne

On ne saurait comprendre quoi que ce soit à la « littérature américaine » de Chateaubriand sans se référer à la géographie ancienne du continent, ni se rappeler quelles furent les ambitions coloniales de la France dans la région jusqu'au traité de Paris en 1763. Au milieu du XVIIIᵉ siècle, cette « Amérique septentrionale » échappe encore, dans une large mesure, à la domination des Européens. Ces derniers sont implantés au Canada (France), sur la bordure atlantique (Angleterre), en Floride (Espagne), enfin en Louisiane (France). Au-delà du Mississipi commence en principe une zone de souveraineté espagnole (le Nouveau Mexique) ; mais en réalité la partie comprise entre le fleuve et la côte du Pacifique demeure inexplorée ; on ne soupçonne même pas son immensité. En revanche, des Grands Lacs au golfe du Mexique, les Blancs sont en contact avec les Indiens sur un très vaste espace, encore mal délimité. Dans *Les Natchez*, par exemple (p. 391) les Cherokees (installés dans la région du Tennessee) sont censés faire partie des « nations confédérées de la Floride », à propos de laquelle Raynal écrit : « Sous ce nom, l'ambition espagnole comprenait anciennement toutes les terres de l'Amérique qui s'étendaient depuis le golfe du Mexique jusqu'aux régions les plus septentrionales » (t. VIII, p. 199 ; il signale en note la restriction récente du sens). Le même auteur considère encore les Illinois comme « placés dans la partie la plus septentrionale de la Louisiane » (t. VII, p. 239). Ainsi, dans la topographie de cette époque, Floride, Louisiane et Canada se partagent-ils le vaste espace peu habité compris entre le golfe du Mexique (où la présence espagnole est réduite), le Mississipi, les Grands Lacs et les colonies anglaises de la bordure atlantique. Représentés sur le papier comme contigus, ils ont vocation à se rejoindre dans la réalité pour former une continuité territoriale à laquelle on a déjà donné le nom de Nouvelle-France. A propos du gouverneur du Canada, Raynal observe par exemple : « Cet administrateur commandait au loin sur un vaste continent, dont la Louisiane formait la portion la plus intéressante » (t. VII, p. 213). C'est précisément ce virtuel espace « français » qui constitue celui de la fiction, au sein duquel les personnages des *Natchez* se meuvent, malgré les distances, avec une déconcertante facilité ; comme s'il fallait, sur un plan imaginaire, rapprocher davantage encore la Louisiane du Canada, voire du Labrador.

2. *La Louisiane française*

Son histoire assez brève (à peine un siècle) est assez paradoxale : c'est en effet à partir du Canada que, dans le dernier tiers du XVIIᵉ siècle, fut exploré le cours du Mississipi. La première expédition date de 1673. Cette année-là le Québécois Joliet et le père Jacques Marquette (1637-1675), de la Compagnie de Jésus, « partent ensemble du lac Michigan, entrent dans la rivière des Renards (...), la remontent jusque vers sa source, et malgré les courants qui en rendent la navigation difficile. Après quelques jours de marche, ils se réembarquent sur le Ouisconsing, et naviguant toujours à l'ouest, ils se trouvent sur le Mississipi, qu'ils descendent jusqu'aux Akansas, vers les trois degrés de latitude. Leur zèle les poussait plus loin ; mais ils manquaient de subsistances ; mais ils se trouvaient dans des régions inconnues (...). Ces considérations les déterminèrent à reprendre la route du Canada, à travers le pays des Illinois » (Raynal, t. VII, p. 214). En 1679-1680, c'est au tour de Robert Cavelier de La Salle (1640-1687), établi à Montréal, de descendre le Mississipi, cette fois jusqu'à son embouchure ; il regagne ensuite le Canada, puis la France. C'est là qu'en 1682, il organise une expédition de quatre navires qui se donne pour objectif de retrouver cette embouchure par mer : mais il la dépasse, et débarque au-delà du fleuve ; il ne tardera pas à être massacré par les Indiens. Enfin, en 1699, le premier établissement de la future Louisiane est fondé à Biloxi, par Le Moyne d'Iberville, un autre « Canadien ».

C'est alors la Compagnie des Indes qui va prendre en charge la nouvelle colonie. Si la ville de Biloxi végète, un comptoir est établi dès 1713 sur le territoire des Natchez, au bord du Mississipi, à plus de 200 kilomètres en amont. Mais les relations avec les Indiens sont difficiles. Après le meurtre de quatre Français, une expédition militaire fut organisée ; il en résulta la construction du fort Rosalie (1716) où devait être maintenue une petite garnison. Peu de temps après, La Nouvelle-Orléans est fondée (1718), tandis qu'en France une active propagande est faite pour accélérer le peuplement de la Louisiane. Un roman comme *Manon Lescaut* (1731) nous en donne, pour cette époque, une assez piètre idée que confirme Raynal : « Le Mississipi fut la terreur des hommes libres, on ne lui trouva plus de colons que dans les prisons, que dans les lieux de débauche. Ce fut un cloaque où aboutirent toutes les immondices du royaume » (XVI, 5 ; éd. cit., t. VII, p. 222).

En 1722, le gouverneur Bienville installa près de sept cents colons autour du fort Rosalie. Les Natchez reprirent alors les hostilités, mais sans succès. Ils furent néanmoins loin de se soumettre, puisqu'en 1726, le nouveau gouverneur Périer demande des troupes supplémentaires pour prévenir une éventuelle insurrection, que finirent par déclencher, à la fin de 1729, les exactions du chef de poste Chépar. Cette nouvelle révolte des Natchez fut aussi la dernière ; ils furent écrasés, obligés de céder leurs terres, et de se disperser parmi les tribus voisines.

Le monopole de la Compagnie fut alors transféré à la Couronne. Sous son administration directe, la colonie prospéra dans les années 1740. Au milieu du siècle elle compta jusqu'à sept mille Blancs, « dispersés, nous dit Raynal, dans un espace de 500 lieues » (2 000 kilomètres). Mais la souveraineté française ne devait guère survivre à la perte du Canada. La Louisiane passa peu après sous contrôle espagnol. Elle fut restituée à la France en 1802, mais vendue presque aussitôt par le Premier Consul à la confédération des États-Unis pour 80 millions de francs-or. Chateaubriand avait terminé *Les Natchez* quatre ans plus tôt ; il venait de publier *Atala* et *René*.

On lui a parfois reproché la minceur de son sujet. C'est méconnaître le contexte politique que nous venons de rappeler. Raynal lui avait peut-être suggéré les ressources épiques de ce modeste épisode de nos guerres coloniales lorsqu'il écrivait : « (Les Natchez) avaient réussi à former sur la fin de 1729, une ligue presque universelle dont le but était d'exterminer en un seul jour la race entière de leurs oppresseurs » (t. VII, p. 232). Après tout, sur le plan historique, la guerre de Troie ne représente guère plus. Chateaubriand condense néanmoins en une seule histoire les hostilités de 1722 (chants IX et X) et la révolte finale (seconde partie). Peut-être est-ce la raison pour laquelle il date de 1727 (préface d'*Atala*, p. 42) un événement que toutes ses sources (y compris Raynal) situent en 1729.

3. *Chronologie fictive des* Natchez

1653. — Naissance de Chactas.

1670. — A dix-sept ans, il est recueilli par Lopez (p. 102).

1673. — Son aventure avec Atala : il a vingt ans.

Vers 1680. — Chactas à Paris.

1686. — Retour de Chactas parmi les Natchez : il a trente-trois ans (p. 201).

1696. — Naissance de René. Son enfance est contemporaine des dernières années du règne de Louis XIV, qui meurt tandis qu'il voyage. Il ne rentre en France que sous la Régence.

1725. — René arrive en Louisiane (p. 101). Chactas a soixante-douze ans ; Mila à peine quatorze. Automne : chasse au castor ; guerre avec les Illinois ; René épouse Céluta.

1726. — Fête de la moisson (pp. 248-249). Naissance avant terme (7 mois) de la petite Amélie (p. 252). Procès de René à La Nouvelle-Orléans.

1727. — Retour de Céluta : sa fille a dix ou onze mois. Absence de René : automne (p. 410) ; il a trente et un ans révolus (p. 411). Mort de Chactas. Révolte des Natchez (p. 42).

1728. — Disparition de tous les personnages (Mila a dix-sept ans), sauf Amélie.

Vers 1748. — Amélie a une fille (p. 493).

Vers 1768. — Cette fille, « plus malheureuse encore que sa mère » (p. 493) donne naissance à un fils, qui ne vit pas. C'est elle qui rencontre à Niagara le narrateur « voyageur aux terres lointaines » (p. 160).

1768. — 4 septembre. — Naissance de François-René de Chateaubriand à Saint-Malo.

Pour la vie de Chateaubriand, et la genèse des *Natchez*, voir notre Introduction, ainsi que les *Mémoires d'outre-tombe*.

Les sources et la documentation

On a depuis longtemps recensé les sources des *Natchez*. Les modèles littéraires de Chateaubriand ne manquent pas : épiques (Homère, Virgile, le Tasse, Milton), « philosophiques » (Voltaire, Rousseau, Marmontel, Diderot), lyriques (Ossian, *Le Cantique des Cantiques*, Parny) ou exotiques (Bernardin de Saint-Pierre), ils correspondent à la culture de sa génération, avec une prédilection pour un certain primitivisme (la Bible, Homère, Ossian) et pour la littérature anglaise : poésie descriptive (Thomson) ou élégiaque (Gray), roman noir, théâtre de Shakespeare (voir pp. 265-267 la très curieuse imitation de la scène du fossoyeur, de *Hamlet*).

1. Odérahi

Parmi ces sources, il faut mettre à part un roman anonyme, au style plutôt terne, qui présente avec *Les Natchez* des analogies de situations assez troublantes. En 1795, paraissait à Paris un recueil de *Veillées américaines* en trois volumes, préfacé par un certain « P. B. » (dans lequel Paul Hazard a voulu reconnaître, sans preuves décisives, le botaniste Palisot de Beauvois) ; les rares exemplaires connus sont présentés comme « seconde édition », mais il a été jusqu'à présent impossible de retrouver la première. Le tome II débute par une histoire intitulée *Eugénie*. C'est un récit à la première personne, dans lequel un jeune homme raconte ses infortunes. Après une adolescence contrariée par des parents « barbares », il rencontre plus de compréhension auprès de son grand-père. Ce vieillard philosophe favorise son goût pour la littérature, ainsi que sa passion naissante pour une certaine Eugénie. Hélas ! surpris par sa mère alors qu'il lui dérobe un innocent baiser, le jeune homme est envoyé au-delà des mers, pour éprouver la constance de son désir. Jeté par une tempête sur les côtes du Labrador avec son vaisseau, il passe un long hiver dans ces régions polaires en compagnie du grossier équipage. Le printemps venu il est abandonné par ses compagnons, puis recueilli par des chasseurs canadiens.

C'est alors que commence un autre épisode qui a cette fois pour titre *Odéraï*, dans lequel notre héros continue son récit, qu'il destine à Eugénie. Prisonnier des Indiens, il a été sauvé de la mort par la jeune Odéraï, « belle comme un sassafras en fleurs », qui le réclame, selon la coutume, « comme son frère ». Il est adopté par son père Ourahou, puis intronisé membre des Nadouëssis, sous un nouveau nom : Ontérée. Malgré sa mélancolie qui le pousse sans cesse à « errer dans les forêts », il se laisse peu à peu gagner par le charme de la vie sauvage, « sur les bords du Méchassipi » (le village est situé sur le cours supérieur du fleuve). Odéraï ne tarde pas à éprouver pour le bel étranger un amour grandissant, auquel ce dernier oppose une résistance inexplicable. Néanmoins, la cellule familiale se renforce lorsqu'on voit réapparaître Oumou-rayou, le frère perdu qu'Ontérée a remplacé, et qui lui offre son amitié. Un certain nombre de péripéties viennent alors relancer le récit (Odéraï est enlevée, puis retrouvée ; une guerre sans merci éclate entre les tribus, entrecoupée de scènes de mœurs). Mais Ontérée, obsédé par son Eugénie, continue de se refuser à sa bienfaitrice, malgré les objurgations de son entourage. Lorsqu'il se résigne enfin au mariage, après de surprenantes avanies, il est trop tard. Odéraï a pris un poison. Son cadavre est transporté dans la grotte où les Indiens vont déposer, chaque année, les restes de leurs défunts. Tandis que la mort frappe tour à tour les autres personnages, Ontérée désespéré reste plus seul que jamais. Un sage vieillard le réconforte, mais il ne fera que se survivre en attendant la fin : « Ô mes amis, j'irai bientôt vous rejoindre ; j'ai parcouru le long et pénible sentier de la vie (...) ; le temps a fait tomber toutes les feuilles de l'arbre de vie, il n'en reste que l'écorce ; le chagrin a dévoré son cœur, le vent de la mort va le renverser, et mon âme se réunira à vos âmes. » On retrouvera cette image dans *René*.

Ce texte qui remonte donc au moins à 1795, fut réimprimé en 1801, quelques mois après *Atala*, sous le titre : *Odérahi, histoire américaine*, précédé par un avis qui établissait un parallèle avec le roman de Chateaubriand non sans revendiquer pour *Odérahi* la préséance de « sœur aînée » ; cette expression est du reste reprise dans un compte rendu publié par *Le Moniteur* du 27 thermidor an IX / 15 août 1801. Chateaubriand ne broncha pas, ni alors, ni plus tard, pas plus que ses amis ou ennemis, bien qu'il soit exclu qu'il puisse avoir ignoré la parution de ce livre. Cela pose un problème, demeuré à ce jour sans solution.

Car *Odérahi*, en réalité, ne renvoie pas qu'à *Atala*, comme on le croit trop souvent, mais à la totalité des *Natchez*, encore inconnus, mais achevés en 1801. Certes, les différences ne sont pas minces. Le roman anonyme ne prête à peu près aucune attention à la nature, au sens pittoresque du terme. Une grande place y est faite à la description ethnographique : rites, fêtes, costumes, tatouages, chansons sont exploités plus encore que chez Chateaubriand. Mais dans ce domaine les récits de voyages (en particulier Carver) ont pu servir de référence commune. Le style incolore et diffus (le parlé est davantage présent), le moralisme sentimental, ou les effusions déistes qu'on trouve à chaque page dans *Odérahi* ne sont guère dans la manière de Chateaubriand. Les similitudes sont en revanche frappantes en ce qui concerne le système des personnages. Comme Atala, Odérahi sauve un prisonnier qu'elle soigne et qu'elle entraîne au fond des bois ; mais pas plus qu'Atala, elle ne peut réaliser son désir : son histoire se termine aussi par un suicide au poison, ainsi que par des funérailles longuement décrites. En revanche, son amour dédaigné la rapproche davantage de la Céluta des *Natchez* : comme celle-ci, elle éprouve une passion totale pour un Blanc inaccessible, parce que tourmenté par un mal inconnu. Mais c'est entre Ontérée et René (non pas seulement le protagoniste de la nouvelle qui porte son nom, mais le héros des *Natchez* dans leur ensemble), que les ressemblances sont les plus visibles : dans les deux cas un Européen est adopté par des Indiens, mais une image traumatisante du passé empêche le civilisé de retrouver le bonheur au sein de la nature ; il est paralysé par un interdit qui entraîne la catastrophe finale. Car Odérahi-Céluta est aussi, dans une certaine mesure, Amélie : « Mon cœur, dit après sa mort Ontérée, s'était accoutumé à la chérir comme ma sœur ; et des sentiments plus tendres m'auraient paru criminels ; cette vierge touchante avait quelque chose de *céleste* que j'aurais cru souiller par un amour incestueux. »

Sans entrer dans plus de détails, on est donc amené à constater que *Les Natchez* et *Odérahi* sont des histoires élaborées à partir de données très voisines, mais que chacun des récits a été mis en scène, développé, coloré de manière assez différente. Dans notre ignorance actuelle nous pouvons toujours supposer une « source » commune. Mais Chinard (édition Clavreuil, introduction, p. 54) a observé qu'au niveau stylistique, aucune des expressions, images, métaphores qu'on rencontre dans *Odérahi* ne se retrouve sous la plume de Chateaubriand, ce qui paraît exclure toute relation *textuelle*. Tout se passe plutôt comme si *Odérahi* correspondait à cette histoire des sauvages du Canada que Chateaubriand ébaucha au moment de son voyage en Amérique. Un canevas identique, évoqué dans le milieu émigré, a très bien pu tenter un autre écrivain, tandis que de son côté, après 1795 précisément, il se serait orienté dans une autre direction sans modifier les lignes principales de son intrigue.

2. Les récits de voyages

Chateaubriand a par ailleurs utilisé pour camper son « décor indien » un certain nombre de voyageurs ou de naturalistes, répertoriés depuis le début de ce siècle par J. Bédier, L. Hogu, G. Chinard, P. Martino. La liste suivante, sans être exhaustive, suffit à baliser largement le champ des sources « scientifiques ». On y trouvera les références des ouvrages cités dans les notes ; sont marqués par un astérisque les éditions que Chateaubriand possédait dans sa bibliothèque de la Vallée-aux-Loups :

— BARTRAM, William, *Travels through North and South Carolina, Georgia, East and West Florida, the Cherokee Country, the Extensive Territories of the Muscogulges, or Creek Confederacy, and the Country of the Chactaws*, Philadelphia, 1791, London, 1792, etc.

— Traduction française par P.V. BENOIST : *Voyage dans les parties sud de l'Amérique septentrionale*, Paris, Carteret et Brosson, an VII (1799) ; Maradan, an IX (1801)*.

Dans son *Tableau des États-Unis* (1803), Volney le classe, avec son arrogance habituelle, parmi les « écrivains romanciers ». C'est à ce naturaliste « sensible » (le Bernardin de Saint-Pierre de la littérature anglaise) que Chateaubriand est le plus redevable, aussi bien pour la peinture du sud, dans son exotique luxuriance, que pour la description des « harmonies » du paysage américain dans toutes ses composantes. Il emprunta au texte anglais jusqu'au rythme de certaines phrases, mais possédait aussi la traduction.

— CARVER, Jonathan, *Travels through the interior parts of North America in the years 1766, 1767 and 1768*, London 1778, 1779*, etc. — Traduction française : *Voyages dans les parties intérieures de l'Amérique septentrionale*, Paris, Pissot, 1784.

C'est une compilation des voyageurs français plus anciens, qui a eu beaucoup de succès. Carver privilégie la perspective ethnographique. Outre les nombreuses scènes de mœurs qu'il retrace (chants funèbres, rites de la moisson, visites nocturnes des amants), il accorde une grande importance au style figuré des Indiens, mais colore aussi leur discours du ton emphatique propre à Thomson, Young ou Ossian.

— CHARLEVOIX, François-Xavier de, *Histoire et description de la Nouvelle-France, avec le journal historique d'un voyage fait par ordre du Roi dans l'Amérique septentrionale*, Paris, 1744*.

Ce jésuite a voyagé des Grands Lacs à la Louisiane dans les années 1720-1722. Sa documentation est très riche dans tous les domaines, mais un peu confuse. Le *Journal* constitue le tome III de cette édition in-4°. C'est le principal informateur, un peu ancien, de Chateaubriand (qui cite des extraits de son livre à la fin des *Natchez*).

— CHASTELLUX, marquis de, *Voyages dans l'Amérique septentrionale dans les années 1780, 1781 et 1782*, Paris, Prault, 1786.

Il donne la première description illustrée du pont naturel de la Virginie, qui a servi de modèle pour *Atala*.

— IMLAY, Gilbert, *A Topographical Description of the Western Territory of North America*, London, 1792, traduction française Paris, 1793.

En particulier pour le réseau hydrographique (Ohio, Tennessee) et pour les « ruines indiennes ».

— LAFITAU, Joseph, *Mœurs des Sauvages américains, comparées aux mœurs des premiers temps*, Paris, Saugrain, 1724.

Ce missionnaire jésuite séjourna très jeune (vers 1715) chez les Iroquois. Son livre, illustré de nombreuses figures, représente la première tentative pour constituer une ethnographie comparée qui se fonde sur le mythe de la religion primitive et de la commune origine des différentes races. C'est lui qui oriente Chateaubriand vers un parallèle entre les sauvages, dont les gravures soulignent la nudité néo-classique, et les héros homériques.

Mais il a aussi récolté de nombreuses informations sur tous les aspects de la vie des Indiens.

— LAHONTAN, Louis-Armand, baron de, *Nouveaux Voyages dans l'Amérique septentrionale*, comprenant des *Dialogues curieux entre l'auteur et un sauvage de bon sens qui a voyagé*, La Haye, 1703, nombreuses rééditions sous divers titres.

Ce militaire « esprit fort » séjourna au Canada à la fin du XVIIe siècle. Ses *Dialogues* assez sceptiques sont une profession de déisme, et une violente satire de la société française. Dans ses *Voyages*, il évoque les cérémonies du mariage et des funérailles, la visite nocturne à la bien-aimée, etc. Son « Petit Dictionnaire de la langue des Sauvages » a fourni à Chateaubriand certains noms propres des *Natchez*.

— LE PAGE DU PRATZ, Antoine, *Histoire de la Louisiane*, Paris, 1758.

Ce colon avait passé huit ans chez les Natchez, où il avait obtenu vers 1725 une concession de terre. Son livre est un témoignage de première main sur leurs traditions religieuses, politiques, sociales. Il reproduit en outre le style imagé des discours indiens.

— PRÉVOST, *Histoire générale des voyages*, t. XV, 1769*.

On y trouve en particulier les chapitres XIV (« Caractères, usages, religion, et mœurs des indiens de l'Amérique septentrionale ») et XV (« Voyages au Nord-Ouest et au Nord-Est ») du livre VI, qui résument la littérature antérieure sur le sujet.

— RAYNAL, abbé Guillaume Thomas, *Histoire philosophique et politique des établissements et du commerce des Européens dans les deux Indes*, Genève, Pellet, 1780. (Nous citons dans la réédition des libraires associés, 1783 : les livres XV et XVI se trouvent au t. VII).

Cette histoire mondiale de la colonisation à laquelle Diderot a collaboré était curieusement le livre de chevet du comte de Chateaubriand à Combourg, où son fils a pu la consulter dès son adolescence : les livres XV (« Établissements des Français dans l'Amérique septentrionale : Canada ») et XVI (« Mississipi-Louisiane ») font le bilan de la « Nouvelle France » en Amérique du Nord.

Le montage, les techniques narratives et les personnages des Natchez

1. Le récit

Les vicissitudes des *Natchez* (voir Introduction, pp. 12-31) ont modifié leur architecture primitive après 1798. Il importe de la rétablir au moins « idéalement » (abstraction faite des corrections ultérieures) afin de restituer à chaque épisode sa fonction véritable : de sa place dépend le rôle, puis la signification de chacun.

Nous avons signalé (notes 76 et 199) que Chateaubriand avait sans doute, en 1801, utilisé pour accompagner *Atala*, un « prologue » et un « épilogue » destinés auparavant à encadrer *Les Natchez*. Il en résulte la disposition suivante, pour la totalité du récit :

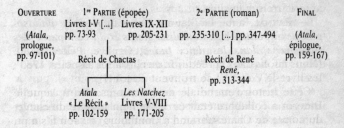

OUVERTURE	1ʳᵉ PARTIE (épopée)		2ᵉ PARTIE (roman)	FINAL
	Livres I-V [...]	Livres IX-XII		
	pp. 73-93	pp. 205-231	pp. 235-310 [...] pp. 347-494	
(*Atala*, prologue, pp. 97-101)				(*Atala*, épilogue, pp. 159-167)
	Récit de Chactas		Récit de René	
			René, pp. 313-344	
	Atala « Le Récit » pp. 102-159	*Les Natchez* Livres V-VIII pp. 171-205		

Cette organisation souligne la symétrie globale des deux « épisodes » qui implique néanmoins, sur le plan narratif, des distorsions importantes.

Chacun de ces récits enchâssés est un récit rétrospectif à la première personne, ressource habituelle de la tradition épique, qui fonctionne en corrélation avec la pratique non moins canonique du début *in medias res*. Ils sont obtenus par une permutation respective du couple narrateur-narrataire : dans *Atala*, Chactas raconte son histoire à René ; dans *René*, c'est René qui raconte son histoire à Chactas. Mais cette symétrie est superficielle. Si le vieillard parle en premier, c'est en particulier parce que la narration de ses aventures ne lui pose aucun problème : comme c'est la règle en pareil cas, il se dédouble pour commenter sa propre histoire, mais il ne laisse subsister dans son récit aucun mystère ; ce qui est énigmatique au début est progressivement expliqué. Chactas regarde son passé avec nostalgie, mais aussi une certaine sérénité. Comme le prouve la suite de son histoire, on peut dire que dans son cas, au moins dans une certaine mesure, le travail du deuil a été accompli. Bien qu'il soit parfois interpellé, René ne réagit pas au récit de Chactas ; c'est un pur auditeur. Lorsque *Atala* est publié séparément, avec un épilogue, celui-ci « court-circuite » même sa fonction de narrataire au profit de toute une tradition (les pères/les enfants/les Indiens). En définitive, le voyageur-témoin, véritable transmetteur du récit, ne rapporte que ce que les Indiens lui ont appris.

Le récit de René, lui, est adressé à un double destinataire (voir note 288). Loin de répondre à un pacte de réciprocité, il a commencé par être refusé à Chactas au début des *Natchez* (p. 79 : « Indien, ma vie est sans aventures, et le cœur de René ne se raconte point »), puis a été longtemps retardé. Il aura fallu en définitive une intervention extérieure pour le déclencher. Il se présente alors comme une confession (il faut donc un prêtre), mais publique (présence de Chactas) : aveu (dit) plein de réticences (non-dit). Du reste, le secret de René est un leurre. Sa révélation ne porte aucune lumière, c'est-à-dire aucune distance, dans la conscience de ce mélancolique. De toute évidence, Chactas, malgré sa ressemblance avec Œdipe (voir pp. 76 et 100), ne saurait lui servir de psychanalyste. Le père Souël se montre plus perspicace : il diagnostique assez vite la complaisance de René envers sa propre faute, ainsi que son désir inconscient pour sa sœur, cas banal de régression narcissique. Mais sa clairvoyance est trop répressive pour être efficace. Il est du reste nécessaire de maintenir un point aveugle pour que fonctionne aussi bien dans le récit ce « théâtre » de la mauvaise foi, qui en constitue la principale modernité.

Autre différence : les aventures de Chactas, prises dans leur ensemble, sont un véritable roman de formation. Le héros quitte son lieu natal pour explorer le vaste monde (son histoire commence, comme celle de René, comme celle de Chateaubriand, par la mort du père de sang). Au cours de ses pérégrinations (de la plus extrême civilisation : Versailles, à la plus extrême sauvagerie : le Labrador), il a la possibilité de faire des expériences très diverses, qui le conduisent à remettre en cause sa propre croyance. Il a rencontré en la personne de Fénelon un véritable initiateur. Lorsqu'il rentre chez lui, il a les trente-trois ans symboliques de la maturité. C'est un « Sauvage qui a voyagé » comme celui de Lahontan, mais qui tire de ses voyages des conclusions moins « philosophiques ». On le vénère comme un sage parmi les Natchez. Mais Chactas, « aveugle et solitaire », ne laisse aucune descendance ; il meurt au moment où la patrie pour laquelle il a œuvré, est en train de se désintégrer. Le vieil Indien ne figure pas mal Chateaubriand, ministre sincère du bien public, mais demeuré obstinément fidèle à sa sylphide.

René raconte, lui aussi, des voyages. Mais c'est une quête décevante, qui ne lui offre jamais la possibilité de saisir quoi que ce soit, parce qu'elle ne cesse de le *fixer* sur une enfance que figure une sœur interdite. Il oscille en permanence entre diverses formes de clôture, et des velléités de fuite (le monastère au bord de la mer) mais ne trouve jamais de véritable altérité donc pas de véritable société, même chez les Natchez. Il a un peu plus de trente et un ans lorsqu'il meurt, au seuil de la vie adulte.

Et Chateaubriand ? Le 4 septembre 1799, il entre, lui aussi, dans sa trente-deuxième année. Quel modèle adopter pour continuer à vivre ? Sa décision de rentrer en France, au mois de mai 1800, prouve qu'il a choisi Chactas.

Qu'en est-il enfin du narrateur « premier » ? Le récit à la troisième personne des *Natchez* est pris en charge par un *je* qui représente une pure instance poétique : c'est le *chantre* épique, invoquant la Muse au début du livre I, et saluant pour conclure le père des fleuves : « Puisse mon récit avoir coulé comme tes flots, ô Meschacebé ! » Ce *je* renvoie néanmoins aussi à ce « moi, voyageur aux terres lointaines » qui apparaît pour recueillir la tradition collective dans *Atala*, ou, plus précisément, dans un « épilogue » destiné à clore la totalité du récit dans la version primitive. Ce personnage énigmatique opère la jonction entre la fiction (rencontre à Niagara du dernier des Natchez) *et* le souvenir autobiographique (la rencontre avec les Indiens qui accompagne la « nuit chez les sauvages » : voir *Essai historique*, Appendice, pp. 535-540 ; *Voyage en Amérique*, pp. 693-696 ; *Mémoires*, VI, 7). Condensation imaginaire qui permet à Chateaubriand de devenir un personnage de son histoire. En réalité, le narrateur ultime des *Natchez* est un simple transmetteur : il est investi par une mémoire mythique qui produit une légende. De la même façon, Bernardin de Saint-Pierre avait encadré le récit de *Paul et Virginie* par celui de la rencontre entre le narrateur et le vieillard. C'est dans ce contexte narratif qu'apparaissent parfois de brusques restrictions de champ : « *On* n'a jamais su ce qui se passa dans ce conseil... » (p. 441) ; « Que contenait le billet du capitaine ? *On* l'a toujours ignoré » (p. 475). Le récit est lacunaire ; des vestiges se sont perdus : analogue textuel de la dispersion historique des *Natchez*. Les images finales soulignent cette homologie : à la cataracte inconnue où se sont engloutis les corps de Céluta et de Mila, correspondent les flots du Meschacebé, qui emportent les dernières bribes du récit (pp. 493-494).

* *
*

Dans les divers commentaires qu'il lui est arrivé de faire sur *Les Natchez*, *Atala* ou *René* (par exemple dans les préfaces, ou dans les *Mémoires d'outre-tombe*), Chateaubriand a toujours insisté sur les aspects techniques de son travail, qu'il a voulu rattacher à des modèles génériques (épopée, roman, poème, etc.). En réalité, tous les genres se mêlent dans *Les Natchez*, que caractérise une extrême variété de tons : on passe du simple récit au lyrisme, du paisible tableau champêtre à la scène de terreur. Les descriptions ne sont jamais trop longues ou trop statiques : elles ont en général une valeur symbolique dans *Atala* ou *René* ; elles sont plus référentielles dans *Les Natchez*. Mais les paysages, ou les peintures des mœurs indiennes sont toujours narrativisés, c'est-à-dire intégrés dans une mise en scène fluide des événements, soit que la tension se relâche (par exemple dans la séquence de la moisson où le retour au clair de lune entremêle les hymnes des prêtres avec les évolutions séduisantes de Mila, pp. 249-252), soit qu'au contraire la nature prête son décor grandiose à des épisodes dramatiques (tels que le conseil de la *Roche-Isolée*, p. 388 ou la caverne du lac souterrain, p. 470).

La perspective ethnographique autorise par ailleurs la présence de scènes collectives qui vont des cérémonies funèbres au jeu de ballon en passant par les rites de chasse, les danses ou les chansons. Il y avait là un risque de dispersion. Pour conjurer cette éventuelle inconsistance de la nomenclature romanesque, Chateaubriand a été obligé de recourir à des principes de structuration. Le modèle épique, malgré sa présence insistante, ne suffit pas à les lui donner. Car la guerre (des hommes comme des Dieux) est en définitive secondaire dans *Les Natchez*, dans la mesure où leur principal enjeu demeure privé. Que ce soit Chactas, ou encore plus René, les protagonistes ne sont pas véritablement intégrés à une communauté. Aussi est-ce plutôt le modèle dramatique qui marque le récit de son empreinte. Il se manifeste par une certaine théâtralisation (la *scène* de la grotte funèbre, pp. 265-267, ou celle du jongleur, pp. 419-421), par le recours au pathétique des larmes, comme par la progression inéluctable du récit vers un dénouement fatal qui concentre en quelques heures la catastrophe : « Il se leva enfin le jour qui devait être suivi d'une nuit si funeste » (p. 468). C'est à lui que se rattache aussi la revendication « racinienne » du « peu de matière » qu'on trouve aussi bien dans *Atala* que dans *René*. René est, du reste, le type même du héros tragique : personnage immobile, écrasé par une Faute indicible, voué à un Destin suicidaire qu'il ne maîtrise en aucune façon.

2. *Les personnages*

Le système des personnages se fonde sur une duplication permanente, un peu vertigineuse. Il en résulte diverses configurations au sein desquelles les protagonistes entretiennent presque toujours des relations endogamiques, où la sexualité ne paraît pouvoir se vivre que dans une structure « familiale ».

Le héros masculin est dédoublé en un couple Chactas/René, chacun protagoniste des deux épisodes symétriques avant de se retrouver réunis par une relation de paternité dans *Les Natchez* où René est adopté par Chactas.

Dans *Atala*, la relation est incestueuse au moins sur le

plan symbolique, puisque nous pouvons tracer le schéma suivant :

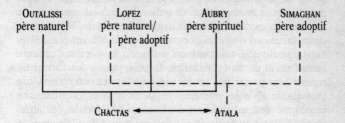

| OUTALISSI père naturel | LOPEZ père naturel/ père adoptif | AUBRY père spirituel | SIMAGHAN père adoptif |

CHACTAS ◄──── ATALA

Le système est encore plus fermé dans *René* au point qu'on a pu le définir comme un « octuor nucléaire ». Le couple René/Amélie représente une sorte de lien archétypal qui épuise en effet toutes les figures possibles : lieu utopique (hors du principe de réalité) de *nulle* contradiction :

RENÉ / AMÉLIE

1. frère / sœur
2. père / fille (la scène symbolique de la prise de voile)
3. fils / mère (« C'était presque une mère... »)
4. amant / amante (« ... C'était quelque chose de plus tendre »).

Enfin, Outougamiz représente pour René, dans *Les Natchez*, à la fois un frère (René a épousé sa sœur ; ils sont qualifiés de « jumeaux » p. 229) et un amant (dans une relation « objectivement » homosexuelle).

Du côté des personnages féminins, on retrouve un autre couple fonctionnel (Céluta/Mila) dédoublé selon une relation de parenté : Mila épouse Outougamiz, frère de Céluta, « ami » de René. La voilà donc à son tour devenue sœur de Céluta, comme de René.

Autrefois, donc, la passion réelle, mais interdite (Chactas/Atala, René/Amélie) ; aujourd'hui, la passion permise, mais absente, sans objet : Céluta aime son mari, mais René ne désire pas Céluta. En définitive, un seul couple normal en apparence (c'est-à-dire lié par un amour à la fois réciproque et licite) : Outougamiz et Mila. Mais il unit deux êtres qui ont aimé (en vain) René. Néanmoins, Mila est la seule qui affirme son autonomie, face au spectre envahissant de la culpabilité. Contre toutes les forces de mort (dont participe, en dernière instance, le trop crédule Outougamiz) elle incarne le *désir vivant*, comme en témoigne son admirable cri final : « Moi seule j'ai aimé René ! En vain tu feins de me croire un fantôme : j'existe... » (p. 484).

Il en résulte deux « systèmes » possibles :

— Au commencement, la nature (Adam et Ève ?) c'est-à-dire, en deçà de toute relation de parenté, un inceste originel.

— Au commencement, le despotisme du père, qu'il a fallu anéantir pour établir le règne de la *fraternité*, c'est-à-dire un inceste historique, mais symbolique

3. *Le cas René*

René se présente comme un héros problématique ; il est impénétrable, à lui-même comme à autrui : « Il était possible de tout croire de lui, hors la vérité » (p. 257). Replié sur lui-même, incapable de communiquer avec autrui sinon à distance (par exemple sa « lettre à Céluta », pp. 411-416, qui forme pendant avec la lettre « A René » envoyée par Amélie, pp. 331-333), il incarne un certain autisme, il paraît marqué par un traumatisme originel. Son caractère « incompréhensible » exige une foi aveugle qu'on ne lui ménage pas. En effet, René *fascine* ; il suscite la bienveillance, pour ne pas dire le désir de presque tous les personnages. Il en résulte un type de relation irréductible à une analyse psychologique, puisqu'elle se développe sans cesse sur le mode du : *je sais bien* (qu'il est malade, qu'il est fou, qu'il est coupable, qu'il porte malheur), *mais quand même...*

Le premier à donner le signal de cette acceptation sans conditions (car René se refuse à toute explication : c'est le secret de son prestige) est Chactas : il *adopte* René. Peu importe qu'il se conforme ainsi à une habitude indienne maintes fois attestée : il implique le lecteur dans une complicité qui ne tarde pas à se propager parmi les autres personnages.

Les critiques se sont posé très tôt le problème du caractère autobiographique de René, à la suite, convenons-en, des proches de Chateaubriand lui-même. Dès 1817, la duchesse de Duras pouvait écrire, à propos des *Mémoires de ma vie* : « C'est l'histoire dont *René* est le poème. » S'il est vrai que certains détails de *René* ou des *Natchez* sont empruntés à la vie de Chateaubriand (la recension serait longue, à commencer par le paysage natal de Combourg), la fiction ne se manifeste pas moins au niveau de la signification globale des personnages, pour nous inviter, au moins, à des rééquilibrages : Amélie par exemple (en réalité une simple esquisse) doit peut-être plus à Julie qu'à Lucile, etc. Il serait du reste aussi facile de trouver des modèles littéraires au personnage de René : le Dolbreuse de Loaisel de Tréogate, le héros de la mystérieuse *Odérahi* ou même le Dorval de Diderot : « Ce cœur est flétri, et je suis, comme vous voyez (...) sombre et mélancolique. J'ai de la vertu, mais elle est austère ; des mœurs, mais sauvages... une âme tendre, mais aigrie par de longues disgrâces. Je peux encore verser des larmes mais elles sont rares et cruelles... » C'est au héros du *Fils naturel* qu'on explique que seul le méchant recherche la solitude ou se trouve délaissé (allusion que Rousseau avait prise pour lui). Dorval a la même histoire familiale que René (« A peine ai-je connu ma mère. Une jeune infortunée, trop tendre, trop sensible, me donna la vie, et mourut peu de temps après »), la même aversion pour la procréation (« Quoi, je mettrais des enfants au monde ! »), etc.

A. *Un nom énigmatique*

Une des principales raisons qui ont amené à identifier le héros de *René* avec son auteur serait la conformité de leur prénom. Les choses sont un peu plus complexes.

1° C'est un code essentiel de la tradition romanesque, en particulier au XVIIIe siècle, que de retenir comme titre des romans le nom ou le prénom de leur protagoniste. Après *La Vie de Marianne*, ou *Les Aventures de Manon Lescaut*, on est passé à : *Pamela, Clarissa, Tom Jones, Werther, Julie ou la Nouvelle Héloïse, Justine* ou *Juliette*... La même année que *René*, Mme de Staël publie *Delphine*. Puis ce seront *Adolphe, Dominique*, etc. Dans tous ces romans, la forme narrative (récit rétrospectif à la première personne, ou correspondance) renforce une illusion autobiographique qui a contribué à répandre chez les critiques la curieuse expression de « roman personnel ».

2° Dans les *Mémoires d'outre-tombe* (I, 2), Chateaubriand cite son extrait de baptême : « François-René de Chateaubriand, fils de René de Chateaubriand (...), né le 4 septembre 1768 », etc. Dans ce chapitre qu'on peut dater de 1831, il répare, dit-il, une double erreur. Jusqu'alors il avait cru être né un 4 octobre, et avoir été baptisé François-Auguste. C'est ainsi que de 1801 à 1814, il signa tous ses livres, avant de recourir, à partir de 1815, à son titre de pair de France : « Le Vicomte de Chateaubriand ». En réalité le prénom usuel de Chateaubriand est François : c'est celui qu'on utilise dans sa famille ; il a donné lieu à des abréviations enfantines : Franchin, Francillon, etc. Jamais il ne fut appelé Auguste ni René. En croyant être né un 4 octobre, Chateaubriand ne faisait que surdéterminer ce prénom : le 4 octobre est en effet

le jour de la fête de saint François. Toute sa vie Chateaubriand célébra ce jour-là ce qu'il croyait être son anniver-
saire et la fête de son saint patron (voir le début des
Mémoires).

Pourquoi ce nom (imaginaire) de François-*Auguste* ?
Parce que Chateaubriand avait été précédé dans la vie par
un petit frère nommé Auguste-Louis, né le 28 mai 1766,
mort à dix-neuf mois, le 30 décembre 1767, que littérale-
ment il remplaça (il naquit exactement neuf mois après
son décès), dans la mesure où son père voulait un
deuxième garçon. C'est du reste ce qui explique le second
prénom réel de René (c'est-à-dire re-né, le « double »),
mais aussi que Chateaubriand puisse les avoir aisément
confondus. Car Auguste, comme René, renvoyait à son
père : le comte *René-Auguste* de Chateaubriand !

3° On le voit, René, c'est avant tout le nom du père.
Peut-être est-ce à ce titre qu'il fut censuré dans la réalité,
comme il fut choisi dans la fiction ? C'est de toute manière
une identification ambiguë. Sans doute peut-on faire
intervenir des éléments biographiques. La vie de René,
dans *Les Natchez* correspond (très en gros) à la jeunesse
du comte de Chateaubriand né le 23 septembre 1718,
sous la Régence, puis engagé très tôt dans des courses
lointaines qu'il lui arrivait de raconter à Combourg. Nous
pourrions alors voir dans la figure paternelle des *Mémoires*,
une sorte de René vieilli, momie vivante enfermée dans
son rêve, sans autre amour ni désir que de son nom. En
réalité, le nom de René représente plutôt un phénomène
de substitution : en prenant à travers son héros, la place
de son père, le fils se libère comme *écrivain*, il échappe
à la loi de reproduction féodale, il *renaît*, mais sur un
autre terrain, dans une autre France, etc. Nous aurions
donc là une forme du meurtre du père. Comme le dit fort
bien Pierre Barbéris (*Un nouveau roman*, p. 25 : « René
est à la fois un prénom vrai et volé »).

4° Ce nom *figure* désormais Chateaubriand *littéraire-
ment*, dans la mesure où le *personnage* de René présente

des caractères de généralité suffisante pour être devenu un type, dans lequel toute une génération a voulu se reconnaître.

B. *René et le mal du siècle*

Il faut considérer le personnage dans la totalité de son histoire (*René* dans *Les Natchez*) pour que le héros de la fiction prenne son entière signification : héros déchiré, mais non dialectique, qui incarne une crise du sujet idéaliste à travers une histoire elle-même en crise.

a) *La crise du désir*

René est un personnage exemplaire dans la mesure où il incarne un double dérèglement du désir : à la fois dans sa structure et dans son objet. La mise en scène de la passion incestueuse ne découle pas forcément de la peinture du « vague des passions ». Leur association apparaît même contradictoire, puisqu'elle revient à affirmer que le désir a un objet en même temps qu'il en est dépourvu. En réalité, Chateaubriand cherche à démontrer que le désir privé de son issue normale engendre des monstres. Il a voulu, dit-il, choisir un cas exemplaire « dans le cercle de ces malheurs épouvantables, qui appartiennent moins à l'individu qu'à la famille de l'homme, et que les Anciens attribuaient à la fatalité ». Il distancie donc un inceste que nous aurions peut-être tort de privilégier dans *René*, si le système général des personnages des *Natchez* ne venait attester le caractère obsessionnel du thème. Néanmoins, la passion interdite « actualise » une insatisfaction plus générale. Le « vague des passions » ou la passion du vague ne représente pas autre chose qu'un désir voué à *errer* dans le *vide*, à ne rencontrer aucun objet, à la fois coupable et frustré.

Rousseau avait déjà étudié dans *Émile* le déséquilibre propre à toute adolescence entre la force du désir et ses possibilités concrètes de réalisation. Mais le drame de René, c'est qu'il fixe ce blocage au sein de la vie adulte : lorsqu'il arrive en Amérique, il a trente ans. Comme si, depuis *Atala*, le sujet du désir avait soudain vieilli. En réalité, il est nécessaire de dépasser la psychologie sous toutes ses formes.

b) *La crise de la société*

Chateaubriand se moque, dans ses *Mémoires* (XIII, 10), des épigones de *René* qui ont voulu rendre universelle une « affection » dépourvue à ses yeux de « ces sentiments généraux qui composent le fond de l'humanité ». En réalité, cette « maladie de l'âme » ne se trouve pas dans la nature humaine, mais dans l'histoire : « Dans *René*, j'avais exposé une maladie de mon siècle. » Il faut oublier Musset pour prendre la formule à la lettre. Le mal de René, c'est bien celui de *son* siècle : c'est le mal du XVIIIᵉ siècle.

Le personnage pousse à sa plus extrême tension la double polarité qui caractérise la psychologie des Lumières (ennui-léthargie/inquiétude-convulsion) et qui, dans une certaine mesure, représente chez Rousseau le stade ultime de la dénaturation, ou de la corruption sociale (on a depuis longtemps rapproché *René* des lettres de *La Nouvelle Héloïse* sur Paris). Le héros de Chateaubriand se rattache lui aussi à une situation historique. Un fragment du *Génie du Christianisme* de 1799, repris dans la version définitive (II, III, 2), analyse, à propos de Didon, les formes modernes de l'amour en des termes proches de *René* (voir note 337) : c'est pour insister sur son contexte social. Aimer, dit en substance Chateaubriand, est le privilège des classes oisives. C'est une « grande maladie de l'âme des riches de la terre », du moins lorsqu'ils sont privés de toute participation réelle à la vie de la société. En effet, « les Anciens ont peu connu cette inquiétude secrète, cette aigreur des passions étouffées qui fermentent toutes ensemble : une grande existence politique, les jeux du

581

gymnase et du Champ de Mars, les affaires du forum et de la place publique, remplissaient tous leurs moments, et ne laissaient aucune place aux ennuis du cœur. » Une explication politique est donc requise.

Ce « dégoût de tout », qui va conduire René jusqu'au village des Natchez, puis le faire errer dans la profondeur des bois, ce manque à être, comme à jouir, François de Chateaubriand les avait sans doute éprouvés au sein de sa propre famille, cadet sans héritage ni affection. Mais on peut y lire aussi le malheur de toute la noblesse française depuis Louis XIV. C'est par la monarchie absolue qu'a été peu à peu « marginalisée » une aristocratie exclue de son pouvoir naturel de classe dirigeante, interdite de réalité puisque vouée désormais à ne plus désirer qu'à vide, à dépenser ses dernières forces dans le jeu illusoire du paraître. Barrès avait raison de dire, dans *Scènes et doctrines du nationalisme* : « Chateaubriand dépensa dans la littérature les tristesses hautaines accumulées par des féodaux sans emploi sur leur terre. Il enchanta les premières générations démocratiques avec la sensibilité que lui avaient préparée les derniers représentants d'une France féodale opprimée par une France monarchique qui elle-même venait de disparaître. » On a souvent souligné la convergence entre les thèmes de la réaction nobiliaire et un certain rousseauisme. Dans le reste de son œuvre, Chateaubriand ne cesse de souligner la dégénérescence de la société française au XVIIIe siècle : un pouvoir devenu despotique ne règne plus que sur des êtres épuisés. C'est en somme affirmer que la Révolution a donné le coup de grâce à une société déjà moribonde, parvenue au dernier degré de la décomposition. Le personnage de René figure la quête infructueuse de nouvelles racines, de nouvelle sève ; mais il ne réussit à faire entendre que la voix blanche des exilés de Babylone, exclu aussi de ce nouveau monde où le Tiers État va désormais investir sa débordante énergie. C'est en quoi ce jeune aristocrate désemparé pourra aussi, un peu plus tard, incarner le « jeune homme pauvre » de la génération romantique (voir sur ce point les analyses de Pierre Barbéris).

c) Histoire et Éternité

C'est en définitive (ordre logique, sinon « réel » : ce serait un autre débat) à un exil métaphysique qu'est voué René. Exilé de son désir, exilé de son histoire, le monde entier se dérobe à lui parce qu'il est déserté par Dieu. Loin de représenter une superstructure ornementale, la dimension religieuse est au cœur de la vision chateaubrianesque du désir. On ne saurait échapper à une lecture augustinienne de *René*, pas plus que des *Natchez*, vers laquelle nous sommes orientés par la multiplication dans le texte de références explicites à Pascal. Dans cette perspective il faut revenir à la célèbre phrase des *Confessions* : « *Fecisti nos ad te, Domine, et inquietum est cor nostrum donec requiescat in te.* » (« Tu nous as créés pour toi, Seigneur, et notre cœur ne connaît pas de repos tant qu'il ne le trouve pas en toi. ») Ce *vide* que rien ne saurait combler, cette *inquiétude* existentielle que rien ne saurait apaiser, implique que toute réalité *manque* au désir. Cette christianisation du platonisme consiste à déréaliser le monde, à considérer toute existence terrestre comme une simple propédeutique à une autre vie : Dieu seul est à la mesure du cœur humain. Chateaubriand écrit par exemple dans les *Études historiques* : « Le Christianisme a fait vibrer dans ces cœurs une corde jusqu'alors muette ; il a créé des hommes de rêverie, de tristesse, de dégoût, d'inquiétude, de passion, qui n'ont de refuge que dans l'éternité. » C'est ainsi que le personnage de René paraît directement inspiré par les analyses de Pascal sur la misère de l'homme sans Dieu, et son caractère incompréhensible. Chateaubriand conduit René, comme Pascal son libertin, jusqu'au seuil de la conversion. Il éprouve le néant de son existence, comme le besoin de plénitude infinie. Il lui arrive même de prier (pp. 277-278 et 324) ; mais c'est toujours pour implorer la fin de ses souffrances, ou pour exprimer son désir de régénération dans une sorte de dérive narcissique. En réalité, René est incapable de se perdre ; il réussit parfois à convertir son égoïsme en haine de soi, mais lui demeure inaccessible le plan de la véritable charité (solidarité avec autrui, oubli de soi en Dieu). On pourrait du reste soutenir que cette impossible conversion découle à la fois de son blocage psychique (refus de se détacher du passé), et de la dissolution, autour de lui, de toute société civile.

Chateaubriand a beaucoup pratiqué les orateurs sacrés comme Massillon, qui soulignent dans une perspective voisine, les ambivalences du désir : il vous arrache à vous-même, sans vous combler ; sa puissance de déstabilisation peut vous ouvrir à Dieu, vous conduire à lui ; elle peut aussi vous en éloigner à jamais pour vous refermer sur vous-même. René est imprégné de christianisme, il « parle chrétien » : mais il est exclu à jamais de la Rédemption. Amélie sera sauvée, pas lui. C'est en quelque sorte un personnage de réprouvé (sur le « satanisme » de René, voir Introduction, p. 34) à qui la grâce aurait manqué. C'est pourquoi ce héros « janséniste » ne saurait comprendre la solution par les œuvres que lui propose le discours jésuitique du père Souël.

Bibliographie

Éditions de référence (œuvres de Chateaubriand)

Les Natchez, publiés avec une introduction et des notes par Gilbert Chinard, Paris, Librairie E. Droz, 1932.
René, édition critique avec une introduction, des notes

et des appendices par A. Weil, Paris, Librairie E. Droz, 1935.

Atala, édition critique par A. Weil ; introduction, préfaces, texte définitif et variantes avec le texte original en appendice, Paris, José Corti, 1950.

Atala, René, introduction, notes, appendices et choix de variantes par Fernand Letessier, Paris, Classiques Garnier, 1958 (riche annotation).

Œuvres romanesques et voyages, texte établi, présenté et annoté par Maurice Regard, tome I, Paris, Gallimard, Bibliothèque de la Pléiade, 1969. (*Atala, René, Les Natchez*, sont suivis du *Voyage en Amérique*.)

Essai sur les Révolutions. Génie du Christianisme, texte établi, présenté et annoté par Maurice Regard, Paris, Gallimard, Bibliothèque de la Pléiade, 1978.

Mémoires d'outre-tombe, nouvelle édition critique présentée et annotée par Jean-Claude Berchet, Paris, Classiques Garnier, 1989.

Études générales sur Chateaubriand

SAINTE-BEUVE, *Chateaubriand et son groupe littéraire*, Paris, Garnier, 1948.

DIEGUEZ, Manuel de, *Chateaubriand ou le poète face à l'histoire*, Paris, Plon, 1963.

MOREAU, Pierre, *Chateaubriand*, coll. « Connaissance des lettres », Paris, Hatier, 1967.

RICHARD, Jean-Pierre, *Paysage de Chateaubriand*, Paris, Le Seuil, 1967.

BARBÉRIS, Pierre, *Chateaubriand : Une réaction au monde moderne*, coll. « Thèmes et textes », Paris, Larousse, 1976.

PAINTER, George D., *Chateaubriand, une biographie, t. 1, 1768-1793, les orages désirés*, Paris, Gallimard, 1979.

Études particulières sur *Atala, René, Les Natchez*

POMMIER, Jean, « Le Cycle de Chactas », *Revue de littérature comparée*, XVIII, 1938, pp. 604-629 (et *Dialogues avec le passé*, Paris, Nizet, 1967, pp. 57-58).

WALKER, Thomas C., *Chateaubriand's Natural Scenery, A Study of his Descriptive Art*, Baltimore, The John Hopkins Press, 1946.

MOUROT, Jean, *Études sur les premières œuvres de Chateaubriand*, Paris, Nizet, 1962.

COURCELLE, Pierre, *Les Confessions de saint Augustin dans la tradition littéraire*, Paris, Études augustiniennes, 1963.

BUTOR, Michel, « Chateaubriand et l'ancienne Amérique », *Répertoire II*, Éditions de Minuit, 1964, pp. 152-192.

LEHTONEN, Maja, *L'expression imagée dans l'œuvre de Chateaubriand*, Mémoires de la Société Néo-philologique de Helsinki, XXVI, 1964.

CHARLTON, D. G., « The Ambiguity of René », *French Studies*, XXIII, July 1969, pp. 229-243.

BERCHET, Jean-Claude, « Chateaubriand poète de la nuit », *Chateaubriand. Actes du Congrès de Wisconsin*, Genève, Librairie Droz, 1970, pp. 45-62.

STORZER, Gerald H., « Chateaubriand and the fictionnal confession », *Chateaubriand. Actes du Congrès de Wisconsin*, Genève, Librairie Droz, 1970, pp. 123-131.

LOWRIE, Joyce O., « Motifs of Kingdom and Exile in Atala », *The French Review*, April 1970, pp. 755-764.

BERCHET, Jean-Claude, « La Nuit et les incarnations de la sylphide », *Bicentenaire de Chateaubriand*, Paris, Minard, 1971, pp. 197-209.

BARBÉRIS, Pierre, « *René* » *de Chateaubriand, un nouveau roman*, coll. « Thèmes et textes », Paris, Larousse, 1973.

BARBÉRIS, Pierre, « Les refoulés successifs dans *René*. Fonction et signification », *La lecture sociocritique du texte romanesque*, Toronto, Samuel Stevens Hakkert and Co., 1975, pp. 79-88.

DELON, Michel, « Du vague des passions à la passion du

vague », *Le Préromantisme : hypothèque ou hypothèse ?* Colloque de Clermont (juin 1972), Klincksieck, 1975, pp. 488-498.

AMELINCKX, Frans, « Le volcan et les montagnes dans *René* », *Bulletin de la Société Chateaubriand*, 1975, pp. 55-61.

AMELINCKX, Frans, « Image et structure dans *Atala* », *Revue romane*, X, novembre 1975, pp. 367-372.

STECCA, Luciano, « *René* : un caso di autocensura », *Rivista di letterature moderne e comparate*, XXXII, marzo 1979, pp. 32-44.

SCANLAN, Margaret, « Le vide intérieur : self and consciousness in *René, Atala*, and *Adolphe* », *Nineteenth Century French Studies*, VIII, 1979, pp. 30-36.

BENREKASSA Georges, « Le Dit du moi : du roman personnel à l'autobiographie, *René / Werther, Poésie et vérité / Mémoires d'outre-tombe* », *Les Sujets de l'écriture*, Presses Universitaires de Lille, 1981, pp. 85-140.

KADISH, Doris Y., « Symbolism of exile : The Opening Description in *Atala* », *The French Review*, February 1982, pp. 358-366.

KNIGHT, Diana, « The Readability of René's secret », *French Studies*, XXXVII, January 1983, pp. 35-46.

RESPAUT, Michèle, « *René* : confession, répétition, révélation », *The French Review*, October 1983, pp. 29-31.

DEFOIX, Jean, « Guillotine et littérature » [la figure du père dans *Atala*], *Romanistische Zeitschrift für Literaturgeschichte/Cahiers d'histoire des littératures romanes*, VII, 1983, pp. 113-126.

O'NEIL, Mary-Ann, « Typological symbolism in Chateaubriand's *Atala* » *Stanford French Review*, Winter 1987.

BERTHIER, Philippe, « René et ses espaces », *Saggi e ricerche di letteratura francese*, 1989.

Pour des informations plus complètes, consulter Pierre H. et Ann DUBÉ, *Bibliographie de la critique sur Chateaubriand*, Paris, Nizet, 1988.

Notes

PRÉFACES

1. Cette lettre, signée « L'Auteur du Génie du Christianisme », fut reproduite dans *Le Journal des Débats* du 31 mars et dans *Le Publiciste* du 1er avril 1801 (10 et 11 germinal an IX). Le volume fut mis en vente le lendemain, 2 avril 1801.

2. Rentré en France au mois de mai 1800, Chateaubriand se trouve alors à Paris avec un permis de séjour temporaire. Par la publication anticipée de son roman il ne cherche pas seulement à gagner quelque argent, mais aussi à se faire connaître, pour hâter sa radiation de la liste des émigrés, qu'il obtiendra enfin le 21 juillet 1801.

3. Lorsque Chateaubriand publia cette préface au t. XV de ses *Œuvres complètes* (1827), il fit disparaître certains passages de circonstance. Nous rétablissons ici le texte original de 1801 (en modernisant son orthographe).

4. Est-ce à dessein, ou par inadvertance, que Chateaubriand date de 1727 une révolte qui se produisit en 1729, comme il pouvait le vérifier dans toutes ses sources (en particulier Raynal) ? En faisant arriver René en Amérique deux ans plus tôt (1725), il recule un peu toute la chronologie de son histoire : René grandit sous la Régence, Chactas a pu connaître la cour de Louis XIV à son apogée. Pour la matérialité des événements, voir pp. 558-560.

5. C'est-à-dire au printemps 1792.

6. *Cf. Mémoires d'outre-tombe*, X, 6.

7. Marie-Anne de Chateaubriand, comtesse de Marigny, veuve depuis 1787. Les Vendéens avaient occupé Fougères en octobre-novembre 1793, au moment de leur marche sur Granville. Mme de Marigny paraît alors avoir joué double jeu. Royaliste fervente (son château, sur la paroisse de Saint-Germain-en-Coglès sera sous le Directoire un centre actif de chouannerie), elle se ménagea aussi, par son action humanitaire, des sympathies auprès des républicains modérés, comme le prouve cette attestation, délivrée par le comité de surveillance de Fougères le 29 août 1794 : « La citoyenne Marigné [...] a arraché à la mort plusieurs de nos frères d'armes enfermés au château lors du passage des Brigands dans cette cité » (G. Collas, *La Vieillesse*

douloureuse de Mme de Chateaubriand, 1961, t. 2, p. 473). Le chiffre de 800 est sans doute exagéré. Dans une pétition envoyée au Premier Consul quelques semaines plus tard (mai 1801), Chateaubriand ne parle plus que de 600 hommes (voir *Correspondance générale*, t. 1, p. 134).

8. C'est au nom de ce principe que Voltaire préfère Racine à Corneille, comme son Huron : « Quand il lut (...) *Phèdre, Andromaque, Athalie*, il fut en extase, il soupira, il versa des larmes. » (*L'Ingénu*, chap. XII). Au livre VI des *Natchez*, Chactas (que Ninon de Lenclos appelle aussi « mon cher Huron ») ne réagit pas autrement lorsqu'il voit représenter *Phèdre* : « Les larmes descendirent en torrents de mes yeux. » Mais Chateaubriand a soin de préciser (révision ultérieure ?) qu'il est « vaincu par la poésie des accents ».

9. Chateaubriand a développé cette idée dans un fragment du *Génie* intitulé « Corruption du goût » (*Génie*, pp. 1332-1333) et dans son deuxième article sur Shakespeare publié par *Le Mercure de France* du 25 prairial an X/14 juin 1802.

10. Respectivement : *Iliade*, chant XXIV, vers 506 ; *Genèse*, XLV, verset 4.

11. Malgré la référence explicite au philosophe genevois, Chateaubriand vise moins, dans ce passage, sa théorie de la nature que la doctrine esthétique du nouveau réalisme « bourgeois », en particulier au théâtre (les « drames infâmes »). Ses promoteurs sont en effet clairement désignés par une double allusion : Diderot, auteur de *Regrets sur ma vieille robe de chambre*, et Mercier, auteur de *Mon bonnet de nuit*. Ainsi Chateaubriand arrive à réunir dans la même page, non sans artifice, trois noms emblématiques des Lumières, pour les vouer à un égal opprobre. Démarche révélatrice de cet « esprit de parti » qui joue un rôle central dans le débat littéraire sous le Consulat.

12. A la suite de Pascal, Chateaubriand fonde sur le dogme du péché originel son analyse de la dualité humaine *(homo duplex)*. Il développera cette thèse dans *Le Génie du Christianisme* : en donnant une nouvelle dimension à la psychologie, le principe de la chute a eu des conséquences esthétiques.

13. Ce qu'on apprendra dans *Les Natchez*. Dans *Atala*, le narrateur du récit est défini par un hors-texte, brièvement résumé dans le prologue.

14. Chateaubriand a donné en effet une impulsion décisive au

personnage du prêtre dans le roman français (y compris ses variantes en vers, comme *Jocelyn*).

15. Voir la note 77.

16. C'est la « Lettre au citoyen Fontanes sur la seconde édition de l'ouvrage de Mme de Staël », parue dans *Le Mercure de France* du 1er nivôse an IX/22 décembre 1800. Dans ce texte polémique, le premier qu'il publiait depuis son retour en France, Chateaubriand faisait, à propos de *De la Littérature*, la critique du concept de perfectibilité appliqué de façon trop rigoureuse à une histoire littéraire universelle, et se posait en rival potentiel de la fille de Necker.

17. *Sic*.

18. Fontanes.

19. Cette indication concerne plutôt *Les Natchez* (livres V et VI) qu'*Atala* ; preuve qu'en 1801, Chateaubriand ne désespère pas de publier dans un avenir proche la totalité de son manuscrit.

20. Ginguené, dans *La Décade* du 10 floréal an IX/30 avril 1801.

21. *Atala-René*, par Fr. Aug. de Chateaubriand. A Paris, chez Le Normant (...), MDCCCV. Cette petite édition in-12 regroupe pour la première fois les deux épisodes des *Natchez*, qui, de 1802 à 1804, avaient été incorporés dans *Le Génie du Christianisme*. Elle comporte six figures de Garnier (quatre pour *Atala*, deux pour *René*).

22. Le compte rendu de Fontanes a paru dans *Le Mercure de France* du 25 germinal an X/15 avril 1802, le lendemain de la publication du livre. Les trois articles hostiles de Ginguené, parus dans *La Décade* des 30 prairial, 10 et 20 messidor an X/19 et 29 juin, 10 juillet 1802, furent repris en brochure sous le titre de *Coup d'œil rapide sur « Le Génie du Christianisme »*.

23. En réalité, Chateaubriand ne procéda jamais à ces remaniements qu'il se borne à indiquer dans les *Mémoires d'outre-tombe* (XIII, 11).

24. La publication de son *Cours de littérature* donnait à ce disciple de Voltaire, converti dans les prisons de la Terreur, une grande réputation de critique. Il avait rencontré Chateaubriand chez Migneret, leur commun éditeur. Il mourra au début de 1803.

25. Le vieil académicien, qui avait été un fidèle du salon de Mme Geoffrin, fit paraître au mois de mai 1801 des *Observations*

critiques sur le roman intitulé « Atala ». Le rationalisme un peu borné de cette brochure de soixante-douze pages ne manque pas toujours de pertinence. Chateaubriand fera du reste son profit des critiques de son censeur (dans les rééditions de son roman) et lui rendra hommage, au lendemain de sa mort (début de 1819, à quatre-vingt-douze ans), dans *Le Conservateur* (t. 2, p. 124).

26. Chateaubriand distingue à juste titre *misère* (au sens pascalien : infirmité de notre nature) de *malheur*. *Cf.* p. 158 et la note 197.

27. Dans la chronologie des *Natchez*, où il avait sa place « naturelle », que nous lui restituons. Mais dans *Le Génie du Christianisme*, *René* précédait *Atala*, puisqu'il formait le quatrième livre de la seconde partie (*Suite des passions*) tandis qu'*Atala* formait le livre VI de la troisième partie (*Suite des harmonies*).

28. Le chapitre cité comporte ici, dans *Le Génie du Christianisme* (éd. de 1804), deux paragraphes supplémentaires :

« Enfin, les Grecs et les Romains, n'étendant guère leurs regards au-delà de la vie, et ne soupçonnant point des plaisirs plus parfaits que ceux de ce monde, n'étaient point portés, comme nous, aux rêveries et aux désirs par le caractère de leur religion. C'est dans le génie du christianisme, qu'il faut surtout chercher la raison de ce *vague* des sentiments répandu chez les hommes modernes. Formée pour nos misères et pour nos besoins, la religion chrétienne nous offre sans cesse le double tableau des chagrins de la terre et des joies célestes, et par ce moyen elle a fait dans le cœur une source de maux présents et d'espérances lointaines, d'où découlent d'inépuisables rêveries. Le chrétien se regarde toujours comme un voyageur qui passe ici-bas dans une vallée de larmes, et qui ne se repose qu'au tombeau. Le monde n'est point l'objet de ses vœux, car il sait que *l'homme vit peu de jours*, et que cet objet lui échapperait vite.

« Les persécutions qu'éprouvèrent les premiers fidèles, augmentèrent en eux ce dégoût des choses de la vie. L'invasion des Barbares y mit le comble, et l'esprit humain en reçut une impression de tristesse, et peut-être même une légère teinte de misanthropie, qui ne s'est jamais bien effacée. De toutes parts s'élevèrent des couvents, où se retirèrent des malheureux trompés par le monde, ou des âmes qui aimaient mieux ignorer certains sentiments de la vie, que de s'exposer à les voir cruellement trahis. Une prodigieuse mélancolie fut le fruit de cette vie monastique ; et ce sentiment, qui est d'une nature un peu confuse, en se mêlant à tous les autres, leur imprima son caractère d'incertitude : mais en même temps, par un effet bien remarquable, le vague même où la mélancolie plonge les sentiments, est ce qui la fait renaître ; car elle s'engendre au milieu des passions, lorsque ces passions, sans objet, se consument d'elles-mêmes dans un cœur solitaire. »

29. Dans *Le Génie du Christianisme*, la fin du chapitre est ainsi libellée :

« Ce n'est pour ainsi dire, qu'*une pensée* ; c'est la peinture du *vague des passions*, sans aucun mélange d'aventures, hors un malheur, qui, sans produire d'événements remarquables, sert seulement à redoubler la mélancolie de René et à la punir. On trouvera d'ailleurs dans cet épisode quelques harmonies des monuments chrétiens et de la vie religieuse, avec les passions du cœur et les tableaux de la nature : ainsi notre but sera doublement rempli » (Édition originale, 1802).

« Ce n'est pour ainsi dire qu'une pensée ; c'est la peinture du vague des passions, sans aucun mélange d'aventures, hors un grand malheur envoyé pour punir René, et pour effrayer les jeunes hommes qui, livrés à d'inutiles rêveries, se dérobent criminellement aux charges de la société. Cet épisode sert encore à prouver la nécessité des abris du cloître pour certaines calamités de la vie, auxquelles il ne resterait que le désespoir et la mort, si elles étaient privées des retraites de la religion. Ainsi le double but de notre ouvrage, qui est de faire voir comment le génie du christianisme a modifié les arts, la morale, l'esprit, le caractère, et les passions même des peuples modernes, et de montrer quelle prévoyante sagesse a dirigé les institutions chrétiennes ; ce double but, disons-nous, se trouve également rempli dans l'histoire de René » (Édition Ballanche, 1804).

30. Brochure que Chateaubriand publia en avril 1803 et qu'il annexa ensuite à toutes les éditions du *Génie du Christianisme*.

31. Citation du Tasse (*Jérusalem délivrée*, I, str. 3) : « (Ô Muse !) Tu sais que le monde accourt là où le Parnasse déverse ses plus flatteuses douceurs, et que le vrai exprimé dans des vers caressants a le pouvoir de séduire les plus réservés, et de les persuader. »

32. Chateaubriand évite soigneusement de prononcer le mot *inceste* dans cette brève énumération de ses manifestations littéraires.

Érope fut séduite par Thyeste, frère de son mari Atrée, qui

tira de ce crime une vengeance exemplaire : voir *Atrée et Thyeste* de Sénèque, mais aussi Crébillon, etc.

Dans la Bible, c'est le chap. XIII du deuxième livre de Samuel (classé par la Vulgate parmi les Rois, ce qui explique la référence de Chateaubriand) qui raconte le viol de Thamar par son demi-frère Amnon, sous le règne de David leur père.

A ces évocations aussi brutales que sommaires, Ovide a substitué des analyses psychologiques beaucoup plus séduisantes : c'est Canacé qui raconte, dans une lettre à son frère Macarée, comment elle est devenue sa maîtresse (*Héroïdes*, XI) ; c'est Byblis qui, pour combattre sa coupable passion envers son frère Caunus (« *Dulcia fraterno sub nomine furta tegemus* »), se réfugie dans le désert, où elle est transformée en source (*Métamorphoses*, IX, vers 456-471). Le poète latin mentionne aussi le désir de Myrrha pour son père Cynaras (*Métamorphoses*, X, vers 321-334), auquel correspond en quelque sorte, dans la Bible, le célèbre épisode des filles de Loth (Genèse, XIX, 30-38).

Enfin, dans *Abufar ou la famille arabe* (1795), Ducis avait mis en scène le personnage de Farhan épris de ce qu'il croit être sa propre sœur Saléma, et cherchant à la fuir par des voyages lointains.

33. Tous les efforts ont été vains pour identifier dans le folklore (sans doute breton) cette ballade qu'on retrouve citée dans les *Mémoires d'outre-tombe* (XXXVIII, 6).

34. C'est oublier la brève période qui a suivi la publication du *Génie du Christianisme* en 1802, au cours de laquelle ces communications furent rétablies. Mais les hostilités reprirent trop vite pour que Chateaubriand, accaparé par le lancement de son livre, puisse en profiter. Une lettre de Joubert à Mme de Vintimille, du 8 août 1806, nous apprend qu'avant de partir pour son voyage en Orient, il avait obtenu de Molé la promesse, au cas où il ne reviendrait pas, de faire rechercher en Angleterre des papiers qu'il y avait laissés dans « ses mauvais jours ».

35. Dans cette citation de 1826, Chateaubriand corrige et abrège le texte de 1801 : *cf.* pp. 42-43.

36. C'est-à-dire : sans division, sans *découpage*.

37. Il faut sans doute comprendre, dans le contexte, « que je ne *pourrais* plus écrire » : à la veille de la soixantaine, le Chateaubriand de 1826 exprime la crainte de voir diminuer ses facultés créatrices. Une lettre du 27 janvier 1827 va dans le même sens. Après avoir avoué à son jeune correspondant (Ernest de Blosseville) que la seconde partie des *Natchez* lui paraît

surpasser tous ses ouvrages de fiction, il ajoute : « Certainement je ne tracerais aujourd'hui ni le petit personnage de Mila, ni la lettre de René à Céluta, ni les scènes de terreur de la catastrophe. »

Or, reprenant ce paragraphe dans un passage tardif des *Mémoires d'outre-tombe* (XVIII, 9), Chateaubriand modifie la dernière phrase de manière significative : « ... il y a des choses que je ne *voudrais* [c'est moi qui souligne] plus écrire, notamment la lettre de René dans le second volume. Elle est de ma première manière, et reproduit tout *René* : je ne sais ce que les *René* qui m'ont suivi ont pu dire pour mieux approcher de la folie. » Cette fois, c'est un scrupule moral qu'exprime le vieil écrivain, en même temps qu'une orgueilleuse certitude : après quarante ans de romantisme, il demeure insurpassé.

38. Dans les descriptions militaires du livre I, par exemple, Chateaubriand pratique de façon incohérente le double registre, soit que, pour désigner les mêmes armes, il utilise le nom simple (« carabine », « baïonnettes »), soit qu'il préfère des périphrases pompeuses (« Ils portent un tube enflammé, surmonté du glaive de Bayonne »). Certaines sont du reste de véritables devinettes : « Ces cavaliers enfoncent leurs jambes dans un cuir noirci, dépouille du buffle sauvage » (= des bottes). Ce changement brutal de registre intervient parfois dans la même phrase : « Aussitôt que la revue est finie, Chépar veut que les capitaines exercent les troupes aux jeux de Mars » ! Ces maladresses ne contribuèrent pas peu à détourner des *Natchez* le public de 1826. Nous avons pris le parti de résumer brièvement ces passages « épiques » devenus aujourd'hui complètement illisibles (voir l'Avertissement).

39. Voir la note de Chateaubriand, p. 495 et les extraits de Charlevoix qu'il a placés en appendice de son récit.

40. *Les Plaideurs*, acte III, scène 4, vers 848-852.

41. Voir le *Voyage en Amérique* (*Œuvres complètes*, t. VI et VII, 1827) et les *Mémoires d'outre-tombe* (VIII, 5 et 6).

LES NATCHEZ

42. Voir la notice historique, pp. 558-560.

43. Chateaubriand va lui-même au-devant du reproche de minceur du sujet, de même que Milton, au début du livre IX du *Paradis perdu*, se déclare au-dessus des vulgaires histoires de batailles. A la grandeur héroïque, le narrateur préfère le pathétique : *malheurs, infortunes, pleurs, touchants*. Il ne célébrera pas une histoire triomphante mais une destinée tragique.

44. Une des montagnes de la Grèce, symbole de la poésie, où Apollon et les muses avaient leur séjour.

45. Chateaubriand écrira plus tard dans les *Mémoires d'outre-tombe* (VII, 7) : « C'est dans ces nuits que m'apparut une muse inconnue ; je recueillis quelques-uns de ses accents ; je les marquai sur mon livre, à la clarté des étoiles, comme un musicien vulgaire écrirait les notes que lui dicterait quelque grand maître des harmonies. »

46. Voir *Atala*, prologue. Dans la note VIII du *Génie*, Chateaubriand glose : « *Père barbu des fleuves*, vrai nom du Mississipi ou Méchassipi », se souvenant peut-être de Bernardin de Saint-Pierre (*Études de la nature*, t. 1) : « Mississipi, (...) que les Sauvages appellent Méchassipi, père des eaux. » Bartram, lui, parle du « grand-père des rivières » (t. 2, p. 272). Chateaubriand a popularisé ce nom très rare du fleuve, mais il le réserve à ses œuvres de fiction (effet poétique). Ailleurs, par exemple dans le *Voyage en Amérique*, il ne parle que du Mississipi.

47. Bartram évoque ainsi le *Laurus sassafras* du bas Mississipi, juste avant de mentionner les Natchez : « C'est ici un très grand arbre dont le tronc parfaitement droit a quarante ou cinquante pieds (environ quinze mètres) de haut » (t. 2, p. 281). Si on compare la description de Chateaubriand avec celle de Charlevoix citée en appendice (voir p. 497), on constate qu'il élimine les arbres communs retenus par ce dernier pour leur substituer une essence plus exotique, dont il fera par la suite le véritable emblème du pays des Natchez, devenu la « terre des sassafras » (voir par exemple pp. 181, 199, etc.).

48. Voir Bartram, t. 2, pp. 151-152 :
« Nos regards tombaient sur une grande étendue de vertes

prairies, et de plaines couvertes de fraises. Un ruisseau les traversait, serpentant entre des monticules revêtus de gazon qu'émaillaient ou des fraises ou des fleurs de toute espèce. Des bandes de dindons sauvages erraient sur ses bords ; des troupeaux de chevreuils paissaient dans la plaine, ou bondissaient sur les collines. Plusieurs jeunes et belles filles Cherokées, dispersées par groupes, animaient ce beau paysage. Les unes cueillaient le fruit parfumé dont la terre était couverte ; d'autres ayant déjà rempli leurs corbeilles, se reposaient sous des bocages embaumés de *Magnolia*, d'*Azalea*, de *Philadelphus*, de *Calycanthus*, de Jasmin jaune et de *Glycine frutescens*. Elles offraient aux caresses du zéphyr leurs attraits sans voiles, ou les rafraîchissaient dans les flots transparents du ruisseau. Plus gaies et non moins gracieuses, d'autres se poursuivaient en folâtrant, tâchaient de se surprendre, et de rougir avec la fraise écrasée les joues de celles qu'elles pouvaient atteindre. »

49. Le Page du Pratz, après Charlevoix, donne une description du plaqueminier de Floride, « dont on fait une sorte de pain avec les fruits séchés et comprimés ». Ce sont en revanche plutôt les voyageurs anglais (Imlay, Carver) qui mentionnent le *may apple*, à la chair savoureuse, mais sans pépins, assez proche du *pineapple* (ananas) ; *cf.* Bartram, t. 1, p. 272 : « la Grenadille, *Passiflora incarnata*, ou pomme de mai ».

50. En réalité, le gros roseau, appelé canne par les voyageurs.

51. Référence à Virgile, *Énéide*, I, vers 403-406.

52. Sur ces divers jeux, que Lafitau décrit en détail, *cf. Voyage en Amérique*, pp. 773-777 (en particulier pour le dernier).

53. Bartram, qui donne une description précise (t. 1, pp. 190-191) des hibiscus qu'on trouve en Floride (à fleur orange, pourpre ou incarnat foncé), ne mentionne pas cette particularité qu'il a pu observer, en revanche, sur les bords de la Mobile, dans la grande œnothère à fleur jaune : « Ces fleurs commencent à s'ouvrir le soir : elles s'épanouissent tout à fait dans la nuit, et sont le matin dans toute leur beauté ; mais elles se ferment et se dessèchent avant la fin du jour » (t. 2, pp. 235-236).

54. Cette comparaison renvoie peut-être à un passage de Buffon sur les anciens Péruviens (« Dès qu'ils pouvaient faire un pas, on leur présentait la mamelle d'un peu loin, comme un appât pour les obliger à marcher ») cité par Rousseau dans *Émile* (livre I, note). Chateaubriand la développe pour créer un effet de contraste.

55. Dans *Atala* (voir p. 100), Chateaubriand compare lui-même Chactas à Œdipe ou à Ossian. Mais le personnage du vieillard aveugle remonte à Homère (Démodocus dans *Odyssée*, VIII ; puis le poète en personne). En réalité, c'est sans doute dans un passage de Bartram (t. 2, pp. 389-391) que Chateaubriand a trouvé le modèle de son héros :

« ... au milieu d'eux, je distinguai un vieillard dont l'air commandait le respect ; le peu de cheveux qu'il avait étaient blancs comme de la neige ; il était conduit par trois jeunes gens, dont deux le soutenaient par les bras, et le troisième par-derrière, pour mieux assurer sa marche. A son approche, tout le cercle le salua d'un : sois le bienvenu, et s'ouvrit pour lui faire place. Le sourire était sur ses lèvres, la gaieté de la jeunesse dans tous ses traits. Mais le grand âge l'avait rendu aveugle. C'était de tous les chefs le plus ancien et le plus généralement respecté. Bientôt après qu'il eut pris place, je distribuai mes présents. Je lui destinai un très beau mouchoir, et un bout de tabac choisi. Ce présent lui fut remis par un chef âgé, assis près de lui, qui lui dit que c'était un présent de leurs frères les blancs, récemment arrivés de Charlestown. Il le reçut avec un sourire, et s'acquitta sur-le-champ en me donnant en échange sa pipe de pierre, et la peau de chat qui renfermait son tabac. Cette politesse fut suivie d'un long discours, dont la substance était le prix qu'il mettait à l'amitié des habitants de la Caroline. "Dans ma jeunesse, ajouta-t-il, nous n'avions que des haches de pierre, des pots d'argile, des couteaux de cailloux, des arcs et des flèches ; je fus le premier qui introduisit dans cette tribu les ustensiles de fer et les armes à feu des blancs ; et comme nous ne connaissions pas alors l'usage des chevaux, je fus obligé de porter tous ces trésors sur mon dos et de faire cinq cents milles à pied." »

Les traiteurs me racontèrent alors une anecdote toute récente de ce vieux patriarche.

Un matin que ses guides l'avaient conduit auprès du feu du conseil, avant de s'asseoir, il adressa ces paroles au peuple assemblé.

"Vous m'aimez encore ! et pourtant en quoi puis-je exciter votre intérêt ? Je ne suis plus bon à rien. Ma vue n'est plus assez perçante, ni mon bras assez sûr pour atteindre le chevreuil, ou l'ours des montagnes ; je le vois, je ne suis pour vous qu'un fardeau, j'ai vécu assez longtemps, laissez mon esprit quitter cette enveloppe qui s'écroule, j'ai besoin d'aller revoir les guerriers de ma jeunesse dans le pays des Esprits. Voilà une hache, et frappez ici", dit-il, en découvrant sa poitrine. Un cri unanime de refus s'éleva : Non, répondit-on, la chose est impossible, nous avons besoin de toi ici. »

56. Le terme, emprunté à Carver, désigne les « anciens ». On doit à Chateaubriand sa fortune dans notre langue.

57. C'est une idée propre à presque toutes les civilisations primitives. Dieu, est-il dit au Deutéronome, X, 18, « *amat peregrinum, et dat ei victum atque vestitum* ». De son côté Nausicaa (*Odyssée*, VI) affirme que « tous les étrangers et tous les pauvres sont envoyés par Zeus ». Cf. *Génie*, p. 772, et *Mémoires*, VII, 5.

58. Cette périphrase, utilisée dès le début des *Natchez* pour désigner René, pose en théorie un problème car, au moins dans la version primitive, on est censé ignorer qui est Amélie jusqu'à ce que René consente à raconter son histoire (dans la seconde partie). Mais pour le premier lecteur de 1826, cette histoire est déjà connue. Voilà pourquoi Chateaubriand peut dès le début de ce récit « tardif » identifier le héros à sa légende (future), sans que cette référence fonctionne réellement au niveau diégétique (*cf.* la note 73).

59. Dans *Atala*, Chateaubriand glose : « La voix harmonieuse ». En réalité, c'est le nom que Le Page du Pratz donne à une tribu voisine des Natchez et que Bartram orthographie : « Chaktaws » ; ailleurs : « Tchactas » ou « Chatkas ».

60. Ce nom apparaît dans un des « Fragments » du *Génie* (voir p. 551). Il ne renvoie à rien de connu. Signalons toutefois, dans le lexique de Lahontan, un *oualatissi*, qui signifie : libéral, plein de générosité.

61. Annonce de sa rencontre avec Fénelon, au livre VII.

62. Voir p. 497.

63. Le récit de René est ainsi différé, mais du même coup le personnage se définit par son mystère.

64. Parole prophétique : le désir de changer de vie se révélera bien vite illusoire pour René ; il ne pourra pas échapper à son passé.

65. Ainsi se réveille Erminie au chant VII de la *Jérusalem délivrée*.

66. Nouvelle allusion au Tasse (*ibid.*, chant XIV). Mais c'est bien entendu sur le souvenir de sa propre expérience américaine que Chateaubriand fonde les impressions de René.

67. C'est le nom que donne Charlevoix à la tribu des Renards établie entre la rivière Wisconsin et le lac Saint-François des

anciennes cartes (ouest du lac Michigan). Carver orthographie : « Ottagamis » ; sur la bordure supérieure de la carte du voyage de Bartram (éd. fr. de 1801), on peut lire en ce lieu : « Outagamis ou Renards ».

68. Ce nom rappelle celui de la jeune captive que son père, le prêtre Chrysès, réclame au roi Agamemnon (*Iliade*, chant I). Sur cet épisode, voir un fragment du *Génie*, pp. 1347-1348.

69. C'était en effet la coutume de faire un présent aux Indiennes dont on dédaignait les offres de service. Le nom de *Mila* est peut-être emprunté au dictionnaire de Lahontan, où ce mot signifie : « je donne ». Sur le prétendu modèle du personnage, voir *Mémoires*, VII, 9.

70. La description du *Gordonia lasianthus* se trouve chez Bartram (t. 1, pp. 282-283) : « Sur son feuillage épais et d'un vert obscur, se détachent de grandes fleurs odorantes, blanches comme du lait (...). Il pousse en même temps, et sans cesse, de nouveaux rameaux garnis de jeunes boutons. Dans l'hiver et au printemps, les feuilles de l'année précédente, couvertes par celles qui viennent, changent par degré de couleur ; de vertes, elles deviennent d'un jaune doré, puis écarlate cramoisi, et enfin d'un pourpre brunâtre ; après quoi elles tombent à terre. » Le voyageur anglais a soin de préciser que c'est un véritable arbre qui, en pleine croissance, dépasse vingt ou trente mètres de haut et se plaît dans les terrains humides, près des rivières et des lacs.

71. Les azaléas sont au contraire des arbustes en buissons dont les fleurs sont en général du plus beau rouge (voir Bartram, t. 2, pp. 97-98).

72. Ulysse (allusion à *Odyssée*, VI).

73. Voici encore une information en principe indéchiffrable à ce stade du récit. Elle fonctionne à la fois comme annonce (du récit de Chactas) et comme rappel de la légende (*cf.* la note 58).

74. C'est Lafitau (I, 609) qui a le premier signalé ces amitiés entre guerriers, pour les rapprocher des usages antiques ; information reprise par les voyageurs jésuites (Charlevoix, *Journal*, pp. 310-311 ; *Histoire générale des voyages*, t. XV, p. 12). Charlevoix va même plus loin, puisqu'il explique ainsi la mort du père Souël : « (il) était fort aimé de ces Barbares ; mais ils souffraient impatiemment qu'il leur reprochât sans cesse le péché infâme qui a fait périr Sodome, et auquel ils étaient fort sujets » (II, 469).

75. Les aventures de Chactas constituent le premier récit

enchâssé dans *Les Natchez*. Il commençait par l'histoire d'Atala, puis se poursuivait jusqu'à la fin du livre VIII (p. 205). *Atala* ayant été publié à part dès 1801, Chateaubriand est obligé de résumer brièvement l'épisode avant que Chactas ne commence son récit (p. 171), ou plutôt qu'il ne le reprenne.

ATALA

76. Ce prologue se compose de deux parties fort différentes : une description du Mississipi, ou Meschacebé ; une brève histoire de Chactas le Natchez, qui résume en désordre les huit premiers livres des *Natchez*. Si la seconde partie se justifie à la rigueur par la mise en place du récit qui va suivre, la première ne concerne en rien *Atala*, qui ne se situe à aucun moment dans le voisinage du fleuve. Il faut donc supposer que ce prélude descriptif a commencé par constituer une introduction à la totalité des *Natchez*, avant de servir de prologue à *Atala* (voir le Commentaire, p. 569).

77. Pour apprécier la géographie américaine de Chateaubriand, il faut se rappeler la topographie en vigueur jusqu'au traité de Paris (1763). Le nom de Louisiane désigne alors toute la rive gauche du Mississipi, tandis que *les* Florides vont de la péninsule de ce nom, ou du golfe du Mexique, jusqu'au Tennessee. Plus au nord commence le Canada (qui déborde largement, vers le sud, la région des Grands Lacs). Ainsi se constitue, sous le nom de Nouvelle-France, un ensemble continental continu, qui, de Québec à La Nouvelle-Orléans, entoure les provinces anglaises de la côte atlantique. Au moins sur le papier, car dans la réalité, entre le Saint-Laurent et le bas Mississipi, la zone intermédiaire demeure un pays sauvage, à peine pourvu de quelques postes ou fortins, dispersés le long des rivières : ainsi Fort Duquesne, devenu Pittsburgh (voir le Commentaire, pp. 557-558). Au cours de son voyage de 1791, trente-deux ans après la prise de Québec, Chateaubriand a pu constater la survivance de cette présence française en Amérique du Nord. En 1801, elle alimente encore ses rêves de Malouin, comme elle intéresse la politique du Premier Consul.

78. Ce chiffre symbolique évoque bien entendu le mythe édénique (voir Genèse, II, 10). Mais il correspond aussi à la géographie du XVIIIᵉ siècle. Le fleuve Bourbon, depuis anglicisé en *Nelson River*, sort du lac Winnipeg pour se diriger vers le nord. Du côté ouest, ce ne sont qu'hypothèses ; mais à une époque où la barrière des Rocheuses est encore inconnue, on imagine, sur la foi des Indiens, un quatrième fleuve, symétrique

du Saint-Laurent, qui rejoindrait la côte du Pacifique (qu'on juge alors beaucoup plus proche du Middle West). C'est seulement à la fin du siècle que la rivière Columbia sera identifiée par Mackenzie et que sera réglée la question du passage du Nord-Ouest.

Bien informé de ces problèmes (il va rendre compte, dans *Le Mercure de France* des 14 août et 14 septembre 1802/26 thermidor et 24 fructidor an X, des *Voyages* de Mackenzie, publiés en 1801), Chateaubriand conserve néanmoins, dans le prologue de cette histoire censée se dérouler vers 1670, la topographie ancienne des missionnaires.

79. Ce paragraphe, dont on trouve une première rédaction dans un fragment du *Génie* (voir pp. 548-549), combine au moins deux sources. Chateaubriand emprunte sa première partie à Imlay : « Les barres qui traversent la plupart de ces étroits canaux ouverts par le courant ont été multipliées par les arbres charriés par les rivières. Un seul arrêté par ses branches ou par ses racines dans un endroit peu profond suffit à en arrêter mille de plus et à les fixer à cette place. Aucune force humaine ne pourrait les enlever, car le limon entraîné par le fleuve les lie et les cimente ensemble. En moins de dix ans, les roseaux et les arbrisseaux y poussent, forment des promontoires et des îles qui changent le lit de la rivière. Il est certain que lorsque La Salle descendit le Mississipi jusqu'à la mer, l'embouchure de ce fleuve était fort différente de ce qu'elle est aujourd'hui. Le limon dont les inondations annuelles du Mississipi couvrent la surface des rives avoisinantes peut être comparé à celui du Nil. »

La seconde partie du paragraphe, en revanche, transpose la description faite par Bartram des îles flottantes de la rivière Saint-Jean, en Floride (t. 1, pp. 167-168) :

« Le temps, au matin, était beau, frais, le vent bon. Je remis de bonne heure à la voile, et vis ce jour-là de grandes quantités de *Pistia stratiotes*, plante aquatique très singulière. Elle forme des îles flottantes, dont quelques-unes ont une grande étendue, et qui voguent çà et là, au gré des vents et des eaux. Ces groupes commencent, pour l'ordinaire, ou sur la côte, ou près du rivage, dans des eaux tranquilles ; de là, ils s'étendent, par degrés, vers la rivière, formant des prairies mobiles, d'un vert charmant, qui ont plusieurs milles de long, et quelquefois un quart de mille de large. De longues racines fibreuses qui, partant du centre inférieur de chaque plante, descendent vers le fond vaseux de la rivière, les nourrissent et les tiennent dans une situation horizontale. La plante, lorsqu'elle a pris tout son accroissement, ressemble à une laitue de jardin, bien développée : mais les feuilles en sont plus nerveuses, plus fermes, et d'une couleur verte tirant sur le jaune. Elle végète sur la surface des eaux dormantes ; et, dans son état naturel, elle ne se multiplie que par ses semences : mais, quand les grosses pluies, les grands vents font subitement élever les eaux de la rivière, il se détache de la côte de grandes portions de ces îles flottantes, qui, poussées dans le milieu de l'eau, y errent, jusqu'à ce qu'elles soient divisées par les vagues et les vents. Leurs fragments, repoussés vers le rivage, s'arrêtent dans quelque coin tranquille, y prennent pied ; et, formant de nouvelles colonies, s'étendent et se multiplient de nouveau, jusqu'à ce que d'autres accidents les brisent et les dispersent à leur tour. Ces islets mobiles offrent un très joli coup d'œil : ils trompent réellement l'imagination, et persuadent au spectateur qu'il voit tout autre chose qu'un amas d'herbes. L'illusion est quelquefois d'autant plus complète, qu'au milieu de ces plantes en fleurs, on voit des groupes d'arbrisseaux, de vieux troncs d'arbres abattus par les vents, et couverts encore de la longue mousse qui pend entre leurs débris. Ils sont même habités et peuplés de crocodiles, de serpents, de grenouilles, de loutres, de corbeaux, de hérons, de courlis, de choucas, etc. »

Chateaubriand apporte à ses modèles quelques modifications significatives (par exemple la comparaison avec le Nil en crue, renforcée par des images architecturales : *cf. Génie*, pp. 884-885). Mais sa principale contribution consiste à imprimer à ce paysage composite une dynamique globale qui assure son unité. A la descente du fleuve, succède le tableau plus statique de ses rives.

80. Cette opposition se rencontre chez Carver, qui a inspiré *Odérahi* : « D'un côté, la grève d'un sable blanc était bordée d'une ceinture de fleurs qui terminait la prairie ; de l'autre, des érables qui soutenaient, au-dessus des eaux, des massifs de lianes s'étendaient jusqu'à la montagne, laissant à une foule d'arbres et d'arbustes, la liberté de croître autour d'eux » (éd. Chinard, p. 152). Chateaubriand lui confère une bien plus grande ampleur. On en retrouve un écho (mais inversé) dans la description faite par le voyageur italien Beltrami du lieu dit « Longue vue » :

« Douze petites montagnes isolées se montrent en défilé sur le bord occidental et saillent graduellement (...) comme des coulisses. De petits vallons les entrecoupent et chacun a son ruisseau qui le partage et qui réfléchit dans ses eaux limpides la beauté des arbres qui le bordent. Les traits de ces collines sont entremêlés de sombre et de riant, et celles qu'on voit au fond de la scène, se cachent magiquement dans le brouillard transparent (...). Sur le bord oriental, une prairie verdoyante conduit (...) à une perspective lointaine. Des petites îles, parsemées de bosquets touffus, parmi lesquelles le steam-boat passait en serpentant, offraient des parterres ravissants. ».

Par ailleurs, Bartram écrit à propos de la rivière Saint-Jean (t. 1, p. 247) :

« La rive orientale s'abaissant, offrit à ma vue de vastes plaines composées de marais et de prairies, et me découvrit un horizon presque sans bornes. Le rivage opposé présentait un magnifique contraste. La côte était élevée et couverte de hautes forêts de magnolias, de palmiers, d'orangers, de chênes verts et d'arbustes de différents genres. Cette élévation se prolonge pendant deux ou trois cents toises, en projetant sur la rivière une courbe plantée des plus beaux palmiers ; ils sont au nombre de deux ou trois cents, et ombragent absolument la terre. Au-dessus et au-dessous de ce coteau, le terrain s'abaissant par degrés, se confond avec le niveau des marais, et derrière se voit une grande étendue de prairies. Au milieu de ces immenses savanes, sont quelques flaques, ou mares d'eau qu'entourent des bouquets de pins. Des promontoires ou monticules couverts de chênes et de lauriers s'avancent quelquefois dans ces prairies, ou s'aperçoivent de loin dispersés dans l'espace. »

81. Sur les superbes magnolias de Louisiane, de plus de trente mètres de hauteur, voir Bartram, en particulier t. 1, pp. 161-163.

82. Chateaubriand rassemble dans ce paragraphe une faune pittoresque, sans trop se soucier de sa cohérence. Le paysage est symbolique (nature paradisiaque), et non réaliste.

83. On retrouve dans le « Journal sans date » du *Voyage en Amérique* (pp. 703-709) des impressions sonores analogues.

84. Voir le Commentaire, pp. 558-560.

85. C'est ce que raconte Chactas dans les livres V et VI des *Natchez* qui suivent le récit de ses amours avec Atala.

86. Voir le livre VII des *Natchez*.

87. Résumé des livres I à V des *Natchez*. Dans le récit de 1826, toutefois, c'est au retour de la chasse aux castors que René épouse Céluta.

88. Il est bien entendu peu vraisemblable que les Natchez aillent chasser si loin de leur village. Est-ce un hasard néanmoins si Chateaubriand ramène Chactas, pour raconter son histoire,

dans la région même où Atala est morte ? (Sur les rites de la chasse, voir le *Voyage en Amérique*, p. 807.)

89. Comme ce fut probablement le cas lorsque Chateaubriand les traversa, en octobre 1791, dans la splendeur de l'été indien.

90. La question reste sans réponse parce que le parallèle est truqué. Si Chactas, après avoir vu la civilisation, est redevenu sauvage, conformément à la « bonne règle » des Philosophes, René est incapable de choisir.

91. Le voyage de Hernando de Soto sur le Mississipi (1539-1541) avait, en effet, été sans lendemain. Selon la chronologie interne du récit (voir p. 561), Chactas qui a soixante-treize ans vers 1726 (au moment où il raconte son histoire à René) serait né vers 1653, à une époque antérieure à toute colonisation européenne dans la région, car la ville espagnole de Pensacola ne sera fondée, en réalité, qu'à la fin du siècle. Mais pour les besoins de son intrigue, Chateaubriand renforce la présence espagnole en Floride occidentale vers 1670.

92. Voir la note 60.

93. Les deux branches principales sont la rivière Alabama et le Tombekbé ; elles se réunissent pour former la Mobile, qui va se jeter dans le golfe du Mexique. Bartram consacre à cette région les chapitres VI, VII et VIII de la troisième partie de son *Voyage*.

94. Port espagnol de la Floride orientale, sur la côte atlantique.

95. La situation de Chactas ressemble à celle du Huron de Voltaire, recueilli à Saint-Malo par le prieur de Kerkabon et par sa sœur.

96. Toute la scène rappelle, jusque dans ce détail de costume, un épisode cité par Rousseau dans une note de son *Discours sur l'inégalité* et reproduit par Eisen dans le frontispice du volume de 1755. Garnier retiendra lui aussi ce passage pour son illustration de 1805 (voir la note 21).

97. Le bon Lopez est une sorte de préfiguration du père Aubry ; il a du reste aussi un passé romanesque, comme on le découvrira dans la suite du récit. En revanche, à vingt ans, Chactas est encore rebelle à la sédentarisation, comme à la conversion. Mais il a déjà le don des larmes !

98. Tribus de la confédération des Creeks, répartis dans ce qu'on appelle alors les Florides intérieures. Leurs villages (voir la liste dans Bartram, t. 2, pp. 333-335) se rencontraient de la

rivière Alabama (Muscogulges) à la rivière Flint (Siminoles), au sud-ouest de la Géorgie actuelle ; voir Bartram, deuxième partie, VI et VII et troisième partie, VIII ; et *Voyage en Amérique*, pp. 838-845.

99. *Cf. Voyage en Amérique*, p. 843. C'est à Bartram que Chateaubriand emprunte cette aimable vision du Siminole : « Contents et tranquilles, ils semblent aussi libres de soucis que les oiseaux de l'air ; comme eux, ils sont légers, remuants ; comme eux ils chantent et babillent. Le Séminole présente l'image parfaite du bonheur. La joie, le contentement intérieur, l'amour tendre, l'amitié franche sont empreints sur ses traits ; ils se montrent dans son maintien, dans ses gestes (...). Les vieux magistrats de ce peuple, ses plus graves sénateurs, ont peine à prendre dans les conseils publics des manières graves et sérieuses. Les rides de la plus extrême vieillesse ne peuvent effacer de leur visage cet air naïf et gai » (t. 1, p. 364).

100. *Cf.* seconde partie des *Natchez*, pp. 373-374.

101. Libre à chacun de supposer que ce portrait renvoie à une femme réelle, que Chateaubriand aurait connue en Angleterre, par exemple Charlotte Ives ou Mme de Belloy, belle créole émigrée à Londres, qui fut sa première maîtresse. Il indique toutefois dans ses *Mémoires* (VIII, 3) qu'Atala (comme Céluta, du reste) a eu un modèle indien. Rappelons enfin que cette association de la *sensibilité* et de la *mélancolie* caractérise déjà la Virginie de Bernardin de Saint-Pierre.

102. Cette coutume est rapportée par Charlevoix : « On abandonne quelquefois aux prisonniers des filles pour leur servir de femmes pendant tout le temps qu'il leur reste à vivre » (information reprise dans *Histoire générale des voyages*, t. XV, p. 58). Mais c'est Chateaubriand qui crée la poétique expression de *Vierge des dernières amours*. On la retrouve au livre XI des *Natchez*, dans une scène analogue où René, prisonnier des Illinois, reçoit la visite de Nelida.

103. La capitale de la confédération des Creeks, située au confluent de la rivière Chattahoochee (ou Chata-Uche) et de la rivière Flint. Bartram signale (t. 2, p. 204 ; repris dans *Voyage en Amérique*, p. 842) que les exécutions y étaient proscrites. Mais le récit de Chactas se réfère à la ville ancienne, située dans un méandre de la rivière à 2,5 km plus au sud ; elle avait été évacuée vers 1760 précisément parce qu'on avait violé ce tabou.

104. Vers le milieu de mai. Voir Bartram, t. 2, p. 57 : « A cette

époque la grande éphémère jaune, qu'on appelle mouche de mai, et une espèce de locuste paraissent en nombre prodigieux. »

105. Située à la base de la péninsule de Floride, entre la rivière Saint-Jean et le fond du golfe du Mexique. Bartram en donne une description détaillée (seconde partie, chap. VI) ainsi que des puits naturels plus ou moins remplis de crocodiles (t. 1, pp. 289, 302-303, 349-352, 406-407) ; *cf. Voyage en Amérique*, p. 733 et *Génie*, pp. 582-583. On peut considérer que le temps mis pour franchir la distance qui sépare les environs de Saint-Augustin de ladite savane (quelque 150 km) est bien long. Par la suite, Chactas marchera beaucoup plus vite !

106. Arbre tropical dont le nom espagnol signifie : ambre liquide, à cause de sa sève parfumée. Le copalme (voir quelques lignes plus haut) représente une de ses variétés.

107. Langage bien peu *naturel*, chez un jeune Indien. Morellet observe : « Hyperbole amoureuse dont on ne trouverait pas le pendant dans tous les romans de La Calprenède et de Scudéry ! » Toute la scène transpose en effet la rhétorique amoureuse de la préciosité.

108. C'est un signe de richesse. *Cf.* Ossian, *Fingal*, livre II : « *His deer drunk of a thousand streams.* »

109. Texte de 1801 : « Tout était calme, superbe, solitaire et mélancolique au désert. La grue des savanes criait debout sur son nid. » Cette variante est symptomatique du travail de révision opéré par Chateaubriand sur le texte original. Il dégraisse la première phrase, pour créer un effet rythmique, qui entraîne à son tour la disparition de la *grue des savanes*, oiseau pourtant bien attesté par ses sources, et son remplacement par la *cigogne*. On retrouve tous les éléments de ce paysage chez Bartram (t. 1, p. 337 pour les promontoires, pp. 345-346 et 377-378 pour les mœurs de la grue, *passim* pour la faune).

110. Chateaubriand est passé maître en matière de *nocturnes* (voir J.-C. Berchet, « Chateaubriand poète de la nuit », in *Chateaubriand. Actes du congrès de Wisconsin 1968*, Genève, Droz, 1970, pp. 45-62). Celui-ci a son origine dans un célèbre passage de *Paul et Virginie* ; mais la « chevelure bleue » ne doit rien à Bernardin. *Cf.* La « Nuit chez les Sauvages » (*Essai historique*, pp. 445-446) ou le « Spectacle d'une nuit » dans *Génie*, pp. 591-592, et « Fragments », pp. 1319-1321 (voir Appendice, pp. 538-539 et 549-550).

111. Cette scène correspond au passage des *Natchez* dans

lequel Outougamiz va se déclarer à Mila (pp. 350-351) : Chateaubriand a prélevé le texte de la chanson qui suit pour le transporter dans *Atala*, sans toutefois faire disparaître le nom de Mila, qui indique bien sa destination première.

112. Sur cette coutume indienne, voir Lahontan, *Dialogues curieux*, pp. 117-118, repris par Carver (traduction française 1784, p. 43). Elle est évoquée dans *Odérahi* (éd. Chinard, p. 124) comme dans un fragment du *Génie* (voir Appendice, p. 545).

113. Ces pratiques sont décrites par Lafitau (t. II, p. 431) et par Charlevoix (*Journal*, p. 373) ; informations reprises dans *Histoire générale des voyages* (t. XV, pp. 29-30). Chateaubriand mentionne à plusieurs reprises les sépultures enfantines : « Fragments » du *Génie*, p. 1363 (voir Appendice, p. 553) et *Voyage en Amérique*, p. 759 ; voir aussi plus loin *Atala*, p. 161 et *Les Natchez*, p. 466.

114. Job (III, 1-23) et Jérémie (XX, 14-15) ont « maudit le jour de leur naissance », et les *Mémoires* (III, 6) nous apprennent que ce furent des lectures familières au jeune Chateaubriand et à sa sœur Lucile.

115. La Sainte Vierge, mère du Christ.

116. Il est permis de juger incongru le moment que choisit Chactas pour rendre hommage au christianisme, même en admettant que c'est le narrateur du récit qui parle ainsi dans sa vieillesse.

117. Prolepse intéressante : Dieu *marque* pour la mort.

118. C'est une espèce de calebasse remplie de graines, qu'on agite.

119. Sur le Mico, voir le *Voyage en Amérique*, pp. 838-839. La traduction française du *Voyage* de Bartram comporte, en frontispice du t. 1, le portrait spectaculaire du « Mico Chlucco, le Grand Guerrier ou Roi des Siminoles ».

120. La description qui suit est conforme à celle que donne Bartram (t. 2, pp. 169-172) de la rotonde qui sert aux Cherokees de Cowe (sur le Tennessee) de « maison de ville ». Dans le *Voyage en Amérique*, p. 842, Chateaubriand évoque la salle du conseil des Muscogulges de manière très différente.

121. Ou panache (faisceau de plumes).

122. Ce nom désigne les prêtres indiens. Dans le *Voyage en Amérique*, p. 839, Chateaubriand indique le rôle excessif (selon lui) qu'ils jouent dans les assemblées. On les retrouve dans *Les Natchez*, où ils sont toujours montrés sous un jour défavorable.

123. Le début de cette longue comparaison est sans doute inspiré par le Tasse : « Une rumeur (...) pareille à celle qu'on entend dans les épaisses forêts, s'il arrive que le souffle des vents anime le feuillage, ou dans les rochers proches du rivage, lorsque la mer se brise avec de rauques sifflements » (*Jérusalem délivrée*, chant III, str. 6). Cette vision tumultueuse des délibérations qu'on retrouvera plus loin dans *Les Natchez* pp. 393-401 est infidèle à la réalité ethnographique ; mais elle reproduit des modèles épiques, et peut-être le souvenir des assemblées révolutionnaires : « cette assemblée de Sauvages, prête à délibérer sur la liberté de tout un monde », écrit Chateaubriand p. 393.

124. Cette fête a été décrite à plusieurs reprises (Charlevoix, Lafitau, *Histoire générale des voyages*, t. XV, etc.). On la retrouve dans *Odérahi* (éd. Chinard, pp. 210-211).

125. On retrouve ces récits dans un « Fragment » du *Génie* (voir p. 552) et, plus développés, dans la rubrique « Religion » du *Voyage en Amérique*, (pp. 825-828). Ils rappellent certains mythes bibliques (la Chute, Caïn, le Déluge) ou grecs (Orphée et Eurydice).

126. Sur cette ambivalence du désir féminin, voir le *Voyage en Amérique*, p. 823.

127. *Atala* situe dans les Florides ces ruines mystérieuses que Bartram signale près des sources de la Savannah et du Tennessee (t. 2, pp. 101-103 et 113), mais que Chateaubriand fixe encore plus au nord dans ses autres œuvres : *Génie*, I, IV, 2 et note VIII ; *Voyage en Amérique*, pp. 710-712 et 889-929.

128. Selon un usage, et un modèle, mentionnés par tous les voyageurs, résumés dans *Histoire générale des voyages*, t. XV, p. 55 ; voir aussi *Odérahi*, pp. 78-79.

129. Cette position est représentée sur une des gravures qui illustrent le voyage de Lafitau (voir sa reproduction dans *Les Natchez*, édition Chinard, p. 292 *bis*).

130. C'est ainsi qu'au chant XIX de la *Jérusalem délivrée*, Erminie soigne Tancrède. Odérahi, de son côté, applique sur les blessures de son amant Ontérée des baumes efficaces (*Odérahi*, p. 81). Dans un contexte plus humoristique, Voltaire évoque lui aussi cette fonction salvatrice de la femme, en faisant dire à son Ingénu (chap. VII) : « Ah ! si Mlle de Saint-Yves était là, elle me mettrait une *compresse* ! »

131. Agar, servante égyptienne du patriarche Abraham, avait eu de lui un fils, Ismaël. Chassés par la jalousie de Sara, épouse

légitime, ils se réfugièrent dans le désert de Bersabée, où ils furent secourus par un ange (Genèse, XVI et XXI).

132. Bartram (t. 1, pp. 164-165) donne une description précise de cette grande mousse, que les Français du Mississipi appelaient « barbe espagnole ». *Cf.* « Fragments » du *Génie*, p. 1316 (Appendice, p. 546).

133. Dans le *Voyage en Amérique*, p. 685, Chateaubriand mentionne, pour construire son *ajoupa*, une technique un peu différente.

134. Ce nom populaire est mentionné par Charlevoix, *Journal*, p. 332 : « Lorsque la chasse et la pêche leur manquent, leur unique ressource est une espèce de mousse qui croît sur certains rochers, et que nos Français ont nommée *Trippe de roches*. » Chactas les retrouvera plus tard à... Terre-Neuve ! (Voir p. 187.)

135. Bartram évoque à deux reprises (t. 1, pp. 6-9 et t. 2, pp. 253-254) cette particularité de la *Sarracenia flava. Cf.* « Fragments » du *Génie*, p. 1312 (Appendice, p. 544).

136. *Cf.* Amélie, dans *René*.

137. Région montagneuse de la Caroline du Sud.

138. Ou Tennessee (même forme francisée dans le prologue p. 330). Le chemin suivi par les fugitifs correspond au voyage au pays des Cherokees que Bartram raconte dans les chapitres I à IV de la troisième partie de son ouvrage (t. 2, pp. 75-179). Pour la technique de fabrication du canot, *cf.* le *Voyage en Amérique*, p. 808.

139. Voir leur description succincte dans Bartram, t. 2, p. 133.

140. Une coquille dans la traduction de Bartram que Chateaubriand utilise est sans doute responsable de la confusion qu'il paraît faire entre Keowe, sur une branche de la Savannah, et Cowe, sur le Tennessee. On peut en effet lire dans le t. 2, p. 134 : « Tout à coup les hautes montagnes s'écartant des deux côtés, découvrirent à mes yeux la vaste et fertile vallée de *Cowe*, au travers de laquelle la principale branche du Tanase serpente, presque depuis sa source, dans un espace de soixante milles jusqu'à Cowe. » Mais un peu plus loin (pp. 148-149) nous lisons : « Sous nos yeux étaient la délicieuse vallée de Keowe (...) ; la ville de Cowe et les pics élevés du mont Jore. Sur une pelouse verte et fort éloignée, nous apercevions le village de Jore, élevé de plusieurs mille pieds (...). De longs promontoires du mont Jore, se prolongeaient dans la vallée, s'avançant jusque dans le Tanase qui roulait, entre leurs pointes, ses ondes écumeuses. »

C'est dans le même volume, mais pp. 110-113, que Bartram évoque la vallée de Keowe et le comptoir de traite du fort Prince George ; on y trouve également des ruines indiennes, signalées p. 113.

141. Cette manière de terminer une séquence par une image plastique immobile, est caractéristique de Chateaubriand, comme ce type de confrontation muette. *Cf.* le *Voyage en Amérique*, p. 716 : « Là, ce sont des troupeaux de chevreuils, qui de la pointe du rocher, vous regardent passer sur les fleuves » ; article « Mackenzie » : « Lorsque (...) l'ourse des déserts regarde du haut de son rocher, ces jeux de l'homme sauvage... » ; et ci-dessous, p. 433.

142. Atala exprime dans cette chanson toute la nostalgie du jeune exilé de Londres. Chateaubriand reprendra ce thème dans la romance du « Montagnard émigré » (1806), qu'il réutilisera dans *Les Aventures du dernier Abencérage*.

143. Toute la scène est inspirée par le souvenir de la remontée de la rivière Hudson de New York à Albany, en juillet 1791 (*cf. Essai historique*, p. 351 et *Mémoires*, VII, 2).

144. Ces paroles de Chactas sont une préfiguration du discours du père Souël, à la fin de *René*.

145. *Cf.* le *Voyage en Amérique*, pp. 732-733.

146. Petit félin carnassier ; voir sa description dans le *Voyage en Amérique*, p. 745, à partir de Charlevoix.

147. Coutume que signale Charlevoix (*Journal*, p. 326) : « Ordinairement, la plus grande punition que les Sauvages emploient pour corriger leurs enfants, c'est de leur jeter un peu d'eau au visage. » *Cf.* le *Voyage en Amérique*, pp. 695 et 851, et une autre allusion dans *Les Natchez*, p. 254.

148. C'est-à-dire son nom de baptême.

149. La découverte de la dimension incestueuse de leur liaison paraît porter à son comble le désir des jeunes gens. La présence de cette dimension dans *Atala*, est à peine moins grande que dans *René*. Le père Aubry lui-même la souligne avec une insistance étrange, p. 148.

150. Cette idée du désir comme leurre obsède le jeune Chateaubriand. Voir *Essai historique*, p. 259 : « La nature nous traite comme des enfants malades, dont on refuse de satisfaire les appétits, mais dont on apaise les pleurs par des illusions et des espérances » ; p. 268 (Appendice, p. 524) : « Nous sommes ici-bas

comme au spectacle : si nous détournons un moment la tête, le coup de sifflet part, les palais enchantés s'évanouissent » ; p. 439 : « Nous n'apercevons presque jamais la réalité des choses, mais leurs images réfléchies faussement par nos désirs. »

151. Ainsi, dans *Le Génie du Christianisme* (IV, III, 5) sont évoqués les moines du Grand-Saint-Bernard, à la recherche du voyageur égaré : « N'est-ce point le bruit d'une cloche qui frappe son oreille à travers le murmure de la tempête ? (...) Un autre bruit se fait entendre ; un chien jappe sur les neiges, il approche, il arrive, il hurle de joie : un solitaire le suit. » Les campagnes de Bonaparte en Italie avaient mis à la mode le célèbre hospice.

152. Le père Aubry est sans doute un jésuite, comme la plupart des missionnaires de la Nouvelle-France (voir *Génie*, IV, IV, 8), mais Chateaubriand aura soin de ne pas prononcer, dans *Atala*, un nom alors chargé de connotations très négatives. En le qualifiant de *solitaire* ou d'*ermite*, il le rattache à une riche et rassurante tradition littéraire ; en le qualifiant de *missionnaire*, il insiste en revanche sur une fonction sociale, que les jésuites du Paraguay avaient illustrée de façon positive au Siècle des lumières. Mais il en résulte un certain flou dans le portrait : le père Aubry vit-il seul (la *grotte*) ou en communauté (la *mission*) ? On hésite parfois...

153. *Cf.* le témoignage du *Génie du Christianisme*, IV, IV, 8 (« Missions de la Nouvelle-France ») :

« J'ai rencontré moi-même un de ces apôtres, au milieu des solitudes américaines. Un matin que je cheminais lentement dans les forêts, j'aperçus, venant à moi, un grand vieillard à barbe blanche, vêtu d'une longue robe, lisant attentivement dans un livre, et marchant appuyé sur un bâton ; il était tout illuminé par un rayon de l'aurore, qui tombait sur lui à travers le feuillage des arbres : on eût cru voir Thermosiris, sortant du bois sacré des Muses, dans les déserts de la Haute-Égypte. C'était un missionnaire de la Louisiane ; il revenait de la Nouvelle-Orléans, et retournait aux Illinois où il dirigeait un petit troupeau de Français et de Sauvages chrétiens. Il m'accompagna pendant plusieurs jours : quelque diligent que je fusse au matin, je trouvais toujours le vieux voyageur levé avant moi, et disant son bréviaire, en se promenant dans la forêt. Ce saint homme avait beaucoup souffert ; il racontait bien les peines de sa vie ; il en parlait sans aigreur, et surtout sans plaisir, mais avec sérénité : je n'ai point vu un sourire plus paisible que le sien. Il citait agréablement et souvent des vers de Virgile et même d'Homère, qu'il appliquait aux belles scènes qui se succédaient sous nos yeux, ou aux pensées qui nous occupaient. Il me parut avoir des connaissances en tous genres, qu'il laissait à peine apercevoir sous sa simplicité évangélique ; comme ses prédécesseurs les apôtres, sachant tout, il avait l'air de tout ignorer. Nous eûmes un jour une conversation sur la Révolution française, et nous trouvâmes quelque charme à causer des troubles des hommes, dans les lieux les plus tranquilles. Nous étions assis dans une vallée, au bord d'un fleuve dont nous ne savions pas le nom, et qui, depuis nombre de siècles, rafraîchissait de ses eaux cette rive inconnue. J'en fis tout haut la réflexion et je vis le vieillard s'attendrir. Les larmes lui vinrent aux yeux, à cette image d'une vie ignorée sacrifiée dans les déserts à d'obscurs bienfaits. »

154. « Le giraumont est une citrouille moins grosse que la nôtre et je crois, s'il est possible, encore plus fade », écrit Bernardin de Saint-Pierre dans son *Voyage à l'Ile de France* (Lettre XIII), à propos de cette cucurbitacée qu'on retrouve dans *Paul et Virginie.*

155. La grotte et son mobilier correspondent au décor habituel de la vie érémitique, à peine actualisé par quelques touches exotiques. La bêche, qui servira plus loin à enterrer Atala, est aussi destinée à cultiver un modeste jardin.

156. Les nombreuses périphrases que Chactas utilise pour désigner le père Aubry ont provoqué les sarcasmes de Morellet. Elles reviennent presque toujours à naturaliser le prêtre, à souligner ce qui, au-delà de toute religion particulière, lui donne un rôle universel.

157. Ce goût des hauts lieux et des vastes perspectives rapproche curieusement Chateaubriand de Stendhal (*cf.* la grotte où Julien Sorel va se réfugier dans *Le Rouge et le Noir*, etc.).

158. La *sensibilité* du père Aubry contraste avec la dureté du père Souël dans *René* : chacun incarne une image différente du prêtre.

159. Un des modèles du père Aubry, le père Jogues, avait été reçu par la reine de France, et avait obtenu du pape, en 1644, une dispense lui permettant de célébrer la messe malgré ses mutilations. Voir *Génie*, IV, IV, 8.

160. Le missionnaire joue un peu, dans le processus civilisateur, le rôle quasi divin que Rousseau attribue au *Législateur.* C'est aussi à ce titre que le père Aubry est à la fois dans la société, et en dehors (voir la note 152).

161. Cette démultiplication apparente du soleil, ou *parhélie*, est un phénomène qu'on observe en général dans les régions plus septentrionales.

162. *Cf.* le texte cité dans la note 153.

163. John G. Frank (« A Note on the Natural Bridge in *Atala* », *Modern Language Notes*, LXIV, june 1949) a cru pouvoir identifier ce pont naturel, ainsi que le paysage environnant (la grotte, le lac, le ruisseau, le bois) dans un site de la vallée du Tennessee, là même où le récit paraît situer la mission du père Aubry. Il est possible que Chateaubriand soit passé par là en octobre 1791. Souvenons-nous cependant que dans la fiction, le pont est censé avoir disparu (voir p. 165), si bien que toute recherche est vaine.

Du reste, Chactas indique lui-même la référence principale du texte : le célèbre pont naturel de la Virginie, qu'avaient fait connaître en France, la même année, deux publications. Les *Voyages* du marquis de Chastellux (Paris, Prault, 1786) consacrent à ce phénomène naturel une longue notice assez technique mais illustrée de trois gravures significatives. Une note du tome 2 (p. 303) signale qu'existe sur la même question un « excellent mémoire », composé par Thomas Jefferson en 1781, diffusé à quelques exemplaires hors commerce en 1785, et qu'un « homme de lettres très connu » (Morellet) vient de le traduire. Ces *Observations sur la Virginie* allaient paraître quelques semaines plus tard à Paris, un an avant la publication du texte original anglais, à Londres, en 1787. Malesherbes possédait ces ouvrages dans sa bibliothèque, où Chateaubriand a très bien pu en prendre connaissance avant même son voyage en Amérique. Comme il a pu rendre visite à cette curiosité géologique, lors de son retour à Philadelphie en novembre 1791.

164. *Cf.* le « Fragment d'un épisode », p. 553.

165. Nous avons là une des premières représentations romanesques de la messe. *Cf. Génie*, IV, I, 5 et 6.

166. Certains critiques ont jugé cette mise en scène « forcée ». Peut-être pensaient-ils, avec Boileau, que « du Dieu des Chrétiens les mystères terribles » ne sont pas susceptibles de la moindre ornementation, très naturelle de surcroît.

167. C'est de la même façon que Chateaubriand évoque dans son *Essai historique* (p. 194) la Thrace antique : « (Orphée) vivait dans un siècle à demi sauvage, au milieu des premiers défrichements des terres. Les regards étaient sans cesse frappés du grand spectacle des déserts, où quelques arbres abattus, un bout de

sillon mal formé à la lisière d'un bois, annonçaient les premiers efforts de l'industrie humaine. Ce mélange de l'antique nature et de l'agriculture naissante, etc. » La mission du père Aubry ressemble à celles des jésuites du Paraguay (*Génie*, IV, IV, 4 et 5). Mais en y introduisant des « forges » et surtout des « arpenteurs », Chateaubriand se sépare de son maître Rousseau qui voit dans la métallurgie, et surtout dans la propriété, le début de la corruption des sociétés « naturelles ».

168. Chactas a évolué, depuis son séjour auprès de Lopez. La petite communauté que lui présente le père Aubry, est uniquement composée, il est vrai, de ses frères de race. Mais sans doute est-ce surtout la perspective de voir Dieu bénir son union avec Atala qui dispose en sa faveur le jeune Indien.

169. Non plus contrat social, destiné à fonder des institutions, comme chez Rousseau, mais contrat entre les hommes et la nature, sous le regard de Dieu. Chateaubriand reprendra cette idée en décrivant la ferme de Lasthénès, au livre II des *Martyrs* (voir Jean-Claude Berchet, « Et in Arcadia ego », *Romantisme*, nᵒ 51, 1986, pp. 100-101).

170. Ce sont en effet les diverses missions *pastorales* du prêtre qui résume ce paragraphe : il administre les sacrements ; il préside à la naissance, au mariage et à la mort. Rappelons qu'au cours de son séjour dans le Suffolk, de 1794 à 1796, Chateaubriand avait été le témoin quotidien des activités du clergé anglican.

171. Voir la note 160.

172. C'est à peu près la même loi « naturelle » que le vicaire savoyard de Rousseau (*Émile*, livre IV) tire lui aussi des Évangiles.

173. Cette expression, qui ne figure pas dans les premières éditions, demeure obscure. Le quatrième évangile (I, 28) parle de « Béthanie, au-delà du Jourdain, où Jean baptisait » ; mais Jean-Baptiste est considéré dans ce passage comme celui qui donne le baptême, non pas comme celui qui le reçoit. En tout cas, il ne faut pas confondre cette localité avec le village de Judée, proche de Jérusalem, où Jésus ressuscita Lazare.

174. Voir au contraire p. 103, et note 168.

175. Ce sont des réflexions analogues qu'inspire à Chateaubriand, dans les *Mémoires* (X, 9), la fin de son idylle avec Charlotte Ives.

176. Voir la suite de son récit dans *Les Natchez*, livres V à VIII. Chateaubriand a eu soin de placer le tableau de la « société

évangélique », faite pour le bonheur des hommes, avant celui des funestes conséquences de la religion mal comprise. Cette manière de susciter un espoir au moment même où le piège se referme instaure dans le récit un mécanisme tragique.

177. Voir la note 150 et la note 208.

178. Les vœux téméraires (Mme de Genlis intitule ainsi un de ses romans, paru en 1799) sont une donnée littéraire fréquente, au Siècle des lumières : ressort dramatique essentiel aussi bien dans *Zaïre* (Voltaire) que dans *Les Incas* (Marmontel). Le *Journal de Paris* du 19 floréal an IX/9 mai 1801, établit un parallèle plus inattendu : « *Atala*, dont le but, semblable à celui de *La Religieuse* de Diderot, est de faire haïr la superstition en intéressant à ses victimes, (...) remplit bien plus sûrement son objet, puisqu'il montre le fanatisme cherchant jusque dans la vie sauvage des victimes que Diderot se contente de lui laisser choisir dans la société. » Ce rapprochement ne va pas sans perfidie, sous la plume du critique de 1801 ; mais il ne manque pas de justesse : comme Suzanne Simonin, Atala est une fille illégitime qu'une mère égoïste voue à expier sa propre faute « en acceptant le voile des vierges ».

179. Brusque tension du récit : devenu soudain adulte, Chactas pose avec énergie la question que Diderot développe dans le *Supplément au voyage de Bougainville*.

180. Le père Aubry se métamorphose à son tour, en prophète du Dieu terrible. Après avoir paru jouer le registre de la religion naturelle, il réaffirme avec force le dogme du péché originel.

181. Cet emportement blasphématoire du désir frustré est inattendu chez Atala. Chose plus surprenante, la réaction du père Aubry est très compréhensive : après avoir parlé en docteur de la foi, il se transforme en confesseur psychologue.

182. Chateaubriand est très attaché à ce catholicisme salésien, « humaniste », que, pour sa génération, représente le personnage de Fénelon.

183. *Cf.* la mort de Socrate dans *Phédon*, LXVII.

184. Chateaubriand raconte dans ses *Mémoires* (XIII, 6) comment ce discours fut réécrit en une nuit sur les instances de Fontanes. La dépréciation de la vie terrestre qu'il exprime, correspond moins à une « philosophie » qu'à une pastorale de la bonne mort (voir le commentaire de ce passage dans la préface de 1805, p. 54).

185. Voir la note 149.

186. Genèse, IV, 1-8 ; XVI, 1-6 ; XXIV, 67.

187. Comme le vicaire savoyard de Rousseau, le père Aubry a une expérience des passions. Application au médecin des âmes du *Non ignara mali* de Virgile (*cf. Mémoires*, I, 1).

188. Cette impuissance à aimer durablement obsède Chateaubriand*: voir *Mémoires*, XV, 7.

189. *Cf. René*, p. 323.

190. Une des formules par lesquelles on salue Marie dans les litanies de la Sainte Vierge.

191. Cette scène est à replacer dans la série des morts, plus ou moins édifiantes, des héroïnes de roman du XVIIIᵉ siècle : Manon, Julie, mais aussi Mlle de Saint-Yves, en présence de son amant huron au désespoir.

192. Bijou symétrique du « manitou d'or » qu'Outougamiz reçoit de René (p. 90) et qu'il conservera précieusement, comme Chactas la croix d'Atala.

193. Suit le début des prières pour les agonisants. Sur le sacrement des malades ou extrême-onction, évoqué dans ce passage sous forme elliptique, voir *Génie*, I, I, 11.

194. C'est évidemment la question qu'on se pose. Mais la stratégie narrative des *Natchez* implique que le personnage de Chactas soit pleinement indien. Il ne recevra le baptême (« de désir ») que sur son lit de mort.

195. Ce geste de charité donne la touche finale au portrait du missionnaire.

196. C'est le moment qu'a voulu illustrer Girodet dans son célèbre « Atala au tombeau ». Exposé au salon de 1808, le tableau fut acheté par Louis XVIII, pour le Louvre, en 1818.

197. *Cf.* la préface de 1805, p. 55, et la note 26.

198. Cette comparaison se trouve déjà textuellement dans la « Lettre au Citoyen Fontanes » (voir *Génie*, p. 1279). Sur les puits naturels des Florides, voir la note 105.

199. Pas plus que le prologue (voir la note 76), cet épilogue ne se rattache structurellement à *Atala*. Cet « adieu à la vie sauvage » servait sans doute primitivement de conclusion à la totalité des *Natchez* ; il introduit un nouveau narrateur : voyageur-témoin qui ressemble fort à Chateaubriand, sans se confondre complètement avec lui.

200. La rencontre suivante paraît inspirée par un passage de Carver : « Pendant que j'habitais avec eux, un mari et une femme

dont la cabane était voisine de la mienne perdirent un enfant de quatre ans. Ils furent si affligés (...) que le père en mourut ; la mère se consola en pensant que, bon chasseur, il pourvoirait à la nourriture de son fils au pays des Esprits. (...) Elle allait tous les soirs au pied de l'arbre sur les branches duquel étaient exposés les restes des personnes chéries et, après avoir coupé une boucle de ses cheveux, qu'elle jetait à terre, elle déplorait ses malheurs. Une récapitulation des actions que son fils aurait faites s'il eût vécu était le sujet le plus fréquent de ses plaintes funèbres : « Si tu avais continué de vivre parmi nous, disait-elle, cher enfant, combien un arc aurait été bien placé entre tes mains, et combien tes flèches auraient été funestes aux ennemis de notre nation. (...) Avec tes bras nerveux tu aurais saisi le buffle blessé, ou combattu l'ours furieux. Tes pieds légers t'auraient fait atteindre l'élan, ou rendu l'égal du daim à la course sur le sommet des montagnes », etc.

201. Sur ces pratiques funéraires, voir la note 113.

202. Cette allusion de Chateaubriand à son séjour en Italie, du mois de juin 1803 au mois de janvier 1804, est une adjonction de la quatrième édition du *Génie*. Elle renforce la crédibilité autobiographique du narrateur.

203. En réalité « petite-fille », comme il est précisé plus loin. *Cf. Les Natchez*, p. 493.

204. Cette description des chutes de Niagara rectifie sur quelques points une description antérieure (*Essai historique*, p. 354) ; voir Appendice, p. 531. On en trouve une dernière version dans les *Mémoires*, VII, 8. Dans les deux cas, Chateaubriand évoque sa rencontre avec une famille indienne, mais de façon très différente.

205. Voir p. 443.

206. Sur le martyre des missionnaires de la Nouvelle-France, voir *Génie*, IV, IV, 8.

207. On ne trouve aucune allusion à ce voyage dans la suite du récit de Chactas (*cf.* la fin du livre VIII des *Natchez*). Ce dernier pèlerinage supposé rend possible la confusion finale de tous les personnages dans la même cendre.

208. *Cf.* Pindare, *Huitième Pythique*, vers 96, et la note 177.

209. Voir Appendice pp. 539-540 et 550.

LES NATCHEZ
(suite)

210. Ce dialogue fictif entre Chactas et Fénelon permet à Chateaubriand de confronter des aspects contradictoires de sa propre personnalité : le jeune disciple de Rousseau, qui se méfie de toute autorité politique, et qui termine son *Essai historique* de 1797 par un nostalgique adieu à ses chers Sauvages ; l'homme de trente ans qui redécouvre, en écrivant *Le Génie du Christianisme*, la valeur de la civilisation chrétienne, embellie par les arts.

211. Allusion à la description de la Bétique, dans *Les Aventures de Télémaque*.

212. La suite du paragraphe, ainsi que celui qui termine le discours de Fénelon, parurent pour la première fois dans un compte rendu des *Voyages* de Humboldt, publié par *Le Conservateur* du mois de janvier 1820 (66ᵉ livraison, t. 6, pp. 33-35), comme le signale Chateaubriand lui-même dans la note *a* de la p. 179.

213. C'est la thèse du *Génie du Christianisme* qui repose sur la doctrine du beau idéal.

214. Sous une forme un peu différente, on retrouve la même démonstration dans *Le Conservateur*. Le bonheur du Sauvage est un bonheur négatif : absence de mal. C'est au contraire la présence même du mal qui développe la charité *(imitatio Christi)* dans la société chrétienne. Chateaubriand transpose curieusement les analyses de Rousseau sur la morale : au stade ultime de la socialité, la négation de la nature se transforme en vertu.

215. Fénelon est un nouveau père Aubry, du moins par les effets de ses propos sur Chactas.

216. Ces propos optimistes sur la future Confédération concordent avec certaines pages du *Voyage en Amérique*, et caractérisent le Chateaubriand libéral des années 1824-1830. Ils datent sans doute de la révision des *Natchez* en 1826.

217. Dans le récit de cette traversée, Chateaubriand rappelle certains souvenirs de son voyage du printemps 1791 (avec escale aux Açores, puis à Saint-Pierre). *Cf. Mémoires*, VI, 2-5.

218. On retrouve cette image dans *Les Martyrs*, livre I : « Une

flotte ionienne baissait ses voiles pour entrer au port de Coronée, comme une troupe de colombes passagères ploie ses ailes pour se reposer sur un rivage hospitalier. »

219. Ce verbe rare est peut-être un emprunt à Charlevoix (*Journal*, pp. 52-53) : « Nous eûmes beaucoup à souffrir tout le temps que les vents contraires nous retinrent sur les frontières du royaume des morues (...). La mer est toujours *glapissante*. »

220. Le tableau qui suit retrace la tempête qu'essuya Chateaubriand sur les côtes du Cotentin, à son retour de Philadelphie, en décembre 1791. *Cf. Mémoires*, VIII, 7.

221. Retour brutal de Chactas à la nature, pour une espèce de renaissance symbolique.

222. *Cf.* Exode, XII, 46.

223. La bête abattue est à la fois *victime* du sort et *viatique* fourni par le Destin.

224. Voir la note 134.

225. Arbuste de Virginie, déjà cité p. 122, avec une autre orthographe *(sumach)*. On prépare à partir de ses fruits une boisson rafraîchissante.

226. Le lion marin est une espèce de phoque, dont la démarche est peu altière. Mais sans doute Chateaubriand se souvient-il du modèle épique des naufragés, Ulysse, qui, ayant aperçu Nausicaa, sort de son taillis « comme un lion nourri dans les montagnes et confiant dans sa force » (*Odyssée*, VI, 130). .

227. Les principales composantes de ce tableau font penser à Ossian.

228. Isidore Ducasse s'en est souvenu dans un passage célèbre des *Chants de Maldoror* (I, 9) reprenant même, à propos du « vieil Océan » (voir p. 196) la curieuse épithète de « célibataire » que Chateaubriand, avait appliquée à Dieu dans la première édition du *Génie* (I, i, 9).

229. *Cf.* le chapitre du *Génie* intitulé « Instinct de la patrie » (I, v, 14) :
« Qu'y a-t-il de plus heureux que l'Esquimau dans son épouvantable patrie ? que lui font les fleurs de nos climats auprès des neiges du Labrador, nos palais auprès de son trou enfumé ? Il s'embarque au printemps avec son épouse, sur quelque glace flottante. Entraîné par les courants, il s'avance en pleine mer sur ce trône du Dieu des tempêtes. La montagne balance sur les flots ses sommets lumineux et ses arbres de neige ; les loups marins

se livrent à l'amour dans ses vallées, et les baleines accompagnent ses pas sur l'Océan. Le hardi Sauvage, dans les abris de son écueil mobile, presse sur son cœur la femme que Dieu lui a donnée, et trouve avec elle des joies inconnues, dans ce mélange de voluptés et de périls.

Ce Barbare a d'ailleurs de fort bonnes raisons pour préférer son pays et son état aux nôtres. Toute dégradée que nous paraisse sa nature, on reconnaît, soit en lui, soit dans les arts qu'il pratique, quelque chose qui décèle encore la dignité de l'homme. L'Européen se perd tous les jours sur un vaisseau, chef-d'œuvre de l'industrie humaine, au même bord où l'Esquimau, flottant dans une peau de veau marin, se rit de tous les dangers. Tantôt il entend gronder l'Océan qui le couvre, à cent pieds au-dessus de sa tête ; tantôt il assiège les cieux sur la cime des vagues : il se joue dans son outre au milieu des flots, comme un enfant se balance sur des branches unies, dans les paisibles profondeurs d'une forêt. En plaçant cet homme dans la région des orages, Dieu lui a mis une marque de royauté : "Va, lui a-t-il crié du milieu du tourbillon, je te jette nu sur la terre ; mais afin que, tout misérable que tu es, on ne puisse méconnaître tes destinées, tu dompteras les monstres de la mer avec un roseau, et tu mettras les tempêtes sous tes pieds." » C'est à Charlevoix que Chateaubriand a emprunté les éléments de sa description des Esquimaux. Il a néanmoins retouché son tableau en 1825 grâce au *Journal of a Second Voyage for the Discovery of a North-West Passage* (...), publié par le capitaine Parry, à Londres, en 1824.

230. Chateaubriand a toujours rêvé du monde polaire. Le tableau qui suit comporte néanmoins quelques réminiscences : de Thomson *(Winter)*, de Bernardin de Saint-Pierre *(XIe Étude)*, des récits de voyage. On peut en suivre les variations depuis 1802 (article sur Mackenzie dans *Le Mercure* du 14 août, pour le premier paragraphe) ou 1805 *(Les Martyrs de Dioclétien,* chant VI) jusqu'au livre VI des *Mémoires,* qui reprend le deuxième paragraphe à la fin du chapitre 5.

231. Sans doute est-ce à dessein que Chateaubriand amène son « homme de la nature » (Chactas) à reconnaître une sorte de limite infra-humaine de ladite nature.

232. Selon la chronologie approximative de son histoire (voir p. 561), c'est au début des années 1680 (un peu avant la trentaine) que Chactas, ayant quitté la France, séjourne au Labrador. Or les événements évoqués ici comme déjà lointains (la capitulation de Fort Nelson, sur la rivière Sainte-Thérèse) sont de 1697 ! C'est

un exemple de cette chronologie « poétique » que Chateaubriand revendique dans la préface des *Natchez*.

233. Chateaubriand a développé cette idée dès 1802 dans le second de ses articles sur Mackenzie, paru dans *Le Mercure de France* du 24 fructidor an X/11 septembre :

« Le traducteur du voyage de M. Mackenzie observe que les compagnons du marchand anglais, un seul excepté, étaient tous d'origine française. Les Français s'habituent facilement à la vie sauvage, et sont fort aimés des Indiens. Lorsqu'en 1729, le Canada tomba entre les mains des Anglais, les naturels s'aperçurent bientôt du changement de leurs hôtes.

"Les Anglais, dit le père Charlevoix, dans le peu de temps qu'ils furent maîtres du pays, ne surent pas gagner l'affection des Sauvages ; les Hurons ne parurent point à Québec ; les autres, plus voisins de cette capitale, et dont plusieurs, pour des mécontentements particuliers, s'étaient ouvertement déclarés contre nous à l'approche de l'escadre anglaise, s'y montrèrent même assez rarement. Tous s'étaient trouvés un peu déconcertés, lorsqu'ayant voulu prendre avec ces nouveaux venus les mêmes libertés que les Français ne faisaient aucune difficulté de leur permettre, ils s'aperçurent que ces manières ne leur plaisaient pas.

Ce fut bien pis encore, au bout de quelque temps, lorsqu'ils se virent chassés à coups de bâton des maisons, où jusque-là ils étaient entrés aussi librement que dans leurs cabanes. Ils prirent donc le parti de s'éloigner, et rien ne les a, dans la suite, attachés plus fortement à nos intérêts que cette différence de manière et de caractère des deux peuples qu'ils ont vus s'établir dans leur voisinage. Les missionnaires, qui furent bientôt instruits de l'impression qu'elle avait déjà faite sur eux, surent bien en profiter pour les gagner à Jésus-Christ, et pour les affectionner à la nation française."

Les Français ne cherchent point à civiliser les Sauvages, cela coûte trop de soins ; ils aiment mieux se faire sauvages eux-mêmes. Les forêts n'ont point de chasseurs plus adroits, de guerriers plus intrépides. On les a vus supporter les tourments du bûcher avec une constance qui étonnait jusqu'aux Iroquois ; et malheureusement devenir quelquefois aussi barbares que leurs bourreaux. Serait-ce que les extrémités du cercle se rapprochent, et que le dernier degré de la civilisation, comme la perfection de l'art, touche de près la nature ? ou plutôt est-ce une sorte de talent universel ou de mobilité de mœurs qui rend le Français propre à tous les climats et à tous les genres de vie ? Quoi qu'il en soit, le Français et le Sauvage ont la même bravoure, la même indifférence pour la vie, la même imprévoyance du lendemain, la même haine du travail, la même facilité à se dégoûter des biens qu'ils possèdent, la même constance en amitié, la même légèreté en amour, le même goût pour la danse et pour la guerre, pour les fatigues de la chasse et les loisirs du festin. Ces rapports d'humeur entre le Français et le Sauvage leur donnent un grand penchant l'un pour l'autre, et font aisément de l'habitant de Paris *un coureur de bois* canadien. »

234. Voir la note 228.

235. Leur véritable nom est Nadouéssioux : « C'est, dit Charlevoix, le peuple le plus nombreux que nous connaissons au Canada. Il était assez paisible et peu aguerri » (*Journal*, p. 184). Chactas utilise la seconde partie du nom pour désigner la tribu, tandis qu'il réserve la première à son hôte.

236. Chateaubriand transforme ces nomades chasseurs de buffles (c'est-à-dire de bisons) en peuple pasteur, malgré Charlevoix : « Ils habitent ordinairement dans des prairies sous de grandes tentes faites de peaux (...). Ils vivent de folle-avoine (...) et de chasse, surtout de celle de ces bœufs, qui sont couverts de laine, et vont par milliers dans leurs prairies. » C'est pour leur faire incarner la civilisation pastorale qui, selon Rousseau, représente le meilleur équilibre possible, dans la réalité, entre le pur état de nature, à jamais perdu, et une socialisation plus poussée qui implique le partage des terres (voir page suivante).

237. Cette énumération plus ou moins fantaisiste se réclame de Charlevoix.

238. Résumé très elliptique des quarante années qui séparent le retour de Chactas dans son pays du moment où René y est arrivé.

239. *Cf.* la longue description du *Cupressus disticha* dans Bartram (t. 1, pp. 170-173) : « De ces racines sortent des cônes de bois qu'on appelle *genoux de cyprès*, qui ont de quatre à six pieds de haut... »

240. La peinture des amitiés guerrières relève de la tradition épique gréco-latine. Mais Chateaubriand cherche moins à en souligner la dimension héroïque (Achille et Patrocle) que le caractère pathétique (Nisus et Euryale, *Énéide*, chant IX). Rappelons que dans ses *Observations sur le sentiment du beau et du sublime* de 1764, Kant considère les amitiés masculines comme

un élément spécifique du sublime moral, tandis que la passion amoureuse, moins désintéressée, se rattacherait plutôt à la catégorie du beau. Il oppose ainsi le « sexe sublime » au *beau* sexe. Outougamiz incarne au livre XII des *Natchez*, à la limite du mécanique, c'est-à-dire du comique, le héros sublime.

241. La longue et douloureuse marche des deux amis évoque la propre lutte de Chateaubriand contre la mort sur les chemins des Ardennes, lors de la retraite de 1792 (voir *Mémoires*, X, 1 et 2). Elle rappelle aussi la fuite de Chactas et Atala.

242. Rousseau appelle ainsi la vertu dans la « Profession de foi du vicaire savoyard » (*Émile*, livre IV).

243. Sur « le disciple que Jésus aimait », voir *Génie*, II, III, 1 et II, v, 2.

244. Cette vision séraphique doit beaucoup à Virgile (apparition de Vénus : *Énéide*, livre I, vers 318-320 et 402-404), mais Chateaubriand ne dédaigne pas les ressources de la modernité, puisqu'il compare la remontée du Séraphin à la majestueuse ascension des montgolfières.

245. C'est en pensant à des passages de ce genre que Baudelaire pourra écrire, dans *Le Peintre de la vie moderne*, que Chateaubriand a retrouvé le dandysme institutionnalisé « dans les forêts et au bord des lacs du Nouveau-Monde ».

246. Cette gracieuse comparaison ne doit évidemment rien à la réalité : les admirables qualités du castor ne vont pas jusqu'à lui faire protéger les hermines blessées. Elle contribue à féminiser René, en inversant la perspective initiale du récit, dans laquelle le tendre Outougamiz apparaissait comme le plus jeune et le plus faible du « couple infortuné » (p. 227).

247. C'est à la fin du livre XI que Nelida, promise à Venclao, est envoyée contre son gré à René, alors prisonnier, pour être sa *Vierge des dernières amours* (voir la note 102). Mais il avait refusé son offre et respecté la jeune fille.

248. Chateaubriand signale dans son *Essai historique* (p. 389) un poème de John Smith qui comporte « un chant sur la mort de Gaul, où il y a des choses extrêmement touchantes ; particulièrement Gaul, expirant de besoin sur un rivage désert, et nourri du lait de son épouse ». Il a lui-même traduit cet épisode, recueilli plus tard dans le t. XXII de ses *Œuvres complètes* (*Mélanges et Poésies*, 1828).

LES NATCHEZ

(seconde partie)

249. C'est le début du second volume des *Natchez* dans les *Œuvres complètes* de 1826 (t. XX). Désormais la division en *chants* disparaît pour faire place à un récit continu.

250. On est très peu renseigné sur les parents de Céluta et Outougamiz. Dans ses *Mémoires* (VIII, 3), Chateaubriand mentionne une histoire de *fille peinte*, « mise en vers siminoles sous le nom de *Tabamica* ». Mais dans le *Voyage en Amérique* (pp. 844-845), auquel il renvoie, il cite une ode des Muscogulges, la « Chanson de la chair blanche », qui a pour héroïne Tibeïma.

251. A la suite des combats qui se sont déroulés au livre X, le capitaine français avait été capturé par les Natchez, ivres de vengeance. Voici comment, au début du livre suivant, il raconte son aventure : « La nuit ayant fait cesser le combat, je parvins à me traîner à ce cimetière des Indiens, qu'ils appellent les Bocages de la Mort : là je fus trouvé par le jongleur ; on me condamna au supplice des prisonniers de guerre. Outougamiz me voulut en vain sauver : sa sœur, non moins généreuse, fit ce qu'il n'avait pu faire. La loi indienne permet à une femme de délivrer un prisonnier, en l'adoptant ou pour frère ou pour mari. Céluta a rompu mes liens ; elle a déclaré que j'étais son frère : elle réserve sans doute l'autre titre à un homme plus digne que moi de le porter. »

252. Est-ce à son propre mariage que songe Chateaubriand lorsqu'il écrit ces lignes ? Le nom de *Céluta* évoque inévitablement celui de *Céleste* Buisson de la Vigne. Mais il ne faut pas oublier les possibles modèles littéraires. Le dilemme du jeune Blanc, adoré par une Indienne, mais empêché de répondre à son amour par le souvenir de la femme qu'il a laissée en Europe, se retrouve dans *Odérahi* ; à la différence que René cède, tandis qu'Ontérée prolonge au-delà du vraisemblable une situation impossible.

253. Sur les rites du mariage indien, voir le *Voyage en Amérique*, pp. 750-757.

254. Dans *Les Natchez*, René consomme son mariage, mais cette jouissance se révèle décevante, ou plus exactement se heurte à un blocage.

255. Chez Ondouré, la nature est à jamais corrompue ; le désir, aliéné pour toujours : équivalent rousseauiste de la damnation. C'est bien un personnage diabolique qu'Ondouré va jouer dans la suite du récit, qu'il contribue à marquer de la frénésie du roman noir. Il est du reste qualifié de « réprouvé » p. 463.

256. *Cf.* p. 461.

257. Voir le début des *Mémoires de ma vie*, où Chateaubriand déclare vouloir « expliquer (son) inexplicable cœur », ou le chapitre des *Mémoires d'outre-tombe* intitulé « Défaut de mon caractère » (XI, 1), dans lequel, à propos de Charlotte Ives, il parle de sa « nature réservée » qui le rend « impénétrable » même à ses amis. C'est, plus profondément, un thème pascalien : « L'homme est incompréhensible à l'homme. » *Cf.* p. 308 : « le noble et incompréhensible René ».

258. Ce personnage est imaginaire, mais porte un nom illustre dans la magistrature du XVIIᵉ siècle.

259. Carver, qui parle en détail de ce « riz sauvage », précise aussi qu'on ne le rencontre guère au sud de la région des Grands Lacs. Selon Charlevoix (cité p. 295, note 2) il constitue un aliment de base des Sioux.

260. Cette mythologie de fantaisie insiste sur la mélancolie voluptueuse de ce clair de lune, auquel Chateaubriand consacre un véritable poème en prose.

261. Ce paragraphe est le seul à contenir des éléments propre-ment descriptifs, qu'on retrouve dans la « Nuit chez les Sau-vages » (*Essai historique*, II, 57, Appendice, pp. 535-540 ; *Génie*, I, v, 12, Appendice, pp. 549-550).

262. Malgré la référence mythologique (la nymphe Cymodo-cée, dans l'*Énéide*, X, vers 225-227), malgré le souvenir des sirènes du chant XV de la *Jérusalem délivrée*, qui sont les cautions littéraires du bain de Mila, la sensualité néo-classique de toute la scène renvoie sans doute à un souvenir vécu (voir *Mémoires*, VIII, 4, variante *c*).

263. Du nom de sa sœur, que le lecteur est toujours censé ne pas connaître, et dont René ignore encore la disparition. Ainsi le « frère d'Amélie » (Chateaubriand continue à désigner ainsi le personnage de René) est-il aussi devenu son père. La situation se complique.

264. Cette brusque intervention du narrateur ne renvoie plus à ses personnages, mais à sa propre situation sous la Révolution.

265. La scène qui suit rappelle celle du cimetière, dans *Hamlet* (acte V, scène 1).

266. René exprime le même scepticisme, bien peu chrétien, que Chateaubriand dans certains passages de son *Essai historique*.

267. « Life in Death » : ainsi se nomme un des personnages de la ballade fantastique de Coleridge, *The Rime of the Ancient Mariner*. Le recueil des *Lyrical Ballads* avait paru en 1798.

268. Voici le seul passage du roman où René *affirme* quelque chose. Ses énergiques déclarations en faveur de la liberté des Indiens font contraste avec la passivité suicidaire qu'il manifeste ailleurs, comme elles tranchent sur la volonté globale du narrateur de ne pas choisir entre les deux camps. Sans doute appartiennent-elles à la plus ancienne rédaction.

269. Une profonde « insoumission » constitue le fond du caractère de René.

270. C'est le vieil adage du droit naturel : *ubi bene, ibi patria*. A travers ce débat, Chateaubriand proclame le droit des émigrés à fuir, ou même à combattre une patrie injuste. *Cf.* p. 360.

271. La référence est inexacte. Chateaubriand cite en réalité la traduction par Lemaistre de Sacy du texte latin de la Vulgate (XXV, 17 : « *Omnis plaga tristitia cordis est* »), lequel adapte très librement le verset 13 des textes hébreu et grec qui signifient en substance : « Toutes les blessures, mais pas une blessure de cœur ! »

272. Cette fois, la référence est exacte. Elle correspond au *Taedet animam meam vitae meae*, qui figure parmi les passages de Job que Lucile et François-René traduisaient à Combourg (*Mémoires*, III, 6).

273. Ce paysage urbain ne correspond guère à la modeste bourgade qu'était La Nouvelle-Orléans vers 1730 : il est plus symbolique que réel.

274. Un peu plus loin, René contemplera de la même façon la fenêtre du couvent où se trouve Amélie (voir pp. 339 et 341).

275. Sans doute est-ce en pensant à ce décor misérabiliste, et à la scène qui suit, que Chateaubriand déclare dans la préface (p. 67) : « Les personnages se multiplient : quelques-uns d'entre eux sont pris jusque dans les rangs inférieurs de la société. »

276. Dans ce personnage de « *young lady* » compatissante, dans ces scènes où le pauvre se mêle au riche de façon attendrissante, on peut reconnaître une influence des romans de Fanny Burney

(*Cecilia*, etc.), si à la mode en Angleterre à la fin du XVIIIe siècle. Inutile de dire que cette nuit de bal dans un palais est fort incongrue dans La Nouvelle-Orléans des années 1720 (*cf.* la note 273).

277. Cette dernière phrase préfigure curieusement ce que Chateaubriand dira plus tard de Napoléon à Sainte-Hélène.

278. On a peine, aujourd'hui, à ne pas lire ce genre de propos comme un pastiche de *Candide* : Chateaubriand avait-il conscience de ces « rencontres » avec Voltaire ?

279. Nous avons là encore affaire à un tableau quelque peu hyperbolique, qui évoque plutôt un coucher de soleil sur la Tamise ou sur la Seine.

280. Cette sentence, moulée dans un alexandrin, résume une scène qu'on croirait extraite du théâtre de Diderot.

281. Par des liens de parenté. Cette appartenance sociale est minimisée dans *René*.

282. Un peu moins, puisque son aventure avec Atala date de sa vingtième année, et qu'au moment du récit de René, il ne dépasse guère soixante-quinze ans. Le rappel de cette histoire intervient juste au moment où René va être enfin amené à raconter la sienne.

283. Chateaubriand reprendra, pour son propre compte, cette idée, et cette image, dans ses *Mémoires*.

284. Dès le début des *Natchez*, René est appelé « le frère d'Amélie », ce qui renvoie le lecteur à *René*, publié vingt-quatre ans plus tôt. Mais dans le texte, c'est la première fois qu'apparaît le personnage de cette sœur mystérieuse, à laquelle paraît lié un terrible secret. Le paragraphe suivant résume le début de *René* qui correspond, au milieu de la seconde partie des *Natchez*, au récit de Chactas (*Atala*) situé au milieu de la première.

RENÉ

285. Sur le personnage de René, voir le Commentaire, pp. 576-580.

286. Le récit de 1802 censure doublement la sexualité de René : son mariage est présenté à la fois comme une contrainte sociale, et comme un mariage blanc. *Les Natchez* au contraire nous apprennent que René a épousé Céluta par reconnaissance envers Outougamiz, et qu'elle lui a donné une fille, du reste déjà mentionnée dans *Atala*.

287. Dans *Les Natchez*, c'est Céluta que René avait commencé par emmener « au fond des forêts », pour tenter de réaliser en sa compagnie ses « anciennes chimères » (p. 243). Depuis qu'elle est devenue mère, il y retourne seul, rebelle à toute insertion sociale.

288. Le père Souël a réellement existé. Ce jésuite, né en 1695, arriva en Louisiane au début de 1726 ; il fut massacré par les Yazous révoltés, en 1729 (Charlevoix). Chateaubriand transforme en vieillard ce jeune prêtre de trente-quatre ans, parce qu'il est destiné à prendre en charge la morale finale. Le récit de René a donc pour destinataire une double instance paternelle : la première (Chactas) librement choisie, par adoption, incarne une écoute indulgente, presque complice ; la seconde (le père Souël) représente au contraire un sur-moi sans faiblesse.

289. Voir pp. 93 et 101.

290. René est un contemporain du chevalier des Grieux. De bonne famille comme lui (« bien né »), il est déplacé au milieu de la population de déclassés qui émigre alors en Amérique. Sa présence est donc suspecte : aurait-il quelque chose à cacher ? Il lui faut donc se justifier : c'est la raison du récit qui commence.

291. Voir *Atala*, p. 102.

292. Cette « bordure » du tableau est toute imaginaire, puisque les Appalaches ne commencent qu'à des centaines de kilomètres du Mississipi. Mais Chateaubriand a besoin de cette vaste perspective pour servir de cadre à un récit qui est mis en scène sur le modèle de la profession de foi du vicaire savoyard dans *Émile*. Il souligne ici le caractère idyllique du paysage, malgré quelques

indications précises qui renvoient à la situation tendue des *Natchez* (esclavage, spoliation des terres, violence militaire).

293. *Cf.* le début des *Confessions* de Rousseau : « Je coûtai la vie à ma mère, et ma naissance fut le premier de mes malheurs. »

294. C'est à sa mère que Chateaubriand attribue, dans ses *Mémoires*, une « préférence aveugle » pour son frère aîné Jean-Baptiste.

295. *Cf. Mémoires*, I, 3 : « En sortant du sein de ma mère je subis mon premier exil : on me relégua à Plancouët. » Mais Chateaubriand pense aussi à ses années de collège.

296. Dans la première édition (1802) le paragraphe se présente ainsi :

« Ma mémoire était heureuse, je fis de rapides progrès ; mais je portais le désordre parmi mes compagnons. *Mon humeur était impétueuse, mon caractère inégal ; tour à tour bruyant et joyeux, silencieux et triste ;* tantôt rassemblant *autour de moi mes jeunes* amis, *puis les abandonnant tout à coup pour* aller me livrer à des jeux solitaires. »

À cette version plus explicite, mais aussi plus autobiographique (voir *Mémoires*, livres II et III), Chateaubriand a substitué une rédaction plus « littéraire » : *cf.* le livre I des *Confessions*, et surtout un fragment de Beattie qu'il avait traduit dans un article du *Mercure de France* (« Beattie », 21 messidor an X/10 juillet 1802) :

« Edwin n'était pas un enfant vulgaire. Son œil semblait souvent chargé d'une grave pensée ; il dédaignait les hochets de son âge, hors un petit chalumeau grossièrement façonné ; il était sensible quoique sauvage, et gardait le silence quand il était content : il se montrait tour à tour plein de joie ou de tristesse, sans qu'on en devinât la cause. Les voisins tressaillaient et soupiraient à sa vue, et cependant le bénissaient. Aux uns il semblait d'une intelligence merveilleuse ; aux autres il paraissait insensé.

Mais pourquoi dirais-je les jeux de son enfance ? Il ne se mêlait point à la foule bruyante de ses jeunes compagnons ; il aimait à s'enfoncer dans la forêt ou à s'égarer sur le sommet solitaire de la montagne. Souvent les détours d'un ruisseau sauvage conduisaient ses pas à des bocages ignorés. Tantôt il descend au fond des précipices, du sommet desquels se penchent de vieux pins ; tantôt il gravit des cimes escarpées, où le torrent brille de rochers en rochers ; où les eaux, les forêts, les vents forment un concert immense, que l'écho grossit et porte jusqu'aux cieux.

Quand l'aube commence à blanchir les airs, Edwin, assis au

sommet de la colline, contemple au loin les nuages de pourpre, l'océan d'azur, les montagnes grisâtres, le lac qui brille faiblement parmi les bruyères vaporeuses et la longue vallée étendue vers l'occident, où le jour lutte encore avec les ombres.

Quelquefois, pendant les brouillards de l'automne, vous le verriez escalader le sommet des monts. O plaisir effrayant ! debout sur la pointe d'un roc, comme un matelot sauvé du naufrage sur une côte déserte, il aime à voir les vapeurs se rouler en vagues énormes, s'allonger sur les horizons ; là se creuser un golfe, ici s'arrondir autour des montagnes. Du fond du gouffre, au-dessous de lui, la voix de la bergère et le bêlement du troupeau remontent jusqu'à son oreille, à travers la brume épaissie », etc.

297. Première apparition, chez Chateaubriand, du *site* de Combourg. On le retrouve, sous le voile de la fiction, au livre IX des *Martyrs*, avant que les *Mémoires* ne viennent le célébrer sous son véritable nom.

298. La sœur préférée de Chateaubriand, Lucile, née le 7 août 1764, avait quatre ans de plus que lui.

299. *Cf.* Delille, *Les Jardins* (1782), chant III :
      « J'aime à mêler mon deuil au deuil de la nature.
      De ces bois desséchés, de ces rameaux flétris,
      Seul, errant, je me plais à fouler les débris. »

300. *Cf.* le texte de Beattie cité à la note 296.

301. Dans une lettre à Fontanes du 19 août 1799 (*Correspondance générale*, t. 1, 1977, p. 94), Chateaubriand évoque, parmi les fragments des *Natchez* qu'il a décidé de transposer dans le *Génie*, un « morceau sur les cloches » (*cf. Génie*, IV, I, 1). Les cloches villageoises sont un sujet de prédilection pour la poésie anglaise du XVIIIe siècle : *cf.* Beattie : « Quand la cloche du soir, balancée dans les airs, chargeait de ses gémissements la brise solitaire, le jeune Edwin, marchant avec lenteur, et prêtant une oreille attentive, se plongeait dans le fond des vallées » ; ou Gray, que Chateaubriand avait aussi traduit *(Les Tombeaux champêtres)* :
      « Dans les airs frémissants j'entends le long murmure
      De la cloche du soir qui tinte avec lenteur. »
En France, une loi du 22 germinal an IV/11 avril 1796 avait interdit leur usage. Le Lyonnais Camille Jordan avait prononcé au Conseil des Cinq-Cents, dans la séance du 29 prairial an V/17 juin 1797 un *Rapport sur la police des cultes*, où il préconisait leur rétablissement : « On a proscrit les cloches ; elles sonnent

encore : la loi (...) est généralement violée dans les campagnes. (...) Ces cloches sont non seulement utiles au peuple, elles lui sont chères ; elles composent une des jouissances les plus sensibles que lui présente son culte ; lui refuserions-nous cet innocent plaisir ? »

302. Chateaubriand a corrigé ici, de manière significative, le texte de 1802 : « Tout se trouve dans les réminiscences enchantées que donne le bruit de la cloche natale : philosophie, pitié, tendresse, et le berceau... »

303. En réalité, le comte de Chateaubriand mourut le 6 septembre 1786, alors que son fils venait de quitter Combourg.

304. *Cf.* « Fragment » du *Génie*, pp. 1298-1299, et la méditation sur la mort, dans les *Mémoires*, XXII, 25. On retrouve cette vision spiritualiste du cadavre chez Lamartine *(Le Crucifix)* et Victor Hugo interrogera de la même façon, dans *Cadaver* (*Contemplations*, VI, 13), « cette sérénité formidable des morts ».

305. Cette indécision correspond à celle de Chateaubriand qui, vers sa dix-septième année, songea lui aussi au sacerdoce.

306. A propos de voisins de ses parents, à Combourg, Chateaubriand déclare dans ses *Mémoires* (II, 2) : « Plus sages et plus heureux que moi, (...) ils ne sont point sortis du port dans lequel je ne rentrerai plus. »

307. Sur cette fonction des monastères, voir *Génie*, II, III, 9, cité dans la préface de *René*, en 1805. Un passage de *Jacques le fataliste* évoque le problème un peu dans les mêmes termes, mais la conclusion de Diderot est fort différente :
« Il vient un moment où presque toutes les jeunes filles et les jeunes garçons tombent dans la mélancolie ; ils sont tourmentés d'une inquiétude vague qui se promène sur tout, et qui ne trouve rien qui la calme. Ils cherchent la solitude ; ils pleurent ; le silence des cloîtres les touche ; l'image de la paix qui semble régner dans les maisons religieuses les séduit. Ils prennent pour la voix de Dieu qui les appelle à lui les premiers efforts d'un tempérament qui se développe : et c'est précisément lorsque la nature les sollicite, qu'ils embrassent un genre de vie contraire au vœu de la nature. »

308. *Cf. Génie*, III, v, 2. Dans son *Voyage au Mont-Blanc* (1805), après avoir mis en garde contre le matérialisme implicite de Rousseau, qui consiste à faire « de l'âme une espèce de plante soumise aux variations de l'air », Chateaubriand reconnaît néanmoins que « l'instinct des hommes a toujours été d'adorer

l'Éternel sur les lieux élevés : plus près du ciel, il semble que la prière ait moins d'espace à franchir pour arriver au trône de Dieu ».

309. Texte de 1802 : « de quelle philosophie mélancolique... »

310. Le désir de voyager pour « sortir de soi » est alors assez banal. Il caractérise par exemple, dans *Abufar*, le personnage de Farhan (voir la fin de la note 32). Dans *Le Mercure de France* du 5 juillet 1801, Chateaubriand écrivait déjà : « Si un instinct sublime n'attachait l'homme à sa patrie, sa condition la plus naturelle sur la terre serait celle de voyageur. Une certaine inquiétude le pousse sans cesse hors de lui ; il veut tout voir, et puis il se plaint quand il a tout vu. »

311. Au chapitre III des *Ruines* de Volney (1791), on voit apparaître « le Génie des tombeaux et des ruines », mais loin de rester « pensif », il exhorte les hommes à prendre leur destin en main. En revanche, le livre de Volney a pour épigraphe : « J'irai vivre dans la solitude parmi les ruines ; j'interrogerai les monuments anciens sur la sagesse des temps passés », tandis que son frontispice représente un voyageur qui médite sur les ruines de Palmyre. C'est bien le programme de René.

312. Voir M. Duchemin, « Chateaubriand à White-Hall. Note critique sur un passage de *René* », in *Chateaubriand. Essais de critique et d'histoire littéraire*, Vrin, 1938, pp. 59-76. Cette statue a obsédé Chateaubriand (voir *Essai historique*, II, 16 ; *Le Mercure de France* du 5 juillet 1801) mais il a presque toujours cru qu'elle représentait Charles II. Seul le texte de 1805 (que nous suivons) a rectifié cette fausse attribution.

313. René ne désigne pas ainsi des pèlerinages littéraires, mais des visites réelles à des hommes vivants, sur le modèle du *Jeune Anacharsis*.

314. *Cf. Le Ménestrel* de Beattie, traduit par Chateaubriand (*Le Mercure de France*, 10 juillet 1802) : « Salut, savants maîtres de la lyre, poètes, enfants de la nature... » Cette association du poète divin et du génie-enfant aura, dans le romantisme, une longue postérité.

315. C'est-à-dire en Écosse, principal théâtre des poésies que Macpherson avait attribuées à Ossian. Dans la préface de *Mélanges et Poésies* (t. XXII des *Œuvres complètes*, 1828), Chateaubriand écrit : « Lorsqu'en 1793 la révolution me jeta en Angleterre, j'étais grand partisan du Barde écossais. » *Cf.* « Lettre au Citoyen Fontanes » (*Le Mercure de France* du 22 décembre 1800) et

Génie, III, v, 5. On retrouve dans la suite du paragraphe les éléments de son décor habituel.

316. Le roi David, représenté à maintes reprises, dans la Bible, en train de jouer de la harpe, est le symbole de la poésie lyrique.

317. Évocation aussi banale qu'abstraite. Chateaubriand avouera dans ses *Mémoires* (XIII, 11) : « Sous le rapport des arts, je sais ce qui manque au *Génie du Christianisme* ; cette partie de ma composition est défectueuse parce qu'en 1800, je ne connaissais pas les arts : je n'avais vu ni l'Italie, ni la Grèce, ni l'Égypte. »

318. C'est le type même du voyage *sans* apprentissage.

319. Cette formule a subi une évolution significative au cours des premières éditions du texte : « et vous surtout, sage Chactas » (originale de 1802) se transforme en : « et vous surtout, sage habitant du désert » (*Génie*, 1802-1804). En 1805, Chateaubriand remplace ce singulier par un pluriel, c'est-à-dire qu'il cesse de privilégier Chactas et de le dissocier du père Souël. Il renforce ainsi leur solidarité « paternelle », qu'on retrouve un peu plus loin dans : « Ô vieillards » (1802-1804 : « vertueux vieillards »).

320. C'est le Vésuve que Chateaubriand gravira, le 5 janvier 1804. Il commente ainsi cette ascension dans ses *Mémoires* (XV, 7) : « Je montai au Vésuve et descendis dans son cratère. Je me pillais : je jouais une scène de *René*. » Dans le texte de 1802, il utilise des récits de voyage, en particulier celui de Brydone, qui évoque Empédocle (voir H. Tuzet, *Voyages français en Sicile au temps du Romantisme*, Boivin, 1945, pp. 223-241).

321. Double allusion au célèbre fragment des *Pensées* de Pascal intitulé « Disproportion de l'homme » (Brunschvicg 72, Lafuma 390) et à ses hallucinations morbides. Sur cet « effrayant génie », voir *Génie*, III, II, 6, pp. 824-830.

322. *Cf. Essai historique*, I, 46, à propos des Scythes (voir Appendice, p. 522). En reprenant, sous une forme plus concise, ce passage dans *René*, Chateaubriand oublie complètement le contexte des *Natchez*, aussi peu irénique que possible.

323. Cette image se retrouve dans un « Fragment » du *Génie* (voir p. 552). Chactas a raconté sa visite à Versailles au livre VI des *Natchez*.

324. La lettre de René à Céluta (voir *Les Natchez*, p. 411) nous apprend que René a trente et un ans révolus à la veille de sa mort, que Chateaubriand situe en 1727 (*Atala*, préface). Il est donc né vers 1696. Le « grand siècle » désigne le règne de

Louis XIV, terminé en 1715 : René rentre en France au début de la Régence.

325. La réaction qui a suivi la mort de Louis XIV, représente pour Chateaubriand un « esprit de décadence » qu'il a maintes fois stigmatisé dans le XVIIIᵉ siècle. Mais ce « changement » correspond aussi, dans une certaine mesure, à celui qu'il a pu constater en France, dans les premiers mois de 1792, au retour de son voyage en Amérique. Quelle que soit la signification précise de cette périodisation, elle marque une évolution du genre romanesque : le sort du héros se trouve désormais lié à une « révolution » historique, les contradictions du « cœur humain » ne sont plus séparables de la crise de la société.

326. Que faisait Amélie à Paris, ville que nous rencontrons pour la première fois dans le récit ? Nous ne le saurons jamais...

327. *Cf.* les propos tenus par le père Aubry, dans *Atala*, pp. 149-150.

328. C'est-à-dire dégagé de toute obligation sociale.

329. Le texte original de 1802 est plus développé : « ... vastes déserts d'hommes, bien plus tristes que ceux des bois, car leur solitude est toute pour le cœur ». Cette image frappante ne manque pas de références littéraires. La Marianne de Marivaux pouvait déjà dire : « Plus je voyais de monde et de mouvement dans cette prodigieuse ville de Paris, plus j'y trouvais de silence et de solitude pour moi : une forêt m'aurait paru moins déserte, je m'y serais sentie moins seule, moins égarée », etc. Mais c'est dans une lettre célèbre de *La Nouvelle Héloïse* (II, 14) que Rousseau a vraiment prélude à ce thème de la solitude au milieu des villes : « J'entre avec une secrète horreur dans ce vaste désert du monde », etc. *Cf.* le chapitre des *Mémoires* (IV, 8) intitulé : « Ma vie solitaire à Paris ».

330. *Cf.* la prière de René, au bord du Mississipi, dans *Les Natchez* (ci-dessus, pp. 277-278). Le « vieil homme » est une expression de saint Paul (Éphésiens, IV, 22 ; Colossiens, III, 9), qui désigne la créature, soumise au péché, avant que la grâce de Dieu ne vienne illuminer son âme, pour la « convertir ». La phrase suivante utilise aussi des images bibliques (Psaumes, XXXV, 9-10).

331. Ce terme renvoie conjointement, dans *René*, à une anthropologie de type rousseauiste (corruption = aliénation) et à une théologie de la Chute (corruption = péché originel). René est un être déchu à qui la Grâce « manque » pour se régénérer.

332. On trouve la même image dans un « Fragment » du *Génie* (voir Appendice, p. 551).

333. *Cf. Essai historique*, II, 13 (Appendice, p. 524), avec une conclusion inverse. Musset reprendra ce mouvement dans la *Confession d'un enfant du siècle* : « Alors je rentrais dans la ville ; je me perdais dans les rues obscures ; je regardais les lumières de toutes ces croisées », etc.

334. C'est le nom que Chateaubriand aime donner à sa propriété de la Vallée-aux-Loups. La formule désigne simplement une installation à la campagne, dans une maison toutefois assez grande pour que René puisse offrir à sa sœur un « appartement » séparé (voir pp. 330-331).

335. Voir le Commentaire, p. 583.

336. C'est à peu près la formule de Rousseau, dans la « Première Promenade » des *Rêveries* : « Me voici donc seul sur la terre, n'ayant plus de frère, de prochain, d'ami, de société, que moi-même. »

Le texte original (1802-1804) donne ensuite : « n'ayant point encore aimé, *mais cherchant à aimer*, j'étais... ». C'était rendre plus explicite la référence à saint Augustin : « *Nondum amabam, sed amare amabam, et amans amare* quod amarem quaerebam. »

337. On retrouve des formules voisines dans un « Fragment » du *Génie* (p. 1350) où Chateaubriand analyse curieusement la passion comme un phénomène de classe :

« Nous examinons donc à présent cette sorte d'amour qui n'est ni aussi saint que la piété conjugale, ni aussi gracieux que le sentiment des bergers, mais qui, plus poignant que l'un et l'autre, dévaste les âmes où il règne. Ne s'appuyant point sur la religion du mariage ou sur l'innocence des mœurs champêtres, et ne mêlant aucun autre prestige au sien, il est à soi-même sa propre illusion, sa propre folie, sa propre substance ; ignorée de l'artisan trop occupé et du laboureur trop simple, cette passion n'existe que dans ces rangs de la société où l'oisiveté nous laisse surchargés de tout le poids de notre cœur, avec son immense amour-propre et ses éternelles inquiétudes. C'est alors que, presque seul au milieu du monde avec une surabondance de vie, on sent en soi une force dévorante qui consomme l'univers sans être rassasiée. On cherche quelque chose d'inconnu, l'idéal objet d'une flamme future ; on l'embrasse dans les vents, on le saisit dans les gémissements du fleuve : tout est fantôme imaginaire, et les globes dans l'espace, et le principe même de vie dans la nature. »

Cette description, qui sera reprise dans la version définitive (II, III, 2) sous le titre « Amour passionné. Didon », concerne le dérèglement du désir adulte (René a environ vingt-cinq ans). Elle retrouvera, au livre III des *Mémoires*, son véritable objet : la crise qu'a traversée le jeune Chateaubriand à Combourg, et qu'il a placée sous le signe emblématique de la Sylphide.

338. Le texte original, maintenu jusqu'en 1804, comporte une allusion plus précise : « ... charmes. J'aimais les rêveries dans lesquelles il me plongeait, même en usant les ressorts de ma vie. Un jour... » *Cf.* la note 296.

339. A la saison heureuse, et gorgée de fruits, de la poésie traditionnelle (septembre-octobre), qu'on retrouve encore dans *La Nouvelle Héloïse* (les vendanges à Clarens), Chateaubriand va substituer pour longtemps un tableau plus mélancolique, centré sur les mois de novembre ou décembre : le paysage se dépouille, la scène se vide, le cœur se morfond. *Cf. Mémoires*, III, 10.

340. Peut-être inspiré par Pascal : « On croit toucher des orgues ordinaires, en touchant l'homme. Ce sont des orgues, à la vérité, mais bizarres, changeantes, variables » (*Pensées*, Brunschvicg 111, Lafuma 103).

341. *Cf.* « Fragments » du *Génie* (Appendice, p. 542), où ces réflexions sont attribuées au pâtre qui regarde passer la file des canards sauvages : la seule migration possible, pour les hommes, c'est la mort.

342. Cette invocation à la mort exprime moins une aspiration au néant qu'un obscur espoir de palingénésie : la mort de la nature est le prélude à sa résurrection. La formulation remonte peut-être au Cantique des cantiques, IV, 16 (« Lève-toi, aquilon, accours, autan ! soufflez sur mon jardin... »), mais elle se rattache aussi à Ossian : « Levez-vous, ô vents orageux d'Erin ; mugissez, ouragans des bruyères ; puissé-je mourir au milieu de la tempête, enlevé dans un nuage par les fantômes irrités des morts » (*Fingal*, chant 1, trad. Letourneur). Dans la scène la plus dramatique de *Werther* (Goethe, *Romans*, Pléiade, pp. 128-129), le héros lit à Charlotte des passages analogues de ce même Ossian, en particulier : « ... le temps de ma flétrissure est proche ; proche est l'orage qui abattra mes feuilles. »

343. Chateaubriand raconte dans ses *Mémoires* (III, 12) comment, vers sa dix-septième année, il tenta de se tuer avec un fusil de chasse. Mais le pari fataliste de sa jeunesse (une sorte de mise en

scène de roulette russe) ne ressemble pas à la détermination suicidaire de René.

344. Propos de Canus Julius, rapportés par Sénèque (*De Tranquillitate animi*, XIV, 9) : « *Observare (...) proposui illo velocissimo momento an sensurus sit animus exire se.* » Chateaubriand a peut-être emprunté cette allusion à Montaigne qui cite cette histoire dans les *Essais* (II, 6).

345. *Cf. Mémoires*, III, 7 : « La tendresse filiale et maternelle me trompait sur une tendresse moins désintéressée. »

346. *Concert... mélodie* : ce sont des métaphores musicales qui harmonisent toutes les qualités désirables chez Amélie. Dans un fragment retranché des *Mémoires* (B.N., nouv. acq. fr. 12 454, f° 7, verso), Chateaubriand avait écrit : « Je me perdais dans ces sentiments indécis que fait naître la musique, art qui tient le milieu entre la nature matérielle et la nature intellectuelle, qui peut dépouiller l'amour de son enveloppe terrestre ou donner un corps à l'ange du ciel. Selon les dispositions de celui qui les écoute, ces mélodies sont des pensées ou des caresses. »

347. Ce sont les symptômes que le narrateur des *Mémoires* (III, 9) attribue à sa propre personne. Mais, de Didon à Phèdre, les cautions littéraires ne manquent pas.

348. C'est seulement en 1805 que Chateaubriand généralisa le présent historique dans la fin de ce paragraphe primitivement au passé simple.

349. Le débat sur la vie conventuelle a été très vif avant, pendant, et après la Révolution. On sait que la Constituante avait cru pouvoir interdire les vœux monastiques, comme contraires à la nature, aussi bien qu'à une saine vie sociale. Dans le cadre du renouveau catholique amorcé sous le Consulat, Chateaubriand cherche à les réhabiliter, non sans indiquer discrètement, à travers le personnage de René (qui est ici désigné comme un « esprit fort » potentiel), ses propres réserves : voir sa « Lettre au Citoyen Fontanes » (Appendice, p. 554 ; *Le Génie du Christianisme* (cité note 28) et sa *Défense*, citée dans la préface de 1805 (pp. 59-60) ; enfin, *René*, pp. 317-318, et note 307.

350. C'est-à-dire de choisir une profession, une responsabilité sociale. Milord Édouard donne le même conseil à Saint-Preux désespéré (*La Nouvelle Héloïse*, III, 23). Le père Souël agira de la même façon à la fin du récit.

351. Cette initiale remplace en 1805 celle du « jeune du T... » des premières éditions. Peut-être est-ce une allusion à Auguste

de Montmorin, jeune frère de Pauline de Beaumont, qui avait péri dans une tempête, en 1793, au retour de l'Ile-de-France (aujourd'hui Maurice), sur les côtes de laquelle, on le sait, Bernardin situe le naufrage de *Paul et Virginie*.

Chateaubriand évoque aussi dans ses *Mémoires* le souvenir de son cousin Stanislas-Pierre de Chateaubriand du Plessis qui « entra dans la marine et se noya à la côte d'Afrique ». On ignore la cause de sa mort, survenue en réalité à bord du *Marquis de Castries*, le 15 mars 1785, au large de Madagascar, après une révolte des esclaves que le navire transportait. Il avait dix-huit ans et son corps fut jeté à la mer, selon la coutume des marins. Il est permis de penser que Lucile et François-René, alors à Combourg, furent très affectés par cette disparition, et peut-être plus encore par le rapide oubli qui la suivit dans le cercle familial.

352. C'est-à-dire : pour un homme dont elle avait honte, à cause de sa situation sociale. Le texte des premières éditions (1802-1804) est plus explicite : « ... une passion pour un homme d'un rang inférieur, et qu'elle n'osait avouer à cause de l'orgueil de notre famille ».

353. Le texte des premières éditions (1802-1804) est plus circonstancié : « Je lui écrivis aussitôt pour lui faire les plus tendres reproches, pour la supplier de m'ouvrir son cœur, et de ne pas sacrifier le bonheur de sa vie à des parents qui lui étaient presque étrangers. »

354. Dans les premières éditions (1802-1804), Amélie va plus loin : « Elle ajoutait en finissant : "Je n'ai que trop négligé notre famille ; c'est vous que j'ai uniquement aimé : mon ami, Dieu n'approuve point ces préférences, il m'en punit aujourd'hui." Ce billet me donna un mouvement de rage, je fus révolté... ».

Ces trois variantes (notes 352, 353, 354) font système. Dans le texte original, c'est pour répondre à des soupçons ou à des reproches injustifiés de son frère qu'Amélie est contrainte à un aveu explicite. En vain : René ne comprend pas (et ne peut pas comprendre) ; c'est un aveu pour rien (sinon pour le lecteur). Dans la version définitive, Chateaubriand supprime ces passages sans fonction narrative véritable ; il préfère entretenir le suspens.

355. Chateaubriand transpose dans ce passage le souvenir de sa dernière visite à Combourg, au mois de mars 1791 (voir *Mémoires*, III, 14).

356. C'est le nom ancien de la giroflée.

357. C'est-à-dire que les *tentures* (rideaux, tapisseries) avaient été déposées et enlevées.

358. Des *Lettres portugaises* à *La Duchesse de Langeais*, la vie conventuelle des femmes, en particulier le moment décisif de la prise de voile, ont été maintes fois abordés par le roman, au point de constituer un véritable thème littéraire : ainsi celle de Nadine, au t. 6 des *Mémoires et aventures d'un homme de qualité*, de Prévost. On pense aussi à *La Vie de Marianne* ou à *La Religieuse*, pour ne citer que les écrivains du premier rang. Quelques mois après *René*, en décembre 1802, Mme de Staël devait publier *Delphine*, où figure une évocation du même genre (V, lettre XXIX). La description de Chateaubriand est précise comme un rituel et comme un chapitre détaché du *Génie du Christianisme*. Rappelons que le 5 mai 1780 (à onze ans et demi) il avait assisté, avec toute la famille, à la prise de voile de sa cousine Marie-Anne-Renée de Chateaubriand du Plessis (la sœur du garçon évoqué à la note 351). La cérémonie avait eu lieu au couvent des ursulines de Saint-Malo, ou de la Victoire (voir *Mémoires*, I, 4), situé en bordure des remparts, du côté de la pleine mer.

359. La consécration religieuse, présentée comme une offrande sacrificielle.

360. Ecclésiastique, L, 9 : « *Apparuit (...) quasi ignis effulgens et thus ardens in igne.* »

361. La colombe mystique désigne le Saint-Esprit, tel qu'il se manifesta, par exemple, au baptême de Jésus.

362. C'est-à-dire qu'il continue de célébrer la messe.

363. C'est-à-dire : renoncer à toutes les prérogatives de la vie « naturelle ».

364. Disposition, mise en scène.

365. Cette définition du Purgatoire (voir *Génie*, I, VI, 6 et II, IV, 15) se termine par une allusion *a contrario*, donc un peu alambiquée, au célèbre vers de Dante (*Enfer*, III, 9) : « *Lasciate ogni speranza, voi ch'entrate* » (« Abandonnez toute espérance, vous qui entrez »). Le Purgatoire est un lieu de souffrance, mais c'est un séjour provisoire.

366. Le texte original (1802) est beaucoup plus long :
« Un malheur personnel, quel qu'il soit, se supporte ; mais un malheur dont on est la cause involontaire, et qui frappe une victime innocente, est la plus grande des calamités. *Éclairé sur les maux de ma sœur, je me figurais* tout *ce qu'elle avait dû*

souffrir auprès de moi, victime d'autant plus malheureuse, que la pureté de ma tendresse devait lui être à la fois odieuse et chère, et qu'appelée dans mes bras par un sentiment, elle en était repoussée par un autre.

« Que de combats dans son sein ! que d'efforts n'avait-elle point faits ! Tantôt voulant s'éloigner de moi, et n'en ayant pas la force ; craignant pour ma vie, et tremblant pour elle et pour moi. Je me reprochais mes plus innocentes caresses, je me faisais horreur. En relisant la lettre de l'infortunée, (qui n'avait plus de mystères !) je m'aperçus que ses lèvres humides y avaient laissé d'autres traces que celles de ses pleurs. *Alors s'expliquèrent pour moi plusieurs choses que je n'avais pu comprendre : ce mélange de joie et de tristesse qu'Amélie* fit *paraître lors de mon départ pour mes voyages, le soin qu'elle prit de m'éviter à mon retour, et cependant cette faiblesse qui l'empêcha si longtemps d'entrer dans un monastère ; sans doute la fille malheureuse s'était flattée de guérir !* Ses projets de retraite, et la disposition de ses biens *en ma faveur, avaient apparemment produit cette correspondance secrète qui servit à me tromper.* »

367. « Le couvent au bord de la mer » est un des passages du futur *Génie du Christianisme* que Chateaubriand mentionne dans ses lettres de 1799 (voir *Correspondance*, t. 1, 1977, pp. 94 et 96).

368. *Cf.* la « Lettre au Citoyen Fontanes », p. 555.

369. Le texte original (1802-1804) intercale une autre phrase : « On respire ici quelque chose de divin, un air tranquille que ne trouble point le souffle des passions. » La vie religieuse représente, au XVIIIe siècle, un avatar majeur de ce thème lucrétien du *Suave mari magno*, qui exprime un idéal de « bonheur négatif », alors maintes fois discuté (voir Michel Delon, « Naufrages vus de loin... », in *Rivista di Letteratura moderne e comparate*, XLI, 1988, fasc. 2, pp. 91-119).

370. Avec Héloïse, *Le Génie du Christianisme* (II, III, 5) donne un exemple littéraire de cette sublimation passionnée : « Il faut qu'elle choisisse entre Dieu et un amant fidèle, dont elle a causé les malheurs ! » etc.

371. A cette double *dérive* de la complaisance envers soi-même, le père Souël va opposer la fermeté de sa certitude : il joue son rôle de directeur de conscience, après avoir, pour ainsi dire, entendu René en confession. Son discours, que Sainte-Beuve considère comme une « moralité plaquée », exprime en réalité une authentique morale chrétienne de la vie dans le siècle, qui finit par rejoindre la morale sociale des Lumières :

dans son appréciation sévère du cas René, on retrouve curieusement un écho des reproches que les Encyclopédistes pouvaient adresser à Rousseau.

En proposant, par la bouche du prêtre, ce ralliement à un ordre social acceptable (par exemple celui qu'offre, en 1802, le Premier Consul de la République à ses concitoyens) sans doute est-ce le sur-moi de Chateaubriand qui parle. Mais la suite des *Natchez* ne verra pas le fils prodige « revenir à la maison » : les propos du père Souël resteront sans effet, dévalorisés qu'ils auront été au préalable, par la référence nostalgique faite par Chactas au père Aubry, si efficace « enseveliseur » des passions humaines.

372. *Cf.* Ecclésiaste, IV, 10 : *Vae soli*, malheur au solitaire !

373. Chateaubriand avait utilisé une comparaison voisine dans son *Essai historique* (II, 22) : « Une vie heureuse n'est ni un torrent rapide, ni une eau léthargique, mais un ruisseau qui passe lentement et en silence, répétant dans son onde limpide les fleurs et la verdure de ses rivages. » A son tour, Chactas paraît souhaiter la fin des révolutions et le retour à une vie civile normale.

374. Orage prémonitoire des catastrophes qui vont marquer la suite des *Natchez*, dont la seconde moitié du paragraphe donne un bref résumé.

375. *Cf.* les *Mémoires de ma vie* : « Il y avait au nord du château une lande semée de grosses pierres. J'allais m'asseoir sur une de ces pierres au soleil couchant. » René disparaît, sans laisser plus de traces qu'Atala : ne subsiste qu'une légende.

LES NATCHEZ
(suite et fin)

376. Le discours du père Souël, à la fin de *René*, est sans effet sur la suite du récit. Est-ce un indice supplémentaire de son caractère rapporté ? C'est seulement à son retour des Illinois (p. 477) que René envisage la possibilité de trouver le bonheur dans le cadre de la famille. Mais il est déjà trop tard, et il ne tarde pas à être entraîné dans la catastrophe finale.

377. *Cf. Atala*, p. 110.

378. *L'Histoire des différents peuples du monde*, de Constant Dorville, comporte un chapitre sur les « Mariages des Sauvages du Canada » en tête duquel figure une vignette (t. V, 1781, p. 412) qui représente sous cette forme la scène en question : voir sa reproduction dans l'édition Chinard, p. 382.

379. Ce nom inconnu est peut-être une contamination entre *atoca*, nom canadien de la canneberge (voir note 386), et *aconit*, plante vénéneuse.

380. Chateaubriand a déjà dénoncé la crédulité superstitieuse envers les prêtres. En prêtant cette « faiblesse » à Outougamiz, pour les besoins de son intrigue, il se souvient peut-être de Francis Tulloch, qui fut son compagnon de traversée au printemps 1791 (voir *Mémoires*, VI, 3).

381. Adario ne représente pas un Indien plus réaliste qu'Outougamiz. Face au « sensible » jeune homme, cet « homme de fer » incarne une sorte de Brutus sauvage, qu'une *vertu* inhumaine, parce que toute politique, a fini par dénaturer.

382. Mila va reprendre les arguments utilisés au cours du procès de René (voir p. 284, note 270). On aura remarqué qu'après avoir été une gentille étourdie, Mila est devenue, depuis son mariage, une véritable incarnation du principe de réalité : lucidité, courage, détermination, efficacité, elle possède toutes les qualités « masculines » ou « héroïques » qui désormais feront défaut à Outougamiz.

383. Nation du Missouri, selon Charlevoix.

384. Oiseau inconnu que Chateaubriand a peut-être confondu dans ses notes avec la linotte bleue *(blue linnet)*.

385. Genèse, XXI, 15-16. *Cf. Atala*, p. 120, note 131.

386. Ou airelle des marais, « dont la cerise rouge croît parmi les mousses, et guérit le flux hépatique » (*Voyage en Amérique*, p. 726).

387. Voir pp. 277-278.

388. Dans *Atala*, ainsi que dans les textes cités à la note 110, Chateaubriand insiste sur la lumière du clair de lune. Dans ce passage nous avons davantage un paysage sonore : les éléments de cette symphonie du soir sont fournis par Bartram. *Cf.* « Fragments » du *Génie*, p. 1361.

389. Jeune fille qui, au cours des cérémonies religieuses grecques, portait les offrandes du sacrifice dans une corbeille posée sur sa tête.

390. *Cf.* le clair de lune de la veillée funèbre dans *Atala* (p. 156).

391. Ce féminin est usuel au XVIIIe siècle (*cf.* Bernardin, ou Parny).

392. Condamné par la malédiction paternelle à être esclave de ses frères (Genèse, IX, 25), le plus jeune des fils de Noé est l'ancêtre mythique de la race noire.

393. Le modèle de Chateaubriand, pour ce lyrisme « africain », ce sont les *Chansons madécasses* de Parny (1787), en particulier la douzième, dont il avait cité un fragment dans une note de la 1re édition du *Génie du Christianisme*, comme exemple des « chansons des Nègres et des sauvages » (*Génie*, II, IV, 2, note XVII, variante *a*, p. 1934).

Dans une lettre à Fontanes du 15 août 1798 (*Correspondance*, t. 1, 1977, p. 86), Chateaubriand avait manifesté son intention de consacrer un livre des *Natchez* à Othaïti, sans doute dans le cadre des voyages de Chactas. Il ne subsiste qu'un fragment de ce projet : c'est le chapitre du *Génie* intitulé « Otaïti » (IV, II, 5). Y figure, en particulier dans les premières éditions, une évocation voluptueuse du bonheur des Polynésiens, qui rappelle ce passage des *Natchez* dans lequel Imley célèbre ses amours avec Izéphar. On peut donc supposer qu'après avoir renoncé à conduire Chactas vers les océans Indien ou Pacifique, Chateaubriand aura au contraire transporté la langueur insouciante des Tropiques chez les esclaves noirs de la Louisiane.

394. Buffon consacre plusieurs pages de son *Histoire naturelle* à ce refus des éléphants de se reproduire en captivité.

395. Plantation, dans le « vocabulaire des Iles ».

396. Des aliments, de la nourriture.

397. Contamination de deux passages de la Bible : auprès du puits de Nahor, où il a rassemblé ses chameaux, le serviteur envoyé par Abraham pour trouver une épouse à son fils Isaac, est abreuvé par Rébecca (Genèse, XXIV, 10-21) ; c'est en revanche au pays de Madian que Moïse protège les filles de Jéthro, venues au puits pour faire boire les moutons de leur père ; il en épouse une en disant : « Je suis un immigré en terre étrangère » (Exode, II, 16-22).

398. Après avoir été sauvé par Céluta (voir la note 251), le capitaine avait été raccompagné par Outougamiz, puis il avait pu regagner Fort Rosalie, soutenu par Glazirne.

399. C'est, selon Carver, le nom indien du *whipper-will* (ou *weep-poor-will*), notre engoulevent.

400. On retrouve la même image, un peu plus développée, dans le *Génie*, I, v, 7 : « Quelquefois deux beaux étrangers, aussi blancs que la neige, arrivent avec les frimas : ils descendent au milieu des bruyères, dans un lieu découvert, et dont on ne peut approcher sans être aperçu ; après quelques heures de repos, ils remontent sur les nuages. Vous courez à l'endroit d'où ils sont partis, et vous n'y trouvez que quelques plumes, seules marques de leur passage, que le vent a déjà dispersées. »

401. Un fragment retranché des *Mémoires* (B.N., nouv. acq. fr. 12 454, f° 8-11), correspondant au chap. IX du livre VII, décrivait longuement une pantomime, exécutée par une fillette indienne, que Chateaubriand aurait vue danser dans la région de Niagara. Le passage se termine ainsi : « cette maligne et gracieuse affolée m'a donné l'idée du personnage de Mila, que l'on verra dans *Les Natchez*. »

402. Dans la longue notice que le *Voyage en Amérique* consacre au lac Supérieur (pp. 699-703), Chateaubriand indique cette « roche énorme et isolée qui domine le lac », ainsi que toutes les légendes qui lui sont attachées : « Ces Sauvages ont été entraînés à faire de ce lac l'objet principal de leur culte, par l'air de mystère que la nature s'est plu à attacher à l'un de ses plus grands ouvrages. » Il observe ailleurs (p. 827) : « C'est au lac Supérieur que le Grand Esprit a fixé sa résidence ; on l'y voit se promener au clair de la lune (...). Souvent, assis sur la pointe d'un rocher, il déchaîne les tempêtes. » Ce caractère magique du lieu le prédestine à servir de cadre à la réunion des conjurés, malgré la distance énorme qui le sépare des Natchez, qu'une

ellipse désinvolte, au début du paragraphe, a pour fonction de dissimuler.

403. Cette énumération pittoresque des tribus indiennes a de multiples sources (voir éd. Chinard, pp. 414-418) ; elle correspond du reste à une tradition épique (*cf.* le dénombrement des troupes françaises au livre II). Mais sa rutilance sauvage tranche sur les modèles classiques. On la retrouve dans le tableau des armées barbares, au livre VI des *Martyrs*, comme, chez Flaubert, dans celui des mercenaires de *Salammbô*.

404. Cordelettes de couleur, nouées en bracelet, en usage chez les Péruviens.

405. Cette mnémotechnique est mentionnée par Charlevoix (*Journal*, p. 305) : « Ils se servent de petits bâtons, pour se rappeler les articles qu'ils doivent discuter, et ils s'en forment une manière de mémoire locale si sûre, qu'ils parleront quatre ou cinq heures de suite, étaleront vingt présents, dont chacun demande un discours entier, sans rien oublier. »

406. Sur cette métaphore usuelle dans les négociations, voir *Histoire générale des voyages*, t. XV, p. 65.

407. Cette formule étrange paraît avoir pour origine une information de Charlevoix selon laquelle ce peuple avait coutume de pratiquer une sorte de divination à partir de la poudre de charbon de bois.

408. Ondouré exprime des craintes que certains voyageurs (Lahontan, Le Page du Pratz) ont pu recueillir de la bouche même des Indiens.

409. C'est Le Page du Pratz (*Histoire de la Louisiane*, III, p. 241) qui nous renseigne sur ce moyen choisi par les conjurés pour coordonner leur action.

410. Voir la note 123.

411. De Montesquieu à Rousseau, la plupart des « philosophes » du XVIIIe siècle pourraient souscrire à cette déclaration. On se rappelle qu'à leur arrivée (p. 389) les Iroquois avaient été définis comme « les républicains de l'état de nature ».

412. Cette manière restrictive de présenter la conjuration est plus proche de la vérité historique que la formule de la préface d'*Atala*, où il est question de « toutes les tribus indiennes conspirant (...) pour rendre la liberté au Nouveau-Monde » (p. 42).

413. On sait que c'est la saison préférée de René (voir p. 326).

Son « caractère moral » est évoqué à peu près dans les mêmes termes par les *Mémoires* (III, 10).

414. Selon Charlevoix, c'est une plante dont « les Indiens font une sorte de thé qui est un excellent diurétique ». Ce serait donc un remède, plutôt qu'un aliment ? En réalité, Bartram ne nous laisse aucun doute sur la fonction quasi rituelle de cette boisson. A propos du *cassine*, arbuste qu'on trouve de la Floride au pays des Cherokees, il écrit (t. 2, p. 156) : « C'est une forte infusion de ses feuilles, de ses bourgeons, et de ses jeunes rameaux, qui compose la liqueur célèbre qui est en si grande vénération chez les Creeks et chez tous les peuples sauvages. » Ailleurs (t. 1, p. 404) il décrit ainsi un repas de cérémonie chez les Siminoles : « On alluma le calumet, qui fut fumé à la ronde et dans les formes accoutumées, après quoi la boisson noire termina la fête, le roi but la cassine, et conversa familièrement, tant avec ses compatriotes qu'avec nous. Lorsque cette collation fut finie, les jeunes gens commencèrent leur danse et leur musique sur la place. »

415. Comme le père Aubry dans *Atala*, le capucin est barbu : la chose était devenue rare, au XVIIIe siècle, chez les Européens, sauf précisément en Amérique, où ils provoquent la stupéfaction des Indiens imberbes.

416. Ce passage des *Natchez* est le seul à fournir une indication (rétrospective) sur la chronologie du personnage de René. Rappelons que c'est le 4 septembre 1799 que Chateaubriand est entré dans sa trente-deuxième année.

417. René va néanmoins procéder dans cette lettre à une seconde confession, assez différente de son premier récit ; c'est une occasion, pour le narrateur, de rappeler à nouveau son existence, alors qu'il a quitté la scène depuis la p. 347 et qu'il ne réapparaîtra en quelque sorte, que pour mourir.

418. *Sic*.

419. Reprise presque blasphématoire de la formule que saint Jean applique au Verbe de Dieu (le Christ) au début de son évangile : « *In mundo erat (...) et mundus eum non cognovit.* »

420. Allusion au passage de la Genèse, IV, 9-12, dans lequel Dieu demande des comptes à Caïn, qui vient de tuer son frère Abel. Rappelons-en la malédiction finale : « Tu seras un errant parcourant la terre. » En ce qui le concerne, René représente plutôt pour ses « victimes » un risque de corruption morale, c'est-à-dire de mort spirituelle.

421. Le désir frénétique ne se réalise que dans son propre anéantissement. *Cf. Atala*, p. 144, note 181.

422. Dans la préface des *Natchez* (1826), Chateaubriand assure qu'il ne voudrait, ni ne pourrait plus retrouver ces âpres accents de séduction satanique. Dans une certaine mesure, le séjour de René parmi les Natchez transpose son propre séjour à Bungay chez la famille Ives (voir *Mémoires*, X, 9 et 10), et cette lettre reflète le trouble du jeune homme après son retour précipité à Londres : « Errant de résolution en résolution, j'écrivais à Charlotte de longues lettres que je déchirais. » On sait qu'ils se revirent en 1822, puis à Paris en 1823. Dans sa dernière lettre, datée du 14 juin 1825, Charlotte Ives, devenue Lady Sutton, évoque encore, à quarante-cinq ans, avec une émotion fascinée, « *the early period when you crossed my path like a meteor, to leave me in darkness* » (*Souvenirs et correspondance* (...) *de Mme Récamier*, t. 1, p. 412). C'est exactement la situation du couple romanesque, et Céluta pourrait reprendre la formule à son compte : comme Charlotte, elle aura aimé plus qu'elle ne fut aimée.

423. *Cf. Mémoires*, VIII, 4.

424. La chasse au bison est décrite dans le *Voyage en Amérique*, pp. 800-801.

425. Cette petite scène comique, même si le stratagème est banal, tranche sur la veine habituelle de Chateaubriand.

426. C'est le troisième lieu *déserté* du récit, après la grotte du père Aubry *(Atala)* et le château paternel de *René*.

427. C'est-à-dire : avec curiosité. Pour cette image, voir note 141.

428. Ce paragraphe est un exemple de la narration simple, vive, élégante qu'on pourrait appeler le bon style néo-classique de Chateaubriand.

429. C'est le jeu de la crosse, décrit par Lafitau, qui préfigure un peu le base-ball américain. Chateaubriand ne se tire pas trop mal de cette évocation sportive, qui modernise un élément de la tradition épique.

430. Cette brusque restriction de champ, qui métamorphose le narrateur omniscient en historien lacunaire, focalise sur la *parole* de Chactas le dernier acte de sa vie sociale. De sorte qu'il meurt à la fois entouré et seul.

431. C'est la joyeuse lumière du matin qui accompagne la

naissance de Chactas à la vraie vie : mort de « philosophe » chrétien, *orientée* vers une espérance, entre Socrate et Fénelon.

432. Chactas réalise ainsi *in extremis* le vœu de son amante (voir *Atala*, p. 152). C'est donc à juste titre que la petite-fille de René pourra dire au narrateur qu'il « avait reçu le baptême » (p. 164).

433. Dans son *Histoire de la Louisiane*, (t. III, p. 253), Le Page du Pratz raconte comment la Soleille Bras-Piqué avait employé le même stratagème, pour éviter un massacre général : « Elle avait été dans le Temple, et avait tiré du fatal faisceau quelques bûchettes. »

434. Les informations qui suivent sur les rites funèbres, proviennent de Lafitau. Elles ont été reproduites par Prévost dans son *Histoire générale des voyages*, t. XV, pp. 68-69.

435. Il a été publié séparément, sous ce titre, dans les *Annales romantiques*, 1827-1828. Au contraire des hymnes de mort chantés par les prisonniers indiens au cours de leur supplice, c'est un pastiche des hymnes ossianiques.

436. *Cf.* Charlevoix, cité p. 516.

437. *Cf. Atala*, p. 111 et note 113.

438. Ou géhenne : la torture.

439. Parmi les lieux « où les Génies se plaisent particulièrement », le *Voyage en Amérique* signale p. 827 « la grande Wakon-Teebe (la caverne du Grand Esprit) ; elle renferme un lac souterrain d'une profondeur inconnue ; lorsqu'on jette une pierre dans ce lac, le Grand Lièvre fait entendre une voix redoutable. Des caractères sont gravés par les Esprits sur la pierre de la voûte. » Mais elle se trouve dans la région des Grands Lacs, non loin du Saut-Saint-Antoine. Chateaubriand tire de Carver les éléments de sa description.

440. Ce terme, emprunté à Charlevoix (Appendice, p. 502), désigne alors les figures grotesques qu'on utilise en architecture comme support ou ornement (gargouilles, etc.) Ce sont ici des fétiches ou des totems.

441. Comme un héros tragique, René recommence à espérer lorsqu'il est trop tard : son « aveuglement » le conduit à sa perte.

442. La rapidité du résumé qui suit est en contradiction avec le projet de faire de ce massacre le principal argument épique des *Natchez*. Chateaubriand se conforme plutôt à une esthétique

tragique ; il précipite, hors de la scène, la catastrophe finale ; il ne nous en a montré que la préparation.

443. C'est la conséquence du viol commis par Ondouré, p. 480.

444. La cataracte est anonyme, comme pour entraîner dans un oubli plus total les victimes de la catastrophe.

445. C'est ainsi que, dans *Indiana* (1832), George Sand conduira Indiana et Ralph à la cascade de Bernica, pour un suicide commun.

446. C'est dans *Atala* (« Épilogue », pp. 159-167) qu'il faut chercher la véritable conclusion des *Natchez*, que ce paragraphe résume assez tristement.

447. La conclusion des *Natchez* recentre le récit sur le personnage de René, et sur sa signification métaphysique (voir Introduction, p. 34).

448. Le récit se referme ainsi comme il avait commencé (*cf. Atala*, prologue) : par une invocation au fleuve emblématique, symbole de toute vie, de toute mort, de tout oubli.

Table

COMMENTAIRE

Composition réalisée par C.M.L., Montrouge.

IMPRIMÉ EN FRANCE PAR BRODARD ET TAUPIN
Usine de La Flèche (Sarthe).
LIBRAIRIE GÉNÉRALE FRANÇAISE - 43, quai de Grenelle - 75015 Paris.

ISBN : 2 - 253 - 04929 - 8   ◈ 30/6609/9